Former Territory Studies Vol. 1

旧ドイツ領全史

「国民史」において分断されてきた「境界地域」を読み解く

はじめに

「分断された歴史叙述」──なぜ今、旧ドイツ領なのか

　本書は、「旧ドイツ領」を、「1871 年に成立するドイツ帝国以来の〈ドイツ統一国家〉に属したが、そののちにその領域から切り離された諸地域」と定義する。ドイツ帝政期の行政区分で言えば、旧ドイツ領はオストプロイセン、ヴェストプロイセン、シュレージエン、ポーゼン、ヒンターポンメルンという 5 つの東部領土、およびエルザス＝ロートリンゲン、北シュレースヴィヒ、オイペン・マルメディという 3 つの西部領土、計 8 つの地域から構成される。このうち、ヴェストプロイセン、ポーゼン、エルザス＝ロートリンゲン、北シュレースヴィヒ、オイペン・マルメディの大部分は第一次世界大戦後に、残りのオストプロイセン、シュレージエン、ヒンターポンメルンの大部分は第二次世界大戦後にドイツからそれぞれ分離した地域である。

　これまでの研究や歴史本では、この旧ドイツ領の各地域の歴史は分断され、細切れの形で断片的に紹介されてきた。一例として筆者の本来の専門であるシュレージエン（[PL] シロンスク）史を見てみると、日本の高校世界史 B で最もよく使われている山川出版社の教科書においてはこの地域についての言及が主に二度ある。ひとつは1241 年にモンゴル軍が中欧連合軍を撃破したワールシュタットの戦いであり、もうひとつはハプスブルクとプロイセンがこの地域の支配権を争ったシュレージエン戦争（1740-1763 年）である。高校世界史の教科書だけでなく、ヨーロッパ史についてのより専門的な概説書などにおいても同じである。当然、この 2 つの事象に関する記述から中世から現代に至るまでのシュレージエンという地域が歩んだ歴史の全体像を想起することは難しいだろう。実はドイツやポーランドの歴史叙述においてもこれはほとんど同様の状況である。シュレージエンの地域史は、中世後期にはピアスト朝ポーランドの領土としてポーランド史の、近世に入るとハプスブルクやブランデンブルク＝プロイセンの領土としてオーストリア史やドイツ史の歴史書や研究に登場し、近代では一貫してプロイセン王国とドイツ国家の枠組みの中で語られる。そして戦後にシュレージエンは再びポーランド領となるため、今度はポーランド史の歴史記述に含まれるようになるのである。

　この「分断された歴史叙述」の克服は、本書で扱う 8 つの旧ドイツ領地域のいずれにも該当する本書のメインテーマとも言える課題である。この問題点は、主に「国民史」と「境界地域」という相互に密接に関係する 2 つの歴史認識の枠組みの狭間で育まれてきた。

「国民史 national history」とはすなわち、現在の国民国家を構成している「国民」（英語では nation）を主たる参照軸にして歴史を描こうとする営みのことだ。この歴史観のもとでは、現在の国民概念（例えばドイツ人、ポーランド人、フランス人）が普遍で自明のものとされる傾向があり、それゆえに過去の同じ地域であったり、似たような言語を用いたりしていた人々を彼らの「国民史」の中に組み入れてしまっている。しかしながら、現在の人文社会科学では、「国民」が少なくとも近世以降の歴史的過程とは無関係に、そして普遍的かつ自明に存在しているという理解（本質主義と呼ばれる）は根底から否定されている。「国民」という集団そのものが、それは近代ヨーロッパにおいて作り上げられたフィクションであることが明らかにされているのだ［最も代表的な研究としてアンダーソン 1997=2007；ゲルナー 2000；ジマー 2009 を参照］。「ドイツ人」「ポーランド人」「フランス人」も、基本的には早くとも 18 世紀後半以降の歴史的展開の中で構築されたものなのである。しかし一般の歴史理解において依然として採用されている「国民史」の中では、主役は総じて国家の首都やその主たる領域と考えられる場所に住む人々、もしくは政府の要人であり、国家辺境の「境界地域」はその歴史叙述の脇役を担うに留まっている。

　この「境界地域 borderland」とは、本書においては、単に国境地域を意味するだけではない。これは、もちろん政治的な境界（国境）を内包もしくはそれに隣接しながらも、言語や帰属意識、宗派などの面で内的な、もしくは隣接地域との分断を有する地域のことである。国民史において想定される国家は、様々な面で理想的かつ均質な領域や人間集団を念頭に置いており、その主たる記述対象は必然的に言語的・宗派的に多様で、かつ他国と近接している境界地域ではありえなかった。そして旧ドイツ領の諸地域は、この「境界地域」の定義にピタリとあてはまるのである。例えば、エルザス＝ロートリンゲン（FR アルザス・ロレーヌ）は、長らく神聖ローマ帝国とフランス王国、プロイセン＝ドイツとフランスの政治的境界に位置しており、言語的にもフランス語・アルザス語・ロレーヌ語・ドイツ語の混在地域、宗派的にもカトリック的フランスとプロテスタント的ドイツの中間地点に位置する地域であった。

　ここまで来れば、なぜ旧ドイツ領諸地域の歴史叙述が分断されてきたのか理解できるだろう。一言でまとめれば、「国民史」という歴史認識の中では、旧ドイツ領の諸地域はそれぞれの国民国家の「国民」概念に合致する歴史を部分的にしか持たないために、その叙述において分断されてきたのである。

　こうした歴史叙述のあり方を反省した取り組みが無いわけではない。1970 年代には西ドイツとポーランドの間で共通教科書を作る専門家会議が定期的に開催され、1976 年には歴史と地理についての教科書勧告を出している［近藤 1998］。また 21 世

紀に入ってからは、同様にドイツとフランスの間で共通教科書を執筆する動きが加速し、2006年にその第1巻が出版されている（日本語版は2016年刊）。しかしこれらの教科書勧告や共通教科書は、ドイツとその近隣諸国との歴史認識上の和解を主題としたものであり、関係国間で相互の歴史理解を尊重しようとする試みである。それゆえに、本書がテーマとするような地域史はやはり捨象されてしまっている。

　本書は旧ドイツ領が「いかにドイツであったか」を論証するものではない。むしろこれらの地域が「いかに多様な歴史的地層から形成されているか」を明らかにし、しかしそれでもなお「なぜドイツになったのか」、そして「なぜドイツでなくなったのか」ということを一般読者に向けて解説しようとする書物である。これまで国民史の中で分断されてきた「旧ドイツ領」の地域史を、それぞれの独自の「物語」の中に置きなおすことで、とりわけ中・東ヨーロッパ史に関する新たな歴史叙述のあり方を模索するものでもある。このような「旧ドイツ領」に関する取り組みが、いまようやく可能になりつつあると言えるだろう。

　本書は、上で説明したような国民史という問題性を考慮して、1871年に創設されたドイツ帝国から現代のドイツ連邦共和国に連なる国家群のみを「ドイツ国家」とみなす。中近世のドイツ騎士団や神聖ローマ帝国、ブランデンブルク＝プロイセンを「ドイツ国家」の範疇に入れる歴史理解も当然考えられるが、ここではそのような立場はとらないこととする。ちなみに、1990年に旧ドイツ東部領土のポーランド併合が最終的に承認されたという事実はあるものの、それは形式的な側面が強く、実質的には1946年以後にドイツが喪失した領土はない。また、同じくドイツ語圏であるルクセンブルクやリヒテンシュタイン、ハプスブルク君主国の一部地域や東欧・ロシアの諸地域（言語島と呼ばれるドイツ語地域が多数存在した）、およびドイツの海外植民地については、それだけで新たに一冊の本がかけるほどの大きなテーマであろうし、「ドイツ国家」の定義から外れるために、本書では扱わなかった（なお、ドイツの海外植民地の概要については栗原久定『ドイツ植民地研究』（パブリブ、2018年）という好著があるので、そちらを参照されたい）。そして戦間期と第二次世界大戦後に一時的にドイツ統治下から外れたザールラントに関しても言及していない。さらに言えば、ナチ・ドイツが1938年以降に領有したヨーロッパの諸地域についても、その統治・占領期間の短さと統治の実態、領有の不法性および「旧ドイツ領」と呼称することの不当性などを考慮して、本書の対象外としている。それゆえに「旧ドイツ領」とは、「1871年から1937年までの時期にドイツ国家に属していたが、いずれかの時期にドイツ国家から分離したまま現在まで至っている領土」のこととなる。

地理概念について

　本書は「旧ドイツ領」という言葉を用いている。この用語から想起されるのは、本書で扱う様々な地域が「ドイツであった」ということであり、中立性や客観性の面で問題があるという指摘は免れないだろう。それでもこの言葉を用いているのは、逆説的ではあるが「旧ドイツ領」という枠組みで歴史を語ることに意味があると筆者は考えているからだ。これらの地域には、「かつてドイツ国家の領域内に位置していた」という以外に共通点がほとんどなく、それぞれが個別の歴史を持った地域である。それらの地域を一冊の中で紹介し、中・東ヨーロッパにおける境界地域の歴史の諸相を知ってもらい、かつそれぞれの「国民史」を境界地域の側から眺めてみることで、読者はこれまでのドイツ史やフランス史、ポーランド史を扱った歴史本にはあまりなかった独自の視点を見出すことができるかもしれない。

　各章のタイトルになっている「オストプロイセン」や「エルザス＝ロートリンゲン」といった地名は、全てドイツ語の地名表記に準拠している。「旧ドイツ領」を主題とした書籍であるので仕方ない面もあるが、それでも章題の直後に現在用いられている地名を併記することで地域名称に関する政治的偏りを中和しようと試みた。また、各地域内の地名や都市名については、初出時にドイツ名とそれ以外の名称（ポーランド名、フランス名、デンマーク名など）を併記することで対応している。ドイツ領時代はドイツ名、それ以外の時代にはそれぞれの名称で、という方法も考えたが、それでは上記の国民史的分断状況を地域史の中に持ち込むだけであるため、基本的には採用しなかった。さらに、各章に地名対照表を配置することで、地域名称に関する偏りをより和らげる努力を行ってもいる。地名表記の原則や地図の見方については、はじめにの後に解説コーナーを設けているのでぜひ参照してほしい。

　もう一言付け加えれば、本書は便宜的にドイツ領時代の地域区分を用いているが、もちろんそれを不変かつ固定的なものとみなすわけでもない。本書を読んで頂ければ分かるが、これらの地域は内外の要因によって時代ごとに様々に（再）編成、統合、分断などを繰り返しているのである。ここではそうした地域の可変性を組み込んだ柔軟な記述を心掛けたつもりである。

本書の構成

　本書は、『旧ドイツ領全史』と銘打っているが、基本的にはその領土的変遷に焦点をしぼりながら、補足的に観光ガイドやテーマ史、人物紹介を行うという構成をとっている。

　読者には本書の導入部で「歴史観光ガイド」を読んでもらうことになるが、それは

旧ドイツ領諸地域の複雑怪奇な歴史の迷宮への入口に過ぎない。この「歴史観光ガイド」で旧ドイツ領の観光地や歴史的建造物、はたまた都市の紹介を読めば、読者の頭の中には数多くのクエスチョンマークが浮かぶことになるだろう。「いつからここはドイツになったのだろう」「なぜ現在のここはフランス的な街並みなのだろう」「この人物はドイツ系なのかポーランド系なのか」といった疑問だ。このような問いに答えるのが、それに続く8つの章を構成する「ドイツ領となるまで」「ドイツ領の中の──」「その後」といったいくつかの節である。特に「ドイツ領となるまで」の節においては、「領土変遷史」という切り口から、主にそれぞれの地域が近隣諸国に奪い合われた歴史に焦点を当てて叙述を行っている。これを読むことで、ドイツ領になるまでの前史を理解できるだろう。「ドイツ領の中の─」および「その後」の節においては、政治・経済・文化に対象を広げて、それぞれの地域社会の歴史を幅広く概観できるように工夫した。また各節には、豊富な地図や図像を配し、それぞれの時代、それぞれの地域についての想像力が掻き立てられるような構成を心掛けた。

　各章にはコラム的に「テーマ史」と「著名出身者紹介」のコーナーも設けた。これは、それまでの節では明らかにできなかった比較的小さな事柄や対象もしくは人物を取り上げ、その歴史を詳しく紹介するものだ。読者は、ここで前節までの地域史叙述に密接に関係するテーマや人物を見出せるかもしれないし、またトリビア的な面白エピソードを発見することもあるだろう。

　中・東ヨーロッパの歴史に関する知識があまりないので文章の理解に心配があるという読者のために背景となる歴史知識を簡潔にまとめた「〈旧ドイツ領〉史概観」という序章を用意した。まずこちらを読んで頂くことで、第1章以下の理解もよりスムーズになるだろう。

　最後に、本書を観光ガイドブックとして利用することも可能である。「歴史観光ガイド」の項には、それぞれの史跡や建造物などの所在地が記載してあり、それを頼りに現地を観光して頂ければ、筆者としては何よりうれしい限りである。

目次

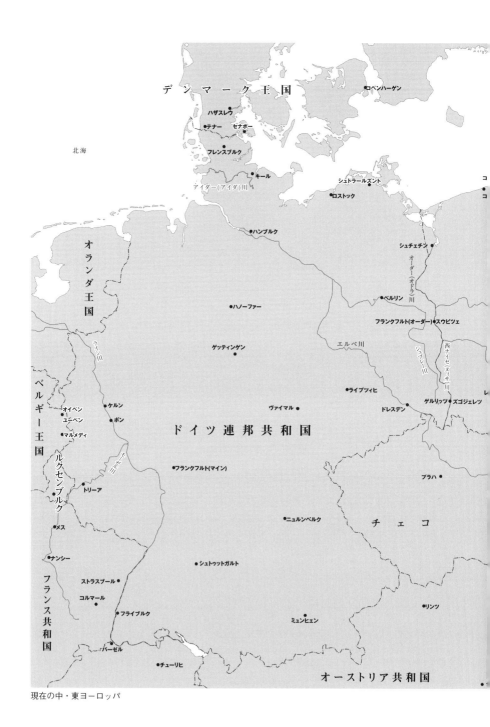

デンマーク王国

北海

オランダ王国

ベルギー王国

ルクセンブルク

フランス共和国

ロペンハーゲン

ハザスレウ

テナー　セナポー

フレンスブルク

キール

アイダー（アイダ）川

シュトラールズント

ロストック

ハンブルク

シュチェチン

オーダー（オドラ）川

ベルリン

ハノーファー

フランクフルト（オーダー）　スウビツェ

ゲッティンゲン

エルベ川

西ナイセ（ヌィサ）川

ライブツィヒ

ヴァイマル

ゲルリッツ　ズゴジェレツ

ドレスデン

オイペン

ケルン

ユーペン

ボン

マルメディ

ドイツ連邦共和国

フランクフルト（マイン）

プラハ

トリーア

ニュルンベルク

チェコ

メス

ナンシー

シュトゥットガルト

ストラスブール

コルマール

リンツ

フライブルク

ミュンヒェン

バーゼル

チューリヒ

オーストリア共和国

現在の中・東ヨーロッパ

コ

コ

レ

レ

シュプレー川

12

リトアニア共和国

バルト海

●クライペダ

ネマン(メーメル)川

●ソヴィエツク

ロシア連邦

●カリーニングラード

コシャリン
●

グダニスク
●

●エルブロンク

コウォブジェク
●

●マルボルク

●オルシュティン

ビャウィストク ●

ベラルーシ共和国

ビドゴシュチ ●

●トルニ

ヴィスワ(ヴァイクセル)川

●グニェズノ

●ポズナニ

ヴァルタ(ヴァルテ)川

●ワルシャワ

●ウッチ

●カリシュ

ポーランド共和国

●ルブリン

レグニツァ
●

●ヴロツワフ

エレツ

●オペルン

●クラクフ

カトヴィツェ ●

リヴィウ ●

チェスキー・チェシーン ● ● チェシン

共 和 国

ウクライナ

スロヴァキア共和国

ウィーン ●

● ブラチスラヴァ

ハ ン ガ リ ー

● グラーツ

13

地名表記と地図について

　「旧ドイツ領」の名称や地名について、本書ではその歴史的な変遷を辿るために比較的複雑な表記法を採用している。読者のために、ここで分かりやすく説明しておきたい。

歴史観光ガイド、テーマ史、出身者紹介での表記法
・基本的に現在の帰属国の公用語に準拠した上で、必要な範囲でドイツ語の名称も併記している。
・ドイツ名とそれ以外の表記を明確にするため、

　ドイツ語 **DE**　ポーランド語 **PL**　フランス語 **FR**　デンマーク語 **DM**
　ロシア語 **RU**　リトアニア語 **LT**

などのマークを付している。

例　オストプロイセンの歴史観光ガイド
　カリーニングラード大聖堂
　RU Кёнигсбергский собор
　DE Königsberger Dom

通史部分の地名表記
・ドイツ語とその他の言語の併記を基本とする。
・目に見える形での併記は、その地名の初出時のみとし、以降はその章が主題とする地域の政治状況・国家帰属を加味して優先的に表示する地名表記を決定した。実質的には常に併記されているものとする。
・前近代については、基本的にドイツ語以外の名称（ポーランド名、フランス名、デンマーク名）を優先的に表示し、ドイツ語を行政言語として用いるプロイセン国家およびドイツ国家の範疇に入った際には、ドイツ名を優先した。
・上記の原則を明示するため、ドイツ名を優先する個所では「以下、ドイツ名を優先する」などの注記を行っている。
・ドイツ領離脱後の地名は、その帰属国の公用語に準拠した。

・ただし東部領土に関しては、第二次世界大戦後に初めてドイツ語以外での名称が付けられた都市が存在するため、その場合には「DE ケーニヒスベルク（現 RU カリーニングラード）」のように表記した。

・さらに分かりやすくするため、歴史観光ガイドと同様に、DE PL FR DM RU LT などのマークを付している。

例　エルザス＝ロートリンゲンの地名表記

　　フランス王国時代　　FR ストラスブール（DE シュトラースブルク）
　　ドイツ帝政期　　　　DE シュトラースブルク
　　第一次世界大戦後　　FR ストラスブール

地図内での地名表記

・各章の主題とする地域内の都市名については併記を心掛けた（序章除く）。併記する場合には、左および上にドイツ名を、その右側および下側にその他の名称を記した。ただしこの上下左右の配置は何かしらの名称の優先を意味するものではなく、すべての表記が並列である。

・各章の主題から外れる地域については、その時々の政治状況・国家帰属を加味して優先的に表示する地名表記を決定した。

・ドイツ領から離脱したのちの都市名は、その帰属国の公用語に準拠した。ただしナチ占領期については、当時の抑圧的状況を表現するためにドイツ名のみを表記した。

・ただし東部領土に関しては、第二次世界大戦後に初めてドイツ語以外での名称が付けられた都市が存在するため、その場合には地名変更後にのみ「カリーニングラード（旧ケーニヒスベルク）」のように表記した。

例　北シュレースヴィヒの地名表記

ドイツ帝政期まで

第二次世界大戦後

凡例

・本書では、英仏伊米などの第一次世界大戦の戦勝国を「連合国」とし、ドイツ帝国やオーストリア＝ハンガリー君主国などを「中央同盟（国）」とする。これは、旧来の「協商国」という名称がアメリカの参戦や協商国ロシアの脱落を考慮していないため不適切であるという理由からである。

・ドイツ帝国からヴァイマル共和国への国制の移行に関連して、本書においてはドイツ語の "Provinz" および "Land" の訳語を変化させている。もともとドイツ帝国は諸邦から構成される分権制を採用しており、それぞれの「邦」（王国や公領など）は高度な独立性を維持することを認められていた。しかしヴァイマル憲法下で旧来の諸邦はそれまで保持していた諸特権・軍備・主権を剥奪されたのであり、これにともなってそれらの諸邦は憲法上、一自治体である "Land"（多くは自由州 Freistaat を名乗った）を形成することとなった。このような経緯に鑑みて、戦間期ドイツの "Land" を「州」と訳出する。記述の面での問題は、帝政期までのプロイセン王国内の "Provinz" も「州」と訳していることである。以上の国制上の変化にともなう混同を回避するために、戦間期においてはプロイセン州（Freistaat Preußen）内のそれを「行政区」と訳出することとする。

・本文中では参照文献を［著者／編者 出版年：頁数］の形で示した。完全な書誌情報については、巻末の参考文献リストを参照されたい。

・本書では電子書籍からの引用が一部存在するが、その際には正確な頁数表記が困難となる（電子書籍には固定的な頁が存在しない場合があるため）。本稿では暫定的解決策として、電子書籍からの引用の場合には「章」・「節」を明記することで、引用箇所を明示した。

オストプロイセン

旗	紋章

ドイツ騎士団	
プロイセン公国	
ドイツ領オストプロイセン州／行政区	
ロシア領カリーニングラード州	
ポーランド領ヴァルミア＝マズーリィ県	
リトアニア領クライペダ郡	

現代

ヴェストプロイセン

旗	紋章
王領プロイセン	
ドイツ帝国領ヴェストプロイセン州	
ポーランド領ポモージェ県	
ポーランド領ヴァルミア＝マズーリィ県	
ポーランド領クヤヴィ＝ポモージェ県	

現代

シュレージエン			ポーゼン		
旗	紋章		旗	紋章	

シロンスク公領

ヴィエルコポルスカ公領

ドイツ領シュレージエン州／行政区

ドイツ帝国領ポーゼン州

現代

ポーランド領ドルヌィシロンスク県

ポーランド領ヴィエルコポルスカ県

現代

ポーランド領ヴァルミア＝マズーリィ県

ポーランド領ルブシュ県

チェコ領スレスコ地方

ヒンターポンメルン

旗	紋章

ポンメルン公領

ドイツ領ポンメルン州／行政区

現代

ポーランド領西ポモージェ県

北シュレースヴィヒ

旗	紋章

スレースヴィ公領

ドイツ帝国領シュレースヴィヒ＝ホルシュタイン州

現代

デンマーク領セナーユラン県
（2007年まで。現在は南デンマーク地域に統合
されている）

エルザス・ロートリンゲン

旗	紋章

ドイツ帝国領エルザス＝ロートリンゲン

現代

アルザス地域圏（2015年まで。現在はグ
ラン・テスト地域圏に統合されている）

現代

ロレーヌ地域圏（2015年まで。同上）

オイペン・マルメディ

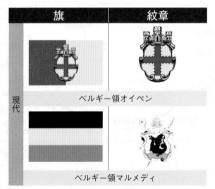

旗	紋章

現代

ベルギー領オイペン

ベルギー領マルメディ

オストプロイセン

　旧ドイツ帝国領オストプロイセン州の領域は、現在、ポーランド領地域とロシア領地域、そしてリトアニア領地域に分かれている。

　まずロシア領カリーニングラード地方は、ロシアの飛び地である。人口は 94 万人余り。現在では、日本からの観光客に向けては電子ビザが導入されており、カリーニングラード地方への観光旅行は日本人にとっても容易である。カリーニングラード市の観光名所などを存分に楽しむことができる。

　次にポーランド領ヴァルミア地方・マズーリィ地方は、北部をカリーニングラード地方と接するポーランド北東部の地域である。現在の人口は約 140 万人であり、主要産業はタイヤメーカー「ミシュラン」の工場に代表される自動車産業だ。

　最後にリトアニア領クライペダ地方は、クライペダ市を中心とする 33 万人の人口を抱えるリトアニア西端の地域である。ほぼ全域がバルト海に面し、世界遺産であるクルシュー砂州など風光明媚な景観で知られている。

ソヴィエトの家／ケーニヒスベルク城跡地

RU Дом Советов

Дом Советов, ул. Шевченко, 2, корпус 5, Калининград

(House of Soviets, Ulitsa Shevchenko, 2, korpus 5, Kaliningrad, Kaliningradskaya oblast')

カリーニングラード市内中心部に鎮座する奇妙な建物。これはまさにプロイセン王の居城であったケーニヒスベルク城の跡地に建設されたものであり、それゆえに「ソヴィエト的建築」でプロイセン＝ドイツの過去を覆い隠そうとする試みでもあった。しかし 1970 年の建設開始後に地盤がこのような高層建築には適さないことが発覚し、1980 年代後半には計画が放棄された。このような事情からこの工事中止は「プロイセン人の復讐」とされ、またこの建物自体も「カリーニングラード市の恥」とこき下ろされている。現状では撤去計画もあるため、建物が解体される前に見ておくと良いかもしれない。

カリーニングラード大聖堂

RU Кёнигсбергский собор　DE Königsberger Dom

📍 Калининград, ул. И. Канта, 1 （Ulitsa Kanta, 1, Kaliningrad, Kaliningradskaya oblast'）

カリーニングラード市中心部を流れるプレゴリャ（DE プレーゲル）川の中洲にそびえる歴史ある教会。ドイツ騎士団の中核的教会として 1333 年に建設されたものがその起源であり、同世紀半ばまでに現在の原型が完成するが、16 世紀の火事を受けて再建されている。近世初期にはドイツ騎士団のルター派転向にともなって、この教会もプロテスタント教会となった。第二次世界大戦の影響も甚大であり、空爆や砲撃によって「瓦礫の山」と化した。戦後はこの大聖堂もケーニヒスベルク城と同様に解体の危機に瀕するが、フルシチョフ時代の 1960 年に記念建造物に指定されて保護されることとなった。1980年代からは、大聖堂を本格的に修復する計画が立てられ、現在ではかつての姿を我々も見ることができるようになっている。ケーニヒスベルク城なきあと、この街のドイツ時代の雰囲気を感じられる数少ない建築物である。現在はロシア正教とルター派プロテスタントの礼拝堂として利用され、博物館も併設されている。

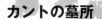

カントの墓所

RU могила И. Канта
DE Kant-Grabmal

カリーニングラード大聖堂の敷地内にあるカントの墓所。16世紀より偉大な学者たちが教会北壁に埋葬されるようになったが、その最後の人物が1804年に埋葬されたイマニュエル・カントであった。1880年に墓所の上に礼拝堂が建てられ、さらに1924年に花崗岩の慰霊碑が設置され、現在の形になった。ソ連時代には「ドイツ的遺産」の象徴として何度も撤去や移設が検討されるも、ロシア人も街の偉人たるカントを無碍に扱うことはできなかったのであろうか、無事修復されている。ケーニヒスベルク観光の際には、ぜひともカント詣でをしたいところである。

カリーニングラード旧市庁舎

Штадтхалле DE Stadthalle

📍 г.Калининград, ул. Клиническая, 21
（Ulitsa Klinicheskaya, 21, Kaliningrad,
Kaliningradskaya oblast'）

大聖堂からプレゴリャ川を渡って北へ歩いていくと、赤い屋根と白い側壁からなる美しい建物が見えてくる。ベルリンの建築家リヒャルト・ゼールの設計した旧市庁舎である。市庁舎のある区画は

カリーニングラード旧市庁舎（ШТАДТХАЛЛЕ／Stadthalle）

18世紀以来いわば文教地区となっており、余暇のための様々な娯楽施設が用意されていた。この市庁舎も1911年の建設後、コンサートホールなどとして利用されていた。この建物もやはり第二次世界大戦中のイギリス軍の空爆によって大きく破壊され、1980年代に修復工事が行われた。

オルシュティン城

PL Zamek Kapituły Warmińskiej w Olsztynie DE Burg Allenstein
📍 Zamkowa 2, 11-041 Olsztyn

歴史的な街並みの続くオルシュティン（旧アレンシュタイン）
旧市街でも、ひときわ目立つ建造物。14世紀半ばにゴシック
様式で建設され、ヴァルミア司教の所有となった。彼を守護
するためにドイツ騎士団の本拠のひとつとして活用されてい
たが、1410年のグルンヴァルトの戦いを機にポーランドの手
に落ちた。天文学者コペルニクスも、1516年から1521年ま
でこの城の管理を任されていたことで知られる（それゆえこ
の街にはコペルニクスにちなんだプラネタリウムもある）。19
世紀には、城を取り囲んでいた堀が埋め立てられ、旧市街と
城が一体になる改修が行われている。オルシュティンがポー
ランド領となった現在では、ヴァルミア＝マズーリィ博物館
（PL Muzeum Warmii i Mazur w Olsztynie）として利用されて
いる。

街の創設者アルブレヒト・フォン・ブランデンブルクの記念碑

RU Памятный знак в честь основателя города –
герцога Альбрехта Бранденбургского. Альбрехт
Бранденбур2гский
📍 ул. Горького, 21, Советск
(Gor'kogo Ulitsa 21, Sovetsk, Kaliningradskaya oblast')
リトアニア国境の街ソヴィエツク（旧ティルジット）に
ある記念碑。ドイツ騎士団最後の騎士団長であり、初代
プロイセン公であるアルブレヒトを称える。これもカ
リーニングラード地域のドイツ的遺産を伝える数少ない
建造物である。

出典：https://
visit-kaliningrad.
ru/entertainment/
sightseeings/
pamyatnyj-
znak-v-chest-
osnovatelya-goroda-
gertsoga-albrehta-
brandenburgskogo

最初の入植者の記念碑

RU Памятник первым переселенцам
📍 г.Советск, ул.Первомайская
(Ulitsa Pervomayskaya, Sovetsk,
Kaliningradskaya oblast')

第二次世界大戦後、ドイツ系住民と入れ替わるようにこの地域にやってきたソ連からの入植者を象徴する記念碑。真ん中の男性はソ連軍将校であり、その家族がこの地に降り立ったまさにその時という情景である。破壊しつくされた都市を、彼らロシア人たちが再建したという努力への敬意が込められている。この記念碑は 2015 年、ソヴィエツク駅前に設置された。

出典：https://visit-kaliningrad.ru/entertainment/
sightseeings/pamyatnik-pervym-pereselentsam

オルシュティン旧市街と旧市庁舎

PL Stare Miast i Stary Ratusz w Olsztynie

DE Altstadt und Altes Rathaus in Allenstein

📍 Stare Miasto 33, Olsztyn

オルシュティン市は、PL ウィナ（DE アレ）川とその堀を利用したドイツ騎士団の防衛拠点であった。街の建設は 1353 年に始められたのち、14 世紀末までに街全体が市壁によって囲まれるようになり、その基本的な形態は 19 世紀まで維持された。旧市街にはゴシック様式のカラフルな建物が立ち並び、観光客の目を引きつける。

出典：https://visit.olsztyn.eu/place/1197/stare-miasto 右下も

この旧市街中央部には、素朴な外観をした旧市庁舎がある。ドイツ騎士団時代の 1500 年頃にその原型が建設されており、オルシュティン城と並んで市内最古級の建物である。ナチ時代には、ヒトラー・ユーゲントの施設として使われた。第二次世界大戦末期に一度焼け落ちるも、戦後すぐに再建されている（ただし塔の部分のみ旧来とは異なる様式で再建された）。現在は県立図書館として使用されている。

グルンヴァルト古戦場　PL Grunwald – Pole Bitwy DE Gedenkstätte Grunwald

グルンヴァルト（タンネンベルク）の戦いは、ポーランド＝リトアニアがドイツ騎士団に勝利した、ポーランド人にとって記念すべき戦闘である。旧オストプロイセン地域がポーランド領となったのちの 1960 年、1410 年から 550 周年を記念して記念碑群がかつての戦場となった地に建造された。記念碑群は、第二次世界大戦勃発時のヴェステルプラッテでの戦闘（第 2 章を参照）を想起させる巨大なオベリスク、ポーランド人・リトアニア人・ウクライナ人兵士を象徴する高さ 30 メートルのマスト、ポーランド王ヴワディスワフ 2 世の記念碑などから構成されている。

この古戦場が熱気にあふれるのは毎年 7 月の「グルンヴァルト歴史まつり」の時期である。この一大イベントにはポーランドのみならず、リトアニア、ウクライナ、ベラルーシなどから数万から十万人もの参加者がこの小さな村に押し寄せてきて、それぞれが騎士に扮して当時の戦いを再現するのである。

なお 1914 年のタンネンベルクの戦いもあるが、これは厳密にはステンバルクという隣接地で行われたもので、1410 年のものと関連づけて名付けられた名称である。そこにかつて設置されていたタンネンベルク廟はもはや残骸のみしか存在しない。

ヴォルフスシャンツェ跡地

PL Wilczy Szaniec DE Wolfsschanze

📍 Gierłoż 5, 11-400 Kętrzyn

ヴォルフスシャンツェ、すなわち第二次世界大戦時の旧総統大本営の巨大な遺構は現在も保存されている。この総統大本営はソ連侵攻作戦に備えて1940年8月に建設が始められたもので、指揮機能だけでなく宿泊施設や発電所、映画館やカジノなど娯楽施設を完備したひとつの「街」であった。トム・クルーズ主演の映画『ワルキューレ』で有名な7月20日事件の舞台となったことでも知られる。現在、ヴォルフスシャンツェの遺構は見学

可能であるほか、施設内に宿泊することも可能である。

クライペダ

LT Klaipėda DE "Memel"

かつては小リトアニア、プロイセン・リトアニアとも称されたクライペダ地方。その中心都市がクライペダである。リトアニアにとっては、バルト海に面する唯一の港湾都市であるので、経済的に

非常に重要である。同市の南方を流れるネマン川のドイツ名「メーメル」は古いバルト系言語に由来し、クライペダはその河口地域に位置する都市であるため、ドイツ領時代はメーメル（もしくはメーメルブルク）という名前で呼ばれていた。都市の起源は1252年まで遡り、ドイツ騎士団の一派であるリヴォニア騎士団がプルーセン族平定の過程でこの地を征服したことに始まる。近世においてはバルト海貿易の中心地として栄えるも、その後のスウェーデンによる占領で荒廃した。大北方戦争後の1720年にプロイセン領に復帰したことでドイツ帝国の構成地域をなすことになるが、第一次世界大戦後の混乱の中でリトアニアへ併合された。1938年のナチ・ドイツによる併合を経て、戦後はソ連領となる（この際、やはりドイツ系住民は追放されるか、収容所へ送られた）。1990年にリトアニアが独立を回復し、それ以後はリトアニア領クライペダ市となっている。

クルシュー砂州

LT Kuršių nerija RU Куршская коса
DE Kurische Nehrung

リトアニアとロシア領カリーニングラードにまたがる、長さ98kmにも及ぶ砂州。プルーセン族の伝説によれば、この砂州はネリンガ（Neringa）と呼ばれる人物（ギリシャ神話のヘラクレスのような巨人だという）によって作られたものだとされる。長らくドイツ騎士団やプロイセンの領内にあったが、1919年のヴェルサイユ条約で北半分がリトアニア領となり、さらに1945年以後は全域がソ連領となった（1990/91年以後は、北半分が再びリトアニア領、南側がロシア領となっている）。2000年には、文化的景観が評価されて世界文化遺産にも登録されている。なお、クルシュー砂州の西側には同じような構造をしたヴィスワ砂州があり、第二次大戦末期にドイツ人が避難する際の舞台となった。

ヴェストプロイセン

　かつてのドイツ帝国領ヴェストプロイセン州の領域は、現在はおおよそポーランドの東ポモージェ地方とヴィスワ川下流域などの諸地域と重なるものである。

　バルト海の良港グダニスクを中心とする東ポモージェ地方は、人口約230万人の自治体である。グダニスクと、その近隣都市グディニャおよびソポトはグダニスク湾に面する海港都市という性格の近さから、三つ子都市（Trójmiasto）とも呼ばれる。特にソポトはバルト海を代表するリゾート地として知られており、夏には多くの観光客がヨーロッパ各地から訪れる。

　トルニやビドゴシュチを中心としたヴィスワ川下流域はその河口域に位置するグダニスクから南にさかのぼった内陸地域である。人口は200万人余りで、経済的にはビドゴシュチ＝トルニ工業地帯を中心に様々な産業が栄えている。

マルボルク城

PL Zamek w Malborku
DE Ordensburg Marienburg
📍 Ul. Starościńska 1, Malbork

旧ヴェストプロイセン州地域に関して、まず紹介したい史跡はマルボルク城である。ドイツ騎士団がプロイセン地域で軍事活動を行っていた13世紀後半、PL マルボルク（DE マリーエンブルク）を支配下に置いた彼らは1270年頃にその地に城塞の建設を始めた。1270年頃からは騎士団の拠点の中でも重要な役割を果たすようになり、1309年からは騎士団長の居住地として利用されるようになった。それからこの城塞は強大な軍事力で近隣諸国を脅かし続けた騎士団国家の中心として機能したのであるが、グルンヴァルトの戦いを経た1457年にマルボルクは騎士団からポーランド王に売り渡され、それ以後はポーランドやロシアの軍事拠点として用いられた。第一次ポーランド分割でプロイセン領となり、その時期には様々な物資を貯蔵する倉庫となるなど非常に粗末な扱いを受けた。第二次世界大戦末期の戦闘でマルボルク城は激しく損傷するも、戦後に再建されている。1997年に世界文化遺産に登録され、現在では世界最大級の城塞構造物として知られている。

城内部の最大の見どころは、大食堂だろう。奥行き30メートル、幅15メートル、高さ9メートルの広大な空間に、ゴシック様式の美しい内装が施されている。この大食堂は騎士団長がゲストをもてなす際に使用された。また城の一部は博物館になっており、マルボルク城に関連する様々なコレクションを見ることができる。

毎年5月には「マルボルク攻囲 Oblężenie Malborka」と呼ばれる、マルボルク城の攻略を再現するイベントが開催されており、それをお目当てに多くの観光客が訪れる。

第二次世界大戦博物館

PL Muzeum II Wojny Światowej w Gdańsku　　EN Museum of the Second World War in Gdańsk

📍 pl. W. Bartoszewskiego 1, Gdańsk

グダニスクならではの博物館として、2017年に開館したばかりの第二次世界大戦博物館がある。というのもグダニスクは第二次世界大戦勃発の地でもあるからだ。この博物館の建設は、2000年代にドイツの被追放民団体との論争の中から浮上したものであり、特に当時のポーランド首相ドナルド・トゥスク（市民プラットフォーム）の主導のもとで、ポーランド国民のためだけではなく、世界に開かれた戦争博物館の構想へと発展した。つまり、第二次世界大戦におけるポーランドの英雄的行為にのみ光を当てるのではなく、戦争当事国それぞれの視点から、調和の取れた戦争像を描き出そうとしたのである。しかしその後、2015年より与党の座にある法と正義（PiS）は「ポーランド国民」のための歴史展示を行うべきという立場からそうした方向性を修正しようとし、博物館側と法廷闘争に至った。それでも、アメリカ人歴史家ティモシー・スナイダー（邦訳もある『ブラッドランド』などの著作で有名）がそうした博物館の「開放性」を維持すべきだと主張したように、展示内容も従来のポーランド史を中心とした博物館とはかなり異なるものとなってる。展示は第二次世界大戦の展開を、その前史から戦後の影響まで、グローバルな視点から紹介するものであり、政治的な偏りを避けようという工夫も随所に見られる。

ヴェステルプラッテ

PL Westerplatte

グダニスク郊外にある第二次世界大戦勃発の地。1939年9月1日早朝、ドイツの戦艦シュレースヴィヒ＝ホルシュタインがヴェステルプラッテ地区のポーランド基地守備隊を砲撃した。そののちドイツ兵2,600人が上陸して基地の制圧を試みるも、205人からなるポーランド側は激しく抵抗し、9月7日まで攻撃に耐えた。最終的には投降するものの、ヴェステルプラッテ守備隊の抵抗は、ポーランド人の英雄譚として語り継がれている。現在はトーチカや当時の兵舎が記念館として保存されているほか、巨大な記念碑が設置されている。

コペルニクスの家

PL Dom Mikołaja Kopernika

📍 ul. Kopernika 15/17, Toruń

ニコラウス・コペルニクスはトルニ出身の天文学者であり、その生家は現在博物館となっている。彼の父はクラクフの裕福な商人であり、ハンザ都市トルニの繁栄を求めてこの地にやってきたのである。そしてその邸宅はトルニで一番美しいとされるゴシック様式の建物であった。博物館内部では、中世トルニでの商人の生活やコペルニクスの天文学について学ぶことができる。

ショーペンハウアーの生家

📍 Świętego Ducha 45/47, Gdańsk

ドイツ哲学史に燦然と輝く巨人、アルトゥーア・ショーペンハウアーは王領プロイセン時代のグダニスク出身である。彼の生家は現在も保存されている。

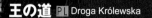

王の道 PL Droga Królewska

旧市庁舎の面する通りはドゥーウギ通り（Ulica długa）と呼ばれる 500 メートルの道であるが、これは同時にグダニスクの中央広場でもある。こうした縦長の広場はポーランドでは珍しい。この通りではポーランド王国時代に国王の入城パレードが行われていたので、それにちなんで「王の道」とも呼ばれる。西端の黄金の門（Złota Brama）を抜けてこの通りに入るとかつての貴族の邸宅「ウプハーゲン邸 Dom Uphagena」（現在は美術館）や旧市庁舎、ポーランド王国期に作られたネプチューン噴水などを通過して、緑の門（Zielona Brama）へと至る。カシューブ人の伝説によると、グダニスクを初めて訪れる者は誰でも、噴水のネプチューン像の「日の当たっていない部分」にキスをしなければならないのだという。

ギュンター・グラスの生家と銅像

上 ⚲ ul. Lelewela 13, Gdańsk
下 ⚲ pl. Wybickiego, Gdańsk

『ブリキの太鼓』などの作品で知られるノーベル文学賞作家ギュンター・グラスは、ダンツィヒ自由市（PL グダニスク）の出身だ。彼は青年期までダンツィヒで過ごしていたので、その創作活動の源はこの街の中にあると言えるだろう。

グダニスク旧市庁舎

PL Ratusz Głównego Miasta w Gdańsku
DE Rechtstädtisches Rathaus
📍 ul.Długa 47, Gdańsk

グダニスクの中心部にそびえる歴史的建造物。ドイツ騎士団領時代の14世紀初頭に建設が開始され、ポーランド王国時代の1488年に、現在でも印象的な時計塔が追加されている。この市庁舎は、中世にハンザ都市としてバルト海貿易により栄華を極めたグダニスクの歴史を伝える資料でもある。そして戦間期のダンツィヒ自由市 **(DE)** の政治的中心でもあった。現在は博物館になっており、内部を見学することができる。市参事会の開催されていた「赤の間 **PL** Sala Czerwona / **DE** Roter Saal」や法廷であった「白の間 **PL** Sala Biała / **DE** Weißer Saal」は必見である。また塔は展望台になっており、そこから市街を一望できる。

グディニャ

PL Gdynia DE Gdingen

第一次世界大戦後にバルト海南岸の中心的港湾都市ダンツィヒが自由市となり、ポーランド政府が要求していたような同市の領有は実現しなかった。このことからポーランド政府は新たな港湾都市の建設の必要性に迫られたのだ。そこで政府が目をつけたのはグディニャであった。この街はグダニスク近郊に位置し、歴史上長らく小さな漁村でしかなかったが、1920年代以降ポーランドはこの街を大規模に開発するのである。現在もポーランド北部の重要港湾として、グダニスクやソボトとともに三つ子都市を形成している。

トルニのドイツ騎士団城跡

PL Zamek Krzyżacki w Toruniu

📍 ul. Przedzamcze 3, Toruń

13世紀半ば、ドイツ騎士団によって建設された城塞。ここは十三年戦争後の第二次トルニの和約（1466年）の舞台となった街であり、この戦争によって城塞の大部分が廃墟と化した。現在では城壁や塔の一部が保存されており、かつての姿を垣間見ることができる。

トルニの要塞遺構 PL Twierdza Toruń DE Festung Thorn

ドイツ騎士団の時代以来、トルニ市街は城壁で覆われていたが、ドイツ帝国の時代にプロイセン政府は中央ヨーロッパ最大規模の要塞群をトルニに建設した。これらの要塞の遺構は現在でもトルニ市街を囲むように15箇所残っている。ドイツ帝政期には、それぞれの要塞にドイツ名で名前が付けられたが、ポーランド領となった戦間期にポーランド名に変更されている。例えば、中核的な要塞である第2要塞（Fort II）はかつてプロイセンの軍人にちなんで「フリードリヒ・フォン・ビューロ」という名称であったが、戦間期以降はポーランドの国民的英雄「ステファン・チャルニェツキ」の名が冠されている。

カシューブ博物館

PL Muzeum Kaszubskie im. Franciszka Tredera w Kartuzach

📍 ul. Kościerska 1, Kartuzy

現在のポーランドにおいて、カシューブ人を自らのアイデンティティとする人は約23万人、カシューブ語を話す人は10万人余り存在するのだという。そうしたポーランドにおける少数派であるカシューブの言語や文化を伝えるため、グダニスクから西に30kmほどの街カルトゥージィにはカシューブ博物館がある。帝政期に活発化したカシューブ人の民族運動であるが、そうした運動の中でフランツィシェク・トレデル（Franciszek Treder, 1903-1980）という人物が1928年からカシューブの文化を収集する活動を開始した。彼の所有する豊富なコレクションにカルトゥージィ市当局も注目し、1939年にはそれを活かした博物館を設置しようとするも、すぐに第二次世界大戦が始まってしまった。結局、戦後の1947年にようやくこのカシューブ博物館は開館し、現在では1500点のコレクションを有するものとなっている。

シュレージエン

　旧ドイツ帝国領シュレージエン州は、現在ではポーランド領シロンスク地方（ドルヌィシロンスク地方とグルヌィシロンスク地方からなる）となっている。

　1989/90 年の体制転換は、ポーランド領シロンスク地方にも民主主義と市場主義経済をもたらした。経済的には、EU の中心地であるドイツに近いというドルヌィシロンスク地方の利点を生かして、フォルクスワーゲンやトヨタなどの自動車メーカーを始めとする様々な外資系企業の工場や拠点が置かれている。人の移動も活発になり、多くの出稼ぎ労働者がイギリスやドイツに移住している一方で、ウクライナのようなポーランドより東方の地域からシロンスクへの移民も増加している。

　ポーランド第四の都市ヴロツワフは、ドルヌィシロンスク地方の中心都市として現在も発展を続けている。街のいたる所に可愛らしい「ヴロツワフの小人」の銅像が据え付けられており、多くの観光客を魅了している。

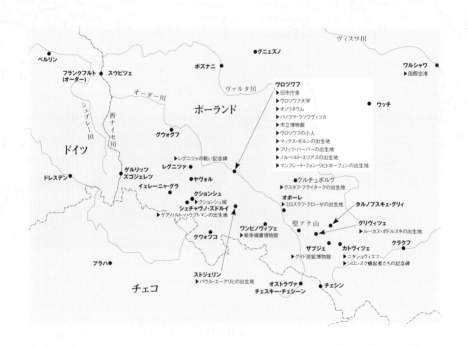

ヴロツワフ旧市庁舎

PL Stary Ratusz we Wrocławiu
DE Breslauer Rathaus
📍 Rynek 50, 50-996 Wrocław

ドルヌィシロンスク地方の中心都市 PL ヴロツワ
フ（DE ブレスラウ）の顔と言える建物。この地
に最初に市庁舎が建てられたのは、なんとシロン
スク・ピァスト家時代の 13 世紀まで遡る。当初
は 1 階と地下のみであったが、その後 16 世紀に
かけて塔や上層階が増築された。ハプスブルク時
代の 1560 年頃までに、現在の形態はほぼ完成していたとされる。激戦地となった第二次世界大戦末
期のブレスラウにあって、旧市庁舎は幸いにも大きな損傷を受けなかった（爆弾が屋根を直撃する
も、不発であったという）。そうして、旧市庁舎はピァスト朝時代から現代までのヴロツワフの激動
の 700 年間を経験したのである。現在は美術館として利用されている。
また旧市庁舎の地下部分は飲食店「ピヴニツァ・シフィドニツカ Piwnica Świdnicka」（ドイツ時代
は Schweidnitzer Keller と呼ばれた）となっている。これは 1273 年開業とも言われるため「ヨーロッ
パ最古のレストラン」と称される。

オソリネウム

PL Ossolineum
📍 Szewska 37, 50-139 Wrocław

戦後に PL ルヴフ（現ウクライナ領 UKR リヴィウ）からヴロ
ツワフに移設された代表的文化財その 1。1817 年、ハプスブ
ルク君主国領ルヴフにおいてユゼフ・オソリンスキという貴
族が私設図書館を建設した。これはのちにオソリネウムと呼
ばれる施設群へと拡大し、ルヴフを含む東ガリツィア地域におけるポーランド文化や文学に関する最
大の収集・研究拠点となった。しかし、第二次世界大戦終結後にルヴフをソ連領とすることが決定さ
れると、この施設と所蔵品の大半がポーランド領となったヴロツワフへと移送されたのである。オソ
リネウムは現在でもポーランド文献学の中心として機能しているほか、そこには博物館や図書館も併
設されている。

ヴロツワフ市立博物館

PL Muzeum Miejskie Wrocławia
DE 'Königsschloss'
📍 Kazimierza Wielkiego 35, 50-077 Wrocław

ヴロツワフ旧市街の南側に位置する歴史博物館。オレンジと
黄色からなるバロック様式の美しい外装が特徴的である。こ
の建物はハプスブルク時代の 1719 年に建てられたが、1750
年よりホーエンツォラーン家の王宮となり、シュレージエンにおけるプロイセン支配の象徴としてヴ
ロツワフ市街に長らく鎮座していた。しかし第一次世界大戦末期にホーエンツォラーン朝の統治が終
焉すると、1926 年から博物館として利用されるようになる。戦後のポーランド支配下でもこの建物
は生き残り、現在では「ヴロツワフの 1000 年間」をテーマとした常設展が開かれている。

パノラマ・ラツワヴィツカ

PL Panorama Racławicka
Jana Ewangelisty Purkyniego 11, 50-155 Wrocław

ルヴフからヴロツワフへ移設された代表的文化財その2。パノラマ・ラツワヴィツカは、1794年4月のラツワヴィツェの戦いをモチーフにした巨大歴史絵巻の展示場である。この戦いはポーランド分割に反対して蜂起したタデウシュ・コシチューシュコの軍勢がロシア軍を打ち破った伝説的勝利であり、彼はこの勝利によってポーランド史上で最も有名な英雄となった。制作はルヴフの画家ヤン・スティカ（Jan Styka, 1858-1925）とヴォイチェフ・コサック（Wojciech Kossak, 1856-1942）を中心に行われ、戦闘から100周年にあたる1894年6月に公開された。幅114メートル、高さ15メートルという超巨大絵画のお披露目であった。当時国家を持たなかっ

ズゴジェレツ／ゲルリッツ

PL Zgorzelec DE Görlitz
シュレージエン博物館の所在地

📍 Brüderstraße 8, 02826 Görlitz

第二次世界大戦直後のオーダー・ナイセ線の暫定的画定によって、ドイツ・ポーランド間の国境線上で分割された街となったのがズゴジェレツ／ゲルリッツである。市街地の中心部を DE ナイセ（PL ヌィサ）川が流れており、それゆえに川を挟んで街の西側が（旧東）ドイツ領、東側がポーランド領となるという極めて歪な解決が図られたのである。1950年には、この街のコミュニティ・センターを舞台に東ドイツとポーランドの間でゲルリッツ条約が締結され、両国間の国境が最終的に承認されている（ただし西ドイツは未承認）。

体制転換後、都市の閉鎖性から一転してこの街はドイツ・ポーランド間の異文化接触空間となり、ドイツ側のゲルリッツ市のウェブサイトでも「ヨーロッパ都市ゲルリッツ」というキャッチコピーでその開放性が強調されている。ドイツ側では1996年にシュレージエン博物館が開館し、シュレージエンの歴史を概観できる常設展が設置されている。

たポーランド人にとって、これはその民族性を継承するための重要な文化財とみなされた。
戦後、オソリネウムと同様にヴロツワフへ移送されるが、ロシアに対する勝利を祝う絵画である
ためにソ連の支配下では長らく公開が認められなかった。ようやく公開が容認されたのは 1980
年代初頭であり、1985 年に専用の円形展示場が開館した。現在では日本語の音声ガイド付きで、
絵画を見学することができる（入館には予約が必要）。
出典：Panorama Racławicka の Facebook ページより
https://www.facebook.com/Panorama.Raclawicka/photos/a.127468847329574/1394330273976752/?type=3&theater

グイド炭鉱博物館

PL Kopalnia Guido
📍 3 Maja 93, 41-800 Zabrze

旧 DE オーバーシュレージエン（PL グルヌィシ
ロンスク）地域はドイツ帝政期には一大工業地帯
として知られており、19 世紀を通じて鉱山や製
鉄所、工場などが次々と建設された。その中でも
地元大貴族（マグナート）のグイド・ヘイドン・
フォン・ドンナースマルク伯は一大財閥
を築き上げ、その名をヨーロッパ中に轟
かせていた。

1855 年、現在のシロンスク県ザブジェ
市に炭鉱が設立されたのであるが、この
炭鉱は後に伯爵にちなんでグイドと命名
された。19 世紀後半は工業化の時代で
あり、様々な技術が炭鉱経営に革新をも
たらした。特に掘削技術の進歩によって、
地下 320 メートルまで掘ることが可能
となったのである。

ヒンデンブルク市（ザブジェの当時の名
称）は 1922 年の国境線画定によって分
断されるが、グイド抗はかろうじてドイ

ツ側に位置していた。1945 年にポーランド領と
なった後は、ポーランド側の炭鉱の重点は別の鉱
山に移っていたので、もはやかつての重要性は失
われていった。現在、グイド抗は博物館となって
おり、なんと地下 320 メートルまで潜ることの
できるツアーも開催されている。近代ドイツを支
えた鉱山技術を数多く見ることができ、シロンス
ク県を訪れた際には強くお勧めしたいスポットで
ある。

筆者撮影

ヴロツワフ大学

PL Uniwersytet Wrocławski DE Universität Breslau

📍 plac Uniwersytecki 1, 50-120 Wrocław

神聖ローマ皇帝レオポルト1世（在位：1658-1705）がイエズス会のための研究施設をブレスラウに設置したことを起源とする大学。18世紀前半には、その皇帝の名を冠した豪華絢爛な大講堂「アウラ・レオポルディーナ」も建設された。プロイセン改革期の1811年に、それまでのカトリック学校からフリードリヒ・ヴィルヘルム大学ブレスラウ（Friedrich-Wilhelm-Universität Breslau）へと再編され、それ以後はプロイセンにおける学術的な拠点のひとつとして機能していくこととなった。

第二次世界大戦で大学施設は甚大な被害を受けるも、ポーランドによって国立の「ヴロツワフ大学」として再建されている。旧来のドイツ系の教授陣はみな追放されたものの、新たな人的・物的資源が主に旧ルヴフ大学から移譲されており、戦後ポーランドにおいて「回復領」として再出発したシロンスク地域領有の正当性やイデオロギーを支える学術機関として重要な役割を果たした。

ヴロツワフの小人 PL Wrocławskie krasnale

ヴロツワフといえば、日本の観光ガイドでは「小人の街」として紹介されることが多い。実際、旧市街を中心に400体以上（2020年現在）の小人像が設置されているというから驚きである。

実は、この小人たちは単に芸術や観光振興を目指す潮流から生み出されたわけではない。小人像の設置は、1980年代の反政府運動「オレンジ・オルタナティヴ Pomarańczowa Alternatywa」の流れを汲むものであるからだ。ヴロツワフ大学の学生たちを中心に運動を展開したオレンジ・オルタナティヴは、「連帯」運動と理念を共有しつつも、絵画や写真などの芸術分野から抗議活動を試みたのである。この運動は1982年に最初の2体の小人の絵を旧市街に設置したのであるが、これは体制転換へと向かう時代の中でヴロツワフ市民に大きなインパクトを与えた。再び小人に注目が集まるのは2001年に「パパ Papa Krasnal」（写真の小人像。小人の中で最も大きい）が再設置された時であり、それ以後はポーランドの反体制運動を牽引した都市ヴロツワフのシンボルとして多数の小人が街中に溢れるようになった。

ニキショヴィエツ

PL Nikiszowiec DE Nickischschacht

かつて中央ヨーロッパ有数の炭鉱・工業地帯であったグルヌィシロンスク地方。その県都カトヴィツェの郊外には、ニキショヴィエツという工業団地が歴史遺産として保存されている。赤レンガ造りの美しい街並みは、ドイツ帝政期の1908年から1912年にかけてニキシュシャハトとして建設された。建設後まもなくカトヴィツェ（DE カトヴィッツ）はポーランド領となり、この市街地の名前もニキショヴィエツへとポーランド風に改められた。

上空から街を見下ろすと6つの区画が整然と並んでおり、この街が近代的な都市計画に基づいて設計されたことが分かる。この街には炭鉱「PL ヴィエチョレク（DE ギーシェ）」があり、そこで必要とされる大量の炭鉱労働者がこのニキショヴィエツの団地に住んでいたのである。また居住区だけでなく、学校、病院、警察署、水泳プールや教会がこの街には設置され、当時としては高水準の住民サービスが受けられる仕組みとなっていた。現地に建設された聖アナ教会は、鐘堂が炭鉱のヤグラの形をしているなど、極めて特徴的である。現在、団地の一部は「ウィルソン抗ギャラリー」という名前の美術館となっている（右の写真）。

整然と並んだニキショヴィエツの区画

ワンビノヴィツェ戦争捕虜中央博物館

PL Centralne Muzeum Jeńców Wojennych w Łambinowicach

📍 収容所：Muzealna 4, 48-316 Łambinowice

ワンビノヴィツェ、かつてラムスドルフ（DE Lamsdorf）とも呼ばれたこの地はオポーレの南西部に位置する閑静な小都市である。しかし、その歴史は非常に重苦しい。

ラムスドルフに初めて収容所が建設されたのは普仏戦争中の 1870 年のことであり、20 世紀に入っても第一次世界大戦までドイツ軍の捕虜収容所として利用された。一旦はヴェルサイユ条約に基づいて閉鎖されるも、第二次世界大戦の勃発で収容所が再び開設され、約 10 万人のポーランド兵や約

筆者撮影

30 万人の連合国兵の捕虜が収容された。死者は 4 万から 10 万人とされる。そして戦後にシュレージエンがポーランド領となると支配＝被支配の関係が逆転する。ソ連軍政はさしあたりこの施設をドイツ兵捕虜の収容所とし、さらにポーランド当局はここを追放政策の拠点の一つとして用いた。彼らはこの収容所で「ドイツ人」と「ポーランド人」の選別を行い、「ドイツ人」とされた人々はドイツへ強制的に移送されたのである。収容者の総数は 8,000 人とされ、そのうち 1,500 人程度が命を落としたと推測されている。

収容所跡地には戦後、博物館が建設された。本書にとって興味深いのは、この博物館が冷戦期にはソ連兵犠牲者を追悼するいわば「ソ連の記憶の場」として機能するが、体制転換後にポーランド人犠牲者の展示を中心とした「ポーランドの記憶の場」へと転換されたということであろう。冷戦期にはソ連の公的な歴史観から外れた展示は許されず、それが 1990 年以降に今度はワルシャワ蜂起やカティンの森事件などのポーランド史を主体とした展示へと改められるのである。この博物館の変転は、ドイツ時代・社会主義ポーランド・体制転換後のポーランドというシュレージエンの激動の近現代史を象徴するものと言える。

聖アナ山

PL Góra Świętej Anny DE St. Annaberg 📍 Dunikowskiego, 47-154 Góra Świętej Anny

カトヴィツェとオポーレの間にある、第三次シロンスク蜂起（1921 年）の激戦地。カトリックの聖人の名前が冠されている通り、もともと宗教的な聖地であった。蜂起勃発に際して、ポーランド側の武装蜂起の前に劣勢に立たされていたドイツ義勇軍は、1921 年 5 月 21 日にオーバーシュレージエン中部の軍事的要衝である聖アナ山のポーランド側拠点を総攻撃し、局面を打開しようとしたのである。この戦闘で両側合わせて 1,500 人の死者を出すも、最終的にはドイツ側が辛くも勝利した。

しかしアナ山がより大きな重要性を帯びてくるのはむしろ戦間期であり、この戦闘はオーバーシュレージエンにおける「ドイツ的精神」の象徴として神話化されるのである。特にナチはそこに義勇兵を祀る慰霊碑や野外劇場を設置し、この地をプロパガンダに利用しようとした。第二次世界大戦後には、やはりポーランド政府のもとで慰霊碑は撤去され、シロンスク蜂起の記念碑へと置き換えられている。

クションシュ城

PL Zamek Książ DE Schloss Fürstenstein

📍 ul. Piastów Śląskich 1, 58-306 Wałbrzych

ドイツ語ではフュルステンシュタイン城と呼ばれる、ヴロツ
ワフから南西に70kmほどの場所に位置する古城。創建はシ
ロンスク・ピアスト朝時代の1288-1292年であり、ヤオエ
ル公ボルコ1世によって行われた。そののち現地公爵家やチェ
コ王、ハプスブルク君主たちによって荘厳な外観や豪華絢爛
な内装へと改装されていく。特にブレース公ハンス・ハインリヒ15世（在位：1907-1918年）は
大規模改築を実施し、ネオ・ルネサンス様式の翼面や47メートルの塔を擁する現在の姿となった。
興味深いのは第二次世界大戦期であり、ナチや親ナチ勢力は1943年から「巨人計画 Projekt Riese」
という名前で DE ニーダーシュレージエン（PL ドルヌィシロンスク）一帯に大規模地下基地を作る
プランを進めていた。フュルステンシュタイン城もその計画の一部であり、軍事基地への改修が行わ
れていたが、完成を見ずに敗戦を迎えた。戦後は地域住民の略奪にあうなどして長らく荒廃していた
が、1970年代にグダニスクの学術チームを中心に再建され、現在では博物館として内部を見学可能
になっている。

シロンスク蜂起者たちの記念碑

PL Pomnik Powstańców Śląskich

📍 al. Korfantego, 40-959 Katowice

第一次世界大戦直後、三次（1919年、1920年、1921年）
にわたって展開されたシロンスク蜂起の記念碑。ポーラン
ド人建築家ヴォイチェフ・ザブウォツキによって設計され
た記念碑は、1967年に完成した。ポーランド国家の象徴
である巨大な鷲の翼をあしらった3基のモニュメントが三
度の蜂起を表現している。この記念碑によって、シロンス
クの地がポーランドによって勝ち取られたということが誇
らしげに強調されているのである。記念碑の向かいには UFO のような形をした多目的アリーナ「ス
ポーデク Spodek」も見えるが、これもやはりポーランド時代の建築だ（1971年完成）。

ワールシュタット（レグニツァ）の古戦場

PL Pole bitwy pod Legnicą DE Schlachtfeld bei Wahlstatt

📍 Plac Henryka Pobożnego 3, 59-241 Legnickie Pole

ワールシュタットの戦いもしくは PL レグニツァ（DE リーグニッツ）の戦
いの跡地は、現ポーランド領レグニツァ市近郊のレグニツキェ・ポーレに
ある。1241年4月9日に、シロンスク公・ドイツ騎士団連合軍とモンゴル
軍の戦闘があり、連合軍が壊滅的な敗北を喫した。連合軍側の死者は最大で
8,000人にも上るという見方もある。この凄惨な戦いを記憶に留めるための
施設はレグニツキェ・ポーレ博物館を中心にいくつかある。まず博物館はか
つての教会の建物をそのまま展示場として使っているもので、当時の戦闘に
関する様々な情報を得ることができる。また建物の脇にはいくつか記念碑も
あり、1910年に設置された石の記念碑のほかに、この戦いで討ち取られた
シロンスク公ヘンリク2世と思われる彫像なども掲げられている。

筆者撮影

43

ポーゼン

　かつてのドイツ帝国領ポーゼン州は、現在はポーランド領ヴィエルコポルスカ地方の周辺地域となっている。

　このヴィエルコポルスカは、ヴァルタ川（ DE ヴァルテ川）の中・下流域に位置するポーランド中西部の地域である。中心都市ポズナニを核としてグニェズノ、カリシュといった諸都市が並び立ち、約 350 万人を擁するヴィエルコポルスカ地方は人口においてポーランド有数の規模を誇る。経済活動は活発であり、自動車修理業や各種工場を軸にこの地方の総生産は全国の 10 パーセントを占めている。

　また、ヴィエルコポルスカの西部に位置するルブシュ地方についても触れておきたい。ここはかつて、ドイツ帝国領ブランデンブルク州の一部であった地域だからである。この地域はヴァルタ川とオドラ川に挟まれた領域に位置し、ゴジュフ・ヴィエルコポルスキやシフィエボジンを中心として、ポーランド西端の地域をなしている。人口は 100 万人余りと、ポーランドの中では比較的少ない地域である。

ポズナニ旧中央広場

PL Stary Rynek DE Alter Markt
📍 Stary Rynek, 61-768 Poznań

ポズナニ市観光の起点となる場所。13世紀半ば
のヴィエルコポルスカ公領の時代にその原型が形
成され、それ以後少しずつ現在の形へと整備され
ていった。観光客の目を引くのは、中央広場を囲
む色とりどりの建物であり、それに優美な噴水や
カトリックの聖人ヤン・ネポムツキの銅像がアク
セントを加えている。ポズナニ中心部の建物はい
ずれもそうであるが、この中央広場は第二次世界大戦でほぼ全て破壊され、戦後復興の過程で再建さ
れた。

ポズナニ旧市庁舎

PL Ratusz w Poznaniu DE Rathaus in Posen
📍 Stary Rynek 1, 61-768 Poznań

ポズナニの中央広場で最も目を引く造造物は、なんと言っても市庁舎だろ
う。起源を13世紀まで遡ることができる伝統ある市庁舎は、ポズナニの
苦難の歴史を教えてくれる。最初に建てられたものは16世紀の大火で一
部が焼失し、イタリア人の建築家ジョヴァンニ・バティスタ・クアドロの
もとでルネサンス様式に再建された。それも第二次世界大戦の激戦で灰燼
に帰したが、戦後のポーランド人の努力によって16世紀の建築が再現さ
れている。13世紀の建築から引き継がれた尖塔、そしてヤギェウォ朝の
歴史君主をあしらったファサードが印象的である。現在は歴史博物館と
なっている。

旧王宮

PL Zamek Królewski
📍 Góra Przemysła 1, 60-101 Poznań

旧市街の北西に位置する、歴代ヴィエルコポルスカ公の
居城。建設は13世紀のプシェミスウ1世の時代であり、
その後プシェミスウ2世が拡張を計画した。ブランデ
ンブルクによる彼の暗殺後もその拡張工事は継続されて
おり、歴代領主に愛好されただけでなく、近世以降は県
知事の公邸としても使用された。現在「旧王宮」とされ
ているのは、ヴィエルコポルスカ公領が廃された後にカ
ジミエシュ大王などの歴代ポーランド君主の居城時代が
あったためである。

居住区と監視塔からなる構造が特徴的であり、塔の高さは9メートルにもなる。しかし現在の建物
はオリジナルではなく、幾度もの災害と戦禍を経て、第二次世界大戦後に再建されたものである。現
在は博物館となっており、また塔の展望台から旧市街を一望できるスポットでもある。

ポズナニ城

PL Zamek cesarski
DE Kaiserschloss
📍 Święty Marcin 80/82, 61-809 Poznań

旧市街中心部からポズナニ大学の方面へ歩いていくと見えてくる城。これは第3代ドイツ皇帝ヴィルヘルム2世の居城として、20世紀初頭に建てられたものである。無骨な佇まいは中世の城をモデルにしているためで、ドイツのポーゼン州支配を象徴するものとされた。皇帝ヴィルヘルムのために建てられた居城であるのに、彼がここを訪問したのはその治世で3度だけであった。第一次世界大戦後にはポズナニ大学の一部として利用されるようになり、またポーランドの大統領の宿泊先ともなった。第二次世界大戦期にはアルベルト・シュペーアの計画にしたがってヒトラーの居城へと改修されており、今もその痕跡を残している。現在は、現代美術の展示場となっている。

ヴィエルコポルスカ蜂起博物館

PL Muzeum Powstania Wielkopolskiego 1918-1919 📍 Stary Rynek 3, 61-772 Poznań

1918年12月末にドイツ領ポーゼン州で勃発したポーランド系住民の蜂起とその結末は、ドイツに対するポーランドの勝利を象徴するものとされる。この蜂起を契機として、ヴィエルコポルスカ地域はポーランドへと併合されることとなったのである。そしてこのヴィエルコポルスカにおける「ポーランド人の輝かしい歴史」を記念するために、旧市街北部に博物館が建設された。この博物館の展示は1918年冬の蜂起だけに焦点を絞ったものではなく、1793年から1939年までのこの地域のポーランド系住民の歴史を紹介するものである。展示には英語によるキャプションや解説も付いているため、ポーランド語のできない観光客にもその歴史が理解できるようになっている。

筆者撮影

ポズナニ暴動（1956年六月事件）犠牲者記念碑

PL Pomnik Ofiar Czerwca 1956 📍 Święty Marcin, 61-001 Poznań

ポズナニ城の西隣にはポーランドの国民詩人アダム・ミツキェヴィチの名を冠した公園があるが、そこには1956年6月に発生したポズナニ暴動犠牲者の巨大追悼碑が設置されている。敬虔なカトリック教国ポーランドらしい、二本の十字架が縄で括り付けられているという、労働者の苦しみを表現した記念碑となっている。

グニェズノ大聖堂

PL Archikatedra gnieźnieńska

📍 Wzgórze Lecha, 62-200 Gniezno

ポーランド王国最初の都、グニェズノ中心部にそびえ立つ教会。ここに来れば古えのポーランドが感じられるかもしれない。この街に司教座が設置されたのは 968 年とされるが、初期は簡素なロトゥンダ（円形の霊廟）があるのみであった。尖塔を持つ大聖堂の原型は 11 世紀から 15 世紀にかけて少しずつ建設されたものである。この教会にまつわる逸話としては、プロイセンの地で殉教し、この教会に埋葬されたポーランドの守護聖人ヴォイチェフ（DE アダルベルト）のものが最も有名であり、教会の 18 枚の青銅製の扉に描かれている彼の生涯の物語は必見である。ナチ占領下ではこの聖堂の持つポーランド性は否定されて単なるコンサートホールにされていた。さらにソ連軍との戦闘によって大きく損傷を受けるも、戦後にゴシック様式の教会として再建された。

カリシュ市庁舎

PL Ratusz w Kalisz

📍 Główny Rynek 20, 62-800 Kalisz

ポズナニの南東に位置するカリシュ市の中央広場で見ることのできる新古典主義の美しい市庁舎。この建物の建設は比較的新しく、ヴィエルコポルスカがポーランド領となったのちの 1920 年から 1924 年にかけて建てられたものである。

カリシュ市は、中世よりカリシュ県の県都をなす重要都市であり、ポーランドにおける教育の中心地としても知られていた。ただし、この都市はポーランド分割でプロイセン領となったが、ウィーン会議後にロシア帝国領となっているため、本書の定義する意味では「旧ドイツ領」ではない。第一次世界大戦の緒戦で、ドイツ軍とロシア軍の戦闘の最前線となり、16 世紀に建てられたゴシック様式の市庁舎を含む市街全域が破壊された。戦争直後に市庁舎が建てられた経緯は、そうした戦災からの復興であったのである。白く美しいその姿は、当時の人々が感じていた新時代の幕開けを象徴している。

ヒンターポンメルン

　かつてのドイツ帝国領ポンメルン州の東部地域、いわゆるヒンターポンメルン地方
は、現在ポーランド領西ポモージェ地方となっている。

　バルト海に面する貿易港シュチェチンを擁する西ポモージェ地方は、約170万人
の人口を擁するポーランド最西端・最北端の地域だ。その領域に長い海岸線を有して
いるため、夏は海水浴場としても人気のある地域である。またシュチェチンやスタル
ガルト、コシャリンといった都市に歴史的建造物が数多く残されており、シーズンに
なると近隣のドイツなどから観光客が押し寄せてくる。

シュチェチン城

PL Zamek Książąt Pomorskich w Szczecinie DE Stettiner Schloss

📍 Korsarzy 34, 70-540 Szczecin

シュチェチン（DE シュテティーン）の旧市街中心部にたたずむこの城の起源は、14 世紀半ばまで遡ることができる。その後、幾度かの大規模な改築を経て現在の形になっているが、それは主に屋根の赤いゴシック様式のカテドラルと緑色をした塔のあるルネサンス様式の居城から構成されている。ここには歴代ポンメルン公が居住していたほか、プロイセン王フリードリヒ・ヴィルヘルム 4 世も一時的に住まいとしていた。第二次世界大戦末期の激戦で城全体が壊滅的な被害を受けるが、戦後のポーランド政権のもとで再建された。ルネサンス様式はその時に付け加えられたものである。名称もプロイセン時代までの「シュテティーン城」から「シュチェチンのポンメルン公爵城」へと改められ、現在は博物館、オペラ座、観光案内所などを併設した複合文化施設となっている。

西ポモージェ県庁舎

PL Zachodniopomorski Urząd Wojewódzki

📍 Wały Chrobrego 4, 70-502 Szczecin

シュチェチンのヴァウィ・フロブレーゴ地区に位置するこの建物は、ドイツ帝政期にパウル・キーシュケとパウル・レームグリュプナーという建築家によって設計されたもので、1911 年に完成した。ドイツ時代においてこの施設はシュテティーン県庁舎として利用されており、敷地内には県知事の公邸、海事関係の行政事務所や企業事務所も併設されていた。戦後においてはポーランドの地方自治体庁舎となるが、戦後ポーランドの地方自治体区分は頻繁に変更されているので、その都度この庁舎の名称も変更されている。現在は、西ポモージェ県庁の庁舎である。

出典：https://gs24.pl/tym-chwali-sie-szczecin-zobacz-co-poleca-sie-u-nas-turystom-zdjecia/ga/c7-14007363/zd/34765071

オリオン地区

Place Oriona

シュチェチンの市街中心部は、放射線と中心円の繰り返しからなる特殊な構造をしている。これはオリオン座の星々の位置関係を地表に置き換えたものであり、世界的に見ても珍しい都市計画であることから、今日では「オリオン地区」という名称で観光地化が目指されている。なお、シュチェチンの占星術師マウゴジャータ・ガルダシェヴィチとエドヴァルド・ガルダシェヴィチによると、シュチェチンの地理はエジプトのギザと相似関係にあり、天の川とみなしうるナイル川をオーダー（オドラ）川とすれば、ピラミッドがこのオリオン地区に当たるのだという。

聖ヨハネ福音教会

PL Kościół św. Jana Ewangelisty
DE St.-Johannes-Evangelist-Kirche
📍 Świętego Ducha 9, 70-205 Szczecin

このゴシック様式の教会は14世紀にフランチェスコ会修道士によって建設されたもので、シュチェチン最古の建造物のひとつである。教会内には多くの墓碑が飾られ、天井には古い時代の宗教画を見ることができる。現在では、西ポモージェ域内で随一の歴史的建造物として観光名所となっている。

出典：http://pallotyni.szczecin.pl/

ビスマルク塔

PL Wieża Bismarcka
DE Bismarckturm
📍 71-737 Szczecin

ビスマルクを顕彰する塔というのは、実は旧ドイツ領を含めた中・東ヨーロッパ各地に点在しているのであるが、ここシュチェチンにも存在する。この塔は、コンクールを経たのちの諸国民戦争100周年の1913年に着工し、第一次世界大戦後の1921年にようやく完成した。そのお披露目の際には大々的な式典が催され、その後はシュテティーン市民の憩いの場となったという。なお所在地は、シュチェチン郊外の集落ゴツワフの外れである。

聖マリア大聖堂

PL Katedra Niepokalanego Poczęcia Najświętszej Maryi Panny w Koszalinie DE Marienkirche
📍 Bolesława Chrobrego 7, 75-063 Koszalin

コシャリン（DE ケスリン）は西ポモージェ地方における歴史都市であるが、そのハイライトは聖マリア大聖堂であろう。1300年から1333年の間に建てられたゴシック様式の教会は、16世紀から第二次世界大戦までプロテスタント教会となっていたが、1945年以降は再びカトリックの教会として役目を果たしている。

「バルト海の真珠」シフィノウィシチェ

PL Świnoujście DE Swinemünde

チャーチルは 1946 年に「シュチェチンからトリエステまで」という有名な「鉄のカーテン」演説を行うが、その地理認識は非常に厳密に言えば間違っていた。当時、中央ヨーロッパにおける東西分断の北限となる都市はシュチェチンではなく、ここシフィノウィシチェ（DE シュヴィーネミュンデ）であったからである。

このドイツ・ポーランド国境の街シフィノウィシチェは、ウーゼドム島とヴォリン島にまたがる小さな都市である。しかし小都市とはいえ、しばしばその美しさから「バルト海の真珠」とも称される行楽地だ。夏になると多くの観光客が海水浴や保養のためにこの街を訪れ、つかの間のバカンスを満喫するのである。コウォブジェクと同様にシフィノウィシチェの観光名所も灯台であり、専用の遊歩道によって多くの人々がそこへと誘われていく。こののどかな風景から、とてもここがかつての冷戦の最前線だったと思い至る人は少ないだろう。

画像出典：Ministry of Foreign Affairs of the Republic of Poland
https://www.flickr.com/photos/polandmfa/8230063578/in/dateposted/

コウォブジェク市庁舎

PL Ratusz w Kołobrzegu
DE Rathaus in Kolberg

📍 Armii Krajowej 12, 78-100 Kołobrzeg
コウォブジェク（DE コルベルク）の市街中心地には、市内随一の歴史的建造物である市庁舎がたたずんでいる。市庁舎の原型はすでに 14 世紀頃にはその場所にあったが、ナポレオン戦争期の戦闘で旧市庁舎は破壊された。現在の形が出来上がったのは、市庁舎が 19 世紀前半にドイツの著名建築家カール・フリードリヒ・シンケルの指導のもとに再建された時のことである。これにより、新市庁舎はコの字型をしたネオゴシック様式の建物となった。現在もこの建物は市庁舎として機能しているほか、文化施設やギャラリーも併設し、さらに市民や観光客の待ち合わせ場所としても利用されている。

コウォブジェクの灯台

PL Latarnia morska Kołobrzeg DE Leuchtturm Kolberg

⚲ Morska 1, 78-100 Kołobrzeg

三十年戦争の戦禍によってコウォブジェクの港湾は荒廃したのであるが、そうした悪しき事態を打開するため、ブランデンブルク選帝侯領時代の1666年に灯台施設がこの地に初めて建設された。現在の灯台の原型は20世紀初頭に建てられたものであるが、第二次世界大戦後に大幅に増築された。現在のコウォブジェク灯台は娯楽施設としても利用されており、カフェやクラブハウス、屋台・レストランなどが併設されている。

北シュレースヴィヒ

　かつての旧ドイツ帝国領シュレースヴィヒ＝ホルシュタイン州の北部、いわゆる北シュレースヴィヒ地方は、デンマーク領南ユラン地方の一部となっている（自治体としては 2007 年より「DM 南デンマーク地域 Region Syddanmark」の一部である）。

　かつての旧ドイツ領にあたる領域は、コムーネと呼ばれる基礎自治体区分で言えば、主にハザスレウ、オベンロー、テナー、セナボーという 4 つの地域から構成されており、その総人口は 22 万人余りである。その大半が農村地帯であり、経済的に繁栄しているとは言い難いが、それでも小ベルト海峡と北海に挟まれたこの小さな地域には様々な歴史的な見どころが満載されている。

ハザスレウ旧市街

DM Den gamle bydel i Haderslev
DE Altstadt von Hadersleben
夜警博物館の所在地
🅟 Højgade 6, 6100 Haderslev

南ユラン東部の都市ハザスレ
ウ。ドイツ語ではハダースレー
ベンという。スレースヴィ（DE
シュレースヴィヒ）公領の中心
地のひとつであったその旧市街
の歴史は、12世紀の創建期ま
で遡ることができる。特に旧市
街の街路は創建当時の様子を留
めているとされ、またカラフル
な住宅の多くは16世紀に建て
られたものである。この街は近
世の大火のほかは大きな破壊を
経験しておらず、それゆえに中近世ヨーロッパそのままの街並みを存分に満喫できる街なのだ。
デンマークの諸都市に特有の慣習として、夏場の夕方になると通りに夜警が現れるというものがある。
現在では夜警とともに街歩きをするガイドツアーが人気で、15歳以上の大人であれば30デンマー
ククローネでツアーに参加できる（15歳未満の子どもは無料。予約などは市の観光ウェブサイトを
確認）。この街には小規模な夜警博物館もあり、南ユラン地域における夜警の歴史を学ぶこともでき
るようになっている。

オベンロー

DM Aabenraa DE Apenrade
ユラン（DE ユトランド）半島東
部、バルト海へ繋がるオベンロー
湾の最奥部に位置するオベンロー
は、人口約15,000人の小さな港町
だ。ドイツ名はアペンラーデ。現
在は風光明媚な観光地であるこの
街も、19世紀にはいわゆるシュレー
スヴィヒ＝ホルシュタイン問題が
焦点化される中でデンマーク系住
民とドイツ系住民の利害が激しく
対立する地となった。そして1866
年の普墺戦争後にこの街もドイツ
領となるとビスマルク塔（現存せ
ず）が建てられるなど、ドイツ的

精神が街を包み込むこととなる。それでも第二次世界大戦後にはスレースヴィ全域において両者の共
存関係が制度的に構築されており、北シュレースヴィヒ・ドイツ・ギムナジウム（中等教育機関）の
存在などにそうしたドイツ系少数派の権利擁護の施策が垣間見える。

国境標石

DM Grænsesten DE Grenzstein
第一号国境石の所在地

📍 Dammweg, 24955 Harrislee, Denmark / Germany

1920 年の住民投票に基づいてデンマーク・ドイツ国境が画定された
が、その国境線上には 63km にわたって 280 基もの国境標石が設置
された。これは当時設置されていた国境画定委員会という専門組織に
よって行われた事業であり、その多くが今も変わらない両国国境線
を分かつ標識として維持されている。この国境石には「1920 年 6 月
15 日」という国境画定日と、南向きにドイツ＝プロイセンを表す「DR/
P」、そして北向きにデンマークを表す「D」の文字がそれぞれ刻まれ
ている。国境標石の第一号はフレンスブルク湾に臨む国境東端の街ク
ルスオー（DE クルーザウ）沿岸部の遊歩道付近に設置されており、
現在でもその姿を見ることができる。

出典：https://wiedenroth-
karikatur.blogspot.
com/2010/05/
grenzerfahrung.html

アウゴステンボー宮

DM Augustenborg Slot **DE** Schloss Augustenburg

📍 Augustenborg Slot 1, 6440 Augustenborg

スレースヴィにおける公爵家のひとつ、アウゴステンボー家の邸宅であった宮殿。宮殿のあるアウゴステンボー（**DE** アウグステンブルク）はセナボーの東にある小さな街である。地名や城名となっているアウゴステンボーという名前は、初代公爵エルネスト・ギュンター（在位：1647-1689）の妻の名前から取られたものである。宮殿の建設は1660年頃であり、その後18世紀にいくつかの増築が加えられた。1850年の第一次スレースヴィ戦争の処理過程でアウゴステンボー家は公爵位を喪失し、1920年以後はデンマーク政府がこの領地を買い取った。

1866年の普墺戦争の契機は、このアウゴステンボー公爵家再興の企てであった。オーストリア政府は、管理下に置くホルシュタイン地方の都市アルトナにおいてアウゴステンボー公爵家の復活を支持する「革命的な政治集会」の開催を許可したのであるが、これをプロイセン側が分割統治を定めたガスタイン条約違反だと非難して攻撃に踏み切るのである。こうした北部辺境の地における政治的対立を発端とする戦争によって、プロイセンはドイツ統一への歩みをまた一歩進めていった。

セナボー

DM Sønderborg **DE** Sonderburg

ユラン半島とアルス島にまたがり、アルス海峡とフレンスブルク湾に臨む美しい港町がセナボーである。ドイツ語ではゾンダーブルクとも呼ばれる。ドイツ帝政期には海軍基地がこの街に置かれ、対デンマークの軍事的拠点としても機能した。近郊にはアウゴステンボー宮やデュブル砦など、歴史スポットが点在している。

北部防衛陣地跡

DM Sikringsstilling Nord
DE Sicherungsstellung Nord

第一次世界大戦で用いられたドイツ軍の防衛陣地。オベンロー近郊にその一部が保存されている。ドイツ軍は、バルト海沿岸から北海沿岸まで、ドイツ領北シュレースヴィヒ地方を横断するように防衛陣地を構築した。ドイツが恐れていたのは中立のデンマークではなく、イギリス軍の上陸部隊であった。1916年から1918年まで用いられたこの陣地は、デンマーク方面から侵攻してきたイギリス軍を迎え撃つ戦略的に重要な役割を担ったのである。

戦後、デンマーク領となった後は、この北側に向けられた防衛陣地に軍事的価値はもはやなく、大部分が破壊された。オベンローのものは、破壊を免れ、かつ近年歴史的価値のある文化財として見直されている稀少な戦争遺構なのだ。

デュブル砦歴史センター

Historiecenter Dybbøl Banke

📍 Dybbøl Banke 16, 6400 Sønderborg

セナボー近郊にある第二次スレースヴィ戦争の激戦地。1920 年にドイツ領北シュレースヴィヒがデンマークへ「復帰」した際には、デンマーク国王を迎えて大規模な祝祭が開催された。2007 年にデュブルの地を国民的な記憶の場とするべく「歴史センター」という名の記念館が設置された。館内の展示では、映像や実物大の模型によって当時の戦闘を追体験できるようになっている。

ツェッペリン号および駐屯地博物館

DM Zeppelin- & Garnisonsmuseum Tønder 📍 Gasværkvej 1, DK-6270 Tønder

20 世紀初頭にドイツ人発明家フェルディナント・フォン・ツェッペリン伯爵が開発した硬式飛行船は、第一次世界大戦期には兵器としての利用が期待されるようになった。しかし 1914 年当時、ドイツ軍の保有していた飛行船はツェッペリン L3（Zeppelin L3.）と呼ばれるもののみであり、新造船の建造が急がれた。結局、第一次世界大戦だけで 100 隻以上が建造され、そのいくつかはデンマークとの国境地帯へと配備されたのであるが、北シュレースヴィヒにおける飛行船基地は西部の DE トンダーン（DM テナー）に置かれた。ここを拠点として、パーシヴァル PL 25 やツェッペリン L7（Zeppelin L7.）といった新鋭の軍用飛行船が発着したのである。任務は主にイギリス軍に対する偵察や爆撃であった（ただし実際の戦果は小さかったとされる）。戦争序盤とは戦局が大きく変化していた 1918 年 7 月、イギリス軍が世界初の本格空母フューリアスを投入して航空攻撃を実施したことによりトンダーン基地の飛行船や基地は壊滅的被害を受けた。そして基地の復旧前にそのまま戦争も終結してしまうのであった。

第一次世界大戦終結後にドイツはトンダーン基地の解体を目指したが、デンマーク領となったために実現せず、結果として現存するうちで最も保存状態の良い旧ドイツ飛行船基地となった。現在は博物館となっている。

出典：https://www.visitdenmark.de/daenemark/explore/zeppelin-und-garnisonsmuseum-tonder-gdk610677

エルザス＝ロートリンゲン

　かつてのドイツ帝国領エルザス＝ロートリンゲンは、現在フランス東部のアルザス地方とロレーヌ地方となっている。

　アルザスとロレーヌの両地方は、ドイツ、ベルギー、オランダと国境を接する境界地域に位置しているが、EU 域内におけるヒトとモノの自由な移動の中で、かつては閉鎖的とみなされていた国境地帯から「ヨーロッパの交差点」へと変貌している。例えばアルザス地方のストラスブールは EU 行政の中心的な都市のひとつであるし、コルマールはその美麗な街並みから世界的な観光地として知られ、多くの観光客が集う都市である。また歴史的変遷という意味では、スイス国境近くのミュルーズはその多様な歴史の層を我々に垣間見せてくれる都市であり、ロレーヌ地方のメスにもドイツ時代の建築物が見られる。

プティット・フランス

FR Petite France DE Gerberviertel 📍 67000 Strasbourg

アルザス地方随一の都市ストラスブール。プティット・フランスは「小フランス」という意味の同市の観光名所である。ドイツ時代はゲルバー地区と呼ばれていた。ストラスブールを縦断するイル川はその旧市街を取り囲むように分岐するのであるが、観光客はその始点の中洲に美しい木組みの住宅群を見ることができる。この地区には16世紀にイタリア戦争に従軍するフランス軍傷兵用の病院が設置されていたが、住民はそれにちなんでフランス風に「ゲルバー」という名前をこの地区に冠したとされる。ほとんどの建物は神聖ローマ統治時代の16-17世紀に建てられたものであり、また石造りの1階と木組みの上層階という構造はどの建物も同じである。このような木造建築はアルザスの伝統的な建築様式であり、その可愛らしい外観から観光客からの人気が高い。

セントポール教会

FR Église réformée Saint-Paul
DE Paulskirche

📍 1 place du Général
Eisenhower, 67000
Strasbourg

ストラスブールの旧市街からイル川を北東に下っていくと、オーヴェルニュ橋の手前で、ドイツ時代に建設された珍しい教会が見えてくる。ドイツ領エルザス=ロートリンゲンには多数のドイツ人守備隊がこの地に移住してきたのであるが、彼らの信仰生活のためにルター派教会を設置する計画が進行した。1897年に完成したネオゴシック様式の教会は、信仰の中心としてだけでなく、ドイツ軍高級将校の宿泊施設としても機能した。1919年にこの地域がフランス領となってからは、この教会は改革派（カルヴァン派）の教会として用いられている。第二次世界大戦では英米軍の爆撃によって損傷したが、戦後に修復された。正面の「バラの窓」と称される円形の窓や、巨大なパイプオルガンが魅力的である。

欧州議会

EN The European Parliament
FR Parlement européen

📍 Allée du Printemps, 67000 Strasbourg
ストラスブールに設置されているヨーロッパ政治統合の中核たる代表機関。この建物は1999年に完成したもので、第一回本会議で開会宣言をしたフランス人活動家・政治家の名をとって、「ルイーズ・ヴァイス Louise Weiss」とも呼ばれる。

1979年より直接選挙によって5年毎に欧州議会議員が選出されており、現在は、毎月4日間、年12回開催される本会議のために27カ国から785名の議員がストラスブールの議場へ集結する。まさに戦後における「独仏和解」「ヨーロッパ統合」の象徴とも言える建物である。

アルザス博物館

FR Musée Alsacien DE Elsässisches Museum
📍 23-25 quai Saint-Nicolas, 67000 Strasbourg
旧市街南側に位置する、アルザス地方の地域文化を伝える博物館。ドイツ時代の1902年に博物館の法人が設立され、1907年に開館した。世紀転換期のエルザス＝ロートリンゲンは、それまでのベルリンからの抑圧的政策をようやく受け流して、地域の独自性や自治権を主張する潮流が拡大しつつあった時期であった。こうした時期に、地域的なアイデンティティを強化するために設置されたのがこの博物館である。現在、博物館は3つの建物からなっており、18-19世紀のアルザス地方の生活文化を伝える5,000点を越えるコレクションが展示されている。

バルトルディ博物館

FR Musée Bartholdi
📍 30 Rue des Marchands, 68000 Colmar
自由の女神像の製作を指揮した彫刻家バルトルディの博物館。彼が幼少期に過ごした邸宅を博物館に改装したもので、旧市街の南側にある。館内では無数のバルトルディ作品群を鑑賞することができる。

コルマール旧市街

FR Colmar

プフィスタの家の所在地

📍 11 rue des Marchands, 68000 Colmar

アルザスの激動の歴史の中で幾度もその主役となってきた歴史都市コルマールは、その非常に美しい旧市街を擁することで世界的に有名である。特に **FR** ロシュ（**DE** ラオホ）川沿いの一区画は「小ヴェネツィア Petite Venise」と称されるほどの美麗な景観を誇る。1674年にフランス軍がコルマールの反乱を抑えて入城した際、将軍はこの地区から市街へと入っている。

また旧市街には神聖ローマ時代の1537年に建てられたプフィスタの家（Maison Pfister）がある。この建物は銀の交易で富を築いた商人によって建てられたもので、ルネサンス様式の代表的建築物である。その存在感からコルマールの「顔」と言える建築物である。なおプフィスタというのは、1841年から1892年までこの屋敷に住んでいた家族の名前に由来している。

レユニオン広場とミュルーズ旧市役所

FR Place de la Réunion & Hotel de ville de Mulhouse

📍 Place de la Reunion, 68100 Mulhouse

スイス盟約者団、神聖ローマ帝国、フランス、ドイツ帝国、そしてまたフランスという国家帰属の度重なる移り変わりを経験してきたアルザス南部の街ミュルーズ。その市街中心部は、現在レユニオン広場という名前となっている。この広場には、様々な歴史的建造物の他に、スイス時代の1552年に建設されたピンク色の特徴的な旧市庁舎がある。現在、ルネサンス様式のこの建物は歴史博物館となっており、内部も見学することができる。

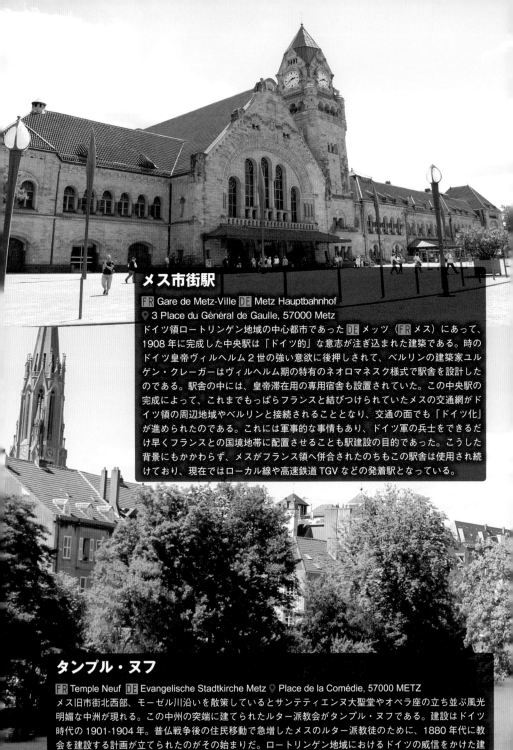

メス市街駅

FR Gare de Metz-Ville **DE** Metz Hauptbahnhof

📍 3 Place du Général de Gaulle, 57000 Metz

ドイツ領ロートリンゲン地域の中心都市であった **DE** メッツ（**FR** メス）にあって、1908年に完成した中央駅は「ドイツ的」な意志が注ぎ込まれた建築である。時のドイツ皇帝ヴィルヘルム2世の強い意欲に後押しされて、ベルリンの建築家ユルゲン・クレーガーはヴィルヘルム期の特有のネオロマネスク様式で駅舎を設計したのである。駅舎の中には、皇帝滞在用の専用宿舎も設置されていた。この中央駅の完成によって、これまでもっぱらフランスと結びつけられていたメスの交通網がドイツ領の周辺地域やベルリンと接続されることとなり、交通の面でも「ドイツ化」が進められたのである。これには軍事的な事情もあり、ドイツ軍の兵士をできるだけ早くフランスとの国境地帯に配置させることも駅建設の目的であった。こうした背景にもかかわらず、メスがフランス領へ併合されたのちもこの駅舎は使用され続けており、現在ではローカル線や高速鉄道TGVなどの発着駅となっている。

タンプル・ヌフ

FR Temple Neuf **DE** Evangelische Stadtkirche Metz 📍 Place de la Comédie, 57000 METZ

メス旧市街北西部、モーゼル川沿いを散策しているとサンテティエンヌ大聖堂やオペラ座の立ち並ぶ風光明媚な中洲が現れる。この中洲の突端に建てられたルター派教会がタンプル・ヌフである。建設はドイツ時代の1901-1904年。普仏戦争後の住民移動で急増したメスのルター派教徒のために、1880年代に教会を建設する計画が立てられたのがその始まりだ。ロートリンゲン地域におけるドイツの威信をかけた建

築プロジェクトとしてヴィルヘルム2世の肝いりで計画が進められるようになり、設計も皇帝の任命したドイツ人建築家のチームによって行われた。完成記念式典にも皇帝自身が臨席して祝賀会が開催されるほどの、力の入れようであった。これは、まだ「ドイツの歴史」の浅いロートリンゲンにあって、ドイツ皇帝の威信を高めるためのパフォーマンスであった。1919年にフランス領となってからは、「新しい寺院 Temple Neuf」という名称に改められ、所属宗派もカルヴァン派へと変更された。現在では歴史的建造物として観光名所となっている。

シュヴァイツァー博士の博物館

FR Musée du docteur Schweitzer

126 Rue du Général de Gaulle, 68240 Kaysersberg Vignoble

アルベール・シュヴァイツァーの出身地ケゼルスベールに作られた記念館。当時の資料や写真から、シュヴァイツァーの足跡を辿ることができる。

ドイツ人の門

FR Porte des Allemands
DE Deutsches Tor
📍 Boulevard Maginot , 57000 Metz

メス旧市街の東側、セイユ川沿いに位置する「ドイツ人の門」と名付けられている古城。これはドイツ領時代に建てられた城門ではなく、中世のドイツ騎士団に由来するものだ。13世紀に「ドイツのノートル=ダムの救護修道士 FR Frères Hospitaliers de Notre-Dame des Allemands」と呼ばれる人物がこの地に病院をいくつも建設したのであるが、その最大の遺構がこの城門となったのである。長らく放置されていたが、19世紀後半にフランスとドイツによって相次いで修復され、かつての姿を取り戻した。ドイツ領時代の1907年には博物館となっている。そして第二次世界大戦で損傷するも、フランス復帰後に再び修復された。現在ではフランスの歴史記念物の指定を受け、保護されている。

オイペン・マルメディ

かつてのドイツ領 DE オイペン（FR ユーペン）やマルメディは、現在ベルギー東端の
ドイツ語共同体に属している。これはベルギー東端のドイツとの国境地帯に位置する
自治体である。歴史的にドイツ語、フランス語（ワロン語）などの言語境界に位置し
てきたため、現在ではベルギー国内で独自の言語的・文化的自治権を認められている
地域となっているのだ。以下で見ていくように、オイペンにはオーバーシュタット地
区やドイツ語共同体議会、マルメディにはマルムンダリウムなどの名所があるほか、
フェン鉄道のような極めてユニークな旧ドイツ領も存在する。

オイペンのオーバーシュタット地区

DE Oberstadt in Eupen
聖ニコライ教会の所在地 ♥ Marktplatz, 4700 Eupen
オイペンでの最初の集住地は 1213 年まで遡ることができるのだというう。現在の市街中心部に位置するオーバーシュタット地区の中央広場から二本の尖塔が特徴的な聖ニコライ教会の周辺が街の始まりであった。17 世紀ごろにはオイペンで織物産業が創始されるが、18 世紀に最盛期を迎えると多くの職人や商人がこの地区に定住し、街も大きく栄えたのだった。聖ニコライ教会は 18 世紀に大規模な改修が行われ、現在の姿となっている。出典：https://www.ostbelgien.eu/de

オイペンの文化センター

DE Kulturzentrum ♥ Rotenbergplatz 17, 4700 Eupen
オイペン市街南西にある歴史的建造物。建設はヴィルヘルム期ドイツの 1901-1903 年だ。長らく屠畜場として利用されていたため、「旧屠畜場 DE Alter Schlachthof」という異名もある。歴史的建造物の活用を目的として 1993 年に改装され、現在はコンサートや演劇、展示会などが開かれる文化センターとなっている。

ドイツ語共同体議会

🇩🇪 Parlament der Deutschsprachigen Gemeinschaft Belgiens
📍 Platz des Parlaments 1, B - 4700 Eupen

2013 年よりドイツ語共同体の議会として使用されている建物。オイペンの激動の 20 世紀史の「生き証人」でもある。この建物そのものはドイツ時代の 1910 年に「商人療養協会」という組織がサナトリウムとして計画したものであるが、ひとまずの完成はようやく 1917 年のことであった。これは第一次世界大戦末期のことであり、戦争中は野戦病院として利用されている。1920

年にこの地域がベルギー領となると協会はベルギー側にこの建物を売り渡したため、戦間期は当初の目的通り結核患者のためのサナトリウムとなった。しかし第二次世界大戦期のナチ支配下において再び商人療養協会の所有物となり、兵士用の結核療養所が設置された。戦後はサナトリウムや学校として活用されていたが、1991 年よりドイツ語共同体の所有物となり現在に至る。内部には展示室も設置されており、ドイツ語共同体の歴史を概観することができる（議会の見学には予約が必要）。

マルムンダリウム

🇫🇷 Malmundarium 📍 Place du Châtelet 9, 4960 Malmedy

マルムンダリウムはマルメディの誇る歴史的遺産である。レマクルスという名の修道士とその仲間がこの地を開墾して定住し、スタヴロ＝マルメディ大修道院領が成立するのであるが、この建物はその拠点の一つであった。そうして 648 年からフランス革命までの約 1100 年間に渡って、ここはその統治の中心であったのだ。現在の外観となったのはプロイセン＝ドイツ時代であり、この時代に様々な改修が施されている。

1985 年より歴史的建造物に指定され、さらに 2011 年からは博物館となっている。広大な床面積の中で、マルメディの歴史や文化に関するコレクションがところ狭しと展示されている。

アルベール1世広場

🇫🇷 Place Albert Ier

📍 Place Albert Ier, 4960 Malmedy

マルメディ市街の中心地である中央広場。1781年にスタヴロ＝マルメディ修道院長によって建てられたオベリスクが目を引く。

出典：https://www.ostbelgien.eu/de/fiche/
virtualtour/ehemaliger-sitz-der-baltia-regierung

旧バルティア政府所在地

🇫🇷 Ancien siège du gouvernement Baltia, SPF
Finances Malmedy

📍 Rue Joseph Werson 2, 4960 Malmedy

オイペンとマルメディは、第一次世界大戦直後にドイツとベルギーの間で領有権が争われた。ヴェルサイユ条約ではこの地域における住民調査の実施が定められていたので、1920年1月に連合国とベルギーはマルメディに臨時政府を設置し、その首班にヘルマン・バルティアを任命した。その臨時政府の建物は、市庁舎とともに、ドイツ時代から同市に現存する数少ない建築物のひとつである点で貴重である。現在はベルギーの政府施設となっている。

マルメディ市庁舎

🇫🇷 Ville de Malmedy

📍 Rue Jules Steinbach 1, 4960 Malmedy

マルムンダリウムの南側に位置するマルメディ市の市庁舎。ドイツ時代の1900年に建設された。

歴史センター「ボニェ44」

Baugnez 44 Historical Centre 📍 Route de Luxembourg 10, 4960 Malmedy

マルメディ南東の街ボニェに建てられた、第二次世界大戦中に起こったマルメディ虐殺事件とその背景となったバルジの戦いを記憶するための博物館。「44」とは、戦闘が行われた1944年を表している。博物館内部では、当時の戦闘の様子を再現した模型が多数展示されており、一見の価値がある。

フェン鉄道　Vennbahn

インターネット地図などでドイツ・ベルギー国境付近を見ていると、国境の北部のドイツ側に奇妙な国境線が走っていることに気づくだろう。ドイツ領の中を縦断する線状の国境線は、「フェン鉄道」と呼ばれるかつての鉄道路線によるものである。驚くべきことに、この旧鉄道の敷地だけがベルギー領となっているのである。

ドイツ領時代の1880年代に開業したこの鉄道は、第一次世界大戦後にベルギーの管轄となることが決定された。その路線の一部がドイツ領の内部を通過していたことにより、その敷地だけが非常に細長いベルギー領を形成することとなったのである。残念ながら鉄道の運営そのものは1980年代から2000年代にかけて段階的に停止され、2007年には最後の路線も廃線となっている。ベルギーのドイツ語共同体は、この路線を国境地帯を走る観光鉄道として保存しようと試みたが、路盤の劣化によってその道も閉ざされてしまった。現在ではカルターヘアベルク駅周辺で、軌道自転車「レールバイク」の体験ツアーが開催されており、往時の路線に思いをはせることができる。

※「歴史観光ガイド」の画像は特に出典表記がない限り、FlickrでCCライセンスフリーのもの、あるいはwikipediaのオープンソースの画像を用いている。

序章

「旧ドイツ領」史概観

序章 「旧ドイツ領」史概観

中・東ヨーロッパにおける国家形成（9-12世紀頃）

　西暦800年、中央ヨーロッパは歴史的転換点を迎えていた。フランク王カールが、ローマ皇帝として戴冠したのである。古代の西ローマ帝国を正統に継承し、またキリスト教会の権威を背景とした普遍帝国が中央・西ヨーロッパにまたがる領域に誕生したことで、理念上ではヨーロッパはひとつに統合された。814年にカール大帝が死去すると、843年のヴェルダン条約で帝国領土は三人の息子へそれぞれ相続され、東フランク、中部フランク、西フランクの三王国に分割された。さらに961年になると東フランク王オットーがローマで皇帝として戴冠され、オットー1世となったのである。この新しい帝国はのちに「神聖ローマ帝国」と呼ばれるようになり、その帝位は東フランク（ドイツ）王が世襲することとなった。初期にはザクセン家、のちにザーリアー家やシュタウフェン家の支配のもとで、神聖ローマ帝国は中央ヨーロッパ随一の大国としての地位を固めていくこととなる。他方で中部フランク王国の北部は870年のメルセン条約によって東西フランク王国に分割・吸収され、西フランク王国はのちのフランス王国の基盤となった。

　8世紀頃には北方でデーン族の国家であるデンマーク王国が成立しており、🅳🅼ユラン（🅳🅴ユトランド）半島南部で東フランク王国と領土争いを展開するようになっていた。811年の和約において、🅳🅼アイダ（🅳🅴アイダー）川を両国の境界とすることが初めて確認されると、両国の小競り合いを経た末に11世紀にも同様の合意がなされた。ここで一旦は落ち着いたかに見えた両国境界の画定問題であるが、そののちもシュレースヴィヒ＝ホルシュタイン両公領の世襲問題などから非常に複雑な経過をたどっていくこととなる。そしてこれらの境界と所領にまつわる諸問題こそが、19世紀のシュレースヴィヒ＝ホルシュタイン問題へと結びついていくのである。

　神聖ローマ帝国の東方、現在のポーランドにあたる地域にはポラニェ族と呼ばれる人々の集団が居住しており、彼らは10世紀頃より本格的な国家形成を開始した。🅿🅻ヴィエルコポルスカ地方（のちの🅳🅴ポーゼン州）を拠点とし、ピアスト家のミェシュコ1世（在位：960頃-992年）を初代君主とするこの国家は、西方キリスト教を導入するなど西欧化の道を歩み、神聖ローマ帝国とも良好な関係を構築した。このピアスト朝ポーランド王国は、ミェシュコ1世の子ボレスワフ1世の治世（992-1025年）に最初の最盛期を迎え、マウォポルスカ地方、ヴィエルコポルスカ地方、🅿🅻シロンス

ク（ DE シュレージエン）地方、 PL ポモージェ（ DE ポンメルン）地方のほか、神聖ロー
マ帝国との軋轢を抱えながらも現在のチェコやスロヴァキアにあたる地域をもその支
配下に置いたのである。しかしこのボレスワフ1世の死去以後、ピァスト朝の版図は
王位相続権争いの中で分裂と統合を繰り返し、1202年の時点で統一国家とはかけ離
れた群雄割拠状態となっていた。

ポーランド＝リトアニアの台頭と宗教改革（13-16世紀）

　11世紀に入ると、中央ヨーロッパにおける権力基盤の地殻変動が起こってくる。
1077年にはドイツ王側と教会権力の対立（叙任権闘争）に端を発して、時のドイツ
王ハインリヒ4世が破門・謝罪に追い込まれたカノッサの屈辱が起こった。またドイ
ツ王国を構成する諸領邦の特権的地位が長期にわたって維持され続けたことで、王国
領内に王権とは別個の一円的な支配権が確立されるなどしていた。これらの背景によ
り、王権は徐々に弱体化していき、13世紀後半には皇帝のいない大空位時代が到来
するのである。その解決策として考案されたのが1356年の金印勅書であり、ここに
7人の選帝侯がドイツ王＝神聖ローマ皇帝を選出するとする慣習が定められた。15世
紀後半に入ると、神聖ローマ帝国の帝位を、オーストリア大公であったハプスブルク
家が世襲するようになった。積極的な婚姻政策で知られたハプスブルク家は、ヨーロッ
パ全土に広大な領土を持つ大帝国を形成するに至るが、同時に1529年にオスマン帝
国による攻撃（ウィーン包囲）を受けるなど、対外的な脅威にもさらされていた。
　ピァスト朝ポーランドも混乱の時代を迎えていた。ポーランド王国領土は、マウォ
ポルスカの中心都市クラクフを首都としながらも、子孫による世襲の繰り返しでヴィ
エルコポルスカ公領やシロンスク公領、ポモージェ諸公領へと分裂し、13世紀には
さらに細分化していく。
　1241年には、ポーランド王国・ドイツ騎士団連合軍がハンガリー方面より侵攻し
てきたモンゴル軍の軍勢と戦闘（ワールシュタットの戦い）を行い、壊滅的大敗を
喫したことも、この地域の混迷を深める結果となった。それでも、1300年にボヘミ
ア王ヴァーツラフ2世がポーランド王として戴冠すると、ポーランド王国の一体性
が徐々に再構築されていくこととなる。そののちカジミエシュ3世〈大王〉（在位：
1333-1370年）は、巧みな外交戦術を用いて領土を大幅に拡大させただけでなく、法
典の整備や貨幣の統一によって中央集権化を推し進めた。こうして大王によって内的
統合が強化されたポーランド王国は、中・東ヨーロッパにおける大国へと復活を果た
すのである。さらに1385年には、クレヴォの合同文書でリトアニア大公国とポーラ
ンド王国の政治的統合が定められ、ここにポーランド＝リトアニアの国家連合(ヤギェ

北海

アイダー川

ハンブルク

ハノーファー

ゲッティンゲン

ライン川

ケルン
ボン

マルメディ

モーゼル川

フランクフルト(マイン)

ルクセンブルク ●トリーア

メッツ

シュトラースブルク ●

コルマール

フライブルク

バーゼル

チューリヒ

フランクフルト(オーダー)

エルベ川

ライプツィヒ

ヴァイマル

プラハ

ニュルンベルク

シュトゥットガルト

リンツ

シュプレー川

西ナイセ川

オーダー川

東 フ ラ ン ク 王 国 (神 聖 ロ ー マ 帝 国)

1000 年頃の中・東ヨーロッパ

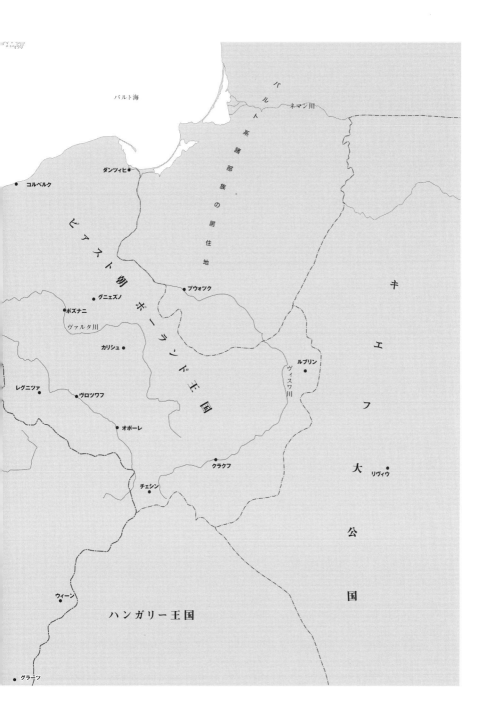

バルト海

ネマン川

ダンツィヒ

コルベルク

リ
ト
ア
ニ
ア
人
系
諸
部
族
の
居
住
地

ピ
ア
ス
ト
朝
ポ
ー
ラ
ン
ド
王
国

グニェズノ

ポズナニ

プウォツク

ヴァルタ川

カリシュ

ルブリン

レグニツァ

ヴロツワフ

ヴ
ィ
ス
ワ
川

オポーレ

クラクフ

チェシン

ウィーン

リヴィウ

キ
エ
フ
大
公
国

ハンガリー王国

グラーツ

ウォ朝）が誕生し、その勢力拡大はとどまるところを知らないものとなった。

　この時期にヨーロッパ東部で勢力を伸ばしたのは、ドイツ騎士団であった。異教徒の平定を名目にプロイセン地域に定着した彼らは、領域国家を形成し始め、軍事的に強大となりつつあった。これを脅威とみなしたポーランド＝リトアニアは1410年にグルンヴァルトにてドイツ騎士団を打ち破り、続く100年間でドイツ騎士団の支配地域を服属させることに成功している。ドイツ騎士団の領域は、この時にプロイセン公国と王領プロイセンへと分割された。

　16世紀には宗教改革がヨーロッパを揺るがす大事件となった。1517年にヴィッテンベルク大学教授のマルティン・ルターが「九十五か条の論題」を発表し、キリスト教会の贖宥状販売を非難したのである。贖宥状とは、アウクスブルクの富豪フッガー家に多額の借金を負っていた皇帝カール5世とマインツ大司教が借金返済のために発行した証文のことであり、これを購入した信者の罪は赦されるものとされた。ルターはこのような教会の欺瞞を強く糾弾しただけでなく、のちには人間が救われるのは教会への寄進や贖宥状の購入ではなく、神の恩寵であるなどとして、教会の権威を次々に否定した。このようなルターの主張は、中央ヨーロッパにおける大きな宗教的・政治的動乱へと繋がっていく。宗教改革の動きはヨーロッパ各地でみられるようになり、ジュネーヴでもカルヴァンによる改革が行われた。西南ドイツでは、農民による抗議運動が大規模化し、賦役の軽減などを求める反乱（ドイツ農民戦争）へと拡大した。そうして中央ヨーロッパ諸侯の一部には、こうした混乱を避けるためにルター派に改宗する動きも見られたのである。

ポーランド＝リトアニア共和国の展開と三十年戦争（16-17世紀）

　15世紀のポーランド＝リトアニアは、北はバルト海から南は黒海北方まで、西は **DE** オーダー（**PL** オドラ）川右岸地域から東はドニエプル川右岸地域までの非常に広大な版図を有する巨大国家となっていた。1569年には、ポーランドとリトアニア両国の共通君主を戴くこと、合同した全国議会の設置、統一した外交政策を旨とするルブリン合同が成立し、両国の統合がさらに強化された。しかし1572年に186年間にわたってこの国家に君臨してきたヤギェウォ家が断絶し、国王が不在となる空位期を迎えると、シュラフタ層（貴族階級）の選挙によって国王を決定する選挙王制が行われるようになった。このシュラフタ層は、この時代に地方議会や全国議会を通じて、政治への強い影響力を行使するようにもなった。それゆえ、この時代以後のポーランド＝リトアニアは「貴族共和国 rzeczpospolita szlachecka」と称されるようになる。この貴族共和国の時代は、ポーランド＝リトアニアの黄金期ともされる。経済的には

16 世紀後半を通じてバルト海貿易から大きな利益を上げ、さらに軍事的にはロシア
の政治的混乱を突いてモスクワに入城し、リトアニア東方の広大な領土を支配下に収
めることに成功した。しかし、政治的には 1572 年から 1587 年までに三度発生した空
位期を乗り切ったのちも、共和国はとりわけ中小シュラフタとマグナート（大貴族）
の間での対立によって不安定なものであり続けた。それまで交渉と妥協によって合意
形成を図ってきたシュラフタ層も 17 世紀後半になると全会一致が原則の議会におい
て「自由拒否権」を乱発するようになり、政治は停滞していく。対外的にもオスマ
ン、ロシアとの軍事的紛争を抱えており、1655 年にはこれを好機と見たカール 10 世
グスタフ率いるスウェーデンがヴィエルコポルスカとリトアニアから侵攻する第二次
北方戦争（「大洪水 potop」とも呼ばれる）も発生し、共和国の大半が占領された。
それでも何とかスウェーデンを退けた共和国であったが、人口減少と国土の荒廃は免
れず、国力の低下が明らかなものとなった。

　17 世紀の中・東ヨーロッパにおいては三十年戦争（1618-1648 年）も重要である。
この戦争はボヘミアでのハプスブルク家を中心とするカトリック系貴族と現地のプロ
テスタント系貴族の対立から生じた宗教戦争が、神聖ローマ帝国だけでなく、プロイ
センやフランス、デンマーク、スウェーデンをも巻き込む国際紛争へと拡大したもの
だ。この戦争では傭兵による殺人や略奪などの不法行為が常態化したこともあり、神
聖ローマ帝国の国土は荒廃し、人口も戦前の 3 分の 1 程度にまで激減したとされる
（3 分の 2 程度への減少という説もあり）。そしてこの戦争中にフランスが占領した
FR アルザス（DE エルザス）地方は、戦後においてフランスと神聖ローマ帝国への両
属状態となり、そののち 1681 年にフランスへの帰属が確定した。

　三十年戦争の講和条約である 1648 年のウェストファリア条約は、神聖ローマ帝国
の政治構造に大きな打撃を与えた。それは立法や戦争の開始・講和などについて帝国
議会の承認を経ることが皇帝に義務付けられたのみならず、帝国を構成する領邦君主
たちに領邦内での以前にもまして多くの主権や外交権が認められたからである。こう
して中世以来の大帝国であった神聖ローマ帝国の一体性は風前の灯火となり、歴代皇
帝を輩出してきたハプスブルク家もオーストリアを中心とした所領支配の強化へと方
針転換するのである。

ポーランド分割と中・東ヨーロッパの再編（18 世紀）

　このようにウェストファリア条約後の神聖ローマ帝国はかつての栄華をほとんど失
いつつあったが、しかしそれでもその重要性が完全に失われたわけではなかった。こ
の老帝国はヨーロッパにおける勢力均衡の調整役としての役割が期待されていたの

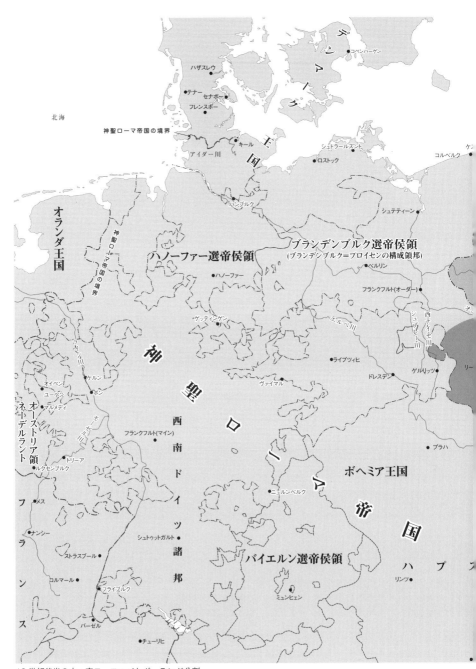

18世紀後半の中・東ヨーロッパとポーランド分割

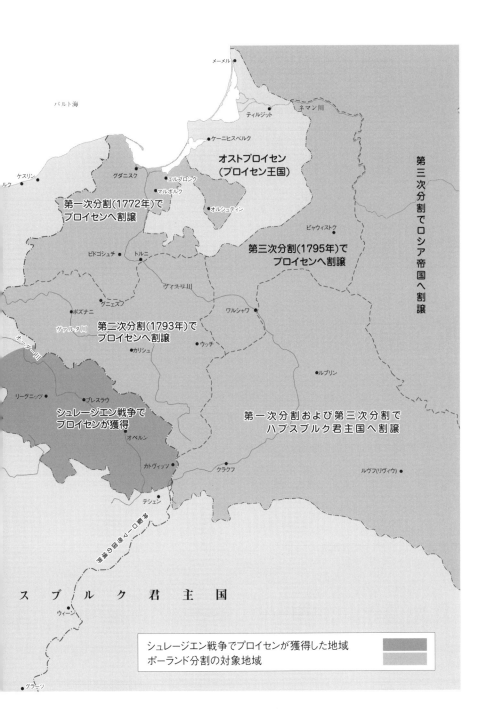

オストプロイセン
（プロイセン王国）

第一次分割（1772年）で
プロイセンへ割譲

第三次分割（1795年）で
プロイセンへ割譲

第二次分割（1793年）で
プロイセンへ割譲

シュレージエン戦争で
プロイセンが獲得

第一次分割および第三次分割で
ハプスブルク君主国へ割譲

第三次分割でロシア帝国へ割譲

バルト海

メーメル

ネマン川

ティルジット

ケーニヒスベルク

ケスリン

ルク

グダニスク

エルブロンク

マルボルク

オルシュティン

ビャウィストク

ビドゴシュチ

トルニ

ヴィスワ川

グニェズン

ポズナニ

ヴァルタ川

ワルシャワ

ウッチ

カリシュ

ルブリン

オーデル川

リークニッツ

ブレスラウ

オペルン

カトヴィッツ

クラクフ

ルヴフ(リヴィウ)

テシェン

スブルク君主国

ウィーン

グラーツ

シュレージエン戦争でプロイセンが獲得した地域
ポーランド分割の対象地域

だ。代わってこの時期に絶頂期を迎えたのはフランス王国であり、〈太陽王〉ルイ14世（在位：1643-1715年）はヨーロッパにおける新たな大国の君主として次々と周辺諸国に戦争を仕掛けていた。また16世紀以来ヨーロッパ東部に進出していたオスマン帝国は依然としてキリスト教世界に対する脅威とされていた。このような危機的な状況の中で、神聖ローマ帝国はそれらの脅威への対抗手段として辛うじてその命脈を維持させられたのである。

　神聖ローマ帝国と同様に、中・東ヨーロッパ有数の大国ポーランド＝リトアニア共和国も、以前にもまして一層の苦境に立たされていた。17世紀末より、国外の貴族による介入が可能な選挙王制を通じて、ロシア、ハプスブルク、プロイセンといった列強国の君主たちが頻繁に内政干渉を行うようになっていたのである。これらの列強は七年戦争末期には互いに同盟を結んでおり、共和国の外交的孤立が目立つようになる。特にスタニスワフ・アウグスト・ポニャトフスキ（在位：1764-1795年）の治世には、国王の後ろ盾であったロシアが強権的な干渉を行い、1768年にはこれに反発したポーランド側の全国的な蜂起が勃発している。しかしこの蜂起はロシアによって鎮圧され、国王スタニスワフ・アウグストはロシア、ハプスブルク、プロイセンへの国土割譲を迫られたのである。

　ここでプロイセンの台頭について解説しておきたい。かつてポーランド王への服従を誓約させられたプロイセン公国であったが、ホーエンツォラーン家の指導のもとで再び強国への道をひた走っていた。近世においてプロイセン公国はブランデンブルク選帝侯領との同君連合を形成していたので、両者は合わせてブランデンブルク＝プロイセンと呼ばれる。17世紀後半には、このブランデンブルク＝プロイセンの歴代君主によって常備軍・租税制度・官僚制が整えられたことによって、代表議会への参加権を持つ「諸身分 Stände」の特権が制限されるようになり、相対的に君主の権力が増大していった。こうして国力を蓄えたプロイセン公国は1701年に王国へと昇格を果たした。プロイセン王国は、巨大官僚制と強大な軍事力に支えられた絶対主義的な軍事国家として華々しい成果を上げていく。とりわけフリードリヒ〈大王〉（在位：1712-1786年）は、ハプスブルク家の家督相続をめぐる争いから同家に対してシュレージエンの割譲を要求し、三次にわたるシュレージエン戦争の末に当該地域を獲得するに至った。

　話を戻すと、先のポーランドへの外部からの圧力は、このようなプロイセンの台頭も相まってポーランド分割へと結びついていく。まず1773年の第一次ポーランド分割によって、ロシア、ハプスブルク、プロイセンの三国はポーランド＝リトアニアの領土の一部を得た。ここでプロイセンは王領プロイセン（ヴィスワ川河口とバルト海

沿岸部）およびヴァルミアを含む地域を獲得したのである。第一次分割後の共和国は、国内体制の立て直しを目指して改革に着手し、1791年にシュラフタ層の特権の制限などを柱とする五月三日憲法を採択した。しかしこの憲法に反対するロシアは軍を率いて共和国に侵攻し、第二次分割が強行された。さらに1795年には第三次分割も実施され、これによりポーランド＝リトアニア共和国は地図からその姿を消すこととなる。プロイセンは、この第二次・第三次分割によってヴィエルコポルスカ地方とワルシャワを含むマゾフシェ地方を獲得している。

ウィーン体制と1848・49年革命（19世紀前半）

　19世紀が近づくと、中・東ヨーロッパをめぐる事情は大きく様変わりする。近代の始まりである。この大変動に大きく関与した出来事は、フランス革命と神聖ローマ帝国の崩壊だ。1789年に勃発したフランス革命は、それまでの絶対王政から、絶対不可侵の君主権に制限を設ける立憲君主主義への転換を目指すものであった。しかし急進化した革命勢力は、王制を廃止したのち、フランス王ルイ16世を処刑した。このような君主主義勢力にとって不穏な情勢を憂慮したプロイセン、ハプスブルクらの諸外国は対フランス干渉戦争へと突入するも、革命派の義勇軍によって激しく抵抗され、最終的にはナポレオンの台頭による反転攻勢にあった。この干渉戦争の講和条約において、神聖ローマ帝国を構成する112もの西南ドイツの小諸邦が取り潰され、約40の中諸邦へと再編された。さらに1806年8月にはこれらの中諸邦も帝国を離脱してライン同盟という国家連合を形成しつつ、ナポレオンとの軍事同盟を確立した。こうした事態を受けて皇帝フランツ2世は退位し、ここに962年より続いてきた神聖ローマ帝国は崩壊したのである。

　解放戦争の戦後処理とヨーロッパにおける秩序の回復を実現するため、オーストリア宰相メッテルニヒの主導により、1814年9月にウィーンで開催された国際会議においては、正統主義と勢力均衡が基本原則とされた。正統主義とはフランス革命以前の諸王朝の復位と領土支配権の復活を指す概念であり、フランスでは王政復古がなされたほか、現在のドイツ地域でも1815年に諸邦国の連合体であるドイツ連邦が成立している。しかしこの正統主義のもとでも神聖ローマ帝国や取り潰された多数の小邦国の再興はなされず、中央ヨーロッパではもはや革命以前とは異なる秩序が形成されていたと言えるだろう。他方でこの連合体は神聖ローマ帝国の版図を踏襲したものでもあったので、オストプロイセンやポーゼンといったプロイセン王国の東部領土は、このドイツ連邦の枠組みの埒外に置かれた。またプロイセン王国がオイペンとマルメディの周辺地域を獲得したのは、このウィーン会議においてであった。

一方で、中央ヨーロッパでは、解放戦争における国民意識の高まりとともにドイツ人の統一国家を求める動きも強まっていた。例えば、解放戦争に従軍した大学生を中心とした結社であるブルシェンシャフトは、1817 年にテューリンゲンのヴァルトブルク城に参集して、ドイツへの祖国愛や自由・平等を基盤に統一国家を建設しようという急進的主張（「自由と統一」）を唱えた。このような革命的動きを警戒したメッテルニヒはカールスバート決議を発して、秘密結社の禁止や書物の事前検閲を実施した。この措置によって統一国家運動は一時的に停滞するも、1830 年にフランスでブルボン朝支配を打破せんとする七月革命が起こると、これに触発されたドイツ北部や中部の諸邦国は憲法を制定して立憲君主制へと移行し、またバイエルン王国では「自由と統一」を唱える大規模な民族祝典であるハンバッハ祭が開催されている。

　このような中・東ヨーロッパをめぐる動向と並行して、身分制社会から市民社会への転換も重要である。旧来の身分制社会においては、聖職者・貴族・農民という三身分の間の不平等が法的に承認されており、その身分は出生に基づくもので変更不可能なものであった。貴族に生まれればいいが、零細農民に生まれた場合、農民としての一生を過ごさなければならなかったのである。他方の市民社会とは、生まれではなく才能・業績・財力に基づく社会的地位の向上が法的に認められた社会であり、より流動的かつ開かれた社会を指す用語である。これに関して、プロイセン東部領土においては、ユンカーの存在が問題となった。彼らは依然として領主裁判権や行政権・警察権などを保持しており、地方議会を通じて地方政治にも発言権を有しており、社会の流動化を阻害していたのである。しかしこの 19 世紀前半の時期において、ユンカー層の一部は経済的に没落していく。急速に工業化していく社会の中で農業経営中心のユンカーたちは苦境に陥り、その領地とそれに付随する諸権利を新興市民層に売却するのである。この新興市民層は、農奴解放や同業組合（ツンフト）制度廃止にともなう営業の自由の制度化によって育成されたもので、この時代に彼らは豊かな経済力を背景として社会的上昇を果たすのである。しかし例外的にシュレージエンでは、旧来の貴族層が経済的にも成長し、地域社会に大きな影響力を及ぼすマグナートとなっていく。

　1848 年 2 月にパリで二月革命が発生し、国王ルイ・フィリップ打倒の報が伝わると、その火の粉は中央ヨーロッパにも波及した。いわゆる 1848 年革命の勃発である。まずバーデンや中小邦国において封建的諸権利の廃止と新内閣の樹立がなされ、その後、オーストリアやプロイセンへも革命的な動きが波及していった。ベルリンでは、軍と武装した市民との間で激しい戦闘が起こるも、最終的に国王フリードリヒ・ヴィルヘルム 4 世は革命勢力の要求に譲歩し、自由主義的貴族からなる新政府を樹立させ

た。この過程で、革命勢力は「自由と統一」というスローガンのうちの自由を各政府に約束させたが、まだ統一という課題が残されていた。この統一ドイツ国家の問題を協議するために、同年3月初めにフランクフルトに国民議会が招集された。しかし国制をめぐる様々な意見対立があったほか、旧ポーランド領の独立問題やデンマーク領シュレースヴィヒ＝ホルシュタイン公領のドイツ系住民の処遇をめぐる混乱もあり、国民議会は迷走した。その間に各地で反革命勢力が優勢となり、さらに1849年春に提出された憲法草案を基にドイツ皇帝へと推挙されたフリードリヒ・ヴィルヘルム4世が戴冠を拒否するという事態が起こり、革命は完全に頓挫したのである。

ドイツ統一（1871-1914年）

　一度は失敗したドイツ統一がなされるきっかけとなったのは、シュレースヴィヒ＝ホルシュタイン問題であった。1863年にデンマークがドイツ系住民の多数居住するシュレースヴィヒ（🆰スレースヴィ）公領の編入を決定し、これが連邦規約に違反するとしたドイツ連邦側は軍事制裁を発動した。しかしこの際に占領したシュレースヴィヒ＝ホルシュタイン両公領の管轄権問題から、プロイセンなどの北ドイツ諸邦とオーストリアと南部・中部ドイツ諸邦は戦争に突入し（普墺戦争）、オーストリアはプロイセン率いる連合軍に敗北した。これにともないドイツ連邦は解体し、ついにプロイセンがドイツ統一の主役となったのである。このプロイセン主体のドイツ統一は小ドイツ主義と呼ばれる。そしてこの時、講和条約においてスレースヴィ公領のドイツ編入が決定され、プロイセン領「シュレースヴィヒ＝ホルシュタイン州」が成立した。対してオーストリア中心のドイツ統一、すなわち大ドイツ主義を諦めたハプスブルク家は、1867年にハンガリー王国の自治権拡大を認める「アウスグライヒ Ausgleich」（妥協）を定めて、オーストリア側の領域とハンガリー王国の対等な関係を骨子とする二重君主制へと国制を改造した。引き続いてプロイセンはフランスを挑発して普仏戦争へと持ち込み、これを降伏させると、時のプロイセン王ヴィルヘルム1世はヴェルサイユ宮殿にてドイツ帝国の成立を宣言したのである。この際、ドイツはフランス領アルザスとロレーヌの割譲を求め、これが戦後に戦時賠償としてフランス側に承認された。これによりアルザスとロレーヌは、「帝国直轄地エルザス＝ロートリンゲン」としてドイツ帝国の一部となった。帝政期の旧ドイツ領の各地域では主にカトリック教徒を攻撃した文化闘争や、非ドイツ語話者にドイツ語を強制するドイツ化が問題となる。このような帝政期の政治・経済・社会の問題については、各章で具体的に見ていくこととしたい。

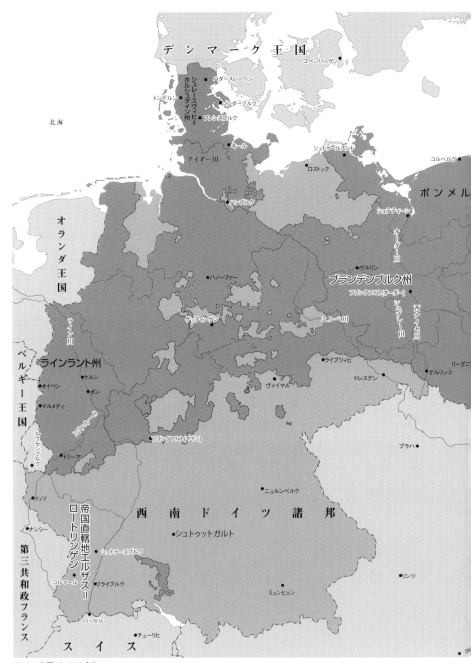

デンマーク王国

コペンハーゲン

ハダースレーベン

シュレースヴィヒ=
ホルシュタイン州

トンデルン

ソンダーブルク

フレンスブルク

北海

シュトラールズント

コルベルク

アイダー川

キール

ロストック

シュテティーン

ポンメル

ハンブルク

オランダ王国

オーダー川

ベルリン

ブランデンブルク州

ハノーファー

フランクフルト(オーダー)

シュプレー川

ライン川

ゲッティンゲン

エルベ川

西ナイセ川

ベルギー王国

ラインラント州

オイペン

ケルン

ライプツィヒ

リーグニ

ボン

ヴァイマル

ドレスデン

ゲルリッツ

マルメディ

ザール

フランクフルト(マイン)

プラハ

ルクセンブルク

トリーア

ニュルンベルク

メッツ

西南ドイツ諸邦

帝国直轄地エルザス=
ロートリンゲン

シュトゥットガルト

ナンシー

シュトラースブルク

第三共和政フランス

コルマール

フライブルク

リンツ

ミュンヒェン

バーゼル

チューリヒ

スイス

ドイツ帝国（1878年）

バルト海

メーメル

ネマン川

ティルジット

ケーニヒスベルク

オストプロイセン州

ケスリン

ダンツィヒ

エルビンク

マリーエンブルク

メルン州

ヴェストプロイセン州

アレンシュタイン

ビャウィストク

ブロンベルク

トルン

ポーゼン州

ヴァルタ川

グネーゼン

ヴィスワ川

ポーゼン

ワルシャワ

ロ シ ア 帝 国

カリシュ

ウッチ

リーグニッツ

ルブリン

ブレスラウ

シュレージエン州

オペルン

カトヴィッツ

クラクフ

レンベルク(ルヴフ／リヴィウ)

テシェン

オ ー ス ト リ ア ＝ ハ ン ガ リ ー 君 主 国

ウィーン

グラーツ

| プロイセン王国の領域 | |
| その他のドイツ帝国構成地域 | |

第一次世界大戦下の中・東ヨーロッパ（1914-1918年）

　1914年6月28日、オーストリア＝ハンガリー君主国の皇位継承者フランツ・フェルディナント夫妻がセルビア民族主義者のガヴリロ・プリンツィプに射殺されるサライェヴォ事件が発生した。オーストリア側は、この事件の背後にセルビア政府の関与があるとみてドイツとともに同盟（中央同盟と呼ばれる）を結成してセルビアに宣戦布告したが、これに対してセルビアと協調するロシアが総動員例を発令した。これを受けて8月1日にはドイツが「防衛戦争」を大義名分にロシアに宣戦布告し、さらにその後、フランスとイギリスにも宣戦布告している。これによって一挙にヨーロッパ全体を巻き込む世界大戦が勃発した。

　ドイツは緒戦でシュリーフェン・プランに基づく電撃的勝利に失敗し、西部戦線は南北に長大な塹壕の伸びる持久戦となった。このシュリーフェン・プランとは、まず軍の主力でもって中立国ルクセンブルクとベルギーに侵攻し、フランス軍を不意打ちによって撃滅したのち、返す刀で軍の集結に手間取るロシアへと侵攻するというものであった。しかしロシア軍の軍事行動が予想以上に早く、東部戦線でも1914年9月末のタンネンベルクの戦い以後は膠着状態となっている。このドイツの歴史的大勝となったタンネンベルクでの作戦を指揮した司令官ヒンデンブルクは、第一次世界大戦の英雄としてドイツ国民の尊敬を一身に集めることとなる。海上では、イギリス軍が戦力の圧倒的優位のもとに海上封鎖を実施しており、相対的に兵器・装備に劣るドイツ軍は封鎖を打破することができなかった。当初は短期戦と見られていた戦争は、徐々に長期化の様相を見せ始めるのである。次第に国民生活全般や各産業部門が戦争への参加を余儀なくされるようになり、いわゆる総力戦へと突入していくのである。

　1917年2月には、イギリスの弱体化を目的とする無制限潜水艦作戦を敢行するも、アメリカの反発と参戦を招いただけであった。同年11月にレーニンの指導のもとロシアで成立した革命政府は、12月にはドイツ・オーストリアと即時の単独講和を申し入れ、ブレスト・リトフスク条約で正式に戦争から離脱した。ロシアとの講和による領土獲得にもかかわらず、これにより「防衛戦争」というドイツにとっての戦争の大義名分は失われ、国内では厭戦気分が広まりつつあった。追い打ちをかけるようにアメリカの参戦した西部戦線においてドイツ軍は敗退を繰り返し、国民の疲弊と失望から総力戦体制は瓦解していく。総力戦体制下では食料は配給制となっていたが、すでに1916年頃から食料や家庭用燃料の不足が目立ち始め、この年の冬は必要カロリーの半分以下の水準の配給量しかない最悪の栄養状態となった。この出来事は、ジャガイモのかわりに水っぽく栄養価の低いかぶら（カブの一種）が配給されたことに象徴されるため、「かぶらの冬」とも呼ばれる。

中央同盟の敗色が濃厚となった 1918 年秋、まず 9 月にオーストリア＝ハンガリーが連合国との講和の交渉に入った。ドイツでも 10 月初頭にマックス・フォン・バーデンを首班とする新内閣が誕生し、いわゆる 10 月改革に着手している。これは不平等選挙を規定していた三級選挙法の廃止や議院内閣制の導入を柱とした内政改革であり、休戦後の講和交渉において少しでも有利な条件を引き出すための政策であった。しかしながら、こうした休戦交渉の準備の最中に、ドイツ 11 月革命が勃発する。10 月末のヴィルヘルムスハーフェン軍港でのサボタージュ、11 月初めのキール軍港での大規模な蜂起を嚆矢として、全国的な兵士と労働者の運動が展開され、各地で従来の統治機関を代替する「労兵評議会」という組織が設置された。バイエルンやザクセンで王制打倒と共和制が宣言される中、ベルリンでも社会民主党のフィリップ・シャイデマンがドイツ共和国の樹立を宣言している。当初は退位を拒んでいたドイツ皇帝ヴィルヘルム 2 世も、自身の警備部隊が反旗を翻したことから 10 日にオランダへ亡命した。翌 11 日、ドイツ全権団はコンピエーニュの森で休戦協定に調印し、第一次世界大戦は終結した。

第一次世界大戦の戦後処理・領土問題（1918-1924 年頃）

　第一次世界大戦終結後、マックス・フォン・バーデンは首相の座を社会民主党党首のフリードリヒ・エーベルトに譲った。「敗戦国」ドイツの舵取りを任されたエーベルトは人民委員政府（臨時政府）を発足させつつ、軍・官僚・財界などの旧体制支持勢力とも協力関係を作り上げ、この危機的状況を乗り切ろうとした。翌年 1 月に実施された選挙の結果、ドイツ社会民主党・中央党・ドイツ民主党の三党が連立与党となり、この三党によって主導された憲法制定議会において、新憲法も採択されている。この憲法は、ドイツ国家が民主主義的な「共和国」であることを明記し、国民に幅広い基本権を認めたものであり、当時最も先進的であった憲法とされる。この憲法制定議会が開催されたドイツ中部の小都市ヴァイマルの名前から、この憲法はヴァイマル憲法、新国家はヴァイマル共和国、先の与党三党はヴァイマル連合とそれぞれ呼ばれる。

　ドイツが帝政から共和制へと移行する一方で、第一次世界大戦末期からドイツ革命期にかけての中・東ヨーロッパでは、新国家が次々と誕生した。旧ドイツ帝国領周辺に限定すれば、オーストリア＝ハンガリー君主国の崩壊にともなって建国されたチェコスロヴァキア、18 世紀末の「分割」以来の独立を果たしたポーランドとリトアニアがそうである。第一次世界大戦の戦後処理において重要問題のひとつとなったのは、これらの新生国家の領域をどのように画定するのかということであった。ドイツ

との関連において、ポーランドはその西方においてはポーゼンやシュレージエン南東部（DE オーバーシュレージエン／PL グルヌィシロンスク）などの割譲を要求しており（ポーランド問題）、またリトアニアはオストプロイセン州 DE メーメル（LT クライペダ）を含む小リトアニア地方の領有を主張した。1918年12月末にはポーゼン州においてポーランド系住民による蜂起（ヴィエルコポルスカ蜂起）が発生し、この地域は事実上ポーランドに併合された。

　1919年1月より開催されたパリ講和会議では、アメリカ合衆国、イギリス、フランス、イタリアの四大国を中心にこの領土問題についても話し合われた。彼らは情報収集のためにポーランド問題専門委員会（通称カンボン委員会）を設置するなどして講和条件の策定にあたったが、その解決案はドイツにとって非常に厳しいものとなった。ドイツ側の反発を受けて修正されつつも、最終的に6月28日に調印されたヴェルサイユ条約では、ポーランド領となることが既成事実化していた DE ポーゼン（PL ヴィエルコポルスカ）地方のポーランド併合の追認、マリーエンヴェルダー地域を除くヴェストプロイセン州のポーランド併合と DE ダンツィヒ（PL グダニスク）の国際連盟管理下での自由都市化が定められていた。さらにドイツ帝国の直轄領であった DE エルザス＝ロートリンゲン（FR アルザス・ロレーヌ）地方も、フランスの主導のもとにフランスに「復帰」することが決定され、リトアニアによるクライペダ地方の領有要求も認められた。しかしドイツにとっての領土問題はこれだけではなかった。講和条約は、オーバーシュレージエン、DE アレンシュタイン（PL オルシュティン）および DE マリーエンヴェルダー（PL クフィジン）周辺地域の大部分、デンマークと国境を接する DE シュレースヴィヒ（DM スレースヴィ）、ベルギー国境のオイペン・マルメディ地域において住民投票・住民調査を用いた国家帰属の決定を行うことを求めていたのである。

　まず1920年にシュレースヴィヒとアレンシュタイン＝マリーエンヴェルダーにおいて住民投票が実施された。アレンシュタイン＝マリーエンヴェルダーでは90パーセント以上の投票権者がドイツ帰属に賛成し、ドイツへの残留が確定したものの、シュレースヴィヒにおいては、その北部地域において「デンマークへの帰属に賛成する票」が多数派となり、その地域のデンマークへの編入が決定された。また「住民調査」が実施されたオイペン・マルメディ地域でも、ベルギーへの帰属賛成意見が圧倒的多数となり、同国へ併合されている。最後に1921年にはオーバーシュレージエンにおいて住民投票が実施されたが、その結果はドイツ票6割、ポーランド票4割という、この時期に行われた住民投票の中で最も解釈の難しいものとなった。これに関して国際連盟は、この地域の西側をドイツ領に、東側をポーランド領とするという地域の分割

を決定した。このような講和条約および住民投票に基づく帰属変更の結果、ドイツは戦前と比べて領土を約 13 パーセント（約 7 万平方キロメートル）、人口を約 9 パーセント（約 647 万人）も喪失した。同時にオーバーシュレージエンやエルザス＝ロートリンゲンは中央ヨーロッパ有数の重工業地帯でもあったため、石炭生産や製鉄業の大半もまた失われてしまったのである。

　しかしドイツに課せられた講和条件はこれらの領土的損失だけではなかった。軍事面ではフランス国境沿いのラインラントが非武装地帯となったほか、徴兵制が禁止され、陸海兵力も厳しく制限された。さらに暫定的に 200 億金マルクにも上る賠償金の支払いも求められた（のちに 1320 億金マルクへ修正）。1919 年 6 月の仮講和案提示の際には、このような過酷な講和条件にドイツ世論は沸騰し、ドイツの各政党も反対した。しかし敗戦国ドイツにこの講和案を覆すだけの力はもはやなく、6 月 23 日に議会は最終的にヴェルサイユ条約の受諾を決定した（ただし、オーバーシュレージエンについては、ポーランドへの無条件編入から住民投票の実施へと変更されている）。

戦間期の中・東ヨーロッパ（1918-1933 年）

　戦間期初期のヴァイマル共和国は、非常に不安定な政治的状況のもとに置かれていた。上記のような領土喪失から国土を防衛するために、旧ドイツ軍兵士を主体とする義勇軍（フライコーア）が組織され、彼らは主として国境地帯に展開していた。1920 年 3 月には、君主制復活と共和国打倒を掲げる右派グループが一時ベルリンを占拠する「カップ一揆」という事件も発生しているし、さらに 1919 年から 1921 年頃にかけてのオーバーシュレージエンの帰属問題をめぐる紛争の際には、義勇軍はポーランド側と武装闘争を繰り広げたのである。これらの混乱の収拾に手間取ったヴァイマル連合からなる政府は、1920 年 6 月の選挙で大敗し、過半数を割り込むこととなった。そしてこれ以後、これらの共和国を支持する与党勢力は、国家運営において難しい舵取りを迫られることとなった。1923 年には、賠償金支払い問題に端を発するフランスとベルギーによるルール工業地帯の占領（ルール占領）が実施されるが、それにゼネストと紙幣増刷で抵抗したドイツ国内では空前のハイパーインフレが発生した。このような混迷の中、ドイツ国内では戦争再開もやむなしという論調も見られるようになるが、この危機を乗り切ったのがグスタフ・シュトレーゼマンを首相とする新政権であった。彼は通貨改革によってインフレを終息させ、さらに国際協調を掲げて連合国との関係改善に努めた。1923 年以降の首相と外務大臣としての彼の内政・外政両面にわたる功績により、1920 年代中盤のヴァイマル共和国は「相対的安定期」と呼ばれる時代に突入した。

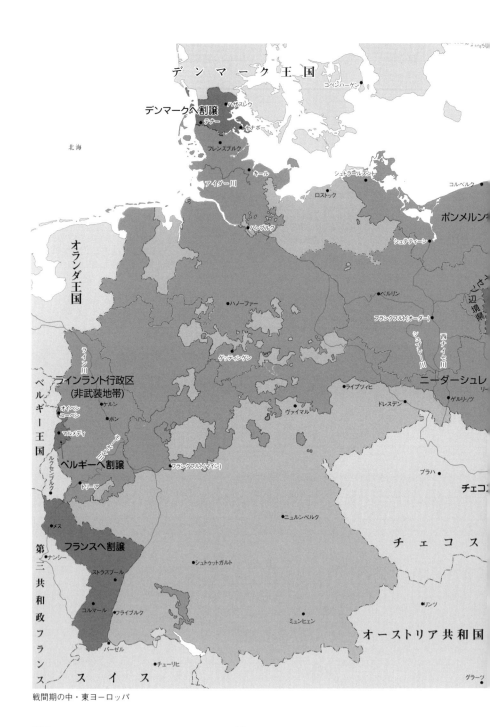

デンマーク王国

デンマークへ割譲

コペンハーゲン

ハザスレウ

テナー

セナボ

北海

フレンスブルク

キール

シュトラールズント

コルベルク

アイダー川

ロストック

ポンメルン

ハンブルク

シュテッティーン

オランダ王国

ハノーファー

ベルリン

フランクフルト(オーダー)

辺境界

ライン川

ゲッティンゲン

西ナイセ川

ラインラント行政区
(非武装地帯)

ライプツィヒ

ニーダーシュレ

ベ
ル
ギ
ー
王
国

オイペン
ユーペン

ケルン

ボン

ドレスデン

ゲルリッツ

マルメディ

ヴァイマル

ルクセンブルク

ベルギーへ割譲

フランクフルト(マイン)

プラハ

チェコ

トリーア

第
三
共
和
政
フ
ラ
ン
ス

メス

フランスへ割譲

ニュルンベルク

チェコス

ナンシー

シュトゥットガルト

ストラスブール

コルマール

フライブルク

ミュンヒェン

リンツ

オーストリア共和国

バーゼル

チューリヒ

グラーツ

ス　イ　ス

戦間期の中・東ヨーロッパ

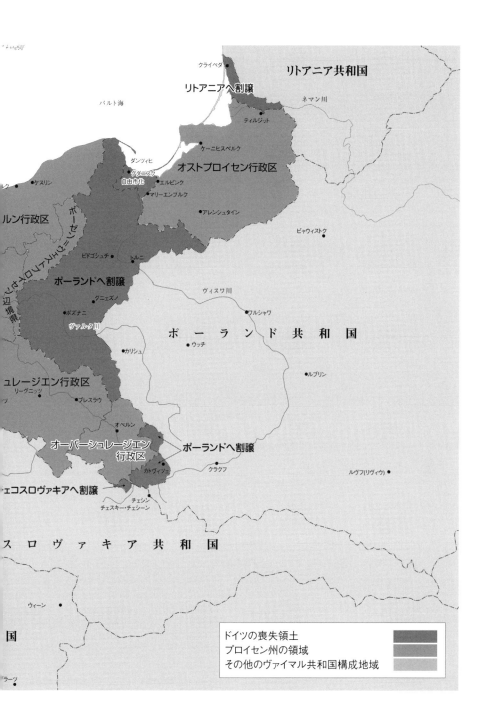

バルト海

クライペダ

リトアニアへ割譲

リトアニア共和国

ネマン川

ティルジット

ケズリン

ダンツィヒ
グダニスク
自由市化

ケーニヒスベルク

オストプロイセン行政区

エルビンク

マリーエンブルク

アレンシュタイン

ルン行政区

ビャウィストク

ビドゴシュチ

トルニ

ポーランドへ割譲

ヴィスワ川

グニェズノ

ポズナニ

ヴァルタ川

ワルシャワ

ポ ー ラ ン ド 共 和 国

カリシュ

ウッチ

ュレージエン行政区

リーグニッツ

ブレスラウ

ルブリン

オペルン

オーバーシュレージエン
行政区

ポーランドへ割譲

カトヴィツェ

クラクフ

ルヴフ(リヴィウ)

ェコスロヴァキアへ割譲

チェシン
チェスキー・チェシーン

ス ロ ヴ ァ キ ア 共 和 国

ウィーン

国

ラーツ

ドイツの喪失領土
プロイセン州の領域
その他のヴァイマル共和国構成地域

それでも、ヴァイマル共和国における君主主義および右派勢力は衰退局面に入ったわけではなかった。初代大統領エーベルトが1925年に死去すると、その後継者を決める大統領選挙において「タンネンベルクの英雄」ヒンデンブルクが当選したのである。元来彼は、第一次世界大戦での敗北は戦場での軍事的敗北ではなく、ドイツ本国でのマルクス主義勢力（社会民主党など）やユダヤ人による妨害と裏切りによってなされたものであるという「匕首（あいくち）伝説」の主張者であり、反共和国の立場を堅持している人物であった。またポーゼン、ダンツィヒとヴェストプロイセン、オーバーシュレージエンといったドイツ東部の喪失領土は、ドイツ人の民族自決権を基盤に、左右の違いなく常に修正・回復が要求されている問題であった。ヴァイマル連合の一角をなすドイツ民主党さえも、強烈なナショナリズムを背景として数百万人にも上る在外ドイツ系住民の苦難と窮状を訴えつつ、彼らの存在を根拠として喪失領土の修正を声高に主張していた。このような思想潮流は学術界でも見られ、東方においてドイツが領土を獲得することの正当性を主張する東方研究という学問分野の確立へと結びついている。

　確かに戦間期のヨーロッパには、ドイツ系少数派だけで数百万が居住しており、全ての民族的少数派を合計すると2500万人もの人々が母国から離れて暮らしていたとされる。ただヴェルサイユ条約とそれに連なる諸条約において、関係国間での民族的少数派の保護が定められていたことも確かであり、例えばドイツとポーランドの間では少数派住民への基本権の付与や教育における言語的平等などが義務付けられていた。例えばプロイセンでは、国外のドイツ系少数派の利害を守るためにはドイツ国内の民族的少数派の保護が必要であるという観点から、特にポーランド系少数派の権利保護が法的に規定されている。

　ヴェルサイユ条約の規定と住民投票に基づいてポーランド回廊（旧ヴェストプロイセン州の大部分）、ヴィエルコポルスカ地方、そしてシロンスク県（旧オーバーシュレージエン東部）を獲得した新生ポーランドであったが、その政治的道のりは平坦なものではなかった。1919年初頭にポーランド初の普通選挙が実施されたのち、その結果をもとに憲法制定議会が招集された。その議会で暫定憲法が採択され、ポーランドは近代国家としての体裁を整えた。しかしオーバーシュレージエンやオストプロイセン南部での住民投票に代表される西部地域だけでなく、ポーランドはその東部においても領土問題を抱えており、ガリツィア地域に建国された「西ウクライナ人民共和国」やソヴィエト・ロシアとの戦争を強いられたのである。1921年にはいわゆる三月憲法が採択されるも、それは弱い行政権と強い立法権を基調としていたために、弱体な政府は数多くの問題に対処するための十分な能力を持たなかった。長らく政治的に分

断されてきた社会システムを統合することは容易ではなく、社会と経済はバラバラの
ままであったために、政府はシロンスク県のような工業地帯の獲得も十分に活用する
ことができず、工業生産の水準は戦前のそれを超えることはなかった。またドイツと
同様に、憲法には民族的少数派の権利保護が明記されていたが、それは形式的なもの
にとどまった。戦間期のポーランドには民族的少数派とされる人々が三割余り居住し
ており、彼らを国家に統合することは様々な面から喫緊の課題であったはずだが、そ
れはついになされなかったのである。

　1920 年代末になると、世界恐慌を背景として中・東ヨーロッパ各国で権威主義的
な動きが強まるようになる。ポーランドでは、独立の英雄であるユゼフ・ピウスツキ
からなるグループが、五月クーデタと呼ばれる事件を起こして政権を掌握した。その
後しばらく憲法と民主主義に則った政権運営がなされ、ピウスツキ自身が政務に関わ
ることも稀であったが、1929 年の国会選挙での惨敗を期にピウスツキは武力を背景
とした独裁的な手法をとるようになり、民主主義勢力は一気に後退した。

　ドイツでも、1930 年代初頭に議会少数派政権が続いたことによる政治の空洞化と
有権者の既存政党への不信から、極右と極左の政党が躍進した。中でも国民社会主
義ドイツ労働者党（ナチ党）は、1930 年 7 月から 1932 年 7 月の選挙において勢力を
大幅に拡大させ、同年 12 月にはその党首であるヒトラーが首相に任命されている。
1933 年 3 月の選挙において単独過半数を獲得することに失敗したヒトラーは、その
直後に授権法（全権委任法）を成立させて、自らの手中に全権力を集中させた。ナチ
党に吸収された国家人民党を除く全政党が解散させられ、労働組合も「ドイツ労働戦
線」へと吸収された。そして 1934 年に大統領ヒンデンブルクが死去すると、ヒトラー
は首相と大統領を兼ねる「総統」に就任し、独裁体制を完成させた。このナチ体制下
のドイツは、理念的には神聖ローマ帝国およびドイツ帝国に次ぐ三番目の帝国である
という意味で、「第三帝国」とも呼称される。

ナチ・ドイツと第二次世界大戦（1933-1945 年）

　外交政策において、ヒトラーはヴェルサイユ体制の打破と「生存圏 Lebensraum」
の確立を目標としていた。生存圏とは、「ゲルマン民族」の存続のために必須とされ
たヨーロッパ東方の広大な領土を指すナチの用語であり、この理念に基づいて戦時中
のナチ・ドイツの東方拡大も強行された。1933 年 10 月に、ヒトラーはドイツの再軍
備が認められなかったことを理由として国際連盟からの脱退を決定し、ヴェルサイユ
体制からの離反の目論見を公にした。次いで 1934 年にはドイツは、ポーランドとの
間で相互不可侵条約を結び、フランスとポーランドの同盟によってドイツを封じ込め

ナチ占領下のデンマーク

コペンハーゲン

ハザスレウ

テナー
セナボー

北海

フレンスブルク

キール

アイダー川

ロストック

シュトラールズント

コルベルク

ポンメルン

ハンブルク

シュテティーン

ナチ占領下のオランダ

ベルリン

オーダー川

ハノーファー

フランクフルト(オーダー)

西ナイセ川

エルベ川

シュプレー川

ゲッティンゲン

ライプツィヒ

ナ

チ

ゲルリッツ

リー

ライン川

ケルン=アーヘン大管区

オイベン

ケルン

ボン

ヴァイマル

ドレスデン

ニーダー

マルメディ

ルクセンブルク

ボヘミア=モラヴィア

プラハ

トリーア

フランクフルト(マイン)

モーゼル川

西部辺境大管区

メス

ニュルンベルク

ナンシー

シュトゥットガルト

バーデン=エルザス大管区

シュトラースブルク

コルマール

フライブルク

ミュンヒェン

リッツ

バーゼル

チューリヒ

第二次世界大戦中の中・東ヨーロッパ（1944 年）

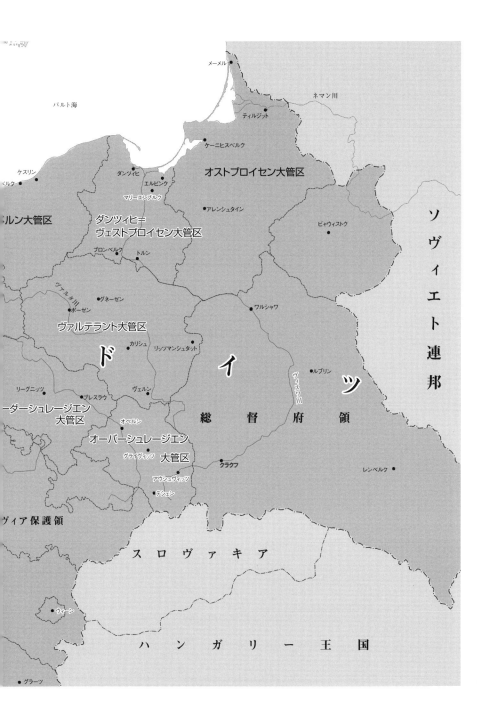

バルト海

メーメル

ネマン川

ティルジット

ケーニヒスベルク

ケスリン

オストプロイセン大管区

ベルク

ダンツィヒ

エルビンク

マリーエンブルク

アレンシュタイン

ルン大管区

ビャウィストク

**ダンツィヒ＝
ヴェストプロイセン大管区**

ブロンベルク

トルン

ヴァルタ川

グネーゼン

ド

ポーゼン

イ

ワルシャワ

ソヴィエト連邦

ヴァルテラント大管区

カリシュ

リッツマンシュタット

ルブリン

リーグニッツ

ブレスラウ

ヴェルン

ヴィスワ川

ツ

**ーダーシュレージエン
大管区**

オペルン

総　督　府　領

レンベルク

オーバーシュレージエン

グライヴィッツ

大管区

テシェン

アウシュヴィッツ

クラクフ

ヴィア保護領

スロヴァキア

ウィーン

ハ　ン　ガ　リ　ー　王　国

グラーツ

97

るという戦間期ヨーロッパの基本的勢力配置が塗り替えられた。ピウスツキやポーラ
ンド政府も、この時点ではヒトラーを脅威とは考えておらず、ドイツとの関係改善に
動いたのである。そして 1935 年にはヴェルサイユ体制下では禁止されていた空軍の
保持と徴兵制の復活が宣言され、ドイツの再軍備への道が開かれると、翌 36 年には
非武装地帯であるラインラントにドイツ軍が進駐し、ヒトラーの戦争への意志が徐々
に明らかになっていった。1938 年 3 月のオーストリア併合でもって、ヒトラーの拡
張主義はついに国外にまで及ぶようになる。ナチ・ドイツによるチェコスロヴァキア
領ズデーテン地方の割譲要求においては両者間の武力衝突寸前まで対立が激化する
も、ヒトラーとイギリス首相チェンバレンなどとの間でこの問題に関する交渉がなさ
れた末に、当該地域の割譲が承認された。そしてヒトラーは、第一次世界大戦後の東
部喪失領土回復を一連の領土要求の締めくくりとし、リトアニア領クライペダ地方と
いわゆるポーランド回廊および自由市ダンツィヒの返還を求めるのである。クライペ
ダ地方の割譲要求は軍事的占領によって既成事実化されたのちにリトアニア政府に承
認された一方で、ポーランドへの要求が拒否されると、ナチ・ドイツはポーランドと
の不可侵条約を破棄した。

　第二次世界大戦の始まりは、喪失領土の奪回という明白な意図のもと、ドイツ東部
国境地帯で展開された。ひとつは、1939 年 8 月 31 日に流布された、ドイツ領シュレー
ジエン州グライヴィッツのラジオ局がポーランド勢力によって占拠されたというナチ
による偽情報であり、これが開戦の理由となった。ふたつめには、9 月 1 日早朝に自
由市ダンツィヒにおいてドイツ軍の戦艦がポーランド軍部隊に対して艦砲射撃を浴び
せたこと、およびヴィエルコポルスカの国境沿いの街 **PL** ヴィエルニ（**DE** ヴェルン）
への爆撃を実施したことであり、これらがナチによるポーランド侵攻の狼煙となった
のである。これでもって戦争を開始したナチ・ドイツは、事前に不可侵条約を結んで
いたソ連とともにポーランドを挟撃し、ひと月ほどでポーランド全域を制圧した。ヒ
トラーはソ連のスターリンとポーランドを分割し、ナチはその西部地域を管轄下にお
いたのだ。ナチ占領下のポーランドは、ナチによってヴァルテラント大管区（旧ヴィ
エルコポルスカ地方）とダンツィヒ＝ヴェストプロイセン大管区などからなる東部編
入地域、およびガリツィア地域を中心とする総督府領に細分化された。

　占領地域を含む戦時下のドイツ領地域では、戦間期より顕在化していたナチの優生
学的価値観、人種主義と反ユダヤ主義が極限的に発露した。ヒトラーは、「民族的耕
地整理 ethnische Flurbereinigung」の名のもとに中・東ヨーロッパにおける大規模
な住民移住政策に着手し、ドイツ国家の域外で生活するドイツ国籍を持たないドイツ
系住民（ナチ用語で「民族ドイツ人 Volksdeutsche」と呼ばれた）の本国帰還、それ

と並行してドイツ本国や占領地域からのポーランド系住民およびユダヤ系住民の立ち退きを実行に移した。これによって数百万人から一千万人単位の住民移動が、第二次世界大戦中の中・東ヨーロッパにおいてなされたと考えられている。このナチによる人種政策は、例えばシンティ・ロマ、精神障碍者、同性愛者などを対象としていたが、その最大の犠牲者となったのがユダヤ人とされた人々である。1942年1月に開催されたヴァンゼー会議以降に加速することとなるホロコーストは、当時シュレージエン大管区の域内に位置していた小都市オシフィエンチムにおいて最高点に達した。ドイツ語でアウシュヴィッツと名付けられたこの都市に設置された絶滅収容所で、全ヨーロッパから移送されてきた約120万人のユダヤ系住民が殺害されたのである。ホロコースト全体での犠牲者数は約600万人とされる。

　1941年6月にナチ・ドイツは不可侵条約を破棄して独ソ戦を開始したが、1943年冬にスターリングラード攻防戦において敗北すると、戦局は徐々に悪化の一途を辿ることになる。同年7月には同盟国イタリアが降伏し、1944年6月にはノルマンディー上陸作戦によって西部戦線での大攻勢が始まっていた。ヒトラーと軍部への不信から、7月20日にはオストプロイセンの総統大本営において国防軍将校シュタウフェンベルクらによるヒトラー暗殺未遂事件も発生している。そして1945年4月にはドイツ軍はソ連軍とのベルリン攻防戦に突入し、絶望的状況の中で同月30日にはヒトラーが自決、5月8日にドイツは連合国に無条件降伏した。

第二次世界大戦末期の避難と戦後の領土変更にともなう「追放」・「送還」（1945-1950年頃）

　第二次世界大戦末期から戦争直後にかけての旧ドイツ東部領土は、まさに「避難と追放 Flucht und Vertreibung」の時代であった。それはこれらの地域からの避難者や強制移住者が非常に多数に上ったという事実に起因する。すなわち、これら「被追放民 Vertriebene」と呼ばれた人々の総数は1500万人以上ともされ、そのうちドイツ領内にたどり着いた人数は約1200万人であった。さらにソ連領内へ連行されたドイツ系住民も100万人程度いた。そして避難と強制移住の過程で命を落とした人々の数は150万とも200万とも言われる。なお、この被追放民は、旧ドイツ東部領土だけでなく、チェコスロヴァキアやバルト地域などのドイツ系住民の多い地域でも発生している。「被追放民」は戦後西ドイツ人口の5分の1、東ドイツ人口の4分の1をなし、特に西ドイツでは「被追放民団体」などのロビー組織に結集して一大政治勢力を形成した。一般に「ドイツ人追放」と呼んだ場合、この避難と強制移住の両方を含むことが多いが、ここでは避難と強制移住（追放）を腑分けして順番に見ていきたい。

第二次世界大戦末期、ドイツ軍を西方へと追い詰めることに成功したソ連軍は、1945年1月頃にはオストプロイセンやシュレージエンといったドイツ東部領土に侵攻した。このソ連軍の侵攻にともない、それまでのナチによる「残虐なソ連兵」というプロパガンダも手伝って、これらの地域からのドイツ系住民の大量避難が始まった。まずソ連占領下で最も不利な立場に置かれるであろう民族ドイツ人入植者が避難を開始し、それに現地住民が続いた。オストプロイセンでは海岸線沿いに避難経路が構築され、シュレージエンでは西方やモラヴィア方面への脱出が試みられた。これらの避難は数十万人単位で実行されたと考えられるが、こうした避難民の多くは、愛着ある故郷へ帰還する機会を窺っていた。そして一部は実際に帰還したとされる。

　1945年4月頃にソ連軍との戦闘も沈静化し、多くのドイツ系住民が故郷へと帰還しようとしていた中で、ソ連=ポーランド当局は新たな政策を実行に移していた。強制移住（「追放」）と呼ばれる住民移動の第二波である。これは戦後中・東ヨーロッパにおける国境線問題と関連した出来事であるが、その国境線画定に大きな影響を与えた人物は、スターリンであった。第二次世界大戦中からすでに構想されていたスターリンのポーランド国境線案が、戦後ヨーロッパ秩序の一部を形作ることとなったのである。

　1943年11月末に開催されたテヘラン会談において、ソ連首脳として出席したスターリンは戦後のポーランド国境として「カーゾン線」を提案した。このカーゾン線は、第一次世界大戦後のパリ講和会議におけるポーランド領土問題の討議の際に、イギリス外相カーゾンが唱えたポーランド東部国境線案であり、当時これは廃案となったものの、第二次世界大戦時に亡霊のように復活する。ソ連がナチ・ドイツと分割した領土の西部境界がこのカーゾン線と類似したものであったのである。スターリンには戦中に獲得したポーランド東部領土を手放すつもりが毛頭なかったために、元々はイギリスによって提案されたこの国境線案を提示することで英米を納得させようとしたのだろう。しかしこの国境線案に基づけば、ポーランドは大きく縮小するか、西方へ移動することとなる。ここでポーランド西部国境がどことなるのかという問題が浮上する。そして1945年2月のヤルタ会談では、ソ連側は再建されるポーランドの西部国境として「オーダー・ナイセ線（PL オドラ・ヌィサ線）」を提案した。アメリカとイギリスは、国境線内におけるドイツ系住民の多さを理由にこの提案に難色を示したが、ソ連はすでにポーランドの共産主義勢力を結集した「ポーランド国民解放委員会」と呼ばれる親ソ政権を組織しており、ドイツ東部領土の占領後はこの親ソ政権のメンバーを中心とする挙国一致臨時政府がオーダー・ナイセ線以東の実効支配を開始している。また同時に、国民解放委員会との取り決めに基づき、オストプロイセンの北部

地域をソ連領とし、南部をポーランド領とすることも決定されていた。

　この「オーダー・ナイセ線」問題は、1945 年 7 月 17 日から開催されたポツダム会談でも引き続き話し合われたが、ここで英米はソ連の対日参戦の必要性からスターリンの国境線要求を、最終的な平和条約締結までの暫定的なものではあったにせよ、呑まざるをえなかった。しかし英米側はオーダー・ナイセ線に依然として否定的であり、これに対してソ連＝ポーランド陣営は旧ドイツ東部領土のポーランドとソ連への併合を既成事実化しようと試みた。戦後初期の段階でソ連はオストプロイセン北部に行政機関を設置し、名称もオストプロイセンから「カリーニングラード州」へと変更した。ポーランド領となった領域は、ポーランド王国時代以来のポーランド領を回復したという意味で「回復領 **PL** Ziemie Odzyskane ／ **DE** Wiedergewonnene Gebiete」と呼ばれた。

　「避難と追放」にとって重要なことは、ポツダム協定が中・東ヨーロッパにおける「ドイツ人人口」の「秩序だった人道的な方法」での「移送」を明記していることである。オーダー・ナイセ線以東からの全ドイツ系住民の移住という、現代的な視点から見れば極端とも言える施策が承認された背景には、当時の民族問題解決に関する国際的合意の存在が挙げられる。例えば、1923 年に締結されたギリシア＝トルコ間の住民交換協定であるローザンヌ協定は、その過酷な実態にもかかわらず、その後の局地的な民族紛争の解決策として、有用性のみが強調されるようになっていった。このような過程で、元アメリカ大統領フーヴァーや元イギリス首相チャーチルのような欧米の政治的指導者たちは、同質の国民国家の形成が国際平和を確固たるものにしうると考え、最後の手段として民族的少数派を「交換し」「移住させ」「移動させる」ことが必要であるという共通の認識を抱くようになっていたのである。

　先のポツダム協定の文言が戦後のドイツ人強制移住の根拠となった取り決めであるが、実際にはこの協定以前からドイツ系住民の強制的な移住が実施されていただけでなく、移送の現場では「秩序だった人道的な方法」という文言もほとんど無視された。強制移住の実態は多岐にわたり複雑であるが、いくつかに類型化しておきたい。第一に即時の集団移住が実行された。シュレージエンやオストプロイセンの諸地域では、街や村単位での移住が治安維持組織や軍を用いて行われたのである。第二に、旧ドイツ東部領土内に労働収容所が設置され、強制移住の対象となった人々の一部がそこでの強制労働を課された。第三に、同様に一部の強制移住対象者は、シベリアや中央アジアの収容所へ移送された。これらの収容者たちの中で生き残った者は、1950 年頃までにほとんどがドイツ本国へ移送されている。これらの強制移住の際には、旧ドイツ東部領土のような国境地帯かつ言語境界地域において「誰をドイツ人とするのか」

という問題も、大きな課題とされた（最終的には戦中のポーランドに対する態度や第三者の証言などによって選別された）。主に専門知識を有するなどの経済的な事情から、現地に留め置かれたドイツ系住民も多数存在していたことも、指摘しておかなければならない。

　ドイツ史偏重の我が国では、この「ドイツ人追放」問題には多くの学術的な言及があるものの、これと表裏一体で実施された「回復領」への「ポーランド系」住民の強制移住（ポーランドでは「送還 repatriacja」と呼ばれた）はほとんど知られていない。ドイツと同様に、ポーランドもまた、現在のウクライナやベラルーシ西部などから構成される旧東部領土（「PL クレスィ kresy」）を喪失しており、ソ連はこの地域から回復領へのポーランド人の移住を計画し、終戦とともにそれを実行に移した。このクレスィ地域から回復領への移送は既定事項であり、実は先のドイツ人の追放も、ポーランド系強制移住者の居住空間を確保するために行われた側面がある。この「送還」政策においては、戦後ポーランドへ、クレスィ地域から約218万人ものポーランド系住民が強制的に移送されてきたのである。ドイツ系住民を追い出して、回復領の新住民となったように思われる人々もまた、このように強制移住の被害者であった。

戦後の中・東ヨーロッパ（1945-1991年頃）

　戦争直後のヨーロッパは資本主義を基調とする西側陣営と社会主義を奉じる東側陣営に分断されつつあり、全面戦争（熱戦）が起こらないまま緊張状態が継続する、いわゆる冷戦が幕を開けようとしていた。1946年にチャーチルが行った「鉄のカーテン」演説は、その予兆であった。ドイツはポーランドに領土を割譲しただけでなく、国内も西側占領地区とソ連占領地区に分割されており、1949年にはそれぞれドイツ連邦共和国（西ドイツ）とドイツ民主共和国（東ドイツ）の二つの分断国家が成立する。

　西ドイツの全人口の約5分の1をなした被追放民は、オーダー・ナイセ線承認問題についての戦後の同国政治のあり方を規定した。スターリンによってドイツ＝ポーランド新国境とされたオーダー・ナイセ線が、あくまで暫定国境として英米に承認されたことはすでに述べたが、西側陣営に属することとなった西ドイツ政府はその承認を拒んだのである。背景には、約1000万人もの被追放民たちが「被追放民同盟」と呼ばれる利益団体を形成しており、選挙戦略において彼らを票田としていた主要政党はその意見を無視できなかったのである。対照的に、ソ連の影響下で建国された東ドイツは、1950年にオーダー・ナイセ線上の街 DE ゲルリッツ（PL ズゴジェレツ）で条約を結んで新国境を承認している。

　このオーダー・ナイセ線承認問題は戦後のドイツ＝ポーランド関係に長らく影を落

としたが、首相ヴィリー・ブラントによる東方政策によってようやく西ドイツは新国境を事実上承認するに至る。これは 1970 年のワルシャワ条約によって達成されたのであるが、このドイツ・ポーランド国境の規定について西ドイツ政府は、統一ドイツが実現した際には変更可能であると解釈していた。少なくともこの解釈によって、最終的な国境線承認は 1990 年の統一ドイツとポーランドによる国境条約締結まで持ち越されることとなった。それでも、この東方政策の成果により、それまで禁止されていた被追放民による故郷への旅行が解禁され、1970 年代から 80 年代にかけてそれは一大ブームとなった。一部には旧ドイツ東部領土への移住を試みる人々もいたが、それは現地住民との軋轢により失敗に終わっている。他方で、この時代にはそれらの領土からのドイツ系住民の西ドイツ移住も本格化した。「帰還移住者 Aussiedler」と呼ばれた彼らの総数は、ポーランドからだけで約 144 万人にも達する。例えば、サッカー・ドイツ代表などで活躍したミロスラフ・クローゼやルーカス・ポドルスキも、シュレージエン地域からの帰還移住者である。

　このような移住者の急増は、ポーランド国内においてドイツ系住民の社会への統合が失敗に終わったことがその背景にある。1950 年代より「奇跡」とも称される経済復興を成し遂げ、その経済的上昇を通じて被追放民を社会に統合することのできた西ドイツとは異なり、戦後ポーランドの道のりは苦しいものであった。戦後ポーランドの政権は実質的に共産党に支配されるようになっており、そのイニシアティブのもとで主要企業の国有化が断行されるとともに、国内の社会主義化が急速に進んでいた。共産党の主導する計画経済において、かなり野心的な経済成長を目指す工業化計画が立てられたが、そのほとんどは目標値を達成できなかった。1953 年のスターリン死去以後は、消費財と農産物の不足に起因する生活水準の低下が批判されるようになっている。このような経済状態のもとでは、もとよりドイツ語を話して、その他のポーランド系住民とは一線を画すドイツ系住民はますます社会から排除されるようになり、仕事を見つけるのも容易ではなかった。多くのドイツへの移住者は、経済的な理由から移住を希望したものと考えられる。

　このようなドイツ＝ポーランド関係とは別に、西方ではヨーロッパ統合に向けた新たな動きが始まっていた。1951 年にドイツ、フランス、ベネルクス三国の間で設立されたヨーロッパ石炭鉄鋼共同体（ECSC）である。これはかつてアルザス・ロレーヌやオーバーシュレージエンのような石炭・鉄鉱石の産出地域かつ重工業地域を奪い合ったヨーロッパの経験から生み出された国際機関であり、そうした地下資源の共有や域内での関税撤廃などを目的としていた。この ECSC 設立に関わったフランスのロベール・シューマンの出身地がドイツとフランスの醜い対立の舞台となってきたア

デンマーク王国

コペンハーゲン

ハザスレウ

テナー　ゼナボー

フレンスブルク

キール

シュトラールズント

ロストック

コウォブシ

北海

ハンブルク

シュチェチン

オランダ王国

オーデル

回

１
９
４
９
年
よ
り
ド
イ
ツ
（
東
ド
イ
ツ
）

ソ連占領地区

ベルリン

イギリス占領地区

ハノーファー

フランクフルト(オーダー)

スウビツェ

１
９
４
９
年
よ
り
ド
イ
ツ
連
邦
共
和
国
（
西
ド
イ
ツ
）

ゲッティンゲン

エルベ川

ナ
イ
セ
線

ライン川

ケルン

ボン

オイペン
ユーペン

マルメディ

ルクセンブルク

トリーア

フランクフルト
（マイン）

フ
ラ
ン
ス

占
領
地
区

１
９
４
９
年
よ
り
ド
イ
ツ
民
主
共
和
国

ヴァイマル

ライプツィヒ

ドレスデン

ゲルリッツ

ズゴジェ

プラハ

メス

ナンシー

ストラスブール

シュトゥットガルト

ニュルンベルク

アメリカ占領地区

チェ

フ
ラ
ン
ス
共
和
国

コルマール

フライブルク

バーゼル

チューリヒ

ミュンヒェン

リンツ

連合国占領下の
→1955年に共和国

ス　イ　ス

第二次世界大戦直後の中・東ヨーロッパ

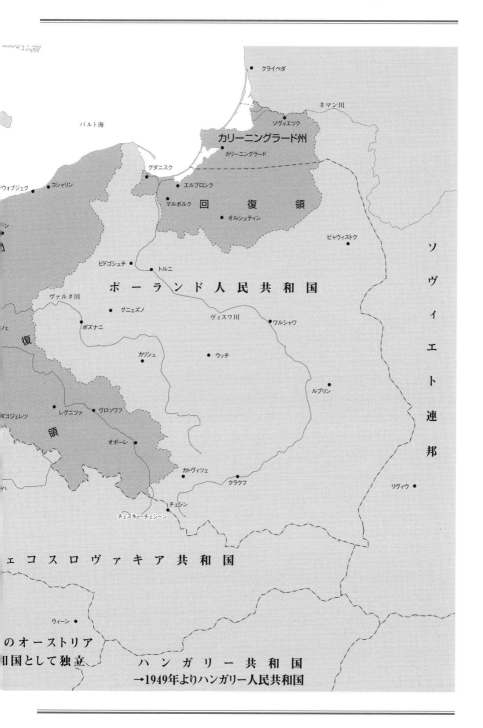

クライペダ

ネマン川

バルト海

ソヴィエツク

カリーニングラード州

カリーニングラード

グダニスク

ウォブジェク

コシャリン

エルブロンク

マルボルク　回　復　領

オルシュティン

ビャウィストク

ビドゴシュチ

トルニ

ポーランド人民共和国

ヴァルタ川

グニェズノ

ヴィスワ川

ワルシャワ

ポズナニ

ウェ

復

カリシュ

ウッチ

ルブリン

ズゴジェレツ

レグニツァ

ヴロツワフ

領

オポーレ

カトヴィツェ

クラクフ

リヴィウ

チェシン

チェスキー・チェシーン

ソ　ヴ　ィ　エ　ト　連　邦

ェ　コ　ス　ロ　ヴ　ァ　キ　ア　共　和　国

ウィーン

の　オ　ー　ス　ト　リ　ア

国として独立　　ハ　ン　ガ　リ　ー　共　和　国
→1949年よりハンガリー人民共和国

ルザス・ロレーヌ地方であったことは偶然ではないだろう。その後 ECSC は、欧州経済共同体（EEC）、欧州原子力共同体（Euratom）とともに欧州共同体（EC）の一角を形成し、これらのヨーロッパ経済連合構築の試みは政治にも拡大し、1993 年の欧州連合（EU）の成立へと結実している。このように、現在のヨーロッパの政治的統合の動きは、旧ドイツ領土をめぐる紛争の歴史と切り離すことができない問題なのである。

第1章

オストプロイセン

歴代君主の戴冠地ケーニヒスベルクを擁すプロイセンの中核

オストプロイセン

DE Provinz Ostpreußen

現ポーランド領ヴァルミア地方・マズーリィ地方

PL Warmia, Mazury

ロシア領カリーニングラード州

RU Калининградская область

リトアニア領クライペダ地方

LT Klaipėdos kraštas

　オストプロイセンは日本語で「東プロイセン」とも呼ばれる歴史的地域名称である。地理的な範囲としては、おおよそバルト海南部の沿岸部に位置し、その行政区分としての最大時には西はエルビンク（**PL** エルブロンク）近郊から北はメーメル（**LT** クライペダ）、南はマゾフシェまでを含む広大な領域であった。現在のドイツ史でも顧みられることの比較的少ないこの地域は、中世から近代にかけてのプロイセン君主国の中核をなす地域だった。プロイセンの歴代君主の戴冠地はその首府ケーニヒスベルクだったのであるし、プロイセン王フリードリヒ2世を敬愛したヒトラーも総統大本営「ヴォルフスシャンツェ」をこの地に置いた。しかし同時にこの地域は、常にその歴史の荒波に揉まれてきた地域でもあった。それはこの地域が現在、ロシア領、ポーランド領、そしてリトアニア領へと分割されていることに象徴されるだろう。

主要言語

ドイツ領時代 1871-1945年	ドイツ語、ポーランド語（マズーリィ方言）、リトアニア語
現代	ロシア語、ポーランド語、リトアニア語

近代以降の人口

①ドイツ領時代

1875	1.856.421
1880	1.933.936
1890	1,958,663
1900	1,996,626
1910	2,064,175
1925	2,256,349
1933	2,333,301
1939	2,488,122

②第二次世界大戦後

1945 年	20-30 万人程度か？
2016 年 -	1,002,122（カリーニングラード州、2019 年）
	1,422,737（ヴァルミア＝マズーリィ県、2019 年）
	320,014（クライペダ郡、2020 年）

年表

13 世紀頃まで	プルーセン人の支配地域
13 世紀頃	ドイツ騎士団領となる
1410 年	第一次タンネンベルク（**PL** グルンヴァルト）の戦い
1525 年	ケーニヒスベルクを首府とするプロイセン公国の成立
1618 年	ホーエンツォラーン家がプロイセン公爵位を得る
1701 年	東西プロイセンを版図とするプロイセン王国の成立
1773 年	オストプロイセン州の成立と新オストプロイセンの編入
1806-1811 年	ナポレオン軍による占領とワルシャワ公国の成立
1871 年	ドイツ帝国の成立
1914 年	第一次世界大戦の勃発と第二次タンネンベルクの戦い
1918-1919 年	ドイツの敗戦とヴェルサイユ条約の締結
1920 年	アレンシュタインでの住民投票（ドイツの勝利）
1923 年	メーメル地方をリトアニアが併合
1933 年	ナチ党がオストプロイセンにて記録的得票率、政権掌握
1939 年	メーメル地方のドイツ再編入と第二次世界大戦の勃発
1944 年	オストプロイセンの総統大本営にてヒトラー暗殺未遂事件
1945 年	オーダー・ナイセ線の暫定承認とオストプロイセンの解体（ソ連領とポーランド領へ分割）

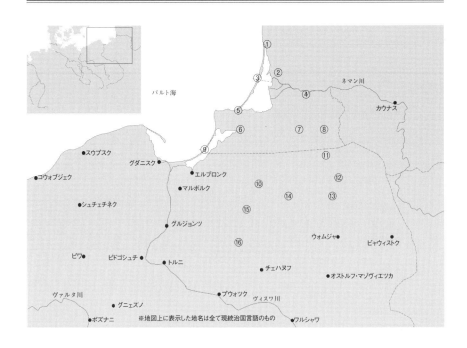

※地図上に表示した地名は全て現統治国言語のもの

LT リトアニア名 / DE ドイツ名

	リトアニア名		ドイツ名	
①	Klaipėda	クライペダ	Memel	メーメル
②	Šilutė	シュルーテ	Heydekrug	ハイデクルーク
③	Kuršių nerija	クルシュー砂州	Kurische Nehrung	クール砂州

RU ロシア名 / DE ドイツ名

	ロシア名		ドイツ名	
④	Советск	ソヴィエツク	Tilsit	ティルジット
⑤	Прибой	プリボイ	Rosehnen	ローゼーネン
⑥	Калининград	カリーニングラード	Königsberg	ケーニヒスベルク
⑦	Черняховск	チェルニャホフスク	Insterburg	インスターブルク
⑧	Гусев	グーセフ	Gumbinnnen	グンビンネン
⑨	Балтийская коса	バルト砂州	Frische Nehrung	フリース砂州

PL ポーランド名 / DE ドイツ名

	ポーランド名		ドイツ名	
⑨	Mierzeja Wiślana	ヴィスワ砂州		
⑩	Lidzbark Warmiński	リズバルク・ヴァルミンスキ	Heilsberg	ハイルスベルク
⑪	Gołdap	ゴウダプ	Goldap	ゴルダプ
⑫	Olecko	オレツコ	Marggrabowa (1928-1945: Treuburg)	マルクグラボヴァ（トロイブルク）
⑬	Ełk	エウク	Lyck	リュック
⑭	Mrągowo	ムロンゴヴォ	Sensburg	ゼンスブルク
⑮	Olsztyn	オルシュティン	Allenstein	アレンシュタイン
⑯	Działdowo	ジャウドヴォ	Soldau	ゾルダウ

ドイツ領となるまで

プルーセン族

　この13世紀頃までのプロイセン地域の歴史について、学術的に判明している部分はそれほど多くない。この地域はキリスト教世界の外縁部にあったばかりでなく、古典古代のタキトゥスやプトレマイオスによるものを含めても文字記録がわずかしか残されていないからである。それゆえ、いわゆるプルーセン族（**PL** プルスィ族）、もしくはバルト・プロイセン族と呼ばれる人々が、中世以来 **PL** ヴィスワ（**DE** ヴァイクセル）川流域と **LT** ネマン（**DE** メーメル）川流域の間の地域に定住していたにもかかわらず、9世紀頃までの彼らの実態は謎に包まれている。この集団は統一国家を持たず、各部族や家族単位で集住して暮らしていたと考えられている。彼らの用いた言語は、西バルト諸語に属する古プロイセン語であった。

　プルーセン族の存在は、中世の中頃にはすでに、その外部において知られていた。9世紀中頃に作者不詳の『バイエルンの地理学者 *Geographus Bavarus*』においてこのプルーセン族の居住地域が「ブルツィ Bruzi」と記されており、さらに10世紀中頃にイブラーヒーム・イブン・ヤアクーブというユダヤ系旅行者がマクデブルクに向かう途上で「ブルス Brus」というはるか東方の地について聞いたと記述している。このプルーセン、そしてプロイセンの語源については、諸説あるものの、完全に解明されてはいない。一説によると、馬の飼育に関わる古い言葉に由来するとも言われている。実際、この地域の古いスラヴ系言語であるカシューブ語では、prus という

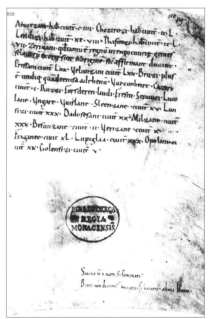

『バイエルンの地理学者』（5行目右側に 'Bruzi' の文字が見える）
出典：Münchener DigitalisierungsZentrum

バルト海

ネマン川

コウォブジェク

ヴィスワ川

その他のバルト系諸部族の居住地

ピアスト朝ポーランド王国

ヴァルタ川　　　　グニェズノ　　ブウォツク　　　　ワルシャワ

ポズナニ

プルーセン族の居住地域（1050年頃）

単語は雄馬を意味するのである［Kossert 2014：9-11］。

　プルーセン族の宗教は、キリスト教ではなく、ペルクナス、パトリンパス、ピ

聖アダルベルトを殺害するプルーセン族（グニェズノ大聖堂の扉）

クラスといった神々を信仰する土着の多神教であった。神聖ローマ皇帝オットー3世は、中央ヨーロッパにおける最後の非キリスト教地域であったプロイセンに布教活動を展開するために、ボヘミアの貴族・司教であったアダルベルトという人物をその地に派遣した。しかし997年に彼はその住民に殺害される。彼は司教座の置かれていたグニェズノで埋葬されたのち、すぐさま聖人と認定された。そして現在では「聖ヴォイチェフ」という名でポーランドの守護聖人としても知られている。

メーメル／クライペダ

バルト海

ネマン川

リ
ト
ア
ニ
ア
大
公
国

ケーニヒスベルク

ズ
ダ
ウ
エ
ン
地
方

インスターブルク

ダンツィヒ／
グダニスク

エルビング／エルブロンク

マリーエンブルク／マルボルク

ハイルスベルク

ヴィスワ川

コルベルク

グダニスク＝
ポモージェ公領

オステローデ／オストルーダ

ポンメルン＝
スラヴィエン公領

タンネンベルク／
グルンヴァルト

オルテルスブルク

神聖ローマ帝国の境界

クルム／ヘウムノ
トルン／トルニ

ビドゴシュチ

マゾフシェ公領

ポ ー ラ ン ド 王 国

ヴァルタ川

グニェズノ

ポズナニ

ワルシャワ

ドイツ騎士団国家（1410 年）

ドイツ騎士団の到来と移住政策

　13 世紀以降のプロイセン地域の主役となったのは、ドイツ騎士団である。この騎士団は 1198 年の第三回十字軍の際にイェルサレムで病院として創設された修道会が、のちに「チュートン騎士団 Ordo Teutonicus」と名乗るようになったことに起源を持つ。当時この「チュートン」という言葉が現在のドイツ地域の出自を意味していたので、これはドイツ騎士団とも呼ばれるのである。彼らは 1225 年頃にはハンガリーのズィーベンビュルゲン（現在のトランシルヴァニア）に定着していたものの、独自国家形成の野心を見せたためにハンガリー王侯貴族の不興を買って同地からの追放処分を受けていた。

　それでもドイツ騎士団にはすぐさま次なる道が開ける。1226 年、プルーセン族の度重なる侵入に悩まされていたピアスト家のマゾフシェ公コンラド 1 世が、定住地を失っていたドイツ騎士団にプルーセン族居住地域の平定とキリスト教化を要請したのである。1226 年に神聖ローマ皇帝フリードリヒ 2 世の発布した「リミニの金印勅書」（1356 年のものとは別）によってプロイセン平定の法的許可を得たドイツ騎士団は、1230 年より

この地域における本格的活動を開始した。

これが数十年に渡るドイツ騎士団の長い軍事活動の始まりであった。彼らはまずヴァイクセル川に沿ってこの地域に侵攻していき、1230年代にはその流域に DE トルン（PL トルニ）やクルム（ヘウムノ）といった都市や拠点を建設し、同時にエルビンク（エルブロング）においてバルト海への出口も確保した。そして1255年には、プルーセン族蜂起の鎮圧に貢献したボヘミア王オタカル2世を顕彰して名付けられた、のちのオストプロイセンの中心都市ケーニヒスベルク（ドイツ語で「王の山」を意味する。現在の RU カリーニングラード市）も成立している。さらにヴィスワ川流域のマリーエンブルク（PL マルボルク）城がドイツ騎士団団長の本拠地と定められたのは1309年のことであり、これ以後、プロイセン地域はドイツ騎士団の活動の中心となった［Boockmann 1992：90-116］。

15世紀に入ると、プロイセンの地において領域的支配を確立しつつあったドイツ騎士団に対して、ヤギェウォ朝ポーランド＝リトアニアが警戒心をあらわにして対立するようになり、1410年についに両者は武力衝突に至った。PL グルンヴァルト（DE タンネンベルク）の戦いにおいて、ドイツ騎士団はポーランド王ヴワディスワフ2世とリトアニア大公ヴィータウタスの軍勢に壊滅的大敗を喫した。ただその講和条約である第一次トルンの和約は、騎士団側がわずか

オタカル2世
出典：Austria-Forum (TU Graz)

最盛期の騎士団長ヘルマン・フォン・ザルツァ（在位：1209-1239年）
出典：Österreichische Nationalbibliothek

グルンヴァルトの戦い 出典：Muzeum Narodowe w Warszawie

な地域を喪失しただけで済むなど、比較的穏健なものであった。

それでもドイツ騎士団の政治的・軍事的弱体化はこの敗戦によって明らかなものとなり、騎士団領の各地域がヤギェウォ朝の庇護を求めるようになった。まず1435年に、ブレストの和約によってプロイセン東端のズダウエン（ユトヴィンギア）地方が騎士団領から離れてヤギェウォ朝の版図となった。さらに1440年にはダンツィヒ（グダニスク）、トルン、エルビンクなどの諸都市はプロイセン連合と呼ばれる都市同盟を形成し、ドイツ騎士団に対して独自の政治的権利を要求するようになっており、ヤギェウォ朝側もそれを支援した。プロイセン連合をなすこれらの諸都市は、十三年戦争（1454-1466年）と第二次トルニの和約を経て、ヤギェウォ朝支配地域の一部となった。これ以後、いわゆる「王領プロイセン地域」はオストプロイセンとは異なる政治的過程を歩むことになるのであるが、その説明は第2章に譲る。

これらの出来事によって大きく権威を毀損されたドイツ騎士団は急速にその力を失っていった。最後の騎士団長アルブレヒト・フォン・ブランデンブルク＝アンスバハ（在位：1510-1525年）は、ヴィッ

115

アルブレヒト・フォン・ブランデンブルク＝アンスバハ（初代プロイセン公）
出典：Österreichische Nationalbibliothek

テンベルクの宗教改革家マルティン・ルターと頻繁に書簡のやり取りをするなかで、ルター派プロテスタントへの改宗だけでなく、ポーランドへの服属を進言されていた。最終的にそれらの助言を受け入れたアルブレヒトは、1525年に叔父であるポーランド王ズィグムント1世〈老王〉への忠誠を誓い、その見返りとして「プロイセン公爵 Herzog von Preußen」の地位を得たのである。

プロイセン諸身分とホーエンツォラーン家の対立

ルター派へと改宗したのは初代プロイセン公アルブレヒトだけではなく、この地域の諸身分も彼に倣ってルター派となった。こうしてプロイセン公国は史上初のプロテスタント貴族の治める領邦となる。しかしそのアルブレヒトには精神障害を持つ息子アルブレヒト・フリードリヒが一人いるのみであり、公国所領の継承には問題がつきまとっていた。アルブレヒト・フリードリヒは、1569年のポーランド王国議会において初代アルブレヒトの封土を受領したのであるが、ブランデンブルク＝アンスバハ家と近縁の名門貴族ホーエンツォラーン＝アンスバハ家（西南ドイツの出自で、当時はブランデンブルク辺境伯に任ぜられていた）をはじめとする外部の諸勢力はプロイセン公国の相続権を虎視眈々と狙っていた。このホーエンツォラーン＝アンスバハ家もプロテスタントへと改宗していたが、ルター派ではなくカルヴァン派を信奉していた。1568年の初代プロイセン公アルブレヒトの死去以来、ブランデンブルク辺境伯が新公爵の後見人となってこの地域への影響力を増大させ、ついに1603年にアルブレヒト・フリードリヒの死去によりブランデンブルク＝アンスバハ系の公爵家が途絶えると、暫定的なプロイセン公の地位にブランデンブルク辺境伯・選帝侯のヨアヒム・フリードリヒが就き、次いで1618年に同じく選帝侯のヨハン・ジギスムントが正式に公爵位を得たのである。

ホーエンツォラーン家の政治的目標は、この同君連合国家ブランデンブルク＝プロイセンにおける絶対主義的な統治体制の構築であった。しかしベルリンに居を構えるブランデンブルク辺境伯・選帝侯と、王領プロイセンを挟んで飛び地となっていたオストプロイセンの諸身分の関係は必ずしも良好とは言えず、政

ヨハン・ジギスムント

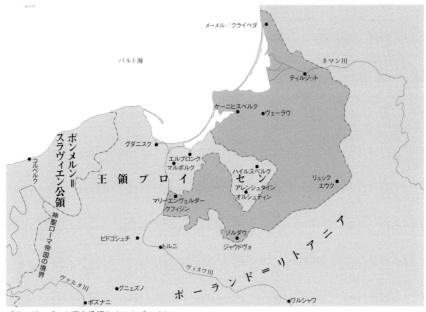

ブランデンブルク選帝侯領とオストプロイセン

治と行政、特に課税権の中央集権化を図ろうとするブランデンブルク選帝侯の思惑は、ポーランド王の庇護のもとでの従来どおりの自治と権利を守ろうとする諸身分の利害としばしば衝突した。転機がやって来るのは〈大選帝侯〉フリードリヒ・ヴィルヘルムの治世（1640-1688年）である。彼はポーランドに対する第二次北方戦争と対スウェーデン戦争に勝利したのち、1657-60年の諸条約においてオストプロイセンにおけるホーエンツォラーン家の完全な主権を各国に承認させたのである。領邦議会を中心とするホーエンツォラーン家に対する諸身分の反発

も、軍事的介入や反対派の主要人物の逮捕・投獄によって勢いを削がれていった。

プロイセン王国の成立

　大選帝侯の後継者であったフリードリヒ3世は、王位獲得に力を注いだ。フランスの〈太陽王〉ルイ14世と同列となり、ヨーロッパ宮廷社会において大きな名誉を得ようと考えていたのである。しかしこの試みにはある障害が存在した。つまり、神聖ローマ帝国内部では慣例的に国王は「ドイツ王」の一人だけが存在できるのであり、すでに神聖ローマ皇帝がその地位に就いていた。もし帝国領で

ケーニヒスベルク城での戴冠式　出典：Bildarchiv Foto Marburg

ケーニヒスベルク城（写真は帝政期のもの）
出典：Sächsische Landesbibliothek - Staats- und
Universitätsbibliothek Dresden

あるブランデンブルクを含む領域をプロイセン王国とするのであれば、外交的な摩擦が発生するのは明らかであったのである。そこでフリードリヒ3世は、神聖ローマ帝国域外のプロイセン公国のみを王国へと昇格させることを試み、のちのスペイン継承戦争で神聖ローマ皇帝の側につくことを条件に、彼にプロイセン王としての戴冠を承認させたのである。

　戴冠式の地はプロイセン公国の首府ケーニヒスベルクであった。1701年、ケーニヒスベルク城においてフリードリヒ3世は盛大に戴冠式を執り行い、プロイセン国王フリードリヒ1世となったのである。注意したいのは、「プロイセン王国」という名称が一般にブランデンブルク選帝侯領とオストプロイセンを合わせた領域全体を表すこともあるということである（それゆえに、これ以後は狭義のプロイセン王国を指す場合には「オストプロイセン」という名称を用い

ブランデンブルク=プロイセン国家の中のオストプロイセン

る）。しかしながら、すでに述べたようにブランデンブルクは神聖ローマ帝国内にあっては王国にはなりえず、それゆえに 1772 年までは「プロイセン王 König von Preußen」ではなく「プロイセンにおける王 König in Preußen」という称号が公的には用いられた。近世のプロイセン王国は、政治的にはブランデンブルクを排除し続けることで初めて正統性を持ちうるものであったのである[Kossert 2014：28-29]。しかしプロイセン王国を名乗りながら、その歴代の国王の政務地はふつう、名目上の首都であったケーニヒスベルクではなくベルリンに置かれた。1736 年には、やはりケーニヒスベルク城にて戴冠したフリードリヒ 2 世

（大王）の時代が訪れるが、彼個人がオストプロイセンの地を訪れることはめったになかった。そして 1815 年にようやく、名実ともにベルリンがプロイセン王国の首都となるのである。

フリードリヒ 2 世は、プロイセンの諸改革を実施した啓蒙専制君主として知られている。自らヴォルテールなどの啓蒙思想家の影響を受けながら、君主を「国家第一の下僕」とする自然法的な国家

フリードリヒ 2 世

観を作り上げると同時に、農民保護政策や産業育成政策、国土開発政策を推進して国力の増強に努めたのである。しかしこのフリードリヒ2世の治世において、オストプロイセンにおけるホーエンツォラーン家の権威は動揺した。プロイセンは1740年代初頭よりオーストリアとの間でハプスブルク家の王位継承権問題に起因する軍事的・外交的紛争を抱えていた。このオーストリア継承戦争（1740-1748年）において、プロイセンはシュレージエンを獲得するが、その奪回に熱意を燃やすオーストリアはロシアとの同盟を締結しただけでなく、宿敵フランスとも同盟関係を締結するなど外交政策を大きく転換し（外交革命）、プロイセンへの再度の戦争を挑んだ。そしてこの1756年に勃発した七年戦争の序盤において、オストプロイセンは、ハプスブルク、ポーランド＝リトアニア（ザクセン朝）、ロシアの連合軍によって占領されたのである。ロシアの占領軍は1758年にオストプロイセンがロシア帝国の主権下に入ったことを宣言しており、この状態は1763年に七年戦争が終結して、この地が奪回されるまで約6年間にわたって続くこととなる。

18世紀末の第二次・第三次ポーランド分割の実施によってプロイセン王国はヴィエルコポルスカ（**DE**ポーゼン）地方とワルシャワを含むマゾフシェ（**DE**マゾーヴェン）地方を獲得した。第一次ポーランド分割直後の1773年1月にフ

リードリヒ2世は新たな法令を発布し、その中で「オストプロイセン州 Provinz Ostpreußen」という行政区分が設定された。オストプロイセンという名称が公式に使われるようになったのはこの時代からである。またマゾフシェ地方は「新オストプロイセン」へと再編された。

ナポレオンによる占領

ナポレオン時代に入ると、プロイセン王国はフランスと戦火を交えた。ハノーファーの帰属をめぐる対立から、プロイセンはフランスに対して宣戦布告を行い、1806年10月6日にイエナおよびアウエルシュテットにおいて両者は激突したのである。この戦闘でプロイセン軍は大敗を喫し、その結果を受けたプロイセン王フリードリヒ・ヴィルヘルム3世とその政府は、同盟国であったロシア帝国の支援を頼って同年12月にケーニヒスベルクに、さらに1807年1月にはオストプロイセン北東部の都市メーメル（**LT**クライペダ）へと疎開している。ナポレオンの軍勢はまたたく間にブランデンブルクの大部分を制圧し、オストプロイセンに迫った。ナポレオン軍はプロイシッシュ・アイラウ（現**RU**バグラチオノフスク）とフリートラント（現**RU**プラヴジンスク）の戦いにおいてプロイセン軍を打ち破り、ケーニヒスベルクやメーメルを含めたオストプロイセンの大半を支配下におさめるに至っている。同年6月25日にメーメル川流域の小都市ティル

ティルジットでの会談（当時の風刺画）
出典：Sächsische Landesbibliothek - Staats- und Universitätsbibliothek Dresden

ジット（現 RU ソヴィエツク）において行われたナポレオンとロシア皇帝アレクサンドル１世の会談が、プロイセンの運命を決定した。ティルジットの和約において、プロイセン王国は辛うじて国家としての存続を認められたものの、エルベ川以西の全領土と第二次・第三次ポーランド分割で得た全領土を一挙に喪失したのである。いわゆる新オストプロイセン（マゾフシェ地方）はプロイセン王国から切り離されて「ワルシャワ公国」へと改められ、ザクセンとの同君連合国家となった［Boockmann 1992：338-339］。この「屈辱的」と評される講和条約に奮起したプロイセン政府は、このafter、いわゆるプロイセン改革を断行していくこととなる。

フランス軍による占領状態は５年余り続き、1812 年にナポレオンがロシア遠征で致命的な敗北を喫したのちにようやく終りを迎えた。ロシア遠征に参加していたプロイセン軍司令官ヨルクを中心とする軍勢は、ロシアが優勢と見るやタウロッゲン協定によってナポレオン軍から離脱した。いわゆる解放戦争の始まりである。ヨルクの指揮するプロイセン軍は、ロシア軍とともに 1813 年初めまでにケーニヒスベルク、エルビンク、マリーエンブルクといった主要都市の奪回に成功した。そしてこのケーニヒスベルクを橋頭堡に、プロイセン軍はプロイセン全土の解放へと動いていくのである。

プロイセン改革期には、オストプロイセンの行政区分が再編されている。1808年、オストプロイセン州はそのままに、その下部自治体としてケーニヒスベルク県とグンビンネン県が創設された。また 1824 年には、オストプロイセン州とヴェストプロイセン州が合併され、プロイセン州という新しい自治体が設置された。

近代オストプロイセンの住民と言語

ここでオストプロイセンの住民と言語について説明しておきたい。19 世紀前半のオストプロイセンはおそらく 150 万人前後の人口を擁していたと考えられるが、当時の統計では、そのうち３分の２がドイツ語話者、残りの３分の１がリトアニア語話者もしくはポーランド語話者であったとされる。

ポーランド語は、主に南部のマズーレン（PL マズーリィ）地方において使用されていた。マズーレンは、ケーニヒスベルクとマゾフシェ地方に挟まれた地域であり、当時はオストプロイセンの南部に位置していた。かつてのポーランド＝

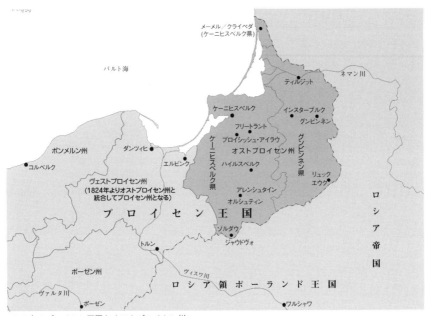

メーメル／クライペダ
(ケーニヒスベルク県)

バルト海

ネマン川

ティルジット

ケーニヒスベルク

インスターブルク

グンビンネン

ポンメルン州

ダンツィヒ

フリートラント

ブロイシッシュ・アイラウ

オストプロイセン州

コルベルク

エルビング

ケーニヒスベルク県

ハイルスベルク

グンビンネン県

リュック

エウク

ヴェストプロイセン州
(1824年よりオストプロイセン州と
統合してプロイセン州となる)

プ ロ イ セ ン 王 国

アレンシュタイン

オルシュティン

ロ シ ア 帝 国

ソルダウ

トルン

ジャウドヴォ

ポーゼン州

ヴィスワ川

ロ シ ア 領 ポ ー ラ ン ド 王 国

ヴァルタ川

ポーゼン

ワルシャワ

1818年のプロイセン王国とオストプロイセン州

19世紀のメーメル（ネマン）川流域を描いた風景画
出典：The British Library

リトアニアやワルシャワ公国との境界を
なす地域であったために、ポーランド語
を話す住民も多かったのである。

　他方でリトアニア語は、主にプロイセ
ン・リトアニア（現 **LT** 小リトアニア）
と呼ばれる地域で話されていた。この地
域は、現在のカリーニングラード、ポー
ランド、リトアニアにまたがる地域であ
り、中核都市メーメルを含むメーメル
川下流域のクルシュー潟湖に位置して
いる。この地域では、ブリシュカイと
いう名のリトアニア系方言が使用され
ていた。これは同時に、ドイツ語とリ
トアニア語の入り混じった言語境界地
域特有の方言でもあったという。例え

ば、プリシュカイで机を意味する言葉は Stals で、Stalas を用いるリトアニア語に近い（ドイツ語では Tisch）。反対に、新聞を意味する単語は、プリシュカイでは Zeitunga と、Zeitung を用いるドイツ語に近くなる（リトアニア語では Laikrastis）。

　小リトアニアでは、このようなリトアニア語もしくはプリシュカイ以外にも、ポーランド語も用いられており、言語的多様性に非常に富んだ地域であったと言える。興味深いのは、この地域の一部では古プロイセン語に由来する単語が20世紀の前半まで用いられていたということである。村の集会を意味する Kriwul という言葉は、聖職者の杖を意味する Kriwule という単語を起源とし、それは集会を開く際にこの Kriwule を村の家々で受け渡すことでその開催を知らせたということに由来している［Kossert 2009：165-177；三ツ木 2017：107-109］。このように、近代のオストプロイセンは様々な言語や文化が入り交じる多様性のある世界であった。

ドイツ領の中のオストプロイセン

帝政下の言語政策

　1815 年に成立した国家連合であるド
イツ連邦においては、その「ドイツ」の
枠組みから排除されてきたオストプロイ
センであったが、統一ドイツ国家の成立
によってようやくドイツへの参入を果た
している。それはプロイセン宰相ビスマ
ルクによって主導された、1871 年のド
イツ帝国創設によるものである。このド
イツ帝国へのオストプロイセンの参入に
よって、ファラースレーベン作詞のドイ
ツ国歌「ドイツの歌」（1841 年）におい
て「[ロレーヌ地方の] マース川からメー
メル川まで」と唱えられたドイツの自然
国境構想が実現した（ただしこの歌詞の
ある第一番は現在では国歌から外されて
いる）。

　オストプロイセンが「ドイツ」に属す
る限り、それは本質的にドイツでなけれ
ばならないと帝国の指導部は考えた。帝

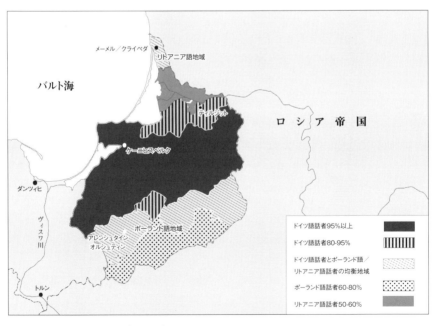

メーメル／クライペダ
リトアニア語地域
バルト海
ティルジット
ロ　シ　ア　帝　国
ケーニヒスベルク
ダンツィヒ
ヴィスワ川
ポーランド語地域
アレンシュタイン
オルシュティン
トルン

ドイツ語話者95%以上	
ドイツ語話者80-95%	
ドイツ語話者とポーランド語／ リトアニア語話者の均衡地域	
ポーランド語話者60-80%	
リトアニア語話者50-60%	

オストプロイセン州の言語分布（1905 年）

ハフメル
メーメル／クライペダ
(ケーニヒスベルク県)
ネマン川
バルト海
ティルジット
グンビンネン
インステーブルク
グンビンネン県
ケーニヒスベルク
ケーニヒスベルク県
ポンメルン州
ダンツィヒ
ロ
コルベルク
エルビング
シ
ハイルスベルク
リュック
ア
ヴェストプロイセン州
アレンシュタイン県
エウク
ド
イ
ツ
帝
国
アレンシュタイン
オルシュティン
帝
トルン
ノルダウ
国
ジャウドヴォ
ボーゼン州
ヴィスワ川
ロ シ ア 領 ポ ー ラ ン ド 王 国
ヴァルタ川
ボーゼン
ワルシャワ

オストプロイセン州の行政区分（1905 年）

国宰相ビスマルクをはじめとするドイツ帝国の政治的代表者たちはオストプロイセンの言語的多様性を快く思っておらず、むしろ国民国家ドイツの成立を妨げる障害とみなしていたのである。このような認識のもと、プロイセン州総督カール・フォン・ホルンは、1873 年 7 月にポーランド語とリトアニア語の公共空間での使用を禁じる法令を発布し、ここにオストプロイセンのドイツ化政策が開始された。この法令の狙いは主に学校教育にあり、基本的には公教育においてドイツ語のみの使用が定められたのである。このドイツ化政策により、オストプロイセンの言語的・文化的多様性は徐々に失われていったとされる。

行政的には、ドイツ皇帝を兼務するプロイセン国王はベルリンに居を置いていたためにケーニヒスベルクは帝国の中心とはならなかったものの、そこには州総督の職が設置された。またヴェストプロイセンと一体となっていた州区分も 1878 年に見直され、再びオストプロイセン州としてヴェストプロイセンから独立した自治体が誕生している。さらに 1905 年以後は、ケーニヒスベルク県とグンビンネン県の南部が分離し、アレンシュタイン県が新設された。

帝政期のケーニヒスベルク市の風景
出典：Sächsische Landesbibliothek - Staats- und Universitätsbibliothek Dresden

政治・経済

　政治的には、19世紀のオストプロイ
センは保守の牙城であった。比較的自由
主義的なケーニヒスベルクとカトリック

帝政期のアレンシュタイン市の風景
出典：Sächsische Landesbibliothek - Staats- und
Universitätsbibliothek Dresden

政党である中央党の拠点であったエルム
ラント（**PL** ヴァルミア）地方を除けば、
ユンカーや大土地所有者層に基盤を持つ
ドイツ保守党とドイツ帝国党などといっ
た保守政党がオストプロイセンを支配し
ていた。特にオストプロイセンの保守党
は、1903年の帝国議会選挙において約
49パーセントの得票率となるなど、覇
権的地位にあったと言える。興味深いの
は、マズーレンのポーランド語話者や小
リトアニアのリトアニア語話者さえもこ
れらの保守政党に投票していたという事
実だ。彼らは君主主義的な価値観ゆえに
保守陣営に属していたのだが、ここから

ドイツ化政策の中で抑圧されているはずの言語的少数派だからといって必ずしも改革を求めるというわけではなかったということが分かる。このような政治風土の煽りを食ったのが、労働者に支持基盤を持つドイツ社会民主党である。この政党は、オストプロイセンではこのような地域柄ゆえに帝国議会選挙においても一貫して低調な得票率にとどまった。

　経済的には、帝政期に入ってもオストプロイセンは依然として農業地域であった。オストプロイセンでは1907年の段階でも、鉱山業・工業・手工業に従事する人々の割合はわずか20.4パーセントに過ぎなかった（帝国全体では約45パーセント）。これは50パーセントを超えるザクセンやラインラントと比べるとさらに際立って低い数字である。オストプロイセン住民の大半は、農業・畜産業・林業に携わっていたが、このような産業の偏在の背景には、ユンカーに代表されるプロイセン特有の大土地所有者の存在があったと言えるだろう。この状況において、工業化の進展はシュレージエンのような他のプロイセン東部領土に比べても大きく後れをとることとなった。

　このような農業地域としての性格ゆえに、帝政期における人口増加も低い水準にとどまっている。1871年から1910年まで、ドイツ帝国は約4100万人から6400万人へと歴史的な人口増加（56パーセントの増加）を経験したのであるが、オストプロイセンでは約182万人から206万人へと、わずか13パーセント余りの人口増加があったのみである[Boockmann 1992：368]。この地域への移住者の数も少なく、工業化と近代化の時代に、森林と湖の地域であるオストプロイセンに魅力を感じる人間は珍しかったのかもしれない。むしろオストプロイセンからの移住者の方が多く、西部工業地帯、すなわちドルトムント、ボーフム、エッセンなどの諸都市には大規模なオストプロイセン移民街が形成されていたのである。実は、元日本代表の内田篤人が所属していたことでも知られるゲルゼンキルヒェンのプロサッカーチーム「シャルケ04」の創設も、主にマズーレン地方からの移民によってなされたものであった。

第一次世界大戦

　第一次世界大戦においてドイツ軍はいわゆるシュリーフェン・プランに従ってまず西部戦線へと進軍し、その結果として戦争初期の戦場はもっぱら西部戦線であったことは一般に知られている。確かに主力部隊がまず西部戦線へと展開したのはその通りであるが、東部戦線におけるロシア軍の反応は予想よりも遥かに早いものであった。それは、この戦争の最初の戦場が、ロシア領ポーランドと領土を接するオストプロイセンであったことに象徴される。宣戦布告日の8月1日には早くもドイツ領東端のプロストケン（現 PL プロストキ）において最初の戦

オストプロイセンからの出征兵士（宿営所からの出征）
出典：Historische Bildpostkarten - Universität
Osnabrück

タンネンベルクの戦い（1914年）を描いた絵葉書
出典：Historische Bildpostkarten - Universität
Osnabrück

闘が行われているのである。翌2日にも
ロシア軍が東部のメーメル郡とハイデク
ルーク郡に到来したほか、14日にはマ
ルクグラボヴァ（現 PL オレツコ）がロ
シア軍の支配下に入っている。

　ロシア軍は戦争の経過とともにオスト
プロイセンの大部分を占領するに至っ
た。ドイツ軍第8軍の司令官マクシミ
リアン・フォン・プリトヴィッツは、約
17万の軍勢で約48万のロシア軍と対峙
せねばならず、8月20日のグンビンネ
ンの戦いで敗北してからは軍事的にます
ます劣勢となり、ついにはオストプロイ
セン州の放棄とヴィスワ川西岸への撤退
を決定した。総司令官ヘルムート・フォ
ン・モルトケはプリトヴィッツを解任
し、後任にパウル・フォン・ヒンデンブ
ルクとエーリヒ・ルーデンドルフの二人
を任命した。彼らは東部戦線におけるド
イツ軍の反転攻勢をしかけ、8月23日
にはオーラウ、ラーナ、フランケナウで
激しい戦闘が展開された。この局面の画
期となったのは、8月26日から30日に

かけて展開されたタンネンベルクの戦い
である。この数日間にわたる戦闘によっ
て、ロシア軍は壊滅的打撃を被り、オス
トプロイセンからの撤退を余儀なくされ
たのである。

　このタンネンベルクの戦いは、1410
年のポーランド・リトアニア連合軍との
戦闘と同じオストプロイセン南部の地で
行われたものであるだけでなく、今回は
ロシアに勝利もしたので、ドイツ民族主
義の思想潮流の中で「スラヴ人に対する
ドイツの勝利」として象徴的な意味合い
を持った（テーマ史を参照）。

アレンシュタインでの住民投票とメーメルの分離

　1918年11月11日にドイツは連合国
と休戦協定を結び、第一次世界大戦が終
わった。他方で、第一次世界大戦後に回
復したポーランドは、その国土をどこま
でと定めるべきかという領域問題を抱え
ていた。これは一般にポーランド問題と
呼ばれる。特にオストプロイセンの大半

連合国からドイツへの住民投票地域の引き渡し（1920年）

の地域が、新生ポーランドによる領土要
求の対象となっており、地域住民の間に
は故郷がポーランドへと併合されるかも
しれないということへの危機感が顕在化
していたのである。

　19世紀末以来ポーランド民族運動の
理論的指導者で、パリ講和会議でのポー
ランド政府代表団のひとりでもあった
ポーランド国民民主党（エンデツィア）
のロマン・ドモフスキは、オストプロイ
センを含むポーランド西方（すなわちド
イツ東部領土）への野心を露わにした。
彼は、これらの地域が、第一に歴史的に

アレンシュタインの住民投票記念碑（1923年完成）
出典：Sächsische Landesbibliothek - Staats- und
Universitätsbibliothek Dresden

見てピァスト朝ポーランドやポーランド＝リトアニア共和国の支配下に入っていたこと、第二にポーランド語を話す「ポーランド系住民」の多数居住する地域であったことの二点から、ポーランドに併合されるべき領域であるとしたのである。パリ講和会議での協議では、ポーランド側の領土要求の主眼はオーバーシュレージエンとヴェストプロイセンにあり、一度はこれらの地域の無条件での割譲が決まったが、ドイツ側の反発を受けて修正案が提示された。1919年6月末に調印されたヴェルサイユ条約では、オーバーシュレージエンとヴェストプロイセンの一部地域、そしてオストプロイセン南部のアレンシュタイン（PL オルシュティン）周辺地域での住民投票の実施が明記されていた。

「アレンシュタイン住民投票地域」はマズーレンやエルムラントを含む地域であった。ヴェルサイユ条約の第28条の規定によると、この住民投票地域は12,395平方キロメートルの広さがあり、558,000人の人口を抱えていた。1920年1月に国際連盟が正式に発足すると、住民投票地域の行政機構と治安維持を担うために、イギリスとイタリアの各国部隊による占領と英仏伊日の事務官の派遣が行われた。これは政治的に中立な住民投票実施に向けた移行措置でもあり、事務方として日本が参加しているのも、ヨーロッパからは遠く離れた独自の利害関係を持つアジアの列強として中立的な判断

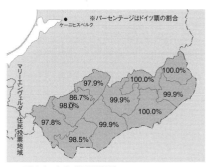

アレンシュタイン住民投票地域
投票数:363,159
オストプロイセン（ドイツ）票:363,159 (97.9%)
ポーランド票:7,924 (2,1%)

1920年の住民投票の結果

を期待されてのことであった。住民投票において、誰が投票権者となるのかということも問題とされたが、20歳以上の「住民投票地域出身でそこに居住している者」「1905年以来そこに居住している者」もしくは「地域外に居住している住民投票地域出身者」の三者に投票権が与えられるということで決着した。そして、実際の住民投票において彼らは「ドイツとポーランド」ではなく「オストプロイセンとポーランドのどちらへ帰属したいか」を決定することとなった。これは、すでにドイツ化されたオストプロイセンにおいてドイツという選択肢を与えることはドイツの利益になるというポーランド側の主張を、連合国が汲んだことによるものである。しかし1920年7月11日に実施された住民投票の結果は投票者の約98パーセントがオストプロイ

センに投票するというものであり、ドイ
ツ側の圧勝に終わった。これにより、
アレンシュタイン地域のドイツ残留が
確定したのである［Wambaugh 1933a：
134］。

　リトアニアの独立も、オストプロイセ
ンの領土問題へと発展した。リトアニア
は、早くも革命によってロシアが動揺し
ていた 1918 年 2 月に独立を宣言してい
たが、戦後になってリトアニア政府は、
バルト海への良港を持つメーメルを含
み、かつリトアニア語話者の多かったプ
ロイセン・リトアニア地域の領有を主張
したのである。1919 年 1 月 15 日に連合
国が出した答えは、プロイセン・リトア
ニアのうちメーメル地方だけをドイツか
ら分離して連合国の管理下に置くという
ものであった（ヴェルサイユ条約第 99
条）。領域にして 2,451 平方キロメート
ル、人口は 139,738 人であった。しかし
この地域では、1923 年にリトアニア系
住民によるドイツ系行政府に対する暴動
が起こり、これをきっかけとしてリトア
ニアから義勇軍が流入、メーメルを一気
に占領して統治下に置いている。1924
年に英仏伊日からなる国際連盟の代表団
は、「メーメル規約」を発してこの地域
における自治をリトアニア政府に義務付
けることで、メーメルのリトアニア編入
を追認した。

戦間期の苦境

　ヴェストプロイセンのポーランド併合
とダンツィヒの自由都市化（「ポーラン
ド回廊」の形成）によって、オストプロ
イセン行政区はヴァイマル共和国の中で
唯一の飛び地となった。このような地域
の孤立化は地域経済・社会に破滅的な影
響をもたらしたと言える。一方でドイツ
本国への作物や物品の輸出はポーランド
回廊を経由せねばならず輸送コストが増
大し、他方でかつての市場であったロシ
アはソ連となって独自の経済圏を形成し
た。新生国家ポーランドとリトアニアも
誕生したが、この新生国家群もその購買
力はオストプロイセンと比較すると小さ
いままであったため新たな市場を形成す
るには至らなかった。オストプロイセン
が依然として大土地所有者に支配された
農業地帯であったことは、その人口動態
にも影響した。経済的に魅力的な西部工
業地帯への人口流出が激しく、1933 年
時点のオストプロイセンの人口（233 万
人）を 1910 年の人口と比較した際の増
加率も全国平均を大きく下回る 13 パー
セントであった。このようなオストプロ
イセンの惨状に対して、ドイツ政府は農
業や産品への補助金や貸与金を拠出する
ことで継続的な支援を行っているが、大
きな効果は得られなかった。

　オストプロイセンの危機的な経済状況
は、政治にも飛び火した。戦間期初期に
「ヴァイマル連合」をはじめとする共和
国支持政党に投票していた農民たちも、

戦間期のオストプロイセン州とクライペダ地方

徐々に右派的・民族主義的な政党への投票を行うようになる。またオストプロイセンの伝統的支配層であるユンカーや大土地所有者は、そもそもイデオロギー的にヴァイマル共和国と相いれず、君主主義・民族主義派の急先鋒となっていた。例えば、1925 年より共和国大統領を努めた「タンネンベルクの英雄」ヒンデンブルクは彼らにとって「代理皇帝」の役割を果たしたのである。このような経済的・政治的背景から、1930 年の国会議員選挙ではグンビンネン（現 RU グーセフ）やインスターブルク（現 RU チェルニャホフスク）などといったオストプロイセンの多くの地域で極右のナチ党が議席を獲得した。

オストプロイセン行政区におけるナチ党の活動は、1921 年にこの地域出身のパン職人ヴァルデマール・マグニアという人物が同党に参加したことに始まる。彼は故郷に帰還したのち、この地域初のナチ党組織を創設するのである。このこのち、ナチ党は 1929 年までにオストプロイセンで 211 の地区組織を設置し、それらの組織は合計 8,334 人の党員を擁する一大組織群となっていた。1926 年に非公式ながらオストプロイセン大管区が設立、続いて 1928 年にはナチ党古参闘士エーリヒ・コッホがオストプロイセンの大管区指導者として任命されたほか、ヒ

オストプロイセンの農家を訪問するヒトラー（1935年）　出典：Hessisches Staatsarchiv Darmstadt

トラー自身も1929年にケーニヒスベルクを訪問するなど、ナチ党の側もオストプロイセンを重視する姿勢を見せている。

　ナチ党が政権基盤を固めた1933年3月の選挙では、同党はオストプロイセン行政区において、全国平均（43.9パーセント）を上回る56.5パーセントの得票率を記録した。これは56.3パーセントのポ

大管区指導者エーリヒ・コッホ
出典：Bundesarchiv

ンメルンと並んで、ナチ党にとって最良の選挙結果であり、そのことはオストプロイセンがナチの票田であったことを物語っている。このヒトラーの政権掌握を背景として大管区指導者コッホは、破綻寸前の地域経済立て直しのための施策を打ち出している。それは「オストプロイセン計画」と呼ばれる経済政策であり、要は巨額の補助金の投入と最新技術の導入によって当該地域の農業を復活させようというものであったが、実際には強制力の伴う施策となった。ナチ党は「マズーレン地域の労働闘争」というスローガンを用いて住民を動員すると同時に、各地に労働収容所を設置してその収容者を強

制労働に用いた。この全体主義的なオストプロイセン計画の発動により、オストプロイセンの経済は明らかに上昇に転じた。この時期に、農業耕作地が大幅に拡大しただけでなく、乳牛・食用牛や食用豚の保有数も一気に増大したのである。このような経済的上昇を追い風として、税収増加の恩恵に浴した地方自治体はインフラ整備に邁進した。地方の村々にまで、舗装道路が建設されるようになったのである。しかしここでも、その建設に動員された強制労働者の存在があったことは指摘しておかなければならない［Kossert 2014：74-75］。

　ナチは国民の強制的同質化を強く志向した。彼らはこれまでの階級対立や社会内部の分断状況を打破し、国民全体が「民族共同体」へと統合されるべきだと唱えたのである。このドイツ人の民族共同体概念が称揚される中で、オストプロイセンは「スラヴ人に対する防波堤」と位置づけられた。このような政治的目標のもとでは、そもそもオストプロイセンは「ドイツ的」な地域であらねばならないこととなり、実際にそれと矛盾するポーランド語やリトアニア語に由来する地名は強制的に改名させられた。この措置により、1938年までにおびただしい数の地名が変更を余儀なくされたのである。例えば、リトアニア系地名を持つゴルダプ（Goldap）は、1933年10月に「ヒトラースヘーエ Hitlershöhe」へと改められている。またナチのドイツ化政策の中核組織としてドイツ東方同盟（Bund Deutscher Osten）も設立され、特にマズーレン地域におけるポーランド語と東部地域におけるリトアニア語の排除を推進した。この組織の指導者は、のちに西ドイツの被追放民・避難民・戦争被害者大臣を務めるテオドーア・オーバーレンダーであった。学術の世界でも、1930年代にプロイセン東部の「ドイツ性」を実証しようとする「東方研究」（テーマ史を参照）が現れるが、この研究の中心地もケーニヒスベルク大学であった。ここに、中世以来オストプロイセンが培ってきた言語的多様性は、最終的かつ完全に破壊されようとしていた。

　第二次世界大戦直前には、ナチ・ドイツはリトアニアにクライペダ地方の譲渡を恫喝でもって要求し、1939年3月にリトアニアはこれに応じた。

第二次世界大戦とオストプロイセン

　1939年9月1日のドイツのポーランド侵攻でもって、第二次世界大戦が勃発した。同月8日にはヒトラーがポーランド国家の廃止を法令で宣言し、旧ポーランド領西部地域にヴェストプロイセン大管区やヴァルテラント大管区が設置された。26日にはポーランド領となっていたマゾフシェ地方北西部が「ツィヒェナウ県」としてオストプロイセン大管区に編入されている。それにともなって、オストプロイセン大管区の領域は12,000平方キロメートルほど増加した。

7月20日事件当時のヴォルフスシャンツェ　出典：Bundesarchiv

　ナチ・ドイツは電撃戦でもってソ連とともにポーランドを分割占領したため、戦争初期においてオストプロイセンが戦場となることはなかった。それゆえ、1944年にソ連軍が侵攻してくるまで、この地域は東部戦線への侵攻拠点として機能しており、現にヒトラーはこの地に「ヴォルフスシャンツェ（狼の砦）」と呼ばれる総統大本営を置いたのである。ドイツ国内予備軍将校クラウス・シェンク・フォン・シュタウフェンベルクを中心とする一派が、1944年7月20日にヒトラー暗殺未遂事件（7月20日事件）を起こしたのもこの大本営においてであった。また戦時中はベルリンなどの西部の大都市からの集団疎開地ともなって

おり、オストプロイセンは「帝国の防空壕」とも渾名された。

　このように、確かに多くの住民は戦争に直面することなく過ごすことができたが、ナチの迫害対象とされた人々は別であった。1933年以降すでに、オストプロイセンでもユダヤ系住民、共産主義者、社会民主党員、キリスト教徒などがナチズムの敵対者として故郷を追われていた。中でも1933年の時点でケーニヒスベルク市に3,170人いたユダヤ系住民は、継続的な迫害と暴力に起因する国外移住の結果、1938年には2,086人へと減少していた。戦争が始まるとそうした移住も不可能となり、親衛隊長官ハインリヒ・ヒムラーの指揮のもとで「立ち退き」

空襲により廃墟と化したケーニヒスベルク市街

と呼ばれる措置が命じられると、ケーニ
ヒスベルクやアレンシュタインなどのオ
ストプロイセン各地からのユダヤ系住民
の移送が開始された。彼らの多くはミン
スクで殺害されたとされる。

　また戦争勃発後にはポーランド系とみ

オストプロイセンのユダヤ系住民とされる人々
（1939 年）
出典：Bundesarchiv

なされたオストプロイセン住民も迫害対
象となり、彼らは労働要員として総督府
領（旧ポーランド南部地域）に送られる
か、最悪の場合には殺害された。ナチの
収容所施設はオストプロイセンにも存在
していた。例えば 1940 年 1 月にはゾル
ダウ（**PL** ジャウドヴォ）に絶滅・強制
収容所が設置されたが、そこには親ポー
ランド的なマズーレン住民、ポーランド
系知識人、ユダヤ人、精神障害者、「反
社会的」とみなされた旧ポーランド領住
民などが収容され、殺害されたのである。

　1941 年 6 月にナチ・ドイツは対ソ戦
を開始したが、その短期決着に失敗した
のち徐々に押し返され、1944 年夏には
オストプロイセンとの境界線近くでソ連

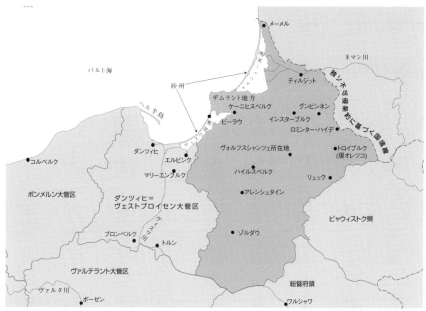

第二次世界大戦中のオストプロイセン大管区

軍による大攻勢を受ける事態となっていた。そして同年8月末、中心都市ケーニヒスベルクがイギリス空軍・海軍による集中的な空爆を受けるに至り、4,200人の犠牲者が出ると同時に、その歴史ある中心市街地は全て灰燼に帰した。ソ連の侵攻が間近に迫った1945年1月末になると、オストプロイセン各地の6つの外部収容所から7,000人のユダヤ系収容者が北西のザムラントに向けて行進させられた挙げ句、最終的に親衛隊による機関銃斉射によって大多数が殺害されるという事件が起こった。この事件の生存者は15人を下回るとされている［Kossert 2009：310-318］。

オストプロイセンからの避難

　1944年夏以降のソ連軍による大攻勢を受けて、当時「国家防衛委員」の地位にあったコッホは、ついにオストプロイセン東部からの民間人の疎開を命じた。この疎開命令は、ソ連軍の脅威に晒されていた最東端のメーメル地方から始まり、ソ連軍の侵攻に合わせて1944年秋にティルジットやトロイブルク（旧マルクグラボーヴァ）へと拡大された。同年11月には厳しい寒さを凌ぐためにソ連軍は森林地帯であるロミンター・ハイデ（現 RU クラースヌィ・レス／ PL プシュチャ・ロミンツカ）まで一時撤退するも、1945年1月13日には再び大攻勢に着手した。1月後半から2月までの期間にオ

多数の避難民を乗せたまま沈没したヴィルヘルム・グストロフ号

ストプロイセンの大部分がソ連軍の手に落ち、対するドイツ軍はソ連軍に包囲されながらもケーニヒスベルクやザムラントを要塞化して抗戦した。しかし、このような絶望的状況にもかかわらず、現地指導部は東部を除くオストプロイセン地域からの疎開措置を容認せず、住民全体をも巻き込む徹底抗戦へと突き進んでいく。

このような指導部の無謀・無策ゆえに、オストプロイセンからの住民疎開は自然発生的で、無秩序なものとなった。避難民の一部は氷点下の凍える寒さの中、ソ連軍の攻撃から逃れるために凍結したフリース潟湖を越え、フリース砂州（**PL** ヴィスワ潟湖・砂州）を目指した。この砂州をダンツィヒ方面へと向かうルートのみが、西方へと逃れる唯一の道

だったのである。しかし3月30日にはそのダンツィヒも陥落し、自力で西方へと避難する手立ては最終的に潰えた。この危機的状況に際してドイツ海軍は砂州の港町ピーラウ（現**RU**バルチースク）において艦船を用いた避難民の救出作戦を実施し、魚雷や航空攻撃による10万人規模の犠牲者（5,000人以上の死者を出したヴィルヘルム・グストロフ号事件が有名）を出しつつも8-9万人の避難民をドイツ本国の港へと輸送することに成功している。

1945年4月にソ連による軍事占領が完了すると、オストプロイセン各地に労働を目的とした収容所が建設され、ドイツ系住民はそこへ移送された。戦災と徴兵による成人男性の慢性的不足から、14歳から70歳までの子どもや女性を含

オストプロイセンからの避難と追放

む人々もそれらの収容所やソ連本国、ウラル地方・シベリアへ送られ、強制労働に従事した。これらの戦後もオストプロイセンに残留していたドイツ系住民は、最終的にはポツダム協定に基づいてドイツ本国へと強制移住された。後述するように、戦後も収容されることなくオストプロイセンに残留していたドイツ系住民も、1948年に追放されている。1950年までのオストプロイセンとヴェストプロイセンからの避難民・被追放民の合計は、約189万人であったとされる［Beer 2011：85］。この数字には戦死者や避難・強制労働・追放の過程で犠牲となった人々は含まれていない。それでも戦前の両プロイセン地域の人口が500万人弱であったことを考えれば、この数字がいかに大きなものであるかが分かるだろう。

大管区指導者コッホは、1945年4月24日頃に船でダンツィヒ湾岸のヘル半島を出発し、そのまま消息を絶った。しかし1949年春にシュレースヴィヒ＝ホルシュタイン州にて開催された避難民の集会に現れた男性が、まさにコッホその人であるとその参加者によって即座に看破され、逮捕に至っている。ポーランドに移送されて裁判を受けた彼は、1958年3月に死刑を言い渡された（のちに終身刑に減刑）。コッホの容疑はツィヒェナウ県における犯罪に限定され、最終的な罪状は同地における40万人殺害の主導および補助、人道に対する罪とされた。

その後

ソ連領カリーニングラード州

　1945年7月17日より開催されたポツダム会談においては、ヨーロッパ東部の新国境線についての協議も展開された。8月2日のポツダム協定では、ソ連のスターリンが提案した、カーゾン線をポーランド＝ソ連国境とし、新たにオーダー・ナイセ線をドイツ＝ポーランド国境とする案が暫定的に承認され、その後のソ連とポーランドはその既成事実化を急いだ。その結果として、ドイツは大幅な領土喪失を被り、ポーランドは戦前に比べて250キロメートルほど西進したのである。オストプロイセンに関しては、その南部地域がポーランド領「マズーリィ地区」となり、ソ連はケーニヒスベルクを中心とする北部地域とクライペダ地方を自国領土に組み込んだ。このポーランド領とソ連領との国境線は戦後長らく曖昧なままであったが、1958年9月

戦争直後のカリーニングラード市

旧ケーニヒスベルク城

にようやくポーランド＝ソヴィエト国境
委員会と呼ばれる専門部会が国境線を画
定したと考えられている。

　旧オストプロイセン北部がソ連領と
なった理由は、主に２つある。第一に、
ソ連指導部はオストプロイセンをドイツ
全体主義と軍国主義の「総本山」である
とみなしており、そこが二度とソ連（ロ
シア）への侵攻拠点とならないよう、こ
の地域の徹底的な再編を目論んでいたの
である。スターリンがポーランドとオス
トプロイセンを分割することを戦争後期
の時点ですでに目標としていたことも明
らかになっている。第二に、そうした地
政学的な動機とともに、ソ連にとってオ
ストプロイセンは戦時賠償の一環でも

あった。つまりソ連指導部は、独ソ戦に
ともなって発生したソ連国内の途方もな
い損害を、オストプロイセンの自国領化
によって補填しようと考えたのである。
シュレージエンなどでは、ソ連が暫定的
な「補償」や「戦利品」として工場や産
業用機械を根こそぎ自国へ輸送すること
はあったが、このように地域そのものが
「補償」の対象とされ、ソ連領となった
旧ドイツ地域はオストプロイセン北部の
みである。

　この地域のソ連行政当局にとっての
課題は、そこでの行政秩序の回復で
あった。戦後の現地統治機構はしばら
く軍政によって担われていたが、1946
年４月から６月にかけてソ連は軍政を

カリーニングラード州とオルシュティン県（1947年）

解体するとともに、オストプロイセンの占領地域を「ケーニヒスベルク州Кёнигсбергская область」としてソヴィエト連邦へと正式に編入することで、行政の立て直しを図っている。すでにポーランド行政地域はヴァルミア県とマズーリィ県、メーメル地方はソヴィエト連邦を構成するリトアニア・ソヴィエト共和国の一部となっていたので、ここに「オストプロイセン」という地名は公的には消滅したのである。そして同年6月4日にはケーニヒスベルク市が、いわゆる国家元首にあたるソ連最高会議幹部会議長であったミハイル・カリー

ニンの名前から「カリーニングラードКалининград」へと改称されている。これにともなってケーニヒスベルク州もカリーニングラード州となった。

ソ連領としては、住民構成もいびつであった。1946年5月時点のケーニヒスベルク市においては約45,000人のドイツ系住民が住民登録されているが、行政的に記録されていないドイツ系住民も多数に上ったと推測される。その一方で、ソ連市民の数は、戦中に強制労働者として移送されてきた人々からなる、わずか4万人余りであった。それでも戦争直後の時点でのドイツ系住民の存在やドイ

ツ語の使用に対するソ連当局の対応は比較的寛容なものであった。カリーニングラード州ではドイツ系住民のための学校が44校も開設され、約5,000の児童がそこに通ったとされるほか、ドイツ系の劇場やラジオ局、新聞などが存在していた。しかし1948年、カリーニングラード州行政当局はドイツ系住民の全面的な退去を決定する。この年の夏から秋にかけて、合計42,092人のドイツ系住民がドイツのソ連占領地域（のちの東ドイツ）へと列車で移送されたのである。こうしてドイツ系住民のいなくなったカリーニングラードには、ソ連各地からの移住者が大挙してやって来た。これらの移住はカリーニングラードを共産主義のイデオロギーと合致した集団農業（コルホーズ）のモデル地域にするというソ連の政策に基づくものであり、移住者には旅費や住居、雌牛などが与えられた［コスチャショーフ 2019：87-96］。こうした移住促進政策も功を奏し、1950年頃には約40万人であったカリーニングラード州の人口も、1960年には60万人を超える回復を見せたのである。

住民構成の他にも、社会の様々な部分がソ連化もしくはロシア化された。しかし後述のように「回復領」もしくは「ピアスト朝の土地」とされたポーランド併合地域とは異なる独自の論理が、ソ連には必要であった。まずこの地域は「古代のスラヴ人の土地」であるというほとんど事実無根のプロパガンダが展開され、こ

れは1950年代半ばまで続けられた。その一方でこの地域は「ファシストの野獣の巣窟」ともみなされ、そのような犯罪的な土地をソ連が支配するのは当然であるというイデオロギーも生まれている。これらの理念の組み合わせによって、ソ連の旧オストプロイセン北部支配が正当化されたのである。同時に「プロイセン的精神」を想起させる建物や物品がことごとく破壊された。旧ケーニヒスベルク市の象徴であった王城も、長い議論の末、1960年代後半に解体されている［コスチャショーフ 2019：184-212］。

冷戦期には、カリーニングラード市はソ連の一大軍事拠点となり、外国人の立ち入りが厳しく制限された。ソ連がこの地を軍事拠点化した理由としては、カリーニングラード港がソ連領内では数少ない不凍港である点が極めて大きく、同市は巨大な海軍基地を擁する軍事都市となった。これらの経緯と、NATO国家群と最前線で対峙するソ連の飛び地という地理的な観点から、冷戦期のカリーニングラードは「ソヴィエトの不沈空母」とも呼ばれたのである。

ポーランド領ヴァルミア・マズーリィ地域

ソ連との取り決めに基づいてオルシュティン（旧アレンシュタイン）を中心都市とするオストプロイセン南部を併合することとなっていたポーランド国民解放委員会（暫定政権）は、早くも1945年4月には行政組織の構築に着手した。

ビャウィストク県知事イェジー・シュタヘルスキがオルシュティン市の全権を兼務し、この地域の大部分が「マズーリィ地区」という行政区分へと移管された。その後、1946年5月よりマズーリィ地区はオルシュティン県となり、正式にポーランド国家に編入されている。

1949年のオルシュティン市民と市街

ポーランド政府は、この地域がポーランド領となるに相応しい根拠を示そうとした。第一に、歴史的なポーランドとの結びつきが強調され、かつてこの地域がピアスト朝の支配下にあったことが持ち出された。第二に、「ポーランド系」住民の存在も、オストプロイセンがポーランド領となることを正当化する材料となった。ポーランド政府はこの地域の住民を「土着民」と呼び、政府の公式見解の上ではドイツ系住民を含めたオストプロイセン南部の「土着民」全体が「ポーランド系」のエスニシティを持っているとされたのである。それゆえ住民の一部は一時的に「ドイツ化」されていただけであり、彼らは再び「ポーランド化」されることでポーランド国家への統合がなされると考えられた。ポーランド政府によれば、土着民は「数百年にわたるプロイセンのくびき」から解放されたのである。オストプロイセンという名称も使用されることはなくなり、オルシュティン県という行政区分上の名称とともにヴァルミアとマズーリィというスラヴ語の地名が用いられるようになった。そして旧ドイツ東部領土全体も、ピアスト朝以来のポーランド人の住む土地をポーランド国家が再び獲得したという意味で、「回復領」と呼称されるようになる。

しかしドイツ系住民も、すんなりとポーランド国民になれたわけではない。ポーランド行政当局は、1945年5月より開始した住民登録に際して、民族的・人種的に「ポーランド系の出自を持つ住民」か否かという基準に基づく選別を実施したのである。そしてこの極めて曖昧な基準から漏れた住民は、この地を去らなければならないと定められていた。だがこの民族的・人種的な選別は困難を極め、最終的には第三者の署名によって「ポーランド民族性」を確認することも容認されたのである。

このヴァルミア・マズーリィ地域でも、数十万人単位の避難民の発生により大幅な人口減少がもたらされていたが、カリーニングラードと同様に、ポーランド政府はその人口の空白に新たな入植者をあてがった。この入植者の集団は「送還者」と呼ばれる人々で、主にかつての

ロシアからドイツに移り住んで来た帰還移住者の家族（1989年）
出典：Sächsische Landesbibliothek - Staats- und Universitätsbibliothek Dresden

ポーランド東部領土やポーランド中央部からのポーランド系強制移住者であった。彼ら入植者もまた、強制移住の被害者であったのである。1950年のアレンシュタイン県の人口のうち、22.6パーセントがポーランド東部領土、24.8パーセントが中央ポーランドからの移住者であった一方で、ドイツ系は18.5パーセントであったとされる［Kossert 2014：104］。ともかく、移住者の流入によって、この地域の人口は回復に向かっていった。

　1950年代後半以降には、ドイツ系住民の西ドイツ移住が大きな潮流となった。「帰還移住者」と呼ばれる人々の動きである。結局、戦後において彼らは

ポーランド国家に完全に統合されることはなく、ポーランド社会主義政権ももはやそのポーランド化政策を諦めていた。ドイツ系住民は、ポーランド系入植者たちとの間に様々な面での違いを感じるようになっていたのである。こうした背景から、ヴァルミア・マズーリィ地域のドイツ系住民は徐々に西ドイツへの移住を希望するようになったのである。特に西ドイツ首相ヴィリー・ブラントの推進する東方外交によってドイツ・ポーランド関係が改善された時期に、この傾向はピークに達した。1970年代から80年代にかけて、ヴァルミア・マズーリィ地域から西ドイツへの「帰還移住者」の数は55,227人に上っている。

「ゲルマン対スラヴ」——騎士団・東方移住の評価と東方研究

実はドイツ騎士団の評価は、18世紀の啓蒙期においては否定的なものであった。騎士団による好戦的な態度と度重なる戦争、強権的な国家建設などがネガティヴに捉えられたのである。このような評価が一変したのが、近代のドイツ民族主義者によってドイツ騎士団や東方移住が注目されたときであった。1772年のポーランド分割によって、プロイセン王国はヴェストプロイセンを獲得したが、この領域にはかつての騎士団の拠点であるマリーエンブルク城も含まれていた。この時すでに、城は長年にわたって放置されていたため廃墟同然の有様であ

トライチュケ 出典：Sächsische Landesbibliothek - Staats- und Universitätsbibliothek Dresden

り、解体する計画まで持ち上がっていた。しかしナポレオン支配からの解放戦争での勝利にともなう初期プロイセン＝ドイツ民族主義の高揚により解体案は却下され、城は再建されることとなる。この時の責任者であるヴェストプロイセン州総督シェーンも、「マリーエンブルクと騎士団国家は、〈強国としての現在のプロイセン国家〉の〈基盤であり礎石〉であると表明されるべきものでもあった」（谷喬夫訳）と述べて、再建の背景に「強国」プロイセンの興隆があることを明言している。

その後、多くのドイツ人歴史家がドイツ騎士団を肯定的に評価する書物を出版するが、中でも重要なのがハインリヒ・フォン・トライチュケの『ドイツ騎士団国プロイセン』（1862年）である。プロイセンを中心としたドイツ統一国家形成を目指す小ドイツ主義を信奉する歴史家トライチュケは、19世紀半ばのポーランド民族主義の興隆を横目に見ながら、「文化的」なドイツと「野蛮」なスラヴ人を対比することによってプロイセンによるポーランド支配を正当化しようとした。彼によれば、ドイツ騎士団とその後の東方移住は「矯正者、教育者、規律教師」として表象されるこの地域の「ゲルマン化」を促進し、それによって「野蛮で無秩序」なスラヴ人とアジア人

への防壁をなした。そして「ドイツ人」の文化がスラヴ人を制圧し、文明へと導いたのだと言うのである。もちろん中世ヨーロッパに近代的な意味での「ドイツ人」は存在しないのであるし、ドイツ人がその高度な文化でもってスラヴ人を征服したという解釈も騎士団領域国家の存在と東方移住という歴史的事実を極度に誇張したものである。しかしそれでも、このようなゲルマンとスラヴを対比する歴史観（東進運動イデオロギーと呼ばれる）は19世紀のドイツで流行したのであり、多くの同時代人に影響を及ぼしていった。

　この東進運動イデオロギーを下地として成立したのが「東方研究 Ostforschung」と呼ばれる学問分野である。これは戦間期のケーニヒスベルク大学やブレスラウ大学を中心に展開された人文・社会諸科学を糾合した学際的研究領域の総称であった。この時代は第一次世界大戦の敗戦とヴェルサイユ条約、ポーランドやチェコスロヴァキアの建国など、ドイツ東方でのドイツ人アイデンティティが大きく揺らいだ時でもあった。特にポーランドの再建によって喪失された領土の回復というのは、左右対立の激しいヴァイマル共和国にあって数少ない左右両派の合意点でもあったのである。代表的研究者であるヘルマン・オバンはドイツ東方が「危機にさらされている」と認識し、「ドイツ東方とドイツ民族」という研究を著している。オバンの主張は、このポーランドの再建によって危機に陥ったドイツ東方を保護するという観点から、その領域がドイツ民族の保持すべき「生存圏（レーベンスラウム）」であるというものであった。そのような目的のもとに描かれる歴史観は、ドイツ民族がスラヴ人やマジャール人の攻撃に対する「キリスト教西欧世界」の守護者であり、平和的な拡張勢力であるというものであり、トライチュケの議論と比してもより客観性を欠いたものとなった。戦間期ドイツの直面した領土喪失とスラヴ系新興国家との対峙という文脈の中で、東進運動イデオロギーはより先鋭化していったのである。1932年にゲッティンゲンで開催された歴史家大会（ドイツ歴史学界最大の学会）においても、オバンやケーニヒスベルク大学のハンス・ロートフェルスが東方研究についての講演を行い、このような認識が学界全体で共有されるに至った。

　このイデオロギーの最終継承者こそ、ほかならぬヒトラーであった。彼は「生存圏」概念をナチ・イデオロギーの中心に据え、ドイツ東方での領土拡張を正当化したのである。しかしその結末が、第二次世界大戦という破局であることは言うまでもない。

参考文献
伊藤 2017；川喜田 2019；
谷 2017；千葉 2003

🏛 「ゲルマン対スラヴ」── 2つのタンネンベルク

第一次世界大戦期から戦間期にかけては、タンネンベルクの戦いも「ゲルマン対スラヴ」の思想的枠組みの中で理解された。ここで言うタンネンベルクの戦いとは、1410年のドイツ騎士団とポーランド＝リトアニアの戦闘（ポーランドでは「グルンヴァルトの戦い」と呼ばれる）、そして1914年のドイツ帝国とロシア帝国の戦闘の2つの戦いを指す。当時のドイツ人には、近代ドイツ国家と同一視されたドイツ騎士団の壊滅的敗北が屈辱的事件であると捉えられており、それゆえ1914年のタンネンベルクでのドイツ軍の勝利は「1410年の復讐」もしくは「スラヴ人に対するドイツの勝利」であると称揚された。1919年には早くも、アレンシュタインとマリーエンヴェルダーでの住民投票へのプロパガンダも兼ねて、ドイツ民族主義的・反ポーランド系団体によるタンネンベルクでの勝利を記念する祝祭が開催されるなど、1914年の戦いは徐々に神話化されていった。

そしてこの神話の中心にいたのが、当時の司令官ヒンデンブルクである。彼はすでに戦中よりタンネンベルクでの勝利の立役者として国民的英雄であったのであり、戦間期にはオストプロイセンにおいて非常に多くの支持者を見出すと同時に、「オストプロイセンの救済者」と呼ばれて半ば代理皇帝のような役割を担っていた。彼のもとに集う人々は、君主主義や反民主主義を信奉する反ヴァイマル勢力であったことに示されるように、ヒンデンブルクは帝政期のような「強いドイツ」の復活を望む人々のアイコンとなったのである。タンネンベルクの戦いから10周年の1924年8月31日には、まさにかつての戦場に「タンネンベルク廟」と呼ばれる記念碑が設置された。この落成式には、ヒンデンブルク、ルーデンドルフを始めとする戦闘参加者を含む5,000から7,000人もの人々が参加したとされ、ここから当時のタンネンベルク神話の盛り上がりを垣間見ることができる。こうした神話に後押しされたドイツ国民の間でのヒンデンブルク人気はとどまるところを知らず、ついに1925年には共和国大統領に選出されるに至るのである。

このようなタンネンベルクの政治的価値に、ナチも着目している。1932年には、ヒトラーは4月と6月の2度にわたってオストプロイセンを訪問した。4月の訪問は、ヒンデンブルクと大統領の座を争う決選投票の期間中のことであり、ヒトラーはタンネンベルク廟で式典を執り行い、プロイセン軍国主義の伝統をナチ党が継承していることを国民にアピールすることで国民的人気を誇るヒン

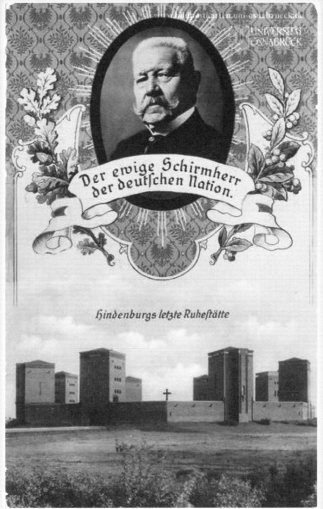

Der ewige Schirmherr
der deutschen Nation.

Hindenburgs letzte Ruhestätte

タンネンベルク廟の上にヒンデンブルクを配置して顕彰している戦間期の絵葉書
出典：Historische Bildpostkarten - Universität Osnabrück

デンブルクに対抗しようとしたのである。そして 1934 年にヒンデンブルクが死去すると、今度はヒトラー自らが「オストプロイセンの救済者」を名乗るようになった。

参考文献
Kossert 2009

アルベルトゥス大学ケーニヒスベルクと
「ケーニヒスベルクの世紀」

アルベルトゥス大学ケーニヒスベルク（ケーニヒスベルク大学）は、16世紀以来の長い歴史を持つ大学であった。それは1544年に初代プロイセン公アルブレヒトによって創設された、マールブルク大学に次ぐヨーロッパで二番目のプロテスタント大学であった。この大学が創設された背景には、強大なカトリック世界に対抗しうるプロテスタント独自の知的世界を構築しなければならないというアルブレヒトの認識があった。それゆえ、彼はこの大学でもってプロイセン公国内外でのプロテスタント化を推し進め、人文主義的な教育を拡大し、そしてまた教養あるエリートを育成しようとしたのである。

18世紀になると、このケーニヒスベルク大学は、アダム・スミスの自由主義経済学の伝道者クラウスを教授として招聘するなどプロイセン国家において重要な位置を占めるようになる。この時期のプロイセン政府の一部官庁でも、官吏任用に際してこの大学での勉学を重視した採用を行う傾向があり、プロイセン改革期の官僚の多くはケーニヒスベルク大学で学んでいたことが知られている。特にドイツ啓蒙思想の発展において、この大学は多大な貢献をなしていることから、18世紀を「ケーニヒスベルクの世紀」

と呼ぶ向きもある。

ヨハン・クリストフ・ゴットシェートやヨハン・ゲオルグ・ハーマンなどの並み居るケーニヒスベルクの啓蒙思想家の中で、最も重要な人物はもちろんイマヌエル・カント（1724-1804年）であろう。カントはケーニヒスベルクのルター派家庭に生まれ、その後ケーニヒスベルク大学を卒業している。1770年にケーニヒスベルク大学教授に任命されているが、それまでにエアランゲン大学やイエナ大学への着任要請を固辞するなど、ケーニヒスベルクから出ることを拒んだという。彼は生涯のほとんどをケーニヒスベルクで過ごしたとされる。それゆえ当然、カント啓蒙の精華とされる、いわゆる三批判書（『純粋理性批判』『実践理性批判』『判断力批判』）の出版も、このケーニヒスベルク大学の教授職にあった時になされたものである。カントの批判哲学の登場でもって、ルネサンスと宗教改革によって始められた人文主義的な思想潮流は、理性に基づいて自立的に思考する人間によって社会はより良く改善可能であるという進歩史観的な思想へと結晶した。このような認識のもとでより良い理性を形成するための新聞・雑誌などの大衆メディアが次々と発行されていき、19世紀ドイツの教養主義へと結び

ケーニヒスベルク大学（1909 年）
出典：Biblioteka Cyfrowa - Regionalia Ziemi Łódzkiej

ついていくのである。

　ケーニヒスベルク大学は啓蒙期以降も、ドイツ学術界の中心的な大学であり続けた。戦間期のケーニヒスベルク大学を中心とする東方研究が巨大学問分野となりえたのも、このような大学自体の名声と無関係ではない。

　しかし第二次世界大戦後にケーニヒスベルクがソ連領となると、大学も体制に合わせて変化を強いられた。まずソ連はケーニヒスベルク大学という名称を抹消し、新たにそのキャンパスの一部を用いて「カリーニングラード国立教育学研究所」を設置している。1966 年には、大学としての地位が回復され、「カリーニングラード国立大学」として再出発して

いる。そして体制転換後の 2010 年には「イマヌエル・カント＝バルト連邦大学」と改称され、カントの名前を冠することで戦前との連続性が容認されるという状況の中で、現在に至っている。なお、体制転換直後には、カリーニングラード市の名称自体も「カントグラード」や「カントフスク」へと変更するという案も提案されたが、結局これは実現しなかった。

参考文献
成瀬ほか 1996；コシチャショーフ 2019

イマヌエル・カント　　　　　　ケーテ・コルヴィッツ（1906 年）

リュドミラとウラジーミル・プー　　　　ユリウシュ・マフルスキ
チンの結婚式（1983 年）

著名出身者

　イマヌエル・カント（Immanuel Kant, 1724-1804）については、すでに歴史観光ガイド・通史・テーマ史で触れているため、ここでは簡単な人物紹介にとどめたい。彼は、ケーニヒスベルクで馬具職人の父ヨハン・ゲオルグと妻アナのもとに生まれた。父方の家系は、現リトアニアのクルシュー地方にルーツを持つと考えられている一方、母方の家系はニュルンベルクやテュービンゲンからこの地にやってきたのだという。

　カントは、ケーニヒスベルクで生まれて以来、この地でその生涯のほとんどを過ごすこととなる。地元の中等教育機関を卒業した彼は、1940 年にケーニヒスベルク大学へ進学し、そこで数学・哲学・ラテン語古典などを学んだ。そこで最初の論文『活

力測定考』（1746 年）を執筆し、その中ではのちの理性批判につながる思想がみられる。しかしこののち父の死などもあり、カントは苦しい生活を強いられることとなる。次なる著作『天界の一般自然史』を発表したのは 9 年後の 1755 年のことであった。実はこの時期までは、ケーニヒスベルク大学教授マルティン・クヌッツェンの影響下で自然哲学に関心が向いており、哲学者としての道は歩んでいなかった。

　カントの転機となるのは 1764 年のベルリン・アカデミーによる懸賞論文であり、そこで掲げられた当時の哲学の根本真理についての命題への挑戦が哲学者への歩みの始まりであった。また同年、カントはルソーの著作にも出会い、哲学の魅力に引き込まれるようになる。この時期を境に、哲学者カントが形作られていくのである。彼は 1766 年から 1772 年までケーニヒスベルク王立図書館に勤務し、さらに 1770 年にはケーニヒスベルク大学の論理学と形而上学の正教授に任ぜられた。

　だがこののち 1788 年に『純粋理性批判』が発表され、後続の 2 冊の批判書が刊行されるようになるまでは、またもケーニヒスベルクで長い思索の時間を要した。それでも、このカントの活躍を中心として 18 世紀が「ケーニヒスベルクの世紀」と呼ばれるようになるのは、テーマ史で述べた通りである。結局彼は故郷ケーニヒスベルクにて、1804 年に 80 歳で亡くなった。

　版画家として日本でも有名な**ケーテ・コルヴィッツ**（Käthe Kollwitz, 1867-1945）はケーニヒスベルクの出身である。

　帝政ドイツ時代の 1867 年、左官職人であった父カール・シュミットと母カリーナのもとに第 5 子として生まれた。幼少期はケーニヒスベルクで育つが、その際に父のすすめで銅版画家ルドルフ・マイヤーのもとで素描の勉強を始めたことが彼女の人生を決定づける。1885 年にはベルリン女子美術学校に進学し、そこではカール・シュタウファー＝ベルンに師事したほか、シュレージエン出身の作家ゲルハルト・ハウプトマン（第 3 章を参照）と知り合った。翌年にはケーニヒスベルクに戻り、そこで画家のエミール・ナイデの指導を受けた。また 1891 年、幼馴染の医者カール・コルヴィッツと結婚してコルヴィッツ姓となった。彼女が本格的に版画家としての仕事を始めるようになるのも、この頃である。

　カールとともに、労働者街として知られるベルリンのプレンツラウアーベルクに住まいを移したケーテは、1893 年に初演されたハウプトマンの戯曲『織匠』を見て感動し、連作『織匠の蜂起 Weberaufstand』の制作を開始した。この作品群は 1898 年の大ベルリン美術展に展示され、当時のドイツ美術界を牽引していたアドルフ・メンツェルらの激賞を受けるも、皇帝ヴィルヘルム 2 世によって金メダルの授与は却下された。この『織匠の蜂起』は、明らかに貧しい労働者たちの目線から当時のドイ

コルヴィッツの代表作『織匠の蜂起』第四作「織匠の行進」（1893-1897 年）
出典：Käthe Kollwitz Museum Köln

ツ社会を批判的に捉えたものであり、その点が皇帝には気に入らなかったのであろう。
とはいえこの連作によって名声を得たケーテは、ドイツ農民戦争から着想を得た『農
民戦争 Bauernkrieg』や『プロレタリアート Proletariat』など、社会的弱者に焦点
を当てた作品を発表していく。こうした功績が評価されて、1929 年には優れた文化
人に与えられるプール・ル・メリット勲章を授与された。

　1933 年のヒトラーによる政権獲得の前夜、ケーテは「ファシズム」に抵抗する運
動の呼びかけを行い、ナチ体制下では展覧会の実施が非公式に禁止された。第二次世
界大戦中には夫が亡くなった上に孫がロシアで戦死、さらにベルリンの住居が爆撃
で破壊されるなど悲劇に見舞われるも、ザクセン皇太子エルンスト・ハインリヒの
助力でドレスデン近郊のモーリッツブルクへ疎開した。そこで戦争終結の 2 週間前、
1945 年 4 月 22 日に亡くなっている。

　ロシア領カリーニングラード州の出身者としては、**リュドミラ・アレクサンドロヴ
ナ・プーチナ**（Людмила Александровна Путина, 1958-）を挙げてみたい。プーチ
ナという姓からも分かる通り、ウラジーミル・プーチン大統領の妻であった人物であ
る。2013 年に離婚成立済みなので、あくまで前妻ではあるが。プーチン本人の周辺

では、家族に関する話題は完全にタブーになっているのだという。それゆえにリュドミラに関することもほとんど知られていないのであるが、ここではその前半生を少し紹介してみよう。

彼女はロシア領カリーニングラード市にリュドミラ・シュクレブネワとして生まれたのち、レニングラード（現サンクトペテルブルク）大学でフランス語とスペイン語を学んだ。その後、美貌を生かしてローカル線の客室乗務員の仕事に就いた。「警官」を自称するウラジーミルと知り合ったのはレニングラードの劇場だと言うから、レニングラード大学時代にはすでに恋仲になっていたのだろうか。出会って3年後の1983年に二人は結婚している。

しかし夫婦生活は順風満帆ではなかったようで、1980年代後半のドレスデン滞在時代に、リュドミラは「夫の暴力や度重なる不倫には耐えられない」と語っている。そののち大統領となる夫ウラジーミルは多忙を極め、そうした結婚生活を通じて彼女の精神状態は悪化していた。それが2013年の離婚につながったと考えられる。なお、リュミドラは21歳年下の実業家アルトゥール・オチェレトヌィと再婚している。またプーチンとの間に生まれた二人の娘については国家機密とされ、私生活についてはほとんど明らかになっていない。

戦後のポーランド領時代については、映画監督の**ユリウシュ・マフルスキ**（Juliusz Machurski, 1955-）が代表的出身者である。日本では、英語読みのジュリウス・マチュルスキとも紹介されることがある。

彼は1955年にポーランド領オルシュティンに生まれた。ワルシャワ大学でポーランド文献学を学んだのち、ポーランド映画界の巨匠アンジェイ・ワイダも学んだ名門ウッチ映画大学の映画監督学部で学位を取得している。彼の作品の特徴はアメリカ映画の影響を強く受けたコメディ映画というところにあり、多くの作品がポーランド国内において興行面で成功を収め、高い評価を受けている。代表作は『ヴァ・バンク』（1981年）、『デジャ・ヴュ』（1989年）、『キレル』（1997年）などであり、一部は日本語でも観ることができる。

なかでも『デジャ・ヴュ』はマフルスキの傑作であるとされる。この作品には世界中の様々な作品からの模倣・引用が見られ、彼はそれを効果的に組み合わせることで非常にハイコンテクストな、マニア好みの映画を作り上げた。現在マフルスキはポーランド映画界の重鎮である。2011年からはポーランド映画協会評議員に任命され、また2014年にはポーランドの様々な分野で大きな功績を残した人物に与えられるポーランド復興勲章を授与されている。

 その他の著名出身者

- **ヨハン・ゲオルク・ハーマン**
  Johann Georg Hamann, 1730- 1788, プロイセン領ケーニヒスベルク出身の哲学者
- **ヨハン・ゴットフリート・ヘルダー**
  Johann Gottfried von Herder, 1744-1803, プロイセン領モールンゲン出身の詩人、翻訳家、神学者、哲学者
- **ダヴィド・ヒルベルト**
  David Hilbert, 1862-1942, プロイセン領ケーニヒスベルク出身の数学者。「現代数学の父」と称される巨人
- **アルノルト・ゾンマーフェルト**
  Arnold Johannes Sommerfeld, 1868-1951, プロイセン領ケーニヒスベルク出身の物理学者
- **クルト・ブルーメンフェルト**
  Kurt Blumenfeld, 1884 -1963, ドイツ帝国領マルクグラボヴァ出身のシオニスト
- **エーリヒ・メンデルスゾーン**
  Erich Mendelsohn, 1887-1953, ドイツ帝国領アレンシュタイン出身の建築家
- **レアー・ラビン**
  Leah Rabin, 1928-2000, ドイツ領ケーニヒスベルク出身のユダヤ系。イスラエル首相ラビンの妻
- **ハインリヒ・アウグスト・ヴィンクラー**
  Heinrich August Winkler, 1938-, ドイツ領ケーニヒスベルク出身の歴史学者。主著は『自由と統一への長い道 *Der lange Weg nach Westen*』
- **ヨアナ・イェンジェイチク**
  Joanna Jędrzejczyk, 1987-, ポーランド領オルシュティン生まれ、総合格闘家

第 2 章

ヴェストプロイセン

ポーランド分割後にプロイセンと一体化させられた係争地

ヴェストプロイセン

DE Provinz Westpreußen

現ポーランド領東ポモージェ地方、ヴィスワ川下流域

PL Pomorze Wschodnie, Dolna Wisła

　ヴェストプロイセンの "West" は英語と同じく「西」を意味する。日本語では「西プロイセン」と訳されることもあるように、名称の上ではオストプロイセン（東プロイセン）と対をなす地域である。基本的にヴェストプロイセンというのはグダニスクやマルボルク、トルニを中心とする、現在のポーランド北部のバルト海沿岸から内陸までの領域を指し示すドイツ語の歴史的名称である。現代ポーランドの地理区分で言えば、東ポモージェ地方、ヴィスワ川下流域がその領域にあたる。このヴェストプロイセンという地名は、この地域がポーランド分割後にプロイセン領となったのち、プロイセン国王によってプロイセンの領土と一体化させるために名付けられたものであり、むしろその歴史や文化はオストプロイセンとは相当程度異なっていると言える。ここでは、そのヴェストプロイセン独自の歴史を紐解いてみたい。

主要言語

ドイツ領時代 1871-1919 (1945) 年	ドイツ語、ポーランド語、カシューブ語
現代	ポーランド語、カシューブ語

近代以降の人口

①ドイツ領時代（ヴェストプロイセン州）

1871 年	1,314,611
1880 年	1,405,898
1890 年	1,433,681
1900 年	1,563,658
1910 年	1,703,474

②戦間期

1925 年	ドイツ領ポーゼン＝ヴェストプロイセン辺境県	332,443
1931 年	ポーランド領ポモージェ県	1,884,400
1939 年	ドイツ領ヴェストプロイセン県	301,808

③第二次世界大戦後

1972	3,459,700（グダニスク県とビドゴシュチ県の合計）
2017	4,402,670（ポモージェ県とクヤヴィ＝ポモージェ県の合計）

年表

1466 年	ドイツ騎士団による王領プロイセンの承認
1569 年	ルブリン合同
1600-1629 年	ポーランド・スウェーデン戦争とスウェーデンのエルブロンク獲得
1655-1660 年	第二次北方戦争とスウェーデンの王領プロイセンからの撤退
18 世紀前半	大北方戦争とポーランド＝リトアニア共和国の衰退
1772 年	第一次ポーランド分割と王領プロイセンのプロイセン王国への併合
1806-1813 年	ナポレオンによる支配と自由国家ダンツィヒ
1815 年	プロイセン領ヴェストプロイセン州の成立
1824 年	ヴェストプロイセン州とオストプロイセン州の統合
1871 年	ドイツ帝国の成立
1878 年	プロイセン州からのヴェストプロイセン州の再分離
1919 年	ヴェルサイユ条約において、ポーランド回廊のポーランド併合とダンツィヒ自由市が承認される
1920 年	マリーエンヴェルダーでの住民投票（ドイツの勝利）
1939 年	ダンツィヒへの砲撃でもって第二次世界大戦が開始される。ダンツィヒ＝ヴェストプロイセン大管区の設置
1945-1950 年	ナチ・ドイツの敗戦と「避難・追放」。オーダー・ナイセ線の画定とヴェストプロイセン全域のポーランド併合。旧ポーランド中央部やリトアニアからの「送還者」の到来

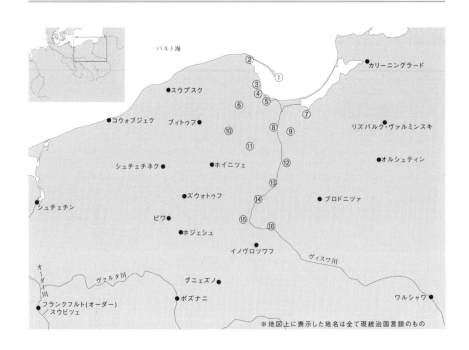

※地図上に表示した地名は全て現統治国言語のもの

PL ポーランド名　　　　　DE ドイツ名

① Hel	ヘル	Hela	ヘラ
② Władysławowo	ヴワディスワヴォーヴォ	Großendorf	グローセンドルフ
③ Gdynia	グディニャ	Gdingen	グディンゲン
④ Sopot	ソポト	Zopot	ツォポット
⑤ Gdańsk	グダニスク	Danzig	ダンツィヒ
⑥ Kartuzy	カルトゥージィ	Karthaus	カルトハウス
⑦ Elbląg	エルブロンク	Elbing	エルビンク
⑧ Tczew	トチェフ	Dirschau	ディルシャウ
⑨ Malbork	マルボルク	Marienburg	マリーエンブルク
⑩ Kościerzyna	コシチェジーナ	Berent	ベレント
⑪ Starogard Gdański	スタロガルト・グダィンスキ	Preußisch Stargard	プロイシッシュ・シュタルガルト
⑫ Kwidzyn	クフィジン	Marienwerder	マリーエンヴェルダー
⑬ Grudziądz	グルジョンツ	Graudenz	グラウデンツ
⑭ Chełmno	ヘウムノ	Kulm/Culm	クルム
⑮ Bydgoszcz	ビドゴシュチ	Bronberg	ブロンベルク
⑯ Toruń	トルニ	Thorn	トルン

ドイツ領となるまで

十三年戦争と王領プロイセンの成立

　1410 年の PL グルンヴァルト（DE タ
ンネンベルク）の戦いでの敗北によっ
て、ヨーロッパ北東部のパワーバランス
に大きな変化が生じた。ドイツ騎士団の
弱体化とヤギェウォ家を中心とした国家
連合ポーランド＝リトアニアの台頭であ
る。勢力に衰えの見えるドイツ騎士団か
らの自立的な傾向を強めていた PL グダ
ニスク（DE ダンツィヒ）、トルニ（トル
ン）、エルブロンク（エルビンク）など
の諸都市と諸身分は 1440 年にプロイセ
ン連合を結成し、騎士団国家では認めら
れなかった自治権と、より強力な庇護者
を求めるようになった。そして 1454 年
に連合はポーランド王カジミエシュ 4 世
に使者を送り、同盟を構成する諸都市が
ポーランド王国の庇護下に入ることを申

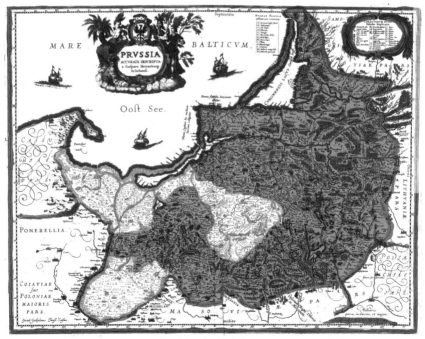

1576 年の王領プロイセン（プロイセン内部の白色の部分）　出典：The UCLA Library

第二次トルニの和約

し出たのである。

　当初この申し出を受けたカジミエシュ4世は、各都市への自治権付与を認めない強硬姿勢も見せたが、交渉の末に関税自主権や地方議会の設置などの諸特権が承認されている。こうしてこれらの諸都市からなるヴェストプロイセン地域は、ポーランド王国領プロイセン（「王領プロイセン」と呼ばれた）となり、内部の行政区分もヘウムノ（DE クルム）県、マルボルク（マリーエンブルク）県、ポモージェ（ポメレレン）県へと再編された。

　しかしプロイセン連合加盟地域のポーランド王国への編入を認めないドイツ騎士団は、ポーランド王国およびプロイセン連合との軍事的紛争に突入する。十三年戦争（1454-1466年）とも呼ばれるこの戦争において、ドイツ騎士団は緒戦こそ勝利を収めたものの、1462年にジャルノヴィエツ（ツァルノヴィッツ）近郊で行われた戦闘で壊滅的敗北を喫し、1466年の第二次トルニの和約でもって屈辱的な講和に追い込まれた。この講和でもって、騎士団は王領プロイセンのポーランド王国への帰属を最終的に承認することとなったのである。

王領プロイセンの展開

　17世紀に入ると、王領プロイセンは

バルト海地域をめぐる覇権争いに巻き込まれていく。1587年にポーランド王位を継いだジグムント3世は、1592年にスウェーデン王ジギスムントとしても戴冠していた。しかしカトリック教徒であったジグムント3世の振る舞いに対して、ルター派国家であったスウェーデンは激しく反発し、1598年にジグムントは廃位されてしまう。だがこの王位継承問題はそれだけにとどまらずリヴォニア地方（現在のラトヴィアとエストニアにまたがる地域）の帰属をめぐる対立へと発展し、ついには1600年にポーランド・スウェーデン戦争が勃発する事態となった。

ポーランド＝リトアニア軍は一時的に勝利を収めたこともあったものの基本的には苦戦が続き、対するスウェーデン王グスタフ・アドルフは、1617年以降にリヴォニア地方を占領したのちに王領プロイセンにも侵攻してエルブロンクなどを占領した。このスウェーデンの快進撃によって戦争は決着し、1629年にアルトマルクの講和が締結された。この講和条約では、重要な港湾都市エルブロンクのスウェーデンへの帰属の確認、スウェーデンによるグダニスクからの関税徴収権の獲得などが定められていたように、これはポーランド＝リトアニア側にとって屈辱的なものであった。

1632年にジグムント3世が死去すると、その後継にはウワディスワフ4世ヴァーザが選出された。彼はフランス、

スウェーデン王グスタフ・アドルフ
出典：Nationalmuseum (Sweden)

1670年頃のダンツィヒ市街
出典：Sächsische Landesbibliothek - Staats- und Universitätsbibliothek Dresden

イギリス、オランダ、ブランデンブルク＝プロイセンの仲介のもとにスウェーデンとの折衝に臨み、シュトゥムスカ・ヴィエシ条約によって王領プロイセン地域からのスウェーデンの撤退とエルブロンクのポーランド復帰、ダンツィヒにおけるスウェーデンの関税徴収権の廃止を実現させた。しかし 1648 年に次代のヤン・カジミエシュ・ヴァーザが王位に就くと、シュラフタ層（ポーランドの貴族階級）が全国議会において「自由拒否権」を頻繁に行使するようになり、また東方ではウクライナ・コサックの反乱（フメリニツキーの乱）も長期化するなど内政が混乱していく。

　このようなポーランド＝リトアニア国内の混乱に乗じて、外敵が次々とポーランドに侵入するようになった。まず 1654 年にロシア軍がポーランド＝リトアニアに侵攻し、スモレンスクからヴィリニュスまでを占領した。ついで翌年にはカール 10 世グスタフ率いるスウェーデン軍が再びポーランド＝リトアニアへの攻撃を開始し、第二次北方戦争が始まった。破竹の勢いでポーランド＝リトアニア国内を占領していったスウェーデン軍は王領プロイセンにも到達したのであるが、その際に王領プロイセンの諸身分は、戦争当初は中立国であったプロイセン王フリードリヒ・ヴィルヘルムと「防衛同盟」を結ぶことでスウェーデンの攻勢に対抗しようとした。しかし結局王領プロイセンはスウェーデンによって

オリヴァ条約の結ばれた部屋

またたく間に蹂躙され、オストプロイセンもスウェーデンによって占領されてしまい、プロイセン王国はスウェーデンの宗主権下に入った。しかし 1657 年のヴェラヴァ・ビドゴシュチ条約によってプロイセンがポーランド陣営へ寝返り、さらにデンマークがそこに加わることによって形勢が逆転する。ポーランド陣営はグダニスクを中心に反抗を開始し、徐々に周辺地域を奪回していった。デンマーク方面でも敗退を重ねたスウェーデンは、ついに 1660 年にグダニスク郊外のオリヴァにて講和条約を結び、王領プロイセンを含む全占領地から撤退した。

共和国の没落と第一次ポーランド分割

　ポーランド＝リトアニア共和国では、17 世紀後半の 2 代のピアスト王時代を経て、1697 年にザクセン王家であるヴェッティン家による統治が始まった。このザクセン朝ポーランドの初代王はフリードリヒ・アウグスト 1 世であったが、ポーランド国内の一部シュラフタは彼に対抗してコンティ親王を国王に選出

するなど、彼の治世は最初から波乱に満ちたものであった。そして、ここでもやはりスウェーデンが問題となる。スウェーデンはアウグストの王位に異議を唱えて、まずザクセンと同盟を組んでいたデンマークとロシアを攻撃し、さらにリヴォニア方面から共和国に侵攻した。大北方戦争の勃発である。この戦争の序盤、スウェーデンはアウグスト2世への対抗姿勢を強め、早期に陥落させたワルシャワにおいて新国王スタニスワフ・レシチンスキを戴冠させた。親アウグスト派と反アウグスト派の内戦ともなったこの戦争は、1709年のポルタヴァの戦いにおいてアウグストが勝利したことで親アウグスト派が優勢となり、アウグスト2世も再びポーランド王に復位した。

こうした相次ぐ列強の介入に、共和国の内部も混乱の度を増していた。政治においてはチャルトリスキ家やポトツキ家をはじめとする大貴族による派閥争いが展開されて内部対立が深まり、また全国議会でも自由拒否権の乱発によって政策の実施が停滞した。経済的にはヴィエルコポルスカ地方において繊維産業の発展が見られるなど明るい兆しも見えてはいたが、プロイセン王国が七年戦争において同君連合の一角であるザクセンを占領するなど、ポーランド国内に更なる混乱をもたらしていた。このような共和国の疲弊と弱体化が、周辺諸国のさらなる介入を招くという悪循環に陥った。

18世紀後半になると、特にロシアが

スタニスワフ・アウグスト・ポニャトフスキ

共和国への政治的干渉への意欲を積極的に見せるようになり、1763年にアウグスト3世が死去するとスタニスワフ・アウグスト・ポニャトフスキを強行な手段でもって国王に選出した。彼は典型的な啓蒙専制君主であり、財政改革や軍制改革、教育改革を実施した。この国王側の動きを憂慮したロシア側は、そうした改革の一部撤回を要求し、これを国王に承認させた。この強権的なロシアの介入に不満を募らせたシュラフタ層の一部は、バール連盟と呼ばれる武装組織を結成してロシアに闘争を挑み、反ロシア蜂起が

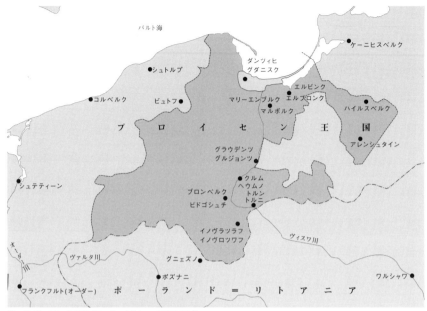

バルト海

ケーニヒスベルク

シュトルプ

ダンツィヒ
グダニスク

エルビング

コルベルク　　ビュトフ　　マリーエンブルク　エルブロンク　　ハイルスベルク
　　　　　　　　　　　　　　　　マルボルク

プ　ロ　イ　セ　ン　王　国

アレンシュタイン

グラウデンツ
グルジョンツ

シュテティーン

ブロンベルク

クルム
ヘウムノ
トルルン
トルニ

ビドゴシュチ

イノヴラツラフ
イノヴロツワフ

ヴィスワ川

ヴァルタ川　　　グニェズノ

ポズナニ

ワルシャワ

フランクフルト(オーダー)　ポ　ー　ラ　ン　ド　＝　リ　ト　ア　ニ　ア

第一次ポーランド分割でのプロイセンへの割譲領域

全土に広まるきっかけを作った。しかしこの武装闘争がロシアの軍事力によって鎮圧されたことにより、スタニスワフ・アウグストはロシアに譲歩せざるを得なくなった。この際、プロイセン王フリードリヒ2世は共和国外縁領土の分割をロシアに提案し、ハプスブルク家のヨーゼ

第一次ポーランド分割についての風刺画

フ2世もこれに賛同した。こうして実行されたのが1772年の第一次ポーランド分割であり、これによってプロイセンはグダニスクを除く王領プロイセンを獲得することに成功したのである。これまで長らく分断された領域国家であったブランデンブルク＝プロイセンは、この王領プロイセンを得たことによってようやく陸続きの国家となった。さらに1793年の第二次ポーランド分割においては、グダニスクもプロイセン領に編入されている。

プロイセン王国の中のヴェストプロイセン州（1795年）

※以下、第一次世界大戦までドイツ名を優先。ダンツィヒについては第二次世界大戦までこの表記法を適用する。

プロイセン王国領ヴェストプロイセン

　フリードリヒ2世は、この獲得領土を旧来のプロイセン地域（オストプロイセン）と対比して「ヴェストプロイセン」と名付けた。このような命名法によって、この地域は法的な併合とともにイメージの上でもプロイセン王国に統合されることが可能となったである。

　プロイセンの行政当局者は、彼らのもとで近代化・都市化されたオストプロイセンとは対照的に、300年にわたるポーランドによる統治の末にこの地域が「荒廃」し、「もぬけの殻」になったと認識しており、この状況を早期に解決することが求められた。1773年のクルム（PL ヘウムノ）、マリーエンブルク、ポメレン（PL ポモージェ東部）の各地域の総人口はわずか41万人余りであり、これらの地域全域には一部の中心的都市を除いて人口1,000人以下の都市が多数点在していた。また同時に、この地域の住民の大半がポーランド語話者であったことも当局の目を引き、プロイセンの支配に適合するように地域をドイツ語化することも課題とされた。それゆえプロイセン支配下のヴェストプロイセンでは、ブランデンブルクやオストプロイセンからの植民政策が進められていくこととなる

18 世紀のマリーエンブルク市街
出典：Bildarchiv Foto Marburg

ナポレオン軍によるダンツィヒ攻囲戦（1807 年）
出典：Sächsische Landesbibliothek - Staats- und
Universitätsbibliothek Dresden

が、植民による人口増加はわずか2パーセント程度にとどまるなど、順風満帆とは言えないものとなる。

　しかしこうした移住政策の失敗にもかかわらず、18 世紀後半からこの地域の人口は大幅に増加し始めた。それは手工業分野の成長によるものであり、特に皮革産業や繊維産業の隆盛が経済的繁栄を牽引した。その結果として、ヴェストプロイセンの諸都市では、1772 年から 1782 年までに 20 パーセント以上の人口増加率を記録している。

ナポレオンによる占領と「自由国」ダンツィヒ

　18 世紀末になると、ナポレオンによるドイツ支配が開始され、これに抵抗しようとしたプロイセンも彼の前に惨敗し、1806 年にティルジットにおいて屈辱的な講和を結ぶに至った。この条約においてプロイセン王国はかつての領土の半分を失い、その領域には新たにワルシャワ公国が成立するのであるが、ヴェ

ストプロイセンのクルム周辺もその一部となった。ただ、ポーランド勢力が要求していたいわゆる「ポーランド回廊」（バルト海へと繋がるヴェストプロイセンの中央部）のワルシャワ公国への割譲は認められず、クルム以外のヴェストプロイセンの大半はプロイセン王国にとどまっている。またダンツィヒ（PL グダニスク）では「自由国」が宣言されて、名目的にはプロイセン内部での特権的地位を得ることとなった。すなわちこの時期のヴェストプロイセンは、プロイセン残留領土、ワルシャワ公国、自由国ダンツィヒへと3つの領域に分割されていたのである。

　このうちワルシャワ公国では、ポーランド軍が復活し、行政語としてポーランド語が再び使用されるようになるなど、「ポーランド人の国家」としての性格が全面に押し出された。また自由国ダンツィヒは、ティルジット条約において「主権をもつ」独立国家となると規定されて

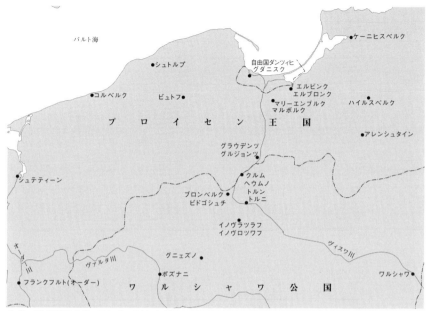

バルト海

ケーニヒスベルク

シュトルプ

自由国ダンツィヒ
グダニスク

コルベルク　　ビュトフ

エルビンク
エルブロンク

マリーエンブルク
マルボルク　　　ハイルスベルク

プ　ロ　イ　セ　ン　王　国

アレンシュタイン

シュテティーン

グラウデンツ
グルジョンツ

クルム
ヘウムノ
トルン
トルニ

ブロンベルク
ビドゴシュチ

イノヴラツラフ
イノヴロツワフ

グニェズノ

ヴィスワ川

ヴァルタ川

フランクフルト(オーダー)

ポズナニ

ワルシャワ

ワ　ル　シ　ャ　ワ　公　国

ナポレオン支配下のヴェストプロイセンとダンツィヒ

いたが、実際にはフランスの統治下に入ることとなった。フランスの意図は、ワルシャワ公国によるダンツィヒの併合要求を拒否したことからも明らかなように、ポーランドの復活ではなくプロイセンの弱体化であった。その対プロイセン戦略の結果としてこの都市は、ナポレオン支配下の中・東ヨーロッパにおいて、隣接するオストプロイセンに睨みを利かせるための中心的な防衛拠点として機能することが期待されたのである。

しかしナポレオンによる大陸封鎖令によって、港湾都市ダンツィヒの貿易は完全に麻痺し、都市の財政状況は極端に悪化した。このような中で域外への移住者が増加し、ダンツィヒの人口は約 45,000 人から 38,000 人へと 7,000 人程度減少したとされる。その一方で、フランス当局はダンツィヒに「主権」と「解放」をもたらしたナポレオンを記念する祝典を度々開催するも、経済的困窮に苦しむ住民側の不満は大きく、1809 年には軍人フェルディナント・フォン・シルを指導者とする蜂起も発生している。古典的なドイツ史叙述では、このナポレオンによるダンツィヒ支配はフランスによる抑圧という恥辱の歴史として描かれている。

しかしこのような状況も、ナポレオンがロシア遠征の失敗と諸国民戦争で敗北すると終焉を迎えた。プロイセン軍は 1813 年 9 月からダンツィヒへの進撃

を開始し、11 月初頭にはフランス軍を降伏に追い込んでいる。同時期にはワルシャワ公国の一部となっていたクルム全域もプロイセンによって制圧された。こうして第一次ポーランド分割で獲得されたヴェストプロイセンの全領域が、プロイセン王国の手中に戻ったのである。

19 世紀前半のヴェストプロイセン

1815 年に開催されたウィーン会議においてワルシャワ公国は正式に取り潰され、プロイセンやロシアがかつての分割で得た領土の大部分を回復することが認められた（この経緯から第四次ポーランド分割とも呼ばれる）。この際、ヴェストプロイセンのプロイセンへの帰属も承認されている。しかし、かつての神聖ローマ帝国に属していなかったという理由で、オストプロイセンと同様にヴェストプロイセンはこの会議で成立した国家連合であるドイツ連邦の埒外に置かれている。またプロイセン王国へのヴェストプロイセンの復帰に合わせて、プロイセン改革の成果に適合する行政改革も実施された。すなわちこの地域はヴェストプロイセン州となり、さらに下位自治体としてダンツィヒ県とマリーエンヴェルダー県が設置されたのである。さらに 1824 年にはヴェストプロイセン州がオストプロイセン州へと統合され、両者を併せたプロイセン州が誕生している。なおヴェストプロイセン州の初代州総督テオドーア・フォン・シェーンは、その後長らくこの地域とプロイセン州の行政長官として職務に従事したため、彼は東西プロイセンの「父」と称されることもある。

19 世紀のヴェストプロイセンにおける言語的状況は、ドイツ語とその他のスラヴ語によって色分けされていた。1819 年の時点でドイツ語話者とスラヴ語話者の割合はほぼ半々、ドイツ化政策の進行した世紀転換期においてもポーランド語話者の割合は 30 パーセント以上を維持しており、ヴェストプロイセンは必ずしもドイツ語の完全な優位とは言えない環境にあった。このスラヴ語話者には、ポーランド語、カシューブ語、マズーリィ語の各話者が含まれるが、その最大勢力はポーゼン州との境界に近い地域に集中的に居住していたポーランド語話者であった。また宗派的には、19 世紀を通じて、カトリック教徒とプロテスタントがそれぞれ 50 パーセント弱の割合で存在しており、その中で数パーセントのユダヤ教徒も少数派として居住していた。

1848 年の革命を経た時期には、この

カシューブ人の伝統衣装（1912 年に描かれたもの）
出典：glischinski.de

ヴェストプロイセンの言語的多様性を背景として、特にポーランド語話者による運動が伸長してくる。同時期のポーゼン州においては、貴族やカトリック聖職者を中心として学校におけるポーランド語教育が推進されたが、その影響は隣接するヴェストプロイセンの南西地域にも及んだ。またベルリンではプロイセン王国におけるポーランド文化・歴史の保護を目的とした「ポーランド連盟」が設立されており、プロイセン領内でのポーランド民族運動の萌芽がみられるようになってくる。ヴェストプロイセンにおいても、1863 年に始まったロシア領ポーランドでの蜂起の際には、蜂起への参加を呼びかける活動が小規模ながら展開され、さらに 1865 年には「ポーランド民族意識」の覚醒を目的としたポーランド行動党が設立されるなど、ポーランド民族主義的な動きが確かに定着しつつあった。このようなポーランド系住民をめぐる動向は、帝政期へと引き継がれることとなる。

ドイツ領の中のヴェストプロイセン

ドイツ帝国におけるヴェストプロイセン

　1871年にドイツ帝国が成立すると、プロイセン州の再編が議論されるようになる。その理由は、この州が領域だけでなく増加しつつあった人口の面でも巨大すぎるというものであり、そこには、そもそもオストプロイセンとヴェストプロイセンは異なった地域であるという見解も合流した。こうして1878年に、ヴェストプロイセンは再び単独の州として切り離されている。

　帝政期のヴェストプロイセンでは、ポーランド語話者の問題が本格的な政治課題として立ち現れてきた。既に述べたようにこの地域のポーランド語話者の権利擁護にはカトリック聖職者が深く関与しており、彼らは学校監督権を根拠としてポーランド語教育の維持と拡大に

帝政期のマリーエンブルク城
出典：Historische Bildpostkarten - Universität Osnabrück

力を注いだ。これをヴェストプロイセンの「ポーランド化」であると同時に「ドイツ民族への脅威」と捉えて問題視したのがプロイセン政府と帝国指導部であった。早くも1871年11月には聖職者による学校視察が廃止され、さらにオストプロイセンと同様に1873年7月に公教育において使用される言語がドイツ語に限定された。そして1876年には行政において用いられる言語もドイツ語のみと規定され、ここにプロイセンにおけるドイツ化政策は頂点に達したのである。

　帝国指導部の矛先は、カトリック教会の影響力縮小を目的とする文化闘争という形でカトリック教徒にも向けられた。これらのポーランド語話者とカトリック教徒を狙い撃ちにした政策に強硬に抵抗したのが、この地域を管轄していたポーゼン＝グネーゼン大司教レドホフスキ伯であった。彼はドイツ指導部の反ポーランド語政策と文化闘争を一括りにして批判しつつ、これがカトリック教徒に向けられた政策であると訴えることで、言語的な境界や芽生えつつあった民族意識を超えたカトリック系住民を実現しようとしたのである。彼らは政治的にはカトリック政党である中央党に結集し、プロイセン＝ドイツの自由主義的かつ反ポー

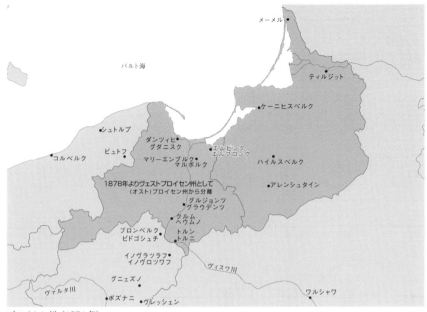

プロイセン州（1871 年）

Map labels:
メーメル
バルト海
ティルジット
ケーニヒスベルク
シュトルプ
ダンツィヒ
グダニスク
エルビンク
エルブロンク
ビュトフ
マリーエンブルク
マルボルク
ハイルスベルク
コルベルク
アレンシュタイン
1878年よりヴェストプロイセン州として
(オスト)プロイセン州から分離
グルジョンツ
グラウデンツ
クルム
ヘウムノ
ブロンベルク
ビドゴシチ
トルン
トルニ
イノヴラツラフ
イノヴロツワフ
ヴィスワ川
グニェズノ
ポズナニ
ヴァルタ川
ヴレッシェン
ワルシャワ

ランド的な政策に抵抗した。こうした中で 1902 年にポーゼンのヴレッシェン（**PL** ヴシェシニァ）で、公教育においてドイツ語のみで授業が実施されていることに反発を覚えたポーランド系住民とその児童が登校拒否運動を展開し、一時は騒擾状態となった。この「学校ストライキ」

戦艦ダンツィヒ（1891 年の絵画）

（第 4 章参照）と呼ばれる事件がヴェストプロイセンにも広がりを見せていることは、この地域の言語をめぐる対立の根深さを示していると言えるだろう。

　経済的には、オストプロイセンと同様にヴェストプロイセンも基本的には農業地域であった。特にクルム周辺で生産される砂糖は、ロシア領ポーランドやロシア本国へと輸出されて、大きな利益をあげた。ただ工業生産も拡大しており、ダンツィヒやエルビンクを中心に繊維産業や金属加工、造船業がヴェストプロイセンの工業化の牽引役となった。このダンツィヒの造船業は軍事的にも非常に重要であり、プロイセン初の戦艦「ダンツィヒ」（のちに「回天丸」として日本に引

ポーランド回廊と自由市ダンツィヒ

き渡される）が 1850 年にここで進水して以来、数多くの軍用艦や潜水艦が建造されている。

「ポーランド回廊」と「自由市」ダンツィヒの承認

　1919 年 1 月に始まったパリ講和会議では、ヴェストプロイセンの帰属問題が議論された。ポーランド問題の一部として、この地域は「ドイツに残るべきか、はたまたポーランドへ併合されるべきか」ということが問題となったのである。このような問題が浮上した理由としては、この地域に多数のポーランド語話者が居住していたという事実もさることながら、アメリカ大統領ウィルソンの「14 か条の平和原則」が重要である。彼は 1918 年初頭にこの有名な原則を発表する中で、中・東ヨーロッパ地域における「民族自決」の実現を要求し、特にポーランド国家の再興とその「海への出口」を保証したのである。これを根拠として、パリ講和会議におけるポーランド政府代表であったドモフスキは、オストプロイセン南部やオーバーシュレージエンとともに、いわゆる「ポーランド回廊」を含む 1771 年のポーランド国境の回復を主張した。つまり、ポーランド政府によってヴェストプロイセンがプロイセン領となる第一次分割以前の領土が要求されたということになる。

　ポーランド問題の検討にあたっていた

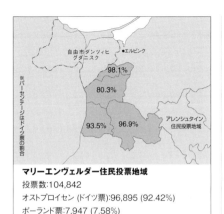

マリーエンヴェルダー住民投票地域と投票結果

カンボン委員会が3月12日にヴェストプロイセン全土のポーランド割譲を提案したとき、ウィルソンとフランス首相クレマンソーはそれに賛同したものの、200万人余りの「ドイツ人」がポーランド領に取り残されるとしてイギリス首相ロイド＝ジョージが反対の意思を示した。最終的には両者の妥協の結果、ヴェストプロイセン西部・中央部の大部分、すなわち「ポーランド回廊」をポーランド領として承認する一方で、ダンツィヒを国際連盟の保護下で「自由市 **DE** Freie Stadt / **PL** Wolne Miasto」とし、かつマリーエンブルク、シュトゥーム（**PL** シュトゥム）、マリーエンヴェルダー（**PL** クフィジン）、ローゼンベルク（**PL** スシュ）といったヴェストプロイセンの東部諸郡において住民投票が実施されることが決定された。この決定は、ポーランドとドイツの双方から猛抗議に

あったが、最後までこれが覆ることはなかった。

　このマリーエンヴェルダー地域における住民投票は、オストプロイセンと同一の手法と日時で実施されることとなった。すなわち、1920年7月11日に、「オストプロイセン」と「ポーランド」のどちらへ帰属したいかを問う住民投票がヴェストプロイセンでも実施されたのである。その結果は、オストプロイセンでの住民投票よりも少し票を落としたものの、ドイツ陣営の圧勝に終わった。約92パーセントの投票者がオストプロイセンに票を投じたのである。これをもって、マリーエンヴェルダー住民投票地域のドイツ残留は確実なものとなった。

　しかしそれでも、ヴェルサイユ条約の結果として、ヴェストプロイセンはドイツとポーランド、そして国際連盟の間で分割されることとなった。かつてのドイツ領ヴェストプロイセンの62パーセント（15,853平方キロメートル）と人口の57パーセント（965,573人）がポモージェ県としてポーランドに帰属することとなった。同時に大都市ダンツィヒの自由市化により、約33万人の住民がドイツ領から離脱した。ドイツにとどまった領域のうち、西側の地域はポーゼン州の残留地域と合わせて「ポーゼン＝ヴェストプロイセン辺境県」へと統合され、かつてのマリーエンヴェルダー住民投票地域はヴェストプロイセン県へと再編されてオストプロイセン州の一部となった。

その後

ダンツィヒ議会
出典：Bildarchiv Foto Marburg

独自通貨ダンツィヒ・グルデン（25 グルデン硬貨）
出典：Museum Haus Hansestadt Danzig (Lübeck)

自由市ダンツィヒ

　短い紙幅の中で戦間期の旧ヴェストプロイセン地域全体を見通すことは難しいので、ここでは一例として自由市となったダンツィヒの状況を見てみよう。これは自由市とは呼称されるものの、実際には固有の主権・領土・通貨・住民を持つ事実上の「独立国家」であった。この自由市となった領域は、ダンツィヒ市周辺の約 1914 平方キロメートルで、都市部はダンツィヒ区とツォボット（PL ソポト）区に分けられ、郊外に位置するいくつかの郡部も自由市の領域に含まれていた。1923 年時点でのダンツィヒの人口は約 37 万人弱であったが、市当局の統計などによると、このうち 35 万人弱がドイツ語母語話者であり、ポーランド語話者は圧倒的少数派であった。これに関しては学術的な見地から反論も提出されているが、ポーランド語話者が言語的少数派であったことは間違いないだろう。このダンツィヒの言語問題に関して、後述の憲法ではドイツ語の公用語としての地位とともに、教育・行政・司法の各分野におけるポーランド語の使用が保証されていた。なお国籍に関しては、それまでドイツ国籍であった住民はそれを喪失し、新設された「ダンツィヒ国籍」を付与された。

自由市への暫定的な移行は、ヴェルサイユ条約の発効した1920年1月10日であり、そこから段階的に独立国家としての体裁が整えられていった。まず軍事的にはドイツ軍は撤退し、代わりにイギリス軍部隊が駐屯した。行政的にも、それまでのドイツ政府の任命する県知事職が廃止され、2月11日に国際連盟の初代高等弁務官レジナルド・タワーが着任した。ついで、高級官僚7名と各政党の代表者からなる参事院も設置されている。さらに6月6日に実施された選挙に基づいて憲法制定議会が招集され、11月15日の本会議において「本日をもってダンツィヒ市およびその周辺部が自由市となる」ことが宣言された。この憲法制定議会は同年8月11日に憲法を可決（国際連盟による最終的な承認は1922年5月）したのち、12月6日に市議会となることも宣言した上で、議長を含む22人の構成員からなる市政府を選出し、ダンツィヒは「独立国家」としての体制を確立したのである。ただし、この行政のトップとなる議長に前ダンツィヒ市長ハインリヒ・ザーム、副議長にドイツ国家人民党のエルンスト・ツィームが選ばれたことからも明らかなように、ドイツ系住民がダンツィヒ行政の主導権を握っていた。

　戦間期のダンツィヒにおける政治的焦点は、そのドイツ系住民の覇権的地位を、ポーランド側がいかに掘り崩せるかということであった。確かに憲法制定議

自由市ダンツィヒ（1930年代）
出典：Bildarchiv Foto Marburg

会においてポーランド党は7議席（全議席の6パーセント）しか獲得できなかったのであるが、それでもポーランドには別の対抗手段があった。それは1920年11月に締結されたダンツィヒ・ポーランド協定である。この協定において、ダンツィヒがポーランドの関税領域に入ること、ポーランドがダンツィヒにおいて鉄道の管轄権や輸送・郵便の自由を得ること、ポーランド系住民とドイツ系住民の法的平等などが規定されていた。以降ポーランドはこの協定を活用して、ダンツィヒとの関係を深めていくことを試み

る。まず経済的には、統一関税圏形成に
よって、ポーランドとの経済的一体性を
構築した。軍事的にも、ポーランドはダ
ンツィヒを戦争物資の取り扱い拠点とし
て利用し始めた。

しかしダンツィヒ゠ポーランド関税圏
は、ポーランドの高関税政策を背景とし
て、国外からの輸入品を必要としていた
ダンツィヒ経済に打撃を与えることとな
り、地元財界の当初の期待も徐々に失望
へと変わっていった。またポーランドが
ダンツィヒからほど近い漁村グディニャ
（**DE** グディンゲン）に新たに港湾を建
設したことで、ダンツィヒの重要性は低
下していく。二点目のダンツィヒへの戦
争物資の輸送については市政府から激し
く異議が出されたが、国際連盟はヴェス
テルプラッテ地区における戦争物資の取
り扱いを認めている。言語面では、確か
に憲法と協定においてポーランド語話者
の権利が保証されていたのであるが、し
かし実際には彼らが様々な差別に晒され
ていたことが明らかとなっている。特に
ダンツィヒ国籍に関して、市政府の方針
により、すでにポーランド国籍を有して
いたダンツィヒ出身者がこれを取得する
ことは困難となっていた。それでもポー
ランド系住民は、独自の協会、新聞、学
校を設立することによってダンツィヒに
おける「ポーランド性」を守ろうとした
のである。

ナチの政権獲得後のダンツィヒは、さ
ながら嵐の前の静けさといった状況と
なった。ナチ党はダンツィヒの市議会に
おいて、すでに 1930 年から議席を獲得
するに至っていたが、1933 年 5 月に実
施された選挙においては過半数の 38 議
席を得て第一党となった。しかし国際連
盟管理下という特殊性ゆえに、ドイツ国
内で可決されていた授権法などのナチ立
法がダンツィヒにおいて効力を持つこと
はなかったし、第 1 章でも述べたよう
に、1930 年代末までヒトラーはポーラ
ンドに対して表面的に友好的な態度を示
していたために、強硬な反ポーランド政
策にも訴えることは難しかった。またド
イツ本国とは異なって解散させられるこ
とのなかったドイツ社会民主党や中央党
が、アイルランド人高等弁務官ショー
ン・レスターと協調しつつナチの独裁化
を何とか食い止めていた。しかし最上位
の監督機関である国際連盟は当時、大国
間の利害の不一致から機能不全に陥って
おり、自由市ダンツィヒでのドイツ民族
主義政党の台頭という危機的状況に抜本
的な解決策を示すことができなかったの
である。

1939 年 1 月、
ポーランド政府は
ドイツとの交渉の
中でダンツィヒと
ポーランド回廊を
ドイツに返還する
という譲歩を行う
余地があると考え
ていた。ドイツは

ショーン・レスター
出典：World Digital
Library

ポーランドと共同でソ連を攻撃し、その
のちに占領したウクライナ領をポーラン
ドに与えると申し出ていたのである。し
かし当時の緊迫した国際情勢の中で、最
終的にポーランドはドイツとソ連のどち
らの味方にもならないこととした。こう
したポーランドの対応を受けて、ヒト
ラーはポーランドを敵として定め、3月
25日にはポーランド国家の消滅と同地
における「民族的な新秩序」の構築を目
的とした対外戦争の準備を命じるのであ
る。

第二次世界大戦の勃発とダンツィヒ＝ヴェストプロイセン大管区

　第二次世界大戦最初の砲声は、自由市
ダンツィヒに響いた。親善という名目で
ダンツィヒ湾を訪問していたドイツ軍の
戦艦「シュレースヴィヒ＝ホルシュタ
イン」が、1939年9月1日早朝にヴェ
ステルプラッテ地区を砲撃したのであ
る。これと前後してドイツの急降下爆撃

ヴェステルプラッテを攻撃する戦艦シュレースヴィヒ
＝ホルシュタイン

機がドイツ＝ポーランド国境の街ヴィエ
ルニ（DE ヴェルン）を爆撃し、ドイツ
によるポーランド侵攻が開始された。こ
のダンツィヒへの砲撃は、ヒトラーに
とって第一次世界大戦後の領土喪失への
報復として象徴的な意味合いを持ってい
た。彼はまずダンツィヒを手中に収める
ことで、旧ドイツ領を奪回するという意
志を全世界に示そうとしたのである。

　ポーランドの敗北後、ナチ・ドイツは、
ポーゼン＝ヴェストプロイセン辺境県を
除くかつてのヴェストプロイセン州地域
の全てをドイツ領に編入し、新たにダン
ツィヒ＝ヴェストプロイセン大管区を設
置した。その大管区指導者にはアルベル
ト・フォルスターが就任している。

　1941年3月、ナチは「東部併合地域
におけるドイツ民族リスト及びドイツ国
籍に関する政令」と題された命令を出し
ている。東部併合地域とは、戦間期ポー
ランドの西部に位置していた地域のこと
であり、ポーランド回廊地域もその領域
に含まれていた。この命令の意味すると
ころは、東部併合地域の住民をドイツ系
とポーランド系に分類し、さらにドイツ
系をIからIVの4段階でランク付けす
るというものであった。これは東部併合
地域で推進された「ドイツ化政策」の核
心をなすものであり、ヴェストプロイセ
ンの旧ポーランド領地域では、住民全体
がこの命令の対象となった。問題は、こ
のIからIVのランクの上下と民族分類
によって占領当局から受けることのでき

ダンツィヒ＝ヴェストプロイセン大管区

ドイツ民族リスト登録証

る処遇が異なってくるということであった。第Ⅰ区分及び第Ⅱ区分に登録された人々は、ドイツ国籍を得ることができたのに対して、それより下位の区分に登録された人々は十分な市民としての権利を認められるどころか、逆に彼らの中からは逮捕者が続出するような状況であったとされる。

このリストの分類は主に言語的基準に寄っていたが、言語境界領域であったヴェストプロイセンにおいてはドイツ語話者だけでなく多くのポーランド語話者や二言語話者も「半ドイツ人」としてⅢやⅣに分類された結果、100万人程度の住民のうち73万人もの人々が民族リス

ヴェステルプラッテを視察するヒトラー（1939年9月22日）
出典：Österreichische Nationalbibliothek

トへ登録された。ひとまずナチは、彼ら
が十分に「ドイツ化」されていないなど
の理由で、ドイツ語の学習会への参加を
義務化したりした。しかしこうしてドイ
ツ化を期待されて民族リストに登録され
た住民に対しても、ナチによる弾圧が行
われている。特にリスト下位のⅢやⅣラ
ンクの人々の中からは、公然とポーラン
ド語を話した、ドイツ語を学ぼうとしな
いなどという理由で大勢の逮捕者が出
た。そしてナチ当局による様々な差別や
弾圧を経た戦争末期になると、民族リス
ト下位の人々の大多数は自らがポーラン
ド人であると確信するようになったのだ
という。彼らの一部はドイツ軍へ招集さ

れたが、従軍中にポーランド語で叫んだ
り、列車の中からポーランド国旗を振っ
たりして、ポーランド人意識を隠さな
かったという事例も報告されている。そ
してナチの治安当局も彼らポーランド系
住民はときが熟すれば武装蜂起するだろ
うと考えるほどに、事態は悪化していく
のである。
　ソ連軍は1945年1月中旬にヴェスト
プロイセンへと侵攻した。すでにダン
ツィヒ、マリーエンブルク、エルビンク、
トルンの各都市はドイツ軍によって要塞
化されていたが、後者二都市の防衛は2
月上旬に、マリーエンブルクも3月にソ
連軍に突破された。さらにヴェストプロ

ダンツィヒからの避難民

イセンにおいて最後まで抵抗したダン
ツィヒのドイツ軍部隊も4月7日に降伏
している。こうしたソ連軍の侵攻を背景
として、ヴェストプロイセンのドイツ系
住民による避難が本格化していく。ヴェ
ストプロイセンにおいては1944年12月
頃から疎開の準備が行われていたが、そ
の他の東部大管区と同様に、住民の「待
機」と徹底抗戦が言明されたために組織
的な疎開は実施されなかった。ソ連軍が
目前に迫ってようやく、村長や現地のナ
チ党指導者が住民の避難を命令するので
ある。

　しかし悪天候や命令系統の欠如により
避難民の群れは混乱したものになり、ま
た多くの住民が避難すらしようとしな
かった。無秩序な避難行動の中で、避難
民たちは道を埋め尽くしながら西部の諸
郡へと移動していった。彼らの一部はダ
ンツィヒを目指し、そこから海路でキー
ルやデンマークへと移動したとされる。
しかしこうして避難した住民たちが、
2月4日に大管区指導者フォルスターに
よってドイツ軍の勝利は明白だと宣言さ
れたことで、故郷へと帰還してしまうと
いう事態も発生している。さらにソ連軍
の侵攻が進んだ2月下旬になるとヴェス
トプロイセン全土での避難が本格化し、
ポンメルンを通過してドイツ本国へと移
動した。この避難の途上では、通過する

戦争直後のグダニスク市街

ソ連軍による略奪行為が行われた挙げ句多くの避難民が故郷へ送り返されたほか、多数が死亡した。

第二次世界大戦後の「ヴェストプロイセン」

　ポツダム会談においてオーダー・ナイセ線がドイツ＝ポーランド間の暫定国境として承認されたために、戦後ポーランド政府にとってはかつてのダンツィヒ＝ヴェストプロイセン大管区全土のポーランドへの編入が既定路線となった。ただそれ以前からこの地域のポーランド行政への移行は進められており、1945年3月には早くもグダニスク（旧**DE**ダンツィヒ）市を中心としたグダニスク県と、よ

り南方の都市ブロンベルク（**DE**ビドゴシュチ）を中心としたポモージェ県（1950年にビドゴシュチ県に改称）の設置が行われている。

　その他の旧ドイツ東部諸州の例に漏れず、このグダニスク県とポモージェ県においてもドイツ人の追放政策が計画された。例えばポーランド政府閣僚のエドヴァルド・オハプは、5月25日の現地紙『ジェ

エドヴァルド・オハプ
出典：Österreichische
Nationalbibliothek

バルト海

スウプスク

コオブジェク

ブィトゥフ

グディニャ

グダニスク

グダニスク県

エルブロンク

マルボルク

ソヴィエト連邦

カリーニングラード

リズバルク・ヴァルミンスク

オルシュティン県

オルシュティン

シュチェチン県

グルジョンツ

ヘウムノ

ボモージェ県

ビドゴシュチ

トルニ

イノヴロツワフ

ワルシャワ県

ポズナニ県

ヴァルタ川

グニェズノ

ヴィスワ川

オーデル川

フランクフルト（オーダー）

ポズナニ

ワルシャワ

グダンスク県とボモージェ県（1946-1950 年）

ンニク・バウティツキ』においてグダニスク市からの全ドイツ系住民の強制移住を宣言している。このような計画は、ナチ・ドイツへの報復と同時に旧ヴェストプロイセン地域の「ポーランド化」とい

グダニスク港に到着した送還者たち（1947 年 4 月 23 日）

う狙いが含まれていた。

しかし戦争直後の人材不足や経済復興に時期において、ドイツ系住民が貴重な労働力であったことも事実である。彼らの大多数は都市の再建やインフラ整備に投入されるなどして、しばらく留めおかれたのである。彼らには過酷な強制労働が課せられ、しばしばポーランド国籍を取得するように強要されたのだという。こうした彼らの労働力を徐々に代替するようになるのがポーランド人送還者たちであった。主にルブリンやウッチといったポーランド中央部から移送されてきた送還者の数は、4 月の時点で 3,200 人、7 月や 8 月にはひと月に 15,000 人にも

上った。こうした送還政策の進捗を背景に、労働力としてのドイツ系住民への需要は減退していき、ポーランド当局は一刻も早い追放を模索するようになるのである。それゆえ同年7月に本格的な追放措置が開始されるのであるが、追放される住民には手荷物のみの携帯許可が出されたとされる。その上、彼らの中から多数の犠牲も発生するような長期間に及ぶ困難な道のりの末に、ドイツへと到着した。こうした強制移住は、移送環境を徐々に改善しながらも、1947年まで続けられた。この年の末までに、ドイツ系住民のほとんどがドイツへ追放されたとされる。

その一方で、ポーランド系送還者たちの数は増加し続け、1948年には約15万人にも達していた。その中にはヴィリニュスから移住してきた「リトアニア系ポーランド人」も含まれていたのであるが、彼らの多くは中流層や学者などの比較的裕福な人々であった。これらの人々はほとんどが貧困層であったその他のポーランド系移住者とは対照をなしており、それゆえに彼らは戦後のこの地域において長らく大きな影響力を持ったのである。

こうした送還政策の甲斐あって、この地域の人口は回復していく。一例としてダンツィヒ市の状況を見てみると、1946年にわずか約12万人であった人口も、1950年には19.4万人、1960年には28.7万人となり、さらに1980年には現在と同水準の45万人余りにまで急増していることが分かる。

こうしたグダニスク市の急速な復興と発展には、街の中心産業である造船業に支えられた経済的な上昇が寄与していた。多くの労働者が、仕事を求めてこの街にやってきたのである。そうした多数の労働者を抱える造船所の中には、ソ連建国の父レーニンの名を冠したレーニン造船所もあったが、この場所から戦後ポーランド最大の大衆運動が生まれることとなる。それこそがポモージェ県出身（ただし彼が誕生した1943年当時はドイツ占領下）の若き電工夫レフ・ヴァウェンサ（ワレサ）を指導者とする「連帯」運動である。1980年7月の肉食価格値上げに端を発するこの運動は自由な労働組合の承認や表現・出版の自由などを政府に要求するもので、瞬く間にポーランド全土へと広がりを見せた。そして同年8月末の政府との合意後には1000万人を擁する一大社会運動へと発展したのである。「連帯」は、ポーランド軍の将軍ヤルゼルスキの発した戒厳令によって一時は下火になりつつも、1989年の東欧における政変の際に再び息を吹き返し、同年6月に実施された戦後初の自由選挙の際には圧勝し政権与党を

レフ・ヴァウェンサ（1980年8月）

戒厳令下のグダニスク（1981 年 12 月）
出典：solidarnosc.org.pl

形成した。そして 1990 年には民主化運
動の象徴となっていたヴァウェンサが大
統領となり、ポーランドの体制転換を内
外に強く印象づけたのである。

本章においては、主に以下の文献を参照
した。
Beer 2011; Boockmann 1992; Loew 2011;
伊東ほか 1998; 川手 2009; 衣笠 2015; 渡
辺 2001

「ヴェストプロイセン」における言語的少数派カシューブ人

カシューブ語（方言）とは、主に本章でヴェストプロイセンと呼んでいる地域において使用されてきた西スラヴ系言語である。西スラヴ系というのはポーランド語と同じ分類であるが、現在ではポーランド語とは異なる独立した言語として認識されることもある。このカシューブ語話者集団を指してカシューブ人と呼ぶこともあり、帝政期のヴェストプロイセン州においてポーランド系住民に次ぐ言語的少数派を形成していた。

このカシューブという名称の起源は5-7世紀頃にさかのぼるとされ、当時オーダー川とヴィスワ川に挟まれたバルト海沿岸地域に居住していたスラヴ系住民に対して命名されたものであると考え

『ポモージェ語・カシューブ語辞典』（1893年）の表紙

られている。ただし、この名称は13-16世紀頃においてはより西方のポモージェ西部地域に居住するスラヴ系住民の総称として用いられており、現在のカシューブ人居住地域とはズレがある。これはスラヴ系住民の定住地がこの頃オーダー川下流域周辺にまで広がっていたことがその理由であるが、こうした状況はドイツ騎士団による移住政策や都市からのカシューブ語話者の締め出し政策、もしくはプロイセンによるドイツ化によって変化したのち、近代までに彼らの生活圏は徐々に東方へと移動していき、現在の居住地域に落ち着いたとされる。近代プロイセン＝ドイツのカシューブ語話者は、ドイツ系とポーランド系の双方から差別される存在であったという。すなわちドイツ社会において中心的位置を占めるドイツ系住民だけでなく、彼らから周縁化されていたポーランド語話者からさえも、カシューブ語話者は蔑視されていたのである。例えばポーランド語を正確に話せないカシューブ語話者に対して、ポーランド系住民は同じスラヴ系という近親憎悪からか容赦ない罵倒の言葉を浴びせるという高慢な態度をとったと記録されている。

こうしたカシューブ語話者の問題がカシューブ人の民族問題として浮上してくるのは、ドイツ人の国民国家を目標とし

た帝政期であった。実は帝政期までのプロイセン政府の言語統計においては、カシューブ語というカテゴリーは設定されておらず、その使用者はポーランド語話者として一括りにされていた。ドイツ社会においてカシューブ語への注目度はそれほど高くなかったのである。しかし、帝政期のドイツにおいてポーランド民族運動が高揚し、ドイツとポーランドの民族主義の対立が顕在化し始めると、状況が変化する。1893年にオーストリア＝ハンガリー君主国のポーランド系言語学者ラウムトによって初めての『ポモージェ語＝カシューブ語辞典』が出版されるのであるが、これは学術的に言語を線引きしようとする試みであった。しかしこれをポーランド陣営は彼らの民族運動に対する分断工作と受け止め、中央ヨーロッパでは長きにわたる「カシューブ語論争」と呼ばれる動きが展開されるのである。このような出来事がカシューブ語への関心を呼び起こし、統計調査においてもカシューブ語の分類が用いられるようになると考えられている。この統計調査をもとにした推計によると、1910年の時点でカシューブ語話者の人口は約19万人（ヴェストプロイセン州人口の15パーセント）であったとされている。さらに、カルトハウス郡やノイシュタット郡といった彼らの中心地域においては、60パーセント以上がカシューブ語話者という比較的高い比率が示されている。

彼らのアイデンティティの面では、先のカシューブ語辞典をはじめとして19世紀よりカシューブ語のみを用いて事象を書き表す動きが見られており、そのような独自の言語を媒介としたカシューブ人の運動は現在まで続けられている。このようなカシューブの歴史の中で、それまで「カシューブ人」としての自意識を持たなかったカシューブ語話者がドイツ人やポーランド人との接触の中で民族意識を持たざるを得なくなった時期という意味で、帝政期は画期となる時代であったと考えられる。

参考文献
細田 2002；細田 2006

ギュンター・グラス

アルトゥーア・ショーペンハウアー

ガブリエル・ファーレンハイト

ヴァルター・ネルンスト

ニコラウス・コペルニクス

ドナルド・トゥスク

ベヒーモス

著名出身者

　ドイツ領ダンツィヒ最大の著名人は、おそらく**ギュンター・グラス**（Günter Grass, 1927-2015）であろう。彼はダンツィヒ自由市で食料品店を営むドイツ系の父とカシューブ系の母のもとに生まれた。幼い頃から創作の才能に恵まれていたとされ、ギムナジウム（大学進学を前提とした中等教育機関）にも通っていたが、学業の途中で第二次世界大戦のために徴兵され、

のちに武装親衛隊に入隊、1945年3月には兵士として戦闘を経験した。なお武装親衛隊への入隊は2006年にようやく告白したものであり、一部ではノーベル賞返還要求も飛び出すなど大きなスキャンダルとなった。

　彼は戦争末期に捕虜となり、そのまま終戦を迎える。戦後はポーランド領となったダンツィヒを離れてデュッセルドルフで石工や学生をしていたが、1956年にパリに移住し、代表作となる『ブリキの太鼓 *Die Blechtrommel*』（1959年）を発表した。この作品は、ある精神病者の視点から、20世紀前半のダンツィヒ社会を描写したものである。彼はそれに続けて『猫と鼠 *Katz und Maus*』（1961年）と『犬の年月 *Hundejahre*』も出版するが、これらは合わせて「ダンツィヒ三部作」と呼ばれる。しかし彼の創作意欲はそれだけにとどまらず、人類の将来を悲観的に捉えたディストピア的小説『頭脳の所産あるいはドイツ人は死滅する *Kopfgeburten oder Die Deutschen sterben aus*』や『女ねずみ *Die Rättin*』といった問題作を世に送り出し続け、一世を風靡した。

　また政治的にも社会民主党支持者として活発な活動を展開しており、当時のヴィリー・ブラント政権のために大衆による地道な政治運動を組織した。彼の政治的主張は、1953年のベルリン暴動を題材とした戯曲『賤民の暴動稽古 *Die Plebejer proben den Aufstand*』（1966年）やベトナム反戦運動の色合いが濃い『局部麻酔にかけられて *Örtlich betäubt*』（1969年）などにも反映されている。1999年にノーベル文学賞を受賞した。

　ダンツィヒは、ドイツ哲学史に名を残す知の巨人も生み出している。**アルトゥーア・ショーペンハウアー**（Arthur Schopenhauer, 1788-1860）である。父は裕福な銀行家であった一方、母ヨアンナは女流作家として知られている。一家は、1793年にグダニスクがプロイセン領となると同時にハンブルクに移住した。彼は青年期に一旦は父の仕事を継ぐものの、学問への情熱から19歳でギムナジウムに進学し、のちにゲッティンゲン大学に入学した（当初は医学科であったが、すぐに哲学科へ転入した）。

　大学ではプラトンとカントを研究し、独自の哲学体系の基礎を築いた。主著とされる『意志と表象としての世界 *Die Welt als Wille und Vorstellung*』は、彼が30代を過ぎた頃の1819年に出版されたものであるが、当時はあまり評判が良くなく、ショーペンハウアーはそのことにひどく失望したとされる。彼が評価されるようになるのはようやく晩年のことであり、これは1848年革命の失敗を背景としたドイツ国内の自由と民主主義を目指す動きの行き詰まりに起因すると考えられている。

　戦前の日本においても、「デカンショ（デカルト、カント、ショーペンハウアー）」の一角として彼の著作は学生の間で広く読まれるなど、その思想状況に大きな影響を

与えた。

　学術の分野では、**ガブリエル・ファーレンハイト**（Gabriel Fahrenheit, 1686-1736）の名が今なお温度目盛り「華氏」（ファーレンハイト度）として残されている。彼は王領プロイセン時代の人物である。

　グダニスクの商人の家庭に生まれるも、両親が食中毒で死亡したのを受けて、アムステルダムに移住した。彼は科学機器製造業で生計を立てていたが、独自に物理学などを学び、当時一流の科学者であったライプニッツとも交通を行うようになる。彼はアムステルダムで様々な器具を開発していくが、オーレ・クリスティン・レーマーの示唆に基づいて科学的な温度計目盛りを発明したことは彼の最大の功績であろう。それがのちに標準化されて華氏となり、現在でもアメリカなどで使用されている。

　プロイセン領ヴェストプロイセンの小村ブリーゼン（PL ヴォンブジェジノ）からは、熱力学第三法則を発見した物理化学者**ヴァルター・ネルンスト**（Walther Nernst, 1864-1941）が誕生している。彼の父はこの地域の判事であり、地元の名士であった。ネルンストはドイツ語圏各地の大学で物理学を学び、1888 年よりライプツィヒ大学の助手に採用されている。

　それ以後、帝政期後半のドイツ化学工業の急速な発展も相まって、ネルンストは物理化学の第一人者として目覚ましい活躍を見せ始める。1905 年にはベルリン大学教授となり、その翌年には絶対零度のエントロピーに関する「ネルンストの熱定理」を見つけ出すことに成功し、熱力学第三法則の基礎を築いた。これは「純物質の完全な結晶性固体のエントロピーは、絶対温度０Ｋ（ケルビン）において０であるという法則」であり、低温における熱測定への道を開いた。これらの物理化学分野への貢献から、1920 年にノーベル化学賞を受賞している。

　王領プロイセン時代の科学者として、世界史的意味を持つ天文学者**ニコラウス・コペルニクス**（PL ミコワイ・コペルニク Mikołaj Kopernik, 1473-1543）に触れておかなければならない。

　彼は、父方がシュレージエン地方の鉱山街コペルニキの出自であるとされるトルニの商人の家庭に生まれた。商人の家庭に生まれたコペルニクスは聖職者を目指してクラクフで学ぶが、そこで天動説と実際の観測結果にズレがあるという当時最先端の数学と天文学の講義を聴いて衝撃を受け、学者の道を志すようになる。

　1496 年以降に彼はボローニャ大学やパドバ大学などのイタリアへ留学を経験し、ギリシア哲学とギリシア天文学などを学んだ。イタリア留学から帰還後のコペルニクスは、1512 年から PL フロムボルク（DE フラウエンブルク）の寺院にて仕事をこなしつつ、天体観測を行った。彼は地動説を発表した主著である『天球の回転につい

て』を生涯にわたって執筆し続け、死去の直後にようやく第一刷が完成したのだとされる。彼の民族的帰属についてはドイツとポーランドの間で長らく論争の的となっていたが、現在ではポーランドの歴史的偉人という位置づけに落ち着いている。

　戦後ポーランドを代表する政治家といえばワレサであるが、彼については日本でもいくつかの評伝やワイダの映画などでもよく知られているのではないだろうか。ワレサに代わってここで紹介したいのは、元ポーランド首相で第2代EU大統領も務めた**ドナルド・トゥスク**（Donald Tusk, 1957-）である。

　彼はポーランド領グダニスクで、カシューブ系の両親のもとに生まれた。また彼の祖父ユゼフは、ドイツ国籍を持っていたために国防軍に徴兵されるが、それを無視してポーランド亡命政府軍に加わったという逸話を持つ人物であった。

　トゥスクの青年期はポーランドで反政府勢力が拡大する時期と重なっており、数々の抵抗運動が彼の人格形成に影響を与えた。1980年にグダニスク大学を卒業すると、トゥスクは政治に本格的に関与するようになる。彼は反政府的な雑誌『自治 *Samorządność*』の執筆者に名を連ね、さらに「連帯」ダンツィヒ支部の編集部長を務めるなど、若手活動家として台頭した。1989年の体制転換直後には、運動の同志とともに自由民主会議（KLD）を創設し、中央政界デビューも果たしている。しかしこの時期のポーランド政界は、100を超える諸政党が乱立する状況にあり、自由民主会議も一度は政権を獲得するも、長くは持たなかった。

　2001年、彼は中道左派のアンジェイ・オレホフスキ、マチェイ・プワジンスキらと組んで旧連帯系の流れを汲む新党「市民プラットフォーム（PO）」を旗揚げし、一躍脚光を浴びるようになる。2007年の下院議会選挙で勝利したPOは連立与党となり、トゥスクも首相に就任した。2010年の大統領選挙では、POのブロニスワフ・コモロフスキがヤロスワフ・カチンスキを抑えて当選し、同党はポーランド政界を掌握することとなった。

　POは2015年10月の選挙まで与党であったが、その後はカチンスキの法と正義（PiS）にその座を明け渡している。ただトゥスク自身はEU政界への進出を果たした。2014年の欧州理事会で議長（EU大統領）に選出され、2019年11月までの在任期間中、欧州連合の「顔」となったのである。在任期間中は、職務で日本を訪問する際などに日本語でツイッターを更新するという場面も見られた。

　現代ポーランドのポモージェ県からは、異色のブラックメタルバンドも誕生している。それが1991年にグダニスクで結成された**ベヒーモス**（Behemoth）である。中心メンバーはネルガル（Adam "Nergal" Darski, 1977-，グディニャ出身でヴォーカルとギターを担当）とインフェルノ（Zbigniew "Inferno" Promiński, 1978-，トチェ

フ出身でドラムを担当）らであるが、とりわけ 1997 年のインフェルノ加入後、彼の激しいドラム演奏に支えられたブラッケンド・デスメタルバンドとなり、徐々にヨーロッパ的な知名度を獲得するようになった。

　1998 年に発表された問題作 Pandemonic Incantations では、悪魔崇拝や異教的要素がふんだんに取り入れられており、ポーランド国内のカトリック聖職者や熱心な信徒からの抗議を招いた。さらにスラヴ的な要素を捨て、ロックスター的な商業路線を進めた事でポーランドのネオナチ界隈からも強い反発が巻き起こったとされる。そののちも、同バンドは反キリスト教や中東神話をモチーフとした楽曲を発表し続けており、そのことによってカトリック教会などとの宗教的摩擦を常に抱えている状態である。特にネルガルが 2007 年のコンサートで行った聖書の破壊パフォーマンスはカトリック信徒を強く刺激し、それとは別件ではあるが訴訟を起こされる事態ともなった。とはいえ、ヨーロッパにおけるこうした極めてアウトサイダー的な個性こそが、ベヒーモスが大きな人気を獲得することができた主たる要因であることは間違いないだろう。

 その他の著名出身

- **ヨハン・フォースター**
  Johann Reinhold Forster, 1729-1798. 王領プロイセン期ディルシャウ出身の博物学者。ゲオルグの父
- **ゲオルク・フォルスター**
  Johann Georg Adam Forster, 1754- 1794. 王領プロイセン期ナッセンフーベン出身の博物学者、旅行家
- **エミール・アドルフ・フォン・ベーリング**
  Emil Adolf von Behring, 1854-1917. ハンスドルフ出身の医学者
- **ヨハネス・ヘヴェリウス**
  Johannes Hevelius, 1611-1687. 王領プロイセン期グダニスク出身の天文学者
- **ハインツ・グデーリアン**
  Heinz Wilhelm Guderian, 1888-1954. ドイツ帝国領クルム出身のドイツの軍人
- **クルト・シューマッハー**
  Kurt Schumacher, 1895-1952. ドイツ帝国領クルム出身のドイツの政治家
- **ハインツ・ガリンスキー**
  Heinz Galinski, 1912-1992. ドイツ帝国領マリーエンブルク出身のユダヤ系活動

家。在独ユダヤ人中央評議会議長

・**クラウス・キンスキー**
  Klaus Kinski, 1929-1991. ダンツィヒ自由市出身の俳優

第3章

シュレージエン

ピャスト朝・ハプスブルクを経て、工業化を果たした言語境界地域

シュレージエン

Provinz Schlesien

現ポーランド領ドルヌィシロンスク地方、グルヌィシロンスク地方
PL Dolny Śląsk, Górny Śląsk

チェコ領スレスコ地方
CZ České Slezsko

　ドイツ語でシュレージエンと呼ばれるこの地域は、ポーランド語ではシロンスク、チェコ語ではスレスコとも呼称される。英語名のシレジアという呼び方に馴染みのある方も多いのではないだろうか。かつてのドイツ領シュレージエンは現在その大部分がポーランド領となり、南部の小地域だけがチェコ領となっている。地理的には DE オーダー（PL オドラ）川中流域から上流域にかけての広い領域を指す。南には雄大な PL CZ ステーティ（DE ズデーテン）山地と PL CZ ベスキーディ（DE ベスキーデン）山地がそびえ、チェコとの国境をなしている。ポーランド領シロンスク地方の気候は比較的温暖で、それゆえここは「ポーランドにおいて最も温かい地域」と言われることもある。中心都市のヴロツワフは 1000 年の歴史を誇る中・東ヨーロッパの歴史都市であり、またシロンスク全域に古城なども点在する。しかしこれらのほかにも、かつての炭鉱・工業地帯の中心地であったカトヴィツェやグリヴィツェ、ワールシュタットの戦いの舞台であるレグニツァといった歴史ある大規模・中規模都市を数多く擁するなど、シロンスクはポーランド屈指の観光資源を有する地域なのである。

主要言語

ドイツ領時代 1871-1945 年	ドイツ語、ポーランド語（ヴァッサーポルニッシュ）、モラヴィア語
現代	ポーランド語、チェコ語、ドイツ語

近代以降の人口

①ドイツ領時代

1871	3,707,167
1880	4,007,925
1890	4,224,458
1900	4,668,857
1910	5,225,962
1930 年代	約 6,350,000（＋ポーランド領シロンスク県：1,400,000 人以上と推定）

②第二次世界大戦後

1947	2,630,000（概算）
1980	8,282,618（カトヴィツェ県、オポーレ県、ビエルスコ県、ヴロツワフ県、レグニツァ県、ヴァウブジフ県、イェレーニャ・グラ県の合算）
2019	8,400,424（ドルヌィシロンスク県、オポーレ県、シロンスク県の合算）

年表

1138 年	シロンスク公領の成立。そののち公領群へと分割
1241 年	ワールシュタットの戦い
1348 年	ボヘミア王冠領の成立とシロンスクの神聖ローマ帝国への編入
1526 年	シュレージエンのハプスブルク領への編入
1648 年	ウェストファリア条約の締結
1713 年	プラグマーティシェ・ザンクツィオーンの発布
1740 年	第一次シュレージエン戦争の勃発
1742 年	ブレスラウの講和。プロイセン領シュレージエンの始まり
1763 年	フベルトゥスブルクの講和（第三次シュレージエン戦争の終結）
1813 年	プロイセンの「首都」ブレスラウと解放戦争の勃発
1815 年	シュレージエン州の成立
1842 年	シュレージエンでの鉄道の敷設と工業化の本格的な開始
1871 年	ドイツ帝国の創設。ビスマルク時代の文化闘争とそれに対するシュレージエンでの抵抗
1903 年	ヴォイチェフ・コルファンティの帝国議会議員への初当選。シュレージエンにおけるポーランド民族運動の拡大
1918 年	第一次世界大戦の終結とオーバーシュレージエン問題の浮上
1919 年	ヴェルサイユ条約の締結とオーバーシュレージエンでの住民投票の決定。第一次シロンスク蜂起の発生
1920 年	第二次シロンスク蜂起の発生
1921 年	住民投票の実施。第三次シロンスク蜂起の発生。オーバーシュレージエンの東西分割の画定
1922 年	ドイツ領ニーダーシュレージエン行政区およびオーバーシュレージエン行政区、ポーランド領シロンスク県の成立。ジュネーヴ協定の締結
1926 年	ポーランドでの五月クーデタと、ミハウ・グラジィンスキのシロンスク県知事への就任
1937 年	ジュネーヴ協定の失効
1939 年	タンネンベルク作戦の発動と第二次世界大戦の勃発
1945 年	シュレージエンからの住民の避難。ソ連占領後にはドイツ系住民の「追放」政策も開始される。オーダー・ナイセ線をドイツ・ポーランドの暫定国境とすることが連合国によって承認され、シュレージエンの大部分がポーランド領となる
1970 年	ポーランド領シロンスクにおける経済危機と労働者の暴動。ワルシャワ条約の締結とドイツによるオーダー・ナイセ線の承認
1980 年	ポーランド領シロンスクでの連帯運動の拡大

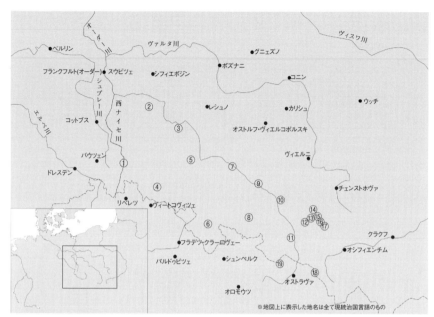

PL ポーランド名			DE ドイツ名	
①	Zgorzelec	ズゴジェレツ	Görlitz	ゲルリッツ
②	Zielona Góra	ジェローナ・グラ	Grünberg	グリュンベルク
③	Głogów	グウォグフ	Glogau	グローガウ
④	Jelenia Góra	イェレーニャ・グラ	Hirschberg	ヒルシュベルク
⑤	Legnica	レグニツァ	Liegnitz	リーグニッツ
⑥	Kłodzko	クウォツコ	Glatz	グラッツ
⑦	Wrocław	ヴロツワフ	Breslau	ブレスラウ
⑧	Nysa	ヌィサ	Neiße	ナイセ
⑨	Brzeg	ブジェク	Brieg	ブリーク
⑩	Opole	オポーレ	Oppeln	オペルン
⑪	Racibórz	ラツィブシュ	Ratibor	ラティボル
⑫	Gliwice	グリヴィツェ	Gleiwitz	グライヴィッツ
⑬	Zabrze	ザブジェ	Zabrze (1914-1945: Hindenburg)	ザブジェ（ヒンデンブルク）
⑭	Tarnowskie Góry	タルノフスキェ・グリィ	Tarnowitz	タルノヴィッツ
⑮	Bytom	ブィトム	Beuthen	ボイテン
⑯	Chorzów (Królewska Huta)	ホジュフ（クルレフスカ・フタ）	Königshütte	ケーニヒスヒュッテ
⑰	Katowice	カトヴィツェ	Kattowitz	カトヴィッツ
⑱	Cieszyn	チェシン	Teschen	テシェン

CZ チェコ名			DE ドイツ名	
⑱	Český Těšín	チェスキー・チェシーン		
⑲	Opava	オパヴァ	Troppau	トロッパウ

ドイツ領となるまで

西暦 2 世紀の中央ヨーロッパとシリンガイ（Silingae）。虫眼鏡の部分を加工。
出典：The University of Texas Libraries

シロンスク・ピァスト家

　この地域の歴史は古典古代に遡ること
ができる。この地域の名称となっている
シュレージエン、シロンスク、スレス
コ、そしてシレジアの語源はすべて、古
代ギリシアの学者プトレマイオス（西暦
100 年頃 -170 年頃）によって引用された
部族名「シリンガイ Silingai」もしくは

「ジーリンゲン Silingen」にあり、それ
がこの地域に移住してきたヴァンダル系
部族の名称として用いられるようになっ
たとされる。中世前期のシロンスクは北
アフリカのヴァンダル王国やローマ諸都
市とも交易・通商関係にあり、考古学的
にはローマから輸入した装飾品などが墳
墓から出土している。近代のドイツ史学

レグニツァの戦い（モンゴル軍が掲げているのは討ち取られたヘンリク2世の首）
出典：National Digital Library Polona

プトレマイオスのシリンガイへの言及（1562年に出版されたラテン語翻訳版。下から13行目右端にSchlesiaの表記が見える）
出典：Alma Mater Studiorum - Università di Bologna

界ではジーリンゲンが「ドイツ＝ゲルマン的」な集団であることを前提とした研究が盛んに行われたが、実際にはこの時期にスラヴ系の人々もこの地域へ移住してきており、彼らとヴァンダル系住民との混住が進んでいた［Herzig 2015：10-11］。シロンスク最大の都市となるヴロツワフは10世紀初頭の時点で交易都市であったが、その時すでにヴラティスラヴァ（Wratislawa）という名前を冠れていたことも知られている。

　10世紀末以降、シロンスク地域は最古のポーランド系王朝とされるピアスト家の版図に入った。その初代王ミェシュコ1世のあとを継いだボレスワフ1世〈勇敢王〉の治世に、シロンスクはピアスト朝の支配下に置かれたのである。それ以前にミェシュコ1世がキリスト教を受け入れ、その国教

ヴワディスワフ2世
出典：National Digital Library Polona

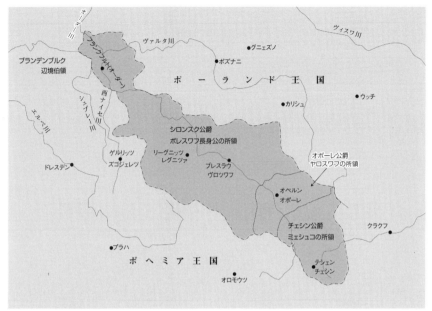

シロンスクの諸公領（1185-1201年）

としていたために、このボレスワフ勇敢王の時代にシロンスクもキリスト教化された。その後しばらくはピアスト家直系による支配が続くが、1138年のボレスワフ3世の死にあたって、ピアスト朝の領土はその息子たちによって分割された。特にシロンスクの領域は「シロンスク公領」としてヴワディスワフ2世に統治されることとなった。彼に始まるシロンスク・ピアスト家は、その後5つの分家に枝分かれしつつ、この地域を1675年まで支配していくこととなる。

モンゴル軍の襲来と東方移住の開始

　中世のシロンスクにとって最も衝撃的な出来事はモンゴル軍の襲来であろう。

将軍バトゥに率いられたモンゴル軍の軍勢は1235年以降中央アジア以西への遠征を実施し、ついにはハンガリーに確保した橋頭堡から約1万の軍勢を引き連れてシロンスクに進攻した。当時のシロンスク公ヘンリク2世敬虔公は、自前の軍隊とヨハン騎士団・ドイツ騎士団混成の連合軍を編成し、シロンスク西部の都市レグニツァ近郊でモンゴル軍を迎え撃った。のちにワールシュタットの戦い、もしくは PL レグニツァの戦い（ DE リーグニッツの戦い）と呼ばれるこの戦闘は、ヘンリク2世の連合軍側にとって破局的結末を迎える。1241年4月9日に展開された戦闘でヘンリク2世は戦死し、さらに連合軍側の軍勢はモンゴル軍に蹂躙さ

シロンスクの諸公領（13世紀末）

れた。ワールシュタット（Walstatt）とは、この時に積み上がった連合軍側の死体の山を表現した言葉であるが、そのことも戦闘の凄まじさを後世に伝えている。

　その後、シロンスク・ピアスト家の諸侯はこの戦闘によって荒廃したシロンスクへの植民を積極的に奨励した。それによりヨーロッパ全土から、とりわけ神聖ローマ帝国域内のザクセンやテューリンゲンから農民や商人がこの地域へと大挙して移住してきた。またドイツ騎士団も東方移住において重要な役割を果たしたが、例えば自らの中から移住者を募集し、彼らが拠点となる都市を建設した後にその周囲に村落を形成するなど、最も

計画的に移住政策を実行した。この東方移住の結果、それまでポーランド王国内にあり、またスラヴ系住民も多かったシロンスクは徐々に「ドイツ化」していくこととなる。このような集団植民が成功した背景には、入植者に広大な土地および事実上の自由身分としての法的地位が与えられたことにあった［Conrads 1994：91-99］。また14世紀半ばになると、ペストの流行を避けて移住してきたユダヤ教徒も増加し、各地に宗派共同体を形成し始めている。

　行政的には、12世紀から13世紀にかけての時期にシロンスク公領はさらに細かい公領群へと再編された。この時期

に、それまで単一であったこの公領は、ヤヴォル公領、レグニツァ公領、オポーレ公領、ラツィブシュ公領、チェシン公領などへと分割されたのである。

ボヘミア王国の下での繁栄

　さらに14世紀に入ると、これらのシロンスク公領群はポーランド王国の支配下から完全に離れ、ボヘミア王国に服属することとなる。1306年にポーランド王とボヘミア王を兼ねていたプシェミスル朝のヴァーツラフ3世が暗殺されると、次なる王位継承者をめぐってボヘミア王室ではお家騒動が勃発した。4年間の目まぐるしい国王交代劇の末、結局はルクセンブルク家のヨハン（在位：1310-1346年）がボヘミア王の座に就いたが、彼はポーランド王位を諦める代わりに、1330年代のトレンチン条約およびクラクフ条約によってシロンスク公領群を獲得した。ヨハンの息子、ボヘミア王カレル1世（神聖ローマ皇帝カール4世）の時代にボヘミア王国は最盛期を迎えたとされるが、それはシロンスクも同様であった。特にゴシック様式の建築物や、西欧の騎士文学の影響を受けた壁画などの文化が花開いた。

　1348年、カレ

ボヘミア王カレル1世
出典：Národní galerie Praha

ル1世はシロンスクを「ボヘミア王冠の諸邦」のひとつとし、「聖ヴァーツラフの王冠」のもとに統合した。この別名「ボヘミア王冠領」の中で、シロンスクはボヘミア王の直接的な支配を受けない自律的な地域としての性格を強めたのである。またカレル1世が神聖ローマ皇帝であったために、シロンスクは神聖ローマ帝国の統治地域に編入されたが、この状態は1742年まで続くこととなる。しかし15世紀のボヘミア王国はフス戦争や度重なる王位争いに見舞われ荒廃し、1471年以降は中・東ヨーロッパの強国ヤギェウォ朝が王位を世襲している。

※以下、第二次世界大戦までドイツ名を優先。ただし戦間期のポーランド領シロンスク県地域についてはポーランド名を優先する。

ハプスブルク家・宗教改革・三十年戦争

　16世紀に入ると、シロンスクを取り巻く情勢が再び一変した。1526年のオスマン帝国軍との戦い（モハーチの戦い）の際にヤギェウォ家のボヘミア王ルドヴィク2世が王位継承者を残さずに戦死し、これ以前にハプスブルク家と王位継承協定を結ん

フェルディナント1世
出典：Österreichische Nationalbibliothek

203

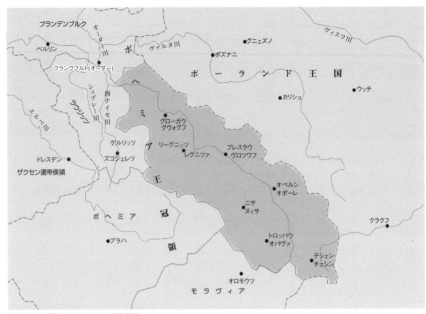

ボヘミア王冠領とシロンスク諸公領

でいたヤギェウォ朝は、ボヘミア王位と
ハンガリー王位をハプスブルク家のフェ
ルディナント1世（在位：1526-1564）
に譲ることとなった。ここにハプスブル
ク領シュレージエンの時代が始まるので

リーグニッツでの戦闘（1634年）

ある。フェルディナントはその支配領域
である「ドナウ帝国」において中央集権
化を推し進めたが、その政策はシュレー
ジエンにも及んだ。彼はシュレージエン
におけるピアスト家諸侯の諸特権を制限
し、さらにシステマティックな徴税体制
も導入した。またハプスブルク家は、シュ
レージエンの採掘権・鋳造権・関税権を
手中にすることで、多額の収入を得るこ
とに成功した。

　16世紀のシュレージエンにとって重
要な出来事は、宗教改革とプロテスタン
ト勢力の伸長であろう。ルターによる
95か条の論題はフェルディナントの治
世直前の出来事であり、それに端を発す

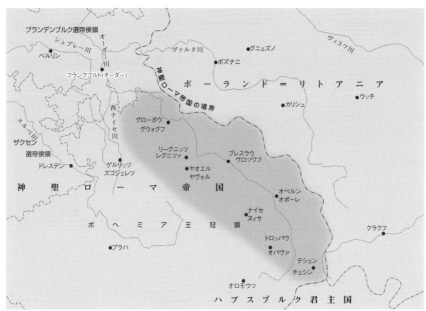

神聖ローマ帝国とシュレージエン諸公領（1618 年）

ナイセのイエズス会大学「カロリヌム」の正門
出典：Sächsische Landesbibliothek - Staats- und
Universitätsbibliothek Dresden

　る宗教改革の波はシュレージエンにも押し寄せている。

　この時期の「ドナウ帝国」の内部では、その中央集権的な政策への反発から、各諸侯が身分制議会を中心に結束し、またプロテスタント信仰への転向が目立つようになっていた。ここで「カトリックの守護者」としてのハプスブルク家と、「信仰と自由の擁護者」としてのプロテスタント諸侯が対立することとなる。16 世紀後半にはイエズス会を中心としてシュレージエンの再カトリック化が推進され、さらに同世紀末になると、ハプスブルクの君主たちは強権的なカトリック強制を行うようになり、特に 1595 年以降

HANS ULRICH SCHAFF - GOTSCHE GENANNT,
des H. R. R. Semperfrei v. u. a. Kynast,
Frhf zu Trachenberg.

ハンス＝ウルリヒ・シャフゴッチュ

は「異端根絶策」が実施されたことによってプロテスタント勢力はドナウ帝国内では勢力の大半を失うこととなった。

こうしたハプスブルク君主とプロテスタント諸侯の対立が頂点に達したのが三十年戦争であった。三十年戦争下のシュレージエンでは様々な勢力が入れ代わり立ち代わり支配者となったので、現地貴族は幾度も宗派的帰属の変更を余儀なくされた。まずハプスブルク家はイエズス会を用いてシュレージエン各地でカトリックの再布教にあたった。1623年には拠点として DE ナイセ（ PL ヌィサ）にイエズス会大学を設立し、また同時に軍事力を用いて臣民に改宗を強いるなど、硬軟両面でのカトリック化に取り組んだのである。

しかしスウェーデン王グスタフ・アドルフが破竹の勢いで中央ヨーロッパに進撃すると、1632年に「［プロテスタントの］友人と守護者」としてシュレージエン諸都市を占領した。すると1629年に神聖ローマ皇帝に忠誠を誓っていたシュレージエン諸身分は、今度は1633年にスウェーデンとの「連合」を表明しなくてはならなくなった。さらに同年10月にはヴァレンシュタイン配下の貴族ハンス＝ウルリヒ・シャフゴッチュがオーダー川沿いでスウェーデンの軍勢を打ち破り、この地域は再びハプスブルクの手に落ちる。だが1639年には再度スウェーデンのシュレージエン侵攻があり、その支配下に置かれた諸都市の態度はまたも揺れ動くこととなった。これに対してハプスブルク家は、カトリックに改宗したか、もしくは皇帝軍の一員として戦った貴族に当地の支配権を与えることで混乱を収拾した。1648年に三十年戦争の講

和条約であるウェストファリア条約が締結され、最終的にシュレージエンにおけるカトリックとプロテスタントの同権が明文化されている。

シュレージエン戦争

　「汝幸いなるオーストリア、結婚せよ」の箴言で有名なハプスブルク家は、その婚姻政策によってヨーロッパ各地の王朝と複雑な婚姻関係にあった。これの意味するところは、それらの王朝によるハプスブルク家の継承権要求の可能性であり、これを阻止するために1713年に全家領の永久不可分と相続順位を定めた国事勅書「プラグマーティシェ・ザンクツィオーン」が発布されている。しかしこの強引とも言えるハプスブルク家の手法に対し、国外の諸勢力から異議が提出されることとなった。それが最も顕在化したのが、1740年のマリア・テレジアによる家領相続の際に、プロイセン王国のフリードリヒ2世がザクセンやフランスと連携しつつシュレージエン公領群の割譲を要求したときである。

マリア・テレジア（1747年の肖像画）
出典：Rijksmuseum (Netherlands)

　オーストリア継承戦争（1740-1748年）、もしくはシュレージエンに限って言えばシュレージエン戦争（第一次：1740-1742年、第

モルヴィッツの戦い

二次：1744-1745年）とも呼ばれる一連の戦闘は、全体としてプロイセン優勢に展開した。早くも1740年にシュレージエン全土を占領されると、さらに翌年3月のモルヴィッツの戦いでも敗北するなど、オーストリア軍は緒戦を通じてプロイセン軍に圧倒され続けたのである。ここで、オーストリアの同盟国イギリスの仲介もあり、1742年6月11日にオーストリアがプロイセンとブレスラウの講和を結ぶことで、第一次シュレージエン戦争は終結した。その際、オーストリアに残されたのはテシェン（<kbd>PL</kbd>チェシン）、トロッパウ（<kbd>CZ</kbd>オパヴァ）などの僅かな地域であり、対するプロイセンは、それまでボヘミア王国に属していたグラッツ（<kbd>PL</kbd>クウォツコ）を含むシュレージエンの大部分の獲得に成功した。

　このような軍事的敗北にもかかわらず、マリア・テレジアはシュレージエンの奪回を諦めていなかった。1744年8月にフリードリヒ2世がボヘミアに進軍したことを契機に、第二次シュレージエ

ホーエンフリートベルクの戦いに勝利したプロイセン軍
出典：Georg-Eckert-Institut - Leibniz Institut für
internationale Schulbuchforschung Braunschweig

フベルトゥスブルクの講和を記念して作成された図版
（1763年、左からザクセン公・ポーランド王アウグ
スト3世、マリア・テレジア、フリードリヒ2世）

ン戦争が勃発した。ここでもプロイセン
はホーエンフリートベルクの戦いの勝利
に代表されるように、終始軍事的主導権
を握り、オーストリア側を追い詰めた。
このような状況の下で結ばれたドレスデ
ンの講和において、オーストリアはシュ
レージエンの放棄を確認せざるをえな
かった。
　しかしそれでもまだ、マリア・テレジ
アのシュレージエンをめぐる復讐心は消
えてはいなかった。それを象徴する出来
事が七年戦争、もしくは第三次シュレー
ジエン戦争（1756-1763年）である。こ

の戦争の前提には、それまでオーストリ
アを孤立させていた国際関係の変化が
あった。テレジアからシュレージエン奪
回を託された宰相カウニッツ公ヴェン
ツェル・アントンは、プロイセンがイギ
リスと同盟を結んだことをテコとして、
伝統的な敵対国であるフランスを同盟国
とすることに成功したのである。これは
一般に「外交革命」と呼ばれる。さらに
ロシアも加わった同盟諸国に危機感を募
らせたプロイセンは、1756年にザクセ

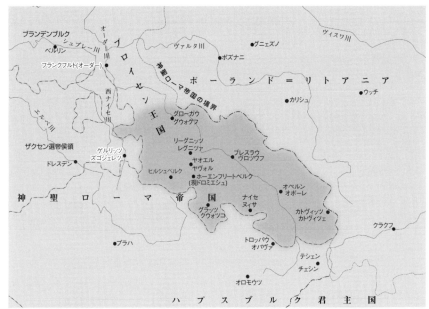

七年戦争直後のシュレージエン

ンに侵攻して戦争を開始させた。この戦争はシュレージエンをめぐって戦われただけでなく、北米やインドでも戦闘が展開されたグローバルなものとなった。これまでのシュレージエン戦争とは一変して、この戦争ではプロイセンは軍事的に不利な立場に置かれ続けた。1760年にはシュレージエン南部のプロイセン軍の要塞が攻略され、オーストリア軍によるシュレージエン侵攻の橋頭堡が開かれたのである。

しかし1762年にロシア皇帝エリザベータが死去してロシアが同盟から離脱しただけでなく、プロイセンとの同盟を結び直した頃から形勢も逆転し始めた。結局1763年にオーストリアはフベルトゥスブルクの講和を結び、プロイセンと停戦に合意している。そしてこれでもって、23年に渡ったオーストリアによるシュレージエン奪回への意欲はほぼ完全に絶たれることとなった［Conrads 1994：346-405］。

フリードリヒ2世の改革

シュレージエンを手に入れたプロイセンは、すぐさまその行政改革に取り掛かった。よく知られているように、近世のプロイセン王国は、画一的な軍事・財

ヒルシュベルク遠景（1822年頃）　出典：Biblioteka Cyfrowa Uniwersytetu Wrocławskiego

政・官僚機構の整備によって国家の中央集権化を図り、かなりの程度これに成功していた。そしてフリードリヒ2世は、このような国家体系をシュレージエンにも当てはめようと考えていたのである。

手始めとして、これまで15の自立的な諸公領と貴族直轄地から構成されていたシュレージエンが、単一の行政区分「シュレージエン公領 Herzogtum Schlesien」へと統合された。その長は国王に責任を負う州総督であり、さらにその上にプロイセン国家中央の行政機構が覆いかぶさるという、中央集権化の目標と合致する行政構造となった。しかしその一方で、現地貴族や諸都市の特権は維持されるなど、近世の複合的な国家編成も大幅に残されていたことには注意したい。このような複合性の残滓は、結局

ドイツ帝国の崩壊まで温存されることとなる。

フリードリヒ2世は経済政策にも力を入れている。従来の繊維産業の振興を目的とした、ヒルシュベルク（現 PL イェレーニャ・グラ）地域での商人たちの活動は、大きな収益をもたらした。しかしここで注目すべきは、新たに奨励された炭鉱・製鉄業であろう。シュレージエンで豊富に産出する石炭・鉄鉱石などの地下資源に目をつけたプロイセンは、1769年に中央財政官庁である総監理府（ゲネラール・ディレクトーリウム）に直属する炭鉱業組織を設立し、この経済分野の拡大を後押しした。さらにドイツ西部の工業地帯とは異なり、シュレージエン炭鉱業の発展には地元貴族も貢献しており、それによってその領地の住民を炭鉱業

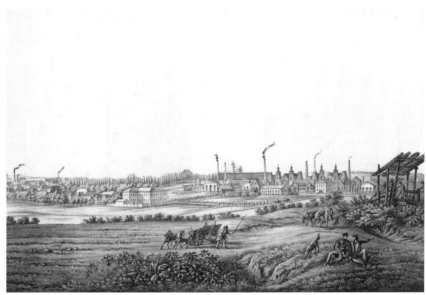

ケーニヒスヒュッテ（1797年操業開始のプロイセン王立製鉄所 Königshütte が地名の由来。図像は1843年のもの）
出典：Śląska Biblioteka Cyfrowa

へと動員することも可能となった。これら
は莫大な税収をもたらす「財宝」として、
国家中央から重宝されることとなる。

ナポレオン戦争とウィーン会議

1797年に戴冠したフリードリヒ・ヴィ
ルヘルム3世は、中央ヨーロッパがナポ
レオンに支配されていた1813年1月に
政務地をブレスラウへと移し、一時的に
シュレージエンはプロイセン王国の首都
となった。このブレスラウで彼はロシア
との同盟を結び、同年3月には「ドイツ
国民」の対ナポレオン闘争への結集を呼
びかける「わが国民へ」を布告したので
ある。このような「祖国の解放」への呼
びかけは、特に若者を中心に国民的熱狂

を生み出したが、そこにはブレスラウ大
学の著名な哲学者ヘンリク・シュテフェ
ンスによる呼びかけも貢献していた。こ
のような動きに始まる解放戦争はシュ
レージエンにおいても展開されており、
南部のヤオエル（ヤヴォル）近郊での勝
利によってこの
地域に駐留して
いたフランス軍
を撤退させる手
がかりを得たの
である。

ナポレオン戦
争の戦後処理会
議、いわゆる
ウィーン会議

ヘンリク・シュテフェンス
出典：Biblioteka
Cyfrowa Uniwersytetu
Wrocławskiego

Breslau   *Ring mit Denkmal Friedrich Wilhelm III.*

1861 年に解放戦争勝利を記念してブレスラウに設置されていたフリードリヒ・ヴィルヘルム 3 世像（第二次世界大戦後はボレスワフ勇敢王の像にすげ替えられている）　出典：Biblioteka Narodowa

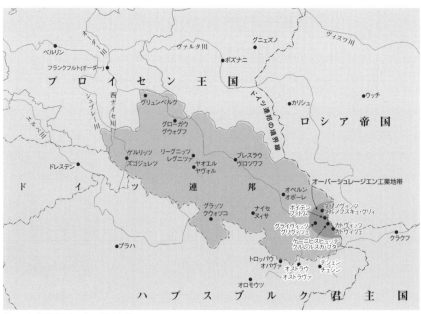

ウィーン会議後のシュレージエン州

（1815年）において、シュレージエンに関する重大な決定がなされた。それは従来シュレージエン地域が享受してきた特殊な地位が廃止されるというものである。つまり中世以来の貴族的特権を示す「公領」シュレージエンが最終的に消滅し、新たにプロイセンの一地方自治体としての「シュレージエン州 Provinz Schlesien」が設立された。新たにブレスラウ県、リーグニッツ県、オペルン県といった下位自治体も設置され、そのトップにはそれぞれ県知事が配された。

シュレージエンにおけるドイツ民族主義の登場と展開

　フランスの支配下では自由主義的な改革の機運が興隆したのであるが、それは復古反動的なウィーン体制下で大きく退くこととなった。その主導者であったオーストリア宰相メッテルニヒは、学生結社の禁止や検閲、警察権の拡大などを含むカールスバート決議（1819年）や君主制原理を再確認するウィーン最終規約（1820年）を定めて、革命運動の抑え込みにかかった。革命勢力とみなされたのは、ドイツの自由主義的統一を求める学生結社であるブルシェンシャフトであり、これはシュレージエンにおいても弾圧の対象となった。1834年以降には、42人のブルシェンシャフト構成員が7年の城塞禁錮刑に処せられた。またシュレージエンにおけるドイツ愛国主義の理論的指導者シュテフェンスもこれら

の反動的政策に反対し、フリードリヒ・ヴィルヘルム3世によって4週間の城塞禁錮刑に処せられている。当時は、ドイツ民族による国家統一建設を求める動きこそ、真に自由主義的な運動であるとみなされていたのである。しかしこの時期のシュレージエンでは、このように成長しつつあった学生や市民層の声が政治に反映されることはなかった。1825年から1845年までの間に8度招集された州議会は、貴族と大土地所有者に支配されていたからである。

　特権を死守したい支配層・貴族層と改革を求める新興市民層との間の対立は、最終的に1848年革命によって頂点を迎えた。その3月には、ブレスラウ市参事会と市議会がベルリンに代表団を送り、言論の自由、領邦議会の召集、市民の武装を要求した。しかしこれも1849年の革命後退局面で拒否されてしまう。

　すでに市民的権利の要求を強めていた農民層はシュレージエン各地に約200の

1848年頃のブレスラウ市庁舎
出典：Biblioteka Cyfrowa Uniwersytetu Wrocławskiego

1848年革命時のブレスラウ

「シュレージエンの十億」が掲載された『新ライン新聞』
1849年3月22日号
出典：Deutsches Textarchiv

農村協会を設立し、そこを拠点としてより民主主義的な政治体制を求める運動を展開した。そのことを示すように、シュレージエン方言で書かれたビラには「万人のための自由と福祉」というスローガンが掲げられていた。1848年革命期において最も重要な出版物は、カール・マルクスの主宰する『新ライン新聞』に掲載されたヴィルヘルム・ヴォルフの記事「シュレージエンの十億」である。その中では、シュレージエンの大土地所有者たちが農民層をいかに抑圧してきたかが告発されているのである。この革命は全体としては失敗であったが、それでもシュレージエンの農民層は約2,000箇所の貴族世襲領を廃止に追い込むなど一定の成果を上げたと言えるだろう［Herzig 2015：80-81］。

工業化の時代

19世紀のシュレージエンを特徴的に示す概念は工業化だろう。すでにフリードリヒ2世の時代に萌芽を見せていた炭鉱・鉄鋼業がこの時代に大きく花開くのである。それまでシュレージエンにおける基幹産業となっていた繊維産業は、19世紀初頭には危機的な状況に晒されていた。この旧来型の手工業の担い手たちは、農奴解放や営業の自由といった行政改革による従来のツンフト制度崩壊と新規参入業者急増のあおりを受け、収入を著しく低下させた。とりわけこれに不満を抱いたブレスラウの織工たちは、1817

工業化に多大な貢献を果たしたシャフゴッチュ家の養子ヨハンナ（写真左。右は夫のハンス）。労働者階級から貴族へと上り詰めたために「シュレージエンのシンデレラ」との異名を持つ。

オーバーシュレージエンの工業都市カトヴィッツの風景（1865 年頃）
出典：Śląska Biblioteka Cyfrowa

年から 1846 年にかけて幾度も、市庁舎やユダヤ商店を襲撃するなどしている。

　この小規模手工業の没落と交錯するように上昇したのが、東部の DE オーバーシュレージエン（PL グルヌィシロンスク）を中心として発達した重工業であった。すでに対ナポレオン戦争時にはオーバーシュレージエン重工業の製品が大量に必要とされており、その生産量を伸ばしていたにもかかわらず、その時点では通商路が十分に整備されていなかったために、その成長は依然として緩慢なものであった。ようやく 1842 年にシュレージエンにも鉄道が引かれ、さらにそれが

主要な市場を形成するベルリンやウィーンと結ばれると、オーバーシュレージエンの工業地帯の重要性は飛躍的に向上した。

　当該地域での工業化を牽引したのは、ヘンケル・フォン・ドンナースマルク家、バルシュトレーム家、シャフゴッチュ家などのシュレージエンの伝統的貴族家系である。この時代、彼らシュレージエン貴族たちは企業家へと早変わりし、それぞれの経営する財閥を通じて莫大な富を生み出した［Bahlcke et al. 2015：439-449］。こうした企業家たちの努力もあり、オーバーシュレージエン工業地帯は 19 世紀後半においてルール工業地帯と並ぶドイツ有数の一大工業地帯へと変貌したのである。

19 世紀シュレージエンの言語状況

　帝政期に入るにあたって、言語状況についても説明が必要だろう。ここでも、ドイツ語が圧倒的に支配的であった

ブレスラウ最初の鉄道駅「フライブルク駅」（1900 年頃の絵画）。現在も駅舎は残るものの「シフィエボツキ駅」という名前の商業施設となっている。なおブレスラウ中央駅の完成は 1857 年である。

DE ニーダーシュレージエン（PL ドルヌィシロンスク）と異なり、ドイツ語とスラヴ語の言語境界地域となっていたオーバーシュレージエンが問題となる。

19 世紀前半の時点のオーバーシュレージエンではポーランド語が優勢であった。当時の統計が示すように、1815 年の時点で当該地域のポーランド語話者の人口は、カトリック系住民における割合に限れば 93 パーセント（約 26 万人）に達していたのに対して、ドイツ語話者人口はわずか 7 パーセント（約 2 万人）であったのである。このような状況に危機感を募らせたプロイセン政府は、行政や教育においてドイツ語の強制を行い、住民を「ドイツ化」しようと努めた。例えば 1816 年からオペルン県知事を務めたカール・フォン・ライヒェンバッハ伯は「粗野な grobsinnlich」オーバーシュレージエン住民を「文明化」するためにもそのドイツ化は必須であると考えていた。

このような「上から」のドイツ化は成功したとは言い難かったが、結果的にその政治的失策を補ったのが工業化の進展であった。19 世紀を通じて急速な工業化を果たしたオーバーシュレージエンでは、ドイツ語能力が出世の条件となり、同時に言語的な違いが社会階層の違いを暗示する指標ともなっていた。社会的な上昇を求める都市労働者たちは次々とドイツ語の習得に取り組むようになり、それがこの地域の「ドイ

ツ化」に貢献したのである。その結果として、工業都市部では公的な言語としてのドイツ語と私的空間で使用されるポーランド語の両方を解する二言語話者が一般的となり、この地域の言語的複数性を強めることとなった。

　興味深いのは、オーバーシュレージエンにおいて日常的に用いられていた言語のひとつが標準ドイツ語とも標準ポーランド語とも異なる性質を有していたということである。それは軽蔑的にヴァッサーポルニッシュ（Wasserpolnisch）、つまり「ひどくなまった／外国語と混ざりあったポーランド語」と呼ばれる言語であった。このヴァッサーポルニッシュはポーランド語とドイツ語の混合言語の性格を持っていて、言語境界地域特有のクレオール語とされる。クレオール語とは、二つ以上の言語が接触してピジン語（第一世代）が形成されたのち、そのピジン語話者の後の世代によって母語として用いられるようになった言語を指す社会言語学の用語である［Kamusella 2016b：195-196；ショダンソン　2000：23］。現在ではヴァッサーポルニッシュ、すなわち「シロンスク方言 **PL** Etnolekt śląski/**DE** Schlesisch」はポーランド語の方言ともみなされているが、それでも長らくオーバーシュレージエンがポーランド民族運動の射程に入らなかった背景には、このヴァッサーポルニッシュの存在があったのである。

ドイツ領の中のシュレージエン

政党＼年	1871	1874	1877	1878	1881	1884	1887	1890	1893	1898	1903	1907	1912
中央党	-	8	11	10	12	11	11	11	10	9	7	5	6
中央党ポーランド党派	-	-	-	-	-	-	-	-	-	1	2	3	1	1
ポーランド党	-	-	-	-	-	-	-	-	-	-	1	5	4
保守党	1	-	-	-	-	1	1	1	1	1	1	1	1
国民民主党	1	-	-	-	-	-	-	-	-	-	-	-	-
帝国党	10	4	1	2	-	-	-	-	-	-	-	-	-

帝政期オーバーシュレージエンにおける帝国議会選挙での各党の獲得議席

文化闘争とポーランド民族運動の興隆

1871 年の帝国創設を機に、宰相ビスマルクは多様なドイツ社会をドイツ国民国家へと構造転換させるためにいくつかの施策を打ち出した。第一に、カトリック教徒を狙い撃ちにした文化闘争である。宗派的にこの地域は、オーバーシュレージエンでは住民の約 9 割が、ニーダーシュレージエンでも約 3 割程度がカトリック教徒で占められているという帝国随一のカトリック地域であった。それは必然的に、文化闘争に対する激しい抵抗を引き起こした。この抵抗はカトリック政党である中央党を中心とするカトリック勢力の結集を促し、カトリック教徒はドイツ国内にカトリック・ミリューと呼ばれる独自の部分社会を作るに至っている。特にオーバーシュレージエンはカトリック教徒による政治的抵抗の拠点となり、1874 年から 1912 年までの帝国議会選挙において、当該地域で 12 ある選挙区の大半で議員を輩出し続けた（累計 144 人の当選者のうち 119 人が中央党の政治家であった。表を参照）［Bahlcke et al. 2015：264］。この文化闘争そのものは 1880 年代末には終息するものの、カトリック教会と中央党を拠り所とするカトリック・ミリューの影響力は 20 世紀半ばまで長い尾を引くこととなる。

国民統合という意味では、すでにシュレージエンにおいては 19 世紀前半からプロイセン政府によって「ドイツ化」政策が実施されていた。これはポーランド語などのスラヴ語話者の多いシュレージエン住民を、主に教育を通じてドイツ語話者にする試みであった。しかしこの政策は基本的には失敗し、その代わりに工業化と市民社会の進展に伴う出世欲がドイツ語習得への機運を盛りたてたとされる。シュレージエン住民をドイツ語化しようという動きには現地のカトリック教会も関係しており、なかでもブレスラウ

『カトリク』第1号（1868年）
出典：Śląska Biblioteka Cyfrowa

ヴォイチェフ・コルファンティ（1906年頃）
出典：Biblioteka Narodowa

領主司教・枢機卿であったゲオルグ・フォン・コップは、学校教育を通じた住民のドイツ化に尽力し、敵対勢力から「狂信的なドイツ化推進者」と呼ばれることとなった。またプロイセン東部諸州の徹底的なドイツ化を声高に叫ぶドイツ・オストマルク協会のような極右団体もシュレージエンに流入している。

しかしドイツ民族主義的な運動がもたらしたものは、シュレージエンにおけるポーランド民族主義の台頭であった。彼らは19世紀末頃からシュレージエンにおいて政治的地位を確保するようになるのであるが、ここでもスラヴ語話者の割合の高いオーバーシュレージエンがその中心地となった。もともと19世紀中頃から『カトリク *Katolik*』などの新聞を中心として活動を展開していたポーランド民族主義者たちは、1893年に中央党の「ポーランド党派」として初めて帝国議会に議員を送り出すことに成功した。特にドイツ国内のポーランド系政党「ポーランド党」の指導的立場を務めたヴォイチェフ・コルファンティは、1903年以来3度にわたって帝国議会議員に当選し、ドイツ領シュレージエンにおけるポーランド民族運動を主導している。

第一次世界大戦期のシュレージエン

第一次世界大戦期のシュレージエンは、その戦場となることはなかったものの、南東部のラティボル（PL ラツィブシュ）とテシェンにドイツ軍・オーストリア軍合同の司令部が置かれた。また1914年のタンネンベルクの戦いでの勝利とそこでのドイツ軍陸軍元帥パウル・フォン・ヒンデンブルクの軍功を記念して、カトヴィッツ（PL カトヴィツェ）市内の一地区であったザブジェがヒンデンブルク市に改称・単独で市制化されている。

経済的には、東部工業地帯の諸企業とその住民が戦争経済へと強制的に動員せられたために、戦前と比べて20パーセントも生産量を減少させるなど、苦境に陥った。銃後の暮らしぶりも芳しく無く、戦時のドイツ国内の厳しい食料状況

1915年のヒンデンブルク市街　出典：Śląska Biblioteka Cyfrowa

プレースのドイツ軍を視察するヴィルヘルム2世

は「かぶらの冬」と形容されたのであるが、シュレージエンでも1日にわずか1000カロリーの配給で生活しなければならないほどの飢餓と困窮が襲った[Herzig 2015：86]。

ポーランド民族運動の活動家たちは、戦争の勃発と同時にロシアへの戦争協力やスパイ行為を疑われ、約40人が逮捕拘禁されている。その一方でポーランド系新聞『カトリク』は中央同盟への忠誠を誓ったために、出版を認められた。その忠誠の理由は、プロイセン政府が戦後に行政や教育分野でのポーランド語使用を容認すると彼らに約束したからであった。

オーバーシュレージエン問題と住民投票

第一次世界大戦直後に焦点となったのが、オーバーシュレージエンの帰属問題である。その背景にはアメリカ合衆国大統領ウィルソンの掲げる「14か条の平和原則」で唱えられたポーランドの民族自決があった。その原則に倣うように、すでに1918年10月25日にはコルファンティがシュレージエンを新生ポーランドに編入することを訴える演説を帝国議会で行っている。さらに19世紀末以来ポーランド民族運動の理論的指導者となっていたポーランド国民民主党(エンデツィア)のロマン・ドモフスキは、ポーランドの経済的自立に必要であるとして、オーバーシュレージエンの工業地帯を含む領域を新生ポーランド国家に編

入すべきであると主張したのである。

大戦の戦後処理を話し合うパリ講和会議でも、オーバーシュレージエン帰属問題は議題の一つとなった。この会議を実質的に支配した米英仏の間では、ポーランド問題の処理をめぐって温度差が生じていた。この問題にそれほど関心がないイギリス、ドイツの国力削減が最重要課題であり親ポーランド的な立場であったフランス、ヨーロッパ大国間の利害調整に苦心するアメリカという構図である。彼らはポーランド問題検討委員会(委員長の名をとってカンボン委員会とも呼ばれる)という専門委員会を設置して現地調査と情報収集に注力した結果、オーバーシュレージエンのポーランド割譲を柱とする対独講和案を一度は承認した。

しかしこれに対してのドイツ側代表団の激しい反発と、それに一定の理解を示したイギリス首相ロイド＝ジョージの仲裁により、住民投票の実施が提案された。けれども英米仏伊の首脳からなる四人会議の場で、アメリカ大統領ウィルソンとフランス首相クレマンソーは講和条件案の修正に明白に否定的な態度を取る。この二人は、オーバーシュレージエンではドイツ人大土地所有者・貴族と資本家が支配層を形成しており、公正な選挙は期待できないと考えていたのである。それに対してロイド＝ジョージは住民投票を監視する軍隊の派遣を提案し、その上でウィルソンは、当該地域住民が住民投票を求めているという情報も手に

していたことから、最終的にそれを受け入れた。クレマンソーも、ラインラント占領へのイギリスの同意を得るために、この点では妥協することにした［マクミラン 2007a：274-293］。

　結局、ヴェルサイユ講和条約第 88 条において、6 ヶ月から 18 ヶ月の期間をおいた後に連合国の監督下で、オーバーシュレージエンにおいて住民投票を実施することが明記された。また 1920 年には、モラヴィア語話者の多いラティボル郡南部のフルチーン地方がチェコスロヴァキアへ編入されることも決定されている［Wambough 1933b：163-164］。

　この住民投票を前にした時期には、ドイツ側とポーランド側の対立が極端に先鋭化してしまう。この時期のオーバーシュレージエンでは、ドイツ民族主義者による政治運動団体が多数設立されており、それらの団体を中心としてデモやプロパガンダ活動が積極的に展開されていた。またいわゆる義勇兵も多数流入し、その数は 1919 年 8 月には 7-8 万人にも達していたとされる。これらのドイツ側の攻勢に対して、ポーランド側も中央政府の指導のもとにグルヌィシロンスク・ポーランド軍事組織を設立して対抗した。この組織は、非常時に武力でもって当該地域のポーランド併合を実行するという目的のもとに創設されたものであり、武装した 14,000 人以上の構成員からなっていた。さらにこの時期、ドイツとポーランドの民族主義から距離をおい

ポーランド側から暴行を受けた人物を保護するドイツ義勇兵（ドイツのプロパガンダ、1921 年）
出典：*Oberland in Oberschlesien*, München 1921, S. 23.

た、オーバーシュレージエンの分離独立運動も大規模に展開されており、両者の対立で混沌とした状況にさらに輪をかけることとなった（テーマ史を参照）。

　ヴェルサイユ条約締結直後の 8 月 17 日から 24 日にかけて、ドイツ系準軍事組織の解散と職場復帰とそれに反応したポーランド系労働者のストライキ、さらにその最中に発生したドイツ当局によるポーランド系住民虐殺事件に端を発する蜂起が勃発している。これに連なる三度の蜂起は、ポーランドでは「シロンスク蜂起」と呼ばれる。第一次蜂起では主にプレース（**PL** プシュチナ）、リブニク（**PL** リィブニク）、カトヴィッツなどの南東部が戦闘の舞台となった。その後の

「オーバーシュレージエン住民！ドイツに投票せよ！
／同郷人よ、秩序ある状態こそが美しかったではない
か」とドイツ語とポーランド語で訴えられている。
出典：Śląska Biblioteka Cyfrowa

ポーランドへの投票を呼びかけるポスター（1920
年）。愚か者を表象するロバが「私はドイツに投票する」
と言っている。出典：Śląska Biblioteka Cyfrowa

1920年1月より、住民投票の準備のた
めにオーバーシュレージエンの住民投票
地域はドイツの管轄から離れ、連合国に
よって設置された連合国政府・住民投票
監督代表部と連合国軍隊による統治地域
となった。同時に住民投票の実施に備え

第三次シロンスク蜂起の激戦「聖アナ山の戦い」
（1939年の絵画）
出典：Hessisches Staatsarchiv Darmstadt

て、ドイツ側とポーランド側でそれぞれ
住民投票代表部が設立されている。

　同年8月半ば、内外の情勢不安・治安
悪化により両者間の緊張が再び高まり、
その結果として第二次シロンスク蜂起が
発生した。この蜂起では、オーバーシュ
レージエン東部の大半の地域がポーラン
ド勢力の支配下になるなど、ポーランド
側の優勢が目立った。また、これらの暴
力的な衝突と並行して、両住民投票代表
部や各種民族主義団体によって激しい宣
伝合戦、プロパガンダ戦も展開されてい
た。

　住民投票は1921年3月20日に実施さ
れた。投票率97パーセントとされる住

ポーランド側の蜂起参加者（1919年）　出典：Śląska Biblioteka Cyfrowa

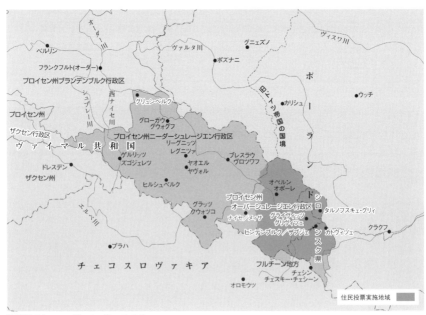

戦間期のシュレージエン／シロンスク

Deutschland — Niemcy

Polska — Polen

投票用紙：ドイツ票（上）およびポーランド票（下。有権者はこのどちらかを投票した）
出典：Śląska Biblioteka Cyfrowa

民投票の結果は、判断の難しいものであった。総投票数 1,190,846、ドイツへの帰属に賛成する票 707,393（59.6 パーセント）、ポーランドへの帰属に賛成する票 479,365（40.4 パーセント）。ドイツ賛成票とポーランド賛成票の比率には地域差もあり、基本的には西から東に行くほどポーランド賛成票が多くなるという傾向も見られた。しかしポーランド賛成票が明白な多数派となったのは南東や工業地帯の一部地域にとどまり、工業地帯を含むそれ以外の大部分の地域ではドイツ賛成票が優勢となった。

　問題は、この投票結果をどのように解釈するのかということであった。ヴェルサイユ条約では、住民投票の結果に基づいて新たな国境線を画定することとなっていたが、どのような基準でそれを定め

るのかは不明瞭であった。連合国側の住民投票監督代表部では、英仏伊の代表の利害が激しく衝突し、上部組織である連合国最高会議への報告が難しくなっていた。このような状況の中、1921 年 5 月 2 日にポーランド系住民の大規模蜂起が発生した（第三次シロンスク蜂起）。この蜂起はポーランド側の要求する国境線以東の地域を武力によって掌握することを目的にしたものであり、ドイツ側はオーバーシュレージエン自衛組織（Selbstschutz Oberschlesien）や義勇軍部隊を中心に抵抗するものの、ポーランド政府に支援されたその試みは最終的に成功した。この第三次シロンスク蜂起は、7 月 5 日までの 2 ヶ月間に渡って続く、三度のシロンスク蜂起の中で最大の武力衝突となっている。連合国はこのポーランド側による国境線の既成事実化を承認することはなかったが、これによってオーバーシュレージエン帰属問題への対応が急を要していることが明らかとなった。

　8 月 12 日に開催された最高会議において、国境線画定の問題は国際連盟理事会へ付託されることが決定された。この時の理事会議長職には日本の石井菊次郎が任命された。つまり当

石井菊次郎

該問題に利害関係のない日本が間に入ることで、それに対する中立的な判断が可能となるとみなされたのである。最終的に国際連盟理事会は、10月10日から12日にかけてジュネーヴの日本連盟事務所において開催された秘密会合で、オーバーシュレージエンの国境線を画定している［濱口 1993a］。

そこで定められた境界は工業地帯の大部分を含むオーバーシュレージエンの東側地域29パーセント（4,216平方キロメートル）をポーランド領とし、それ以外の地域（7,794平方キロメートル）をドイツ領とするというものであった。この新国境線は1922年3月15日から有効となり、オーバーシュレージエンは行政的にはそれぞれドイツ領ニーダーシュレージエン行政区及びオーバーシュレージエン行政区、ポーランド領シロンスク県として再出発した。

ヴァイマル共和国とポーランド共和国の狭間で

以上のように様々な思惑と妥協の絡んだ国境線画定であったために、国境を挟んだ戦間期のシュレージエンには多くの「民族的」・言語的少数派住民が残された。例えば分割後のドイツ領地域には、ポーランド賛成票を投じた5,300人がおり、対するポーランド領地域にもシュレージエンのドイツ残留を希望していた約26万人の住民が居住していた。またポーランド領シロンスク県には、

ジュネーヴ協定
出典：Śląska Biblioteka Cyfrowa

30万人余りのドイツ語話者がいたことが指摘されている。このような事情ゆえに、1922年5月にドイツとポーランドの両政府は国際協定であるジュネーヴ協定を締結し、社会・経済・教育などの諸分野における少数派保護を取り決めている。これは1937年まで有効な国際条約であったが、両政府がその協定を無視して少数派を弾圧したために、実効性に乏しいものとなってしまう。

経済的にも、シュレージエン／シロンスク全域が困難な状況に陥った。国境線が地域の内部を走ることとなったために、ドイツとポーランド、ロシア、オーストリア、バルカン半島との結節点というそれまでの強みが失われ、また同時に相互の市場も喪失した。1923年のルール占領時にはドイツ第二の工業地帯として再評価されるも、1930年には151名

1930年代のブレスラウ市街　出典：Biblioteka Cyfrowa Uniwersytetu Wrocławskiego

の死者を出すドイツ史上最悪の炭鉱事故が発生し、いくつかの炭鉱が一時的な操業停止に追い込まれている。さらに1929年の世界恐慌もシュレージエンの炭鉱業や鉄鋼業を直撃し、大量の失業者が生まれた。1932年のブレスラウにおける失業率は25パーセントにも上った。

　1920年代のドイツ領シュレージエンは、政治的な安定化へと向かっているようにみえた。戦間期初期には、住民投票の騒乱と並んで、1920年3月に発生した保守派の暴動「カップ一揆」の際には、ブレスラウ市街が16,000人の義勇兵に占拠されただけでなく、行政区長官フェリックス・フィリップが拘禁され、独立社会民主党の指導者ベルンハルト・ショットレンダーが殺害されるという事件が起きている。

　それでも政党政治においては、ヴァイマル共和政を支えた「ヴァイマル連合」と呼ばれる連立政権（社会民主党、中央党、民主党）が固い支持基盤を確立した。ブレスラウを中心とするニーダーシュレージエン行政区では主に労働者を支持基盤とする社会民主党が第一党の座を獲得し、オーバーシュレージエン行政

シロンスク議会　出典：Śląska Biblioteka Cyfrowa

区ではカール・ウリツカを指導者とする中央党（オーバーシュレージエンの党組織は 1918 年 12 月にカトリック人民党へ改称）が相変わらず支配的な政党となっていた。一方、1929 年までの国会議員選挙では、国民社会主義ドイツ労働者党（ナチ党）はわずか 1 パーセント以下の

ポーランド領クルレフスカ・フタ（かつての「王立製鉄所」ケーニヒスヒュッテ）
出典：Śląska Biblioteka Cyfrowa

得票率であった。

　ポーランド領シロンスク県には、住民投票で得た地域だけでなく、チェコスロヴァキアとの間での紛争で獲得したチェシンの北東地域も加わっていた。この自治体の政治構造については、まず民意を代表する機関としてのシロンスク議会（Sejm Śląski）が県都カトヴィツェに設置されていることが重要である。実はポーランド憲法制定議会国民議会は 1920 年 7 月にはすでにシロンスク県への将来的な自治権付与を法律として可決しており、その自治の中心的組織として一院制議会の設置を定めていたのである。このシロンスク議会は選挙で選ばれた定員 48（1935 年以後は 72）名からなり、中央政府から独立した幅広い権限を

ミハウ・グラジィンスキ　ユゼフ・ピウスツキ
出典：Śląska Biblioteka
Cyfrowa

保持していた。その権限には、外交・関税・防衛・一部の内政分野を除く、法律の制定とポーランド国会で定められた法律の承認が含まれ、とりわけ福祉・教育・警察・宗教などに関連する政策権限が付与されていた。またカトヴィツェにはシロンスク県知事職も置かれ、これには中央政府が任免権を持っていた。

シロンスク議会内部の政党比率を確認すると、例えば1922年9月の選挙ではキリスト教民主党と国民人民同盟、国民民主党からなる「国民ブロック」が33パーセントあまりの最大勢力となり、それにポーランド社会党や国民労働者党が続いた。また選挙にはドイツ系候補者も出馬しており、ドイツ系政党も約27パーセントの議席を獲得している。ポーランドではしばらく議会制民主主義体制が維持されるが、1926年5月にピウスツキによる「五月クーデタ」が発生するとサナーツィアと呼ばれる一派が中央政界を掌握し、ポーランドは権威主義体制へと移行する。このワルシャワで進行した新たな事態はシロンスク県にも波及した。すぐさま県知事にサナーツィア陣営のミハウ・グラジィンスキが任命されると、彼はシロンスク県のピウスツキ支持者を糾合し、同時に反対派を排除した。中央政界ではピウスツキ派の政党連合として「政府協賛無党派ブロック」が形成されていたが、そのシロンスク支部として「国民キリスト教労働連合」も結成されている。サナーツィア陣営とグラジィンスキは特に世界恐慌以後に急進化し、企業の国営化・反ドイツ的政策・住民のポーランド化といった民族主義的な諸政策を推し進めた［Bahlcke et al. 2015：326-330］。

ナチ期のシュレージエン

ナチ体制下のシュレージエンでは、政敵やユダヤ系住民、スラヴ系住民、そして教会が弾圧の対象となった。ブレスラウ警察長官に就任したナチ古参闘士のエドムント・ハイネスはブレスラウ市内に強制収容所「デュルゴイ Dürrgoy」を建設し、そこで元国会議長パウル・レーヴェや元ブレスラウ市長ヘルマン・

デュルゴイ強制収容所

ホテル・モノポールのバルコニーで手を振るヒトラー

水晶の夜事件で焼失したブレスラウのノイエ・シナ
ゴーグ
出典：Bildarchiv Foto Marburg

リューデマンを拷問するなどした。こ
の当時、シュレージエン全体で約 34,000
人のユダヤ系住民が居住していたとされ
るが、デュルゴイ収容所には各地のユダ
ヤ人共同体で逮捕・拘禁されたユダヤ系
住民も送り込まれている。シュレージエ
ンのスラヴ的な歴史を消し去ることを
意味する「新たなるドイツの精神 Geist
des neuen Deutschland」というスロー
ガンのもとに、スラヴ系の名前を持つ
人々はドイツ名へ改称することを強要さ
れた［Herzig 2015：96-100］。

オーバーシュレージエン行政区のユダ
ヤ系住民は、1922 年に結ばれたジュネー
ヴ協定のおかげで、本格的な迫害からは
逃れられていた。しかしそれでも、1937
年 7 月に同協定が失効すると、状況が一

聖アナ山に設置された顕彰碑
出典：*Oberschlesien im Bild*, 1930, nr 30 (Śląska Biblioteka Cyfrowa)

テル・モノポールのバルコニーで演説し、翌年に同地で体操・スポーツ祭を開催することを発表した。この体操・スポーツ祭は1938年のズデーテン地方の併合後にオリンピア・シュタディオンで開催されたが、そこにはヒトラーと「ズデーテン指導者」コンラート・ヘンラインも参加していた。このようにナチによってシュレージエンの意味付けがなされていく中で、第三次シロンスク蜂起の激戦地である聖アナ山もナチにとって重要な場所とされていく。そこにはドイツ民族と国家のために闘った義勇兵を称える顕彰碑が建てられたのである。

第二次世界大戦

　1939年9月1日にドイツの宣戦布告によって勃発した第二次世界大戦であるが、その開戦の口実にはシュレージエンの国境地帯が利用されている。ドイツ側の公式発表では、1939年8月31日に、オーバーシュレージエンの工業都市グライヴィッツ（**PL** グリヴィツェ）に設置されていたラジオ局がポーランド勢力に占拠され、ラジオ放送を通じてポーランド語でのプロパガンダ放送を行ったというものである。これは「ポーランドによる侵略」の決定的証拠とされたが、実はナチによって事前に仕組まれたものであった。ポーランドに対する開戦理由を探していた親衛隊上層部は8月中旬には「タンネンベルク作戦」と呼ばれる一連の偽装工作を発案しており、そのうちの

変する。1938年11月9日のいわゆる水晶の夜（近年は「11月ポグロム」と呼ばれる）にはユダヤ系の住居や商店が略奪にあい、域内のほぼ全てのシナゴーグが放火されただけでなく、多くのユダヤ系住民が逮捕された。なお1938年3月にオーバーシュレージエン行政区はニーダーシュレージエン行政区と合併しており、シュレージエンは再びひとつの行政区へ統合された。

　ナチはスポーツや記念碑にプロパガンダ面での意義を見出した。かつてのシュレージエン陸上競技場が、ベルリン五輪の待避所として1935年に拡大・改修され、「オリンピア・シュタディオン」に姿を変えていた。1937年にヒトラーがブレスラウを訪問した際には、市内のホ

タンネンベルク作戦の舞台となったラジオ局
筆者撮影

グライヴィッツでの作戦指揮を親衛隊少
佐アルフレート・ナウヨックスに命じて
いた。そして彼はラジオ局占拠後にポー
ランド語放送を流し、さらに事前に逮捕
していたポーランド系住民の遺体を現場
に残しておくことで、それをポーランド
側の策動と見せかけることに成功したの
である。

　早々にドイツとポーランドの戦闘が終
結すると、その占領地をどのように区切
るかということが問題となる。ナチは最
終的に、新たなシュレージエンの領域と
して、かつてのシロンスク県はもちろ
ん、ポーランド西部やチェコスロヴァキ
アの一部地域もそこに編入することを決

定した。それゆえ新生シュレージエン行
政区の領域は 47,600 平方キロメートル
にも及び、人口も約 750 万人へと急増し
た。さらに 1941 年にはシュレージエン
は再び分割され、ニーダーシュレージエ
ン大管区とオーバーシュレージエン大管
区に再編された。

　旧ポーランド領地域では「ドイツ民族
リスト」が適用された。関連法令に基づ
いて、現地住民は民族リストのⅠから
Ⅳ、もしくは「ポーランド系」へと分類
されたのである（第 2 章を参照）。また
民族リストから外れたポーランド系住民
は、ナチによって「労働民族」と規定さ
れ、さらにドイツ化政策の中で容赦なく
排斥・周縁化され、戦時労働力として駆
り出された 。オーバーシュレージエン
においても、約 104 万人の「ポーランド
人」とみなされた人々のうち、約 8 万人
余りの人々が 2 度の強制移住を通じて、
より東方の総督府領などに移送されたの
である［衣笠 2015：5-6］。

　東部併合地域において「民族リスト」
と並んでドイツ化政策の柱となったの
が、ヨーロッパ東方からの「民族ドイツ
人」の移住であった。東部併合地域全体
で、約 780 万人の「ポーランド人」と約
70 万の「ユダヤ人」という危険分子が
居住しているという認識のもと、この地
域をドイツ化するために、バルト海地域
やベッサラビア、ブコヴィナなどに住ん
でいたドイツ系住民をそこへ移住させよ
うという計画が実行に移された。ナチに

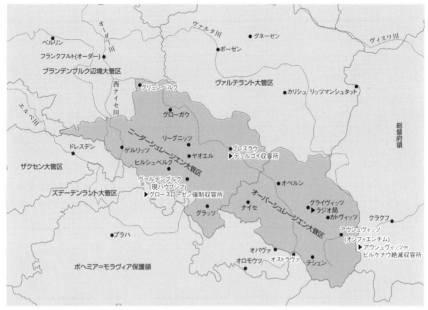

ニーダーシュレージエン大管区とオーバーシュレージエン大管区

よる「帝国へ帰ろう Heim ins Reich」政策によって、1943 年までに約 62 万人の民族ドイツ人とされた人々が併合地域全土に移住していった。オーバーシュレージエンにも少なくとも 15,000 人あまりが移住したとされる。

　総力戦体制と戦時徴兵に伴う労働力不足が深刻化すると、ポーランド人のような「外国人労働者」が大量に動員されるようになる。ニーダーシュレージエンのシュトリーガウ（ストジェゴム）近郊にはグロースローゼン強制収容所が設置され、そこで収容者たちは花崗岩の採掘などの強制労働に従事させられた。ここには 4 年間で 12,000 人の収容者がおり、

その半数がユダヤ系であった。このユダヤ人政策に関して何よりも重要なことは、戦時のシュレージエン大管区の領域にはアウシュヴィッツ＝ビルケナウ絶滅収容所が位置していたということである。アウシュヴィッツ（PL オシフィエンチム）地域は、戦間期までハプスブルク領もしくはポーランド領であったが、戦時の行政区分再編にともなってシュレージエンの大管区に移管されていた。特に組織的な殺害が始まる 1942 年以後、この収容所にヨーロッパ全土からおびただしい数のユダヤ系住民が移送され、100 万人以上が殺害されたことは、周知の通りである。

ドイツへ「帰還」する民族ドイツ人の家族（1941年）

グロースローゼン強制収容所（現在は博物館となっている）

ドイツ軍の要塞となり、激戦の末に廃墟と化したブレスラウ市街

シュレージエンからの避難と追放・送還

　ソ連軍は1945年初頭にシュレージエン東部に迫り、1月末までにオーバーシュレージエン工業地帯の主要都市の制圧に成功した。ソ連軍が到達するまでに真っ先に避難・逃亡したのが、ドイツ占領地のはるか東方から移住してきた「民族ドイツ人」たちであった。彼らの生活や生存の保障はドイツ軍の撤退とともに失われてしまい、ソ連軍政下では厳しい迫害を受けることが目に見えていたからである。大戦末期には主要都市への爆撃を逃れてドイツ本国から疎開してきていた人々もシュレージエンに多数いたが、彼らもソ連軍が押し寄せてくる前に続々と帰郷した。それに対して、簡単には職場や学校を離れることができないなど、故郷であるシュレージエンに生活基盤を抱えていた現地住民たちも、1945年1月29日にドイツ軍中央軍集団がオー

追放されるドイツ系住民（ブレスラウ、時期不明）

バーシュレージエン地域でソ連軍に降伏した時期を境として、オーダー川の東側において大規模な避難行動がとられるようになった。

統計によれば、1950年までにシュレージエンから避難・追放された住民の数は総計320万人程度とされている。これは戦前のシュレージエン総人口の約半数に上る凄まじい数字である。この「被追放民」と呼ばれる人々の割合には地域差があり、被追放民の数が80万人（戦前の人口は300万人弱）にとどまったオーバーシュレージエンでは比較的多くの土着住民が追放を免れて残された。これには、ポーランド語話者や民族的に曖昧な住民の数が多かったこと、炭鉱・製鉄業などの専門的技術を要する主要産業を保持していたためにドイツ系でも熟練労働者であれば大目に見られたことなどが関係している。前者に関して、民族的に曖昧な住民を「ドイツ人」と「ポーランド人」に選別するために、ソ連当局によって戦中の「ドイツ民族リスト」が利用さ

追放されるドイツ系住民（ブンツラウ／ボレスワヴィエツ、1947年）

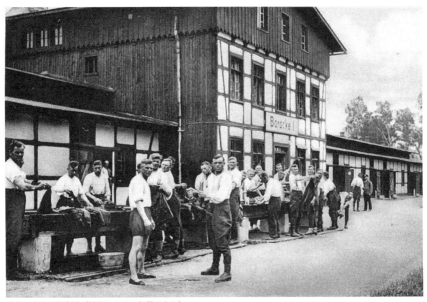
ラムスドルフ収容所（写真は1930年代のもの）

れたが、これは混乱に拍車をかけただけ
であった。それはその登録上の民族帰属
と、実際の民族意識や使用言語との間に
大きな乖離があったためであり、最終的
には「ポーランド民族と国家への忠誠」
という曖昧模糊とした残留基準が設けら
れている。

　一方のニーダーシュレージエンでは、
占領当局によって徹底的な追放政策が展
開された。当時の証言によれば、街や村
まるごとドイツへ移送されたという例も
珍しくなかったとされる。例えば、ブレ
スラウ北西の街グローガウ（PL グウォ
グフ）では、戦前に33,500人いた人口
が送還者による人口流入にもかかわら
ず1960年代初頭には5,000人ほどへと
減少していた。ニーダーシュレージエン
全体から241万人（戦前の人口は320万
人余り）もの人々が、列車や徒歩で追放
されたのである [Beer 2011：85]。シュ
レージエンからの被追放民全体のうち
386,000人が中継収容所（ラムスドルフ
収容所が有名）や途上で命を失った。ま
た一部の住民は中央ヨーロッパやシベリ
アの労働収容所へ連行され、そこで強制
労働を強いられている。

その後

「ピァストの地域」

　第二次世界大戦中および戦後の連合国
間での取り決めに基づき、旧シュレージ
エン行政区の大部分を含むオーダー・ナ
イセ線以東の旧ドイツ東部領土が新生
ポーランドの一部となった。行政的には
1945年春以降、親ソ暫定政権であるポー
ランド国民解放委員会の指導のもと、戦
間期のニーダーシュレージエン行政区の
領域がヴロツワフ県となり、また旧オー
バーシュレージエン行政区や旧ポーラン
ド領シロンスク県は拡大された新生シロ
ンスク県へと再編されている。しかしこ
れは形式的な側面が強く、ポーランド当
局による行政機構構築までの間、ソ連軍
政による暫定統治が敷かれた。付け加
えれば、西ナイセ川を挟んだゲルリッツ
市以西の地域は、ソ連占領地区（後のド
イツ民主共和国）の一部としてポーラン
ド領からは切り離されている。この地域
をポーランドが領有する歴史的正当性を
示すために、占領当局はそれを「ピァス
トの地域」や「回復領」と呼んだ。つま
り戦後ポーランド政府の歴史理解の上で
は、シロンスクは中世のピァスト朝以来
の正統なポーランド領であり、約数百年
に渡るドイツの不当な支配から彼らの故
地を奪回したとされたのである。

「回復領」と題されたプロパガンダ映像（1940年代
末か）。ヴロツワフがポーランド領となることの正当
性が訴えられている。

シロンスクを思わせる地域へと移住したポーランド人
送還者を描いた映画『沈黙の声』（1960年）。カトヴィ
ツェ出身の映画監督カジミエシュ・クッツの作品。

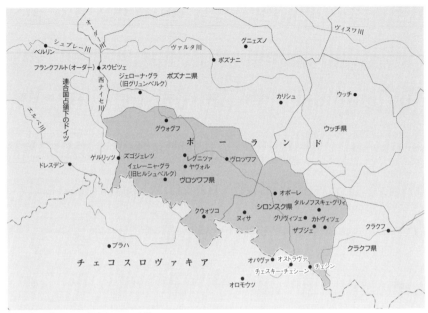

1946年のヴロツワフ県とシロンスク県

　ソ連占領後のシロンスクではドイツ系住民の避難と追放によって人口が激減していたのであるが、その他の旧ドイツ東部領土と同様に、ソ連当局はクレスィと呼ばれる旧ポーランド東部領土からの移住政策を推し進めた。「送還」と呼ばれる一連の政策により、1945年から1950年の間に約320万人ものポーランド系住民がシロンスクに移住した。彼らの多くは現在のウクライナ西部の都市リヴィウ（RU リヴォフ、PL ルヴフ、DE レンベルク）の出身であった。このリヴィウからは移住者以外にも様々な文物が運び込まれてきたが、中でもかつてのルヴフ大

学の図書館所蔵物、ポーランド文化・著作物の保存収集施設であったオソリネウムの所蔵物、そしてコシチューシュコ（コシューシコ）の戦闘を描いた大作絵画「パノラマ・ラツワヴィツカ」などは、再建されたヴロツワフ市の新たな文化資源となったのである。

　社会主義ポーランドにおけるシロンスクは、経済的な中心地として重要視された。戦後ポーランドで権力を握ったポーランド統一労働者党の第一書記エドヴァルト・ギエレクはカトヴィツェ出身であったが、彼は率先して炭鉱労働者や製鉄労働者の制服や住居の割り当てを推進

し、その社会福祉環境の改善に力を注いだ。1970 年の経済危機の際には食糧不足がシロンスク一帯を襲い、そ

エドヴァルト・ギエレク

れに伴って労働者の暴動が発生したが、最終的には軍隊によって鎮圧されている。

　外交的には、1970 年の西ドイツ首相ヴィリー・ブラントのポーランド訪問が重要である。これに関連して、西ドイツ政府はオーダー・ナイセ線をドイツ・ポーランド国境として事実上承認（ワルシャワ条約）したが、これに旧シュレージエン地域出身の被追放民たちは激しく反発し、連邦議会を中心に抵抗運動を展開した。また両国の国交回復以後、ドイツからシロンスクを訪れることが可能となり、かつての被追放民の間では「故郷めぐり」が一種のブームともなっている。

　1980 年代に入ると、ポーランド全土で「連帯」運動が活発化してくる。シロンスクにおいても連帯は多くの支持者を抱え、特にヴロツワフやレグニツァでは1980 年 8 月に労働者によるサボタージュが発生している。グルヌィシロンスク（旧オーバーシュレージエン）では、それまで親政府的とされていた炭鉱・製鉄労働者さえも連帯運動の側についた。この連帯運動には、シロンスク全域で総計 230

万もの人々が参加したとされる。1983 年には連帯に同調するローマ教皇ヨハネ・パウロ 2 世がシロンスクを訪れ、ヴロツワフ市内でミサを執り行っている。ヴロツワフは連帯に共鳴する反政府運動の拠点のひとつであり、芸術家組織「オレンジ・オルタナティヴ」を中心とした様々な運動が展開された。このような風土が、1989 年の体制転換へと結びついたと言えるだろう。

オレンジ・オルタナティヴ運動の一環で 1982 年に描かれた最初の「小人」。当時ヴロツワフ大学の学生であったヴァルデマール・フィドリフとヴィエスワフ・ツバーワのアイデアであった。

シフィドニツァの平和教会　筆者撮影

🏛 シロンスクの世界遺産

シフィドニツァの平和教会内部　筆者撮影

　現在のポーランド領シロンスク地域では、現在まで３つの建造物が世界遺産リストに登録されている。ヤヴォルとシフィドニツァの平和教会群、ヴロツワフの百周年記念ホール、タルノフスキェ・グリィの鉛・銀・亜鉛鉱山がそうであり、すべて文化遺産である。なおシロンスクの概念を広く取り、アウシュヴィッツ・ビルケナウの強制絶滅収容所とムスカウ公園を含めれば世界遺産は５つともなりうる。ここでは先の３つの歴史的遺産について順番に紹介していこう。

　ヤヴォルとシフィドニツァの平和教会群であるが、ここでの「平和」の意味

ドイツ領時代の百周年記念ホール
出典：Sächsische Landesbibliothek - Staats- und Universitätsbibliothek Dresden

は三十年戦争後の宗派間和平である。1648年に三十年戦争の講和条約であるウェストファリア条約が締結され、その中でヨーロッパにおけるカトリックとプロテスタントの同権が明文化されたことはすでに述べた通りである。それでもリーグニッツ、ブリーク（PL ブジェク）、ミュンスターベルク・エールス（現ドルヌィシロンスク県南部のゾンブコヴィツェ周辺）とブレスラウ以外の地域では、プロテスタント教会の建設は認められていなかった。このような状況に対して、グローガウ（PL グウォグフ）、シュヴァイドニッツ（PL シフィドニツァ）、

ヤオエル（PL ヤヴォル）のプロテスタントたちはあくまで教会建設を要求し、これが最終的に、戦争の危険のあるときには即座に取り壊すとの条件付きで認められたのである。

こうして1650年代なかばに建設された「平和教会群」は、即座に取り壊せるように木造で、しかも釘を一切使わないという当時のヨーロッパではとりわけ異彩を放つ建築物となった。残念ながらグローガウのものは18世紀に焼失したが、残りの2つの教会は幾多の戦火の中を生き残り、2001年に「ヤヴォルとシフィドニツァの平和教会群」として世

百年記念ホール前に設置される「針」。出典：fotopolska.eu

界文化遺産に登録された。

20世紀初頭のブレスラウには、建築史において重要な記念碑的建築物が建てられている。それこそ、1913年のライプツィヒの戦い百周年を記念して、ドイツ人建築家マックス・ベルクによって設計された「百周年記念ホール」である。これは当時の最先端建築技術の粋を集め

て建てられた巨大建築物であり、その「創造性と革新性」が評価されて2006年には世界文化遺産にも登録されている。社会主義ポーランドの時代には、その体制のイデオロギーに沿うように「人民ホール Hala Ludowa」と改称された歴史もある。ホールの前にある「針 Iglica」と呼ばれるモニュメントはポーランド領時

タルノフスキェ・グリィの坑道

代の1948年に、「回復領展覧会」の開催を記念して設置されたものである。

「タルノフスキェ・グリィの鉛・銀・亜鉛鉱山とその地下水利システム」は、2017年に世界遺産リストに登録されたばかりの産業遺産である。19世紀にオーバーシュレージエンの重工業が急成長したことはすでに紹介したが、その支えとなった炭鉱群は早くも16世紀には発見されており、その後18世紀末にその近代的な開発が始められている。

中でもタルノヴィッツ（PL タルノフスキェ・グリィ）は鉛、銀、亜鉛が豊富に産出する中心地となり、最終的に長大な地下坑道と大規模な地下利水システム

を備えた巨大鉱山へと変貌したのである。地下坑道には絶えず大量の地下水が湧き出るために、坑道全体をカバーする大規模な水管理システムが不可欠であった。この鉱山では1788年に初めて蒸気機関を用いたポンプが導入され、以後機械を用いた排水が行われた。鉱山自体は1912年に閉山されたものの、これらのヨーロッパの近代化・工業化における中心的役割とその歴史的価値が評価され、世界遺産となった。

参考ウェブサイト：UNESCO World Heritage Centre - World Heritage List

売り場に置かれたボレスワヴィエツ陶器　筆者撮影

🏛 DE ブンツラウ陶器はなぜ PL ボレスワヴィエツ陶器

（ポーランド陶器）になったのか

　現在の日本で大きな好評を博している陶器類がある。一般にポーランド陶器とよばれる食器具であるが、これはドルヌィシロンスク県西部の都市ボレスワヴィエツで生産される陶器の総称である。その都市の名前をとって、そのままボレスワヴィエツと呼ばれることもある。

　しかしこの都市が、1945年までブンツラウという名前の街であったという事実はあまり知られていない。この街における陶器生産の歴史は16世紀に遡ることができるという。そこからしばらくの期間、陶器職人組合に所属できる職人はわずか5人に限られていたが、これ

は陶器の品質保証のためであった。しかしシュレージエン戦争直後の1762年にプロイセンはこの職人数の制限規定を廃止し、より大規模な陶器生産への道を開いた。この政策は大きな成功を収め、ブンツラウ陶器（Bunzlauer Keramik）はヨーロッパ全域における名声を獲得していくこととなる。耐火性能が高く、またインテリアとしても美しいこれらの陶器は、プロイセンやドイツ地域だけでなく、スカンジナビア、イングランド、オランダなどにも輸出されるようになったのである。20世紀に入ると、近隣都市の職人がブンツラウ陶器のブランド力に惹かれて模造品を製造するよう

になる。これに対してブンツラウの職人たちは"Original Bunzlau"（ブンツラウ純正）の印章を入れることで、そのブランド価値を守ろうとしたのである。しかし第二次世界大戦のドイツ東部での破局的結末により、この地はポーランド領となり、それゆえ陶器生産も一時的に打ち止めとなることを余儀なくされた。それでも1946年には早くも生産が再開され、新たなポーランド語の地名ボレスワヴィエツの陶器として知られるようになった。印章の伝統も現在のボレスワヴィエツ陶器に受け継がれており、"BOLESŁAWIEC - HAND MADE IN POLAND"の印が押されている。

ボレスワヴィエツの印章　筆者撮影

オーバーシュレージエンでの独立運動と集団的帰属意識

第一次世界大戦後のオーバーシュレージエンでは住民投票が実施され、その結果として地域がドイツとポーランドに分割されたが、その地域住民の一部はもうひとつの政治的可能性にも希望を見出していた。それがオーバーシュレージエンの分離独立である。

この独立運動のきっかけは、第一次大戦直後にプロイセン政府閣僚であったアドルフ・ホフマンという政治家が発表した政教分離政策にあった。文化闘争期以

オーバーシュレージエン人同盟／グルヌィシロンスク人同盟の機関紙『同盟』
出典：Śląska Biblioteka Cyfrowa

来、非常に敬虔なカトリック地域として知られていたオーバーシュレージエンの住民にとって、これはカトリック教会への明白な弾圧と映り、早急に何らかの対応が求められたのだ。またドイツ革命にともなう共産主義の拡大も、この地の大工業家たちにとって大きな脅威であり、彼らからすれば何としてでもオーバーシュレージエンへの革命の波及を防ぐ必要があった。

このカトリック信徒・聖職者と産業界の思惑の重なるところに構想されたのが、「オーバーシュレージエン自由国 **DE** Freistaat Oberschlesien/**PL** Wolne Państwo Górnego Śląska」という名前を持った新国家である。1918 年秋と冬の黎明期には、オーバーシュレージエン委員会と呼ばれる組織がその主役を担うが、その指導者たちは独立運動を普及させるための戦術的な仕掛けを幾重にも施していた。第一に、ドイツ語とポーランド語の平等である。従来は社会の様々な領域でドイツ語の優位があり、ポーランド語はあくまで私的に利用される言語であった。その言語的ヒエラルキーを覆すことで大衆、特にポーランド語話者の支持を得ようとしたのである。第二に、運動の初期から彼らはオーバーシュレージエン住民が「オーバーシュレージエン人」というひとつの民族であるとの主張

を始めている。このことによって何が起こるかと言うと、仮にオーバーシュレージエン民族が存在するならば、民族自決権に基づいて自らの国民国家を建設する権利を得るということである。

　その国民国家を実現するために、彼らは必死でオーバーシュレージエン民族の定式化と実体化を始めた。1919年初頭にオーバーシュレージエン委員会は「オーバーシュレージエン人同盟＝グルヌィシロンスク人同盟 Bund der Oberschlesier-Związek Gornoślązakow」というドイツ語とポーランド語の二言語を用いた組織へと再編されたが、この組織が主張するところでは「オーバーシュレージエン民族はドイツ人やポーランド人、チェコ人などの末裔からなる混血民族」であるという。ここでいう混血民族の意味は、多様な出自を持つ人々が混ざりあった結果として成立した民族という意味であり、同時に非常に曖昧模糊とした概念であった。誰がオーバーシュレージエン人で、誰がそうでないのかはっきりしないのである。

　それでも、この民族概念を中心に据えたこの独立運動は、住民投票前後の数年間にわたって地域住民の多くに支持されたようである。この組織の発表によれば現地住民220万人のうち50万人が、後世の歴史研究者によれば15万から30万人程度がこの運動に参加し、オーバーシュレージエン独立国家の建国を夢想したとされる。しかし住民投票の実施

とその後の国境線画定という政治的現実を前にこの運動は勢力を急速に失い、1923年には活動を停止している。

　しかし興味深いのは体制転換後の現代シロンスクであり、2002年と2011年に実施された国勢調査において、この地域で最大の民族的マイノリティとなったのは「シロンスク人≒シュレージエン人」であった。さらにこのシロンスク人意識に棹さして、シロンスク地域の自治権を要求する「シロンスク自治運動」という組織も活動している。これらのアイデンティティも運動も、第一次世界大戦後の独立運動に淵源を持つものである。これらすべてのシュレージエンの歴史的背景を踏まえて、自らのアイデンティティを「取り戻し」つつあるポーランド領シロンスクの行く末を考えてみるのも面白い。

参考文献：衣笠 2019 ほか

パウル・エーアリヒ

マックス・ボルン

フリッツ・ハーバー

ノルベルト・エリアス

グスタフ・フライターク

ゲアハルト・ハウプトマン

 著名出身者

　近世以来の高度な経済力と、それに支えられた文化や学術の進展を背景として、ド
イツ領シュレージエンからは様々な分野で重要な功績を残した出身者が数多く輩出さ
れた。特に注目すべきは自然科学分野でのシュレージエン出身者の貢献であり、11
人ものノーベル賞受賞者を出しているのである（文学賞と経済学賞を含めれば 13
人）。

　学術においては、ユダヤ系の活躍が目立つ。**パウル・エーアリヒ**（Paul Ehrlich,
1854 -1915）は DE シュトレーレン（PL ストジェリン）のユダヤ系リキュール工場

マンフレート・フォン
・リヒトホーフェン

ミロスラフ・クローゼ

ルーカス・ポドルスキ

主と宝くじ販売業の家庭に生まれる。祖父は地元のユダヤ人共同体の代表者という名士であった。医学者、細菌学者を志したエーアリヒはブレスラウとシュトラースブルク、フライブルクにて医学を学び、アニリン染料を用いた細胞組織の染色に興味を抱くようになる。長年にわたってジフテリア血清の抗体価の決定方法、「側鎖説」、色素による化学療法などの研究を行い、これらの免疫に関する研究が評価され、1908年にノーベル医学生理学賞を受賞している。

　理論物理学者の**マックス・ボルン**（Max Born, 1882 -1970）もまた、ブレスラウのユダヤ系家庭に生まれている。父グスタフは、ブレスラウ大学の解剖学と発生学の教授であり、母は地元の工業家の家系の出自であった。ドイツの各大学で教授職を歴任していたが、1933年にナチが政権を掌握すると、ボルンはユダヤ系の出自ゆえに「非アーリア人」として迫害され、イギリスに逃れている。1954年に西ドイツに帰国したのちは、友人のアインシュタインを範として戦争に科学を用いることに反対し（ラッセル＝アインシュタイン宣言、ゲッティンゲン宣言）、原子力と科学者の責任について論じた。このアインシュタインとボルンの親密さを示すものである『アインシュタイン＝ボルン往復書簡集』（三修社、1981年）は邦訳されている。

　ボルンの主要研究業績は量子力学分野におけるものである。特に、彼は当時シュレーディンガーによって提唱されていた波動方程式に統計的な解釈を加え、量子力学分野の発展に貢献した。この「波動方程式の統計的解釈」と、その他の多岐にわたる業績が評価され、ボルンは1954年にノーベル物理学賞を受賞した。

シュレージエン出身の科学者の中で最も有名な人物は物理化学者の**フリッツ・ハーバー**（Fritz Haber, 1868 -1934）だろう。

　彼はブレスラウの古いユダヤ系家庭に生まれている。父ジークフリートは染料と薬品を扱う裕福な商人で、市会議員も務める地元の名士であった。母は生後すぐに亡くなり、フリッツは継母とその三人の娘とともに愛情深く育てられた。1891 年に 23 歳で有機化学の博士号を取得した彼はそのまま父の家業を継ぐ可能性もあったが、すでに父との折り合いが悪くなっており、再び学問の道へ戻った。

　科学者としての道を歩んだハーバーは、1909 年に最も重要な業績である「ハーバー・ボッシュ法」を開発した。第一次世界大戦期にはドイツ軍の毒ガス開発に進んで参加し、ハーバーが開発した毒ガスは彼の指導のもとで実際に戦場でも使用されている（1915 年に実施されたベルギー領イープルでの作戦）。この毒ガス作戦は国際的に非難を浴びたほか、妻であり化学者でもあったクララが抗議のために自殺したことは現在ではよく知られている（ちなみに彼女はブレスラウ大学で博士号を取得した最初の女性であった）。

　このような状況の中、戦争終結直後の 1919 年にハーバーは、ハーバー・ボッシュ法の開発が評価されてノーベル化学賞を受賞した。しかし彼をめぐる数奇な運命はこれにとどまらなかった。大戦中に彼が開発した薬品の中には「チクロン B」と呼ばれる殺虫剤も含まれていたが、彼の死後、ナチはこれをユダヤ人のガス殺に用いたのである。ハーバーの開発した薬品が同胞の殺害に用いられたというのは、悲劇というほかない。

　社会科学分野では、社会学者・哲学者の**ノルベルト・エリアス**（Norbert Elias, 1897 -1990）を忘れてはならない。彼もまた、ブレスラウのユダヤ系商人・織工の父のもとにひとりっ子として生まれている。ブレスラウのヨハネス・ギムナジウムを卒業したのち、エリアスは兵役に就いている。1918 年以降、彼はブレスラウ、フライブルク、ハイデルベルクで医学と哲学を学んだ。博士論文は 1924 年にブレスラウ大学に提出している。

　同年よりエリアスはアルフレット・ヴェーバーとカール・マンハイムのもとで社会学を学び、ヴェーバーのもとで教授資格申請論文を執筆した。しかしナチが権力を掌握すると、国外移住を余儀なくされる。同年にパリに移り、1935 年にはイングランドに亡命した。

　移住後も教授資格申請論文の研究は継続しており、それは 1969 年刊行の『宮廷社会 *Die höfische Gesellschaft*』へと結実した。また亡命中の 1939 年には主著『文明化の過程 *Über den Prozeß der Zivilisation*』も発表されており、彼の研究は円熟

期を迎える。同書はヨーロッパ文明論の名著として現在でも高く評価されている。

　文化・芸術分野においては、まず対照的な二人の作家に言及しなければならないだろう。ひとりめは**グスタフ・フライターク**（Gustav Freytag, 1816 -1895）、オーバーシュレージエンの DE クロイツブルク（PL クルチュボルク）の名士家系の出である。彼はブレスラウ大学で「ドイツの歌」の作者として有名なファラースレーベンのもとで、ドイツ哲学を学んだ。

　1848 年、フライタークは民族主義的・自由主義的な雑誌『境界の使者 *Grenzboten*』の共同編集者となり、それ以後政治に傾倒するようになった。彼を一躍「時の人」としたのは、1855 年に発表された長編小説『借方と貸方 *Soll und Haben*』である。この小説の舞台はオーバーシュレージエンの国境地帯であり、フライタークはそこでのあるユダヤ系商人の生涯を描くことを通じて、反ユダヤ的観念と反スラヴ的観念と同時に、ドイツ民族主義的な観念を読者に注入しようとした。この小説はオストマルク小説と呼ばれるもので、アメリカにおける西部劇をドイツの東部諸州（オストマルク）に移し替えたものであるが、その中でポーランド人はスラヴ的「野蛮性」を体現するものとして、「文化的」なドイツ人と対置されたのである。

　この小説はドイツ国内で大ベストセラーとなり、19 世紀のドイツで最も読まれた小説のひとつにも数えられる。当時のドイツ社会の反ユダヤ的・反スラヴ的傾向を示す実例である。

　もうひとりは、ノーベル文学賞受賞者である**ゲアハルト・ハウプトマン**（Gerhard Hauptmann, 1862 -1946）である。彼はズデーテン山地の麓にある DE オーバーザルツブルン（PL シュチャヴノ・ズドルイ）のホテル経営者の家庭に生まれた。

　1888 年以降、タブーとされるテーマに挑んだ『踏切番ティール *Bahnwärter Thiel*』を皮切りに、戯曲『日の出前 *Vor Sonnenaufgang*』などの注目を集める作品を次々に発表し、ドイツを代表する近代的劇作家としての地位を固めた。1892 年に発表された戯曲『織匠 *Die Weber*』は、労働者や下層民の生活を描いた作品として評価された。ハウプトマンは社会風刺作品でも有名であり、1893 年の『ビーバーの毛皮 *Der Biberpelz*』はその代表作である。また神話的・神秘的戯曲や、写実主義と神秘主義が混ざりあった作品も発表している。

　彼は第一次世界大戦中もドイツ民族主義にほとんど加担することなく、またヴァイマル期には民主主義を強く擁護した。ナチズムに対しても反対の姿勢を示したが、しかしヒトラーの権力掌握後は沈黙を貫いた。1946 年、すでにポーランド領となったアグネテンドルフ（PL ヤグニョントクフ）にて 81 歳で死去している。

　「レッド・バロン」こと**マンフレート・フォン・リヒトホーフェン**（Manfred A.

Freiherr von Richthofen, 1892-1918）もシュレージエン出身者である。彼はブレスラウの男爵アルブレヒトの長男として生まれた。貴族の長男として、彼は幼くして士官候補生となり、ベルリンの士官学校を経て 19 歳の時に陸軍士官となった。当初は槍騎兵であったリヒトホーフェンであったが、第一次世界大戦における塹壕戦に絶望し、創設されて間もない航空隊への転属を願い出た。これが彼の運命を変えた決断であったことは間違いない。

　航空機操縦のための短期訓練を受けたのち、彼は偵察と爆撃の任務を担うようになるが、敵機をより撃墜したいという思いから戦闘機パイロットに志願した。第一次世界大戦を通じて、リヒトホーフェンはアルバトロス D.II などの複葉戦闘機を駆って前線任務につき、最終的に敵機 63 機撃墜という記録を作っている。しかし 1918 年 4 月 21 日、ソンム川上空での空中戦の際に致命傷を受け、戦死した。現ポーランドのシフィドニツァには彼の記念碑が設置されている。

　最後に、二人のプロサッカー選手を紹介したい。そう、日本のサッカーファンには馴染み深い**ミロスラフ・クローゼ**（Miroslav Klose, 1978-）と**ルーカス・ポドルスキ**（Lukas Podolski, 1985-）である。

　クローゼは、ポーランド名を「ミロスワフ」と言い、ポーランド領オポーレ市の出身者である。幼少期には、やはりプロサッカー選手であった父ユゼフ（ポーランド代表などで活躍）に連れられてフランスにも居住していたことがある。彼の家系はオポーレ県に比較的多く残っていたドイツ系であったため、1985 年に西ドイツ政府によって国外に居住するドイツ人として認定され、「帰還移住者」となった。ただし彼の両親ともにポーランド語話者であり、ドイツ移住後も家庭ではポーランド語を話すという。クローゼはその複雑な出自と滞在歴から、ドイツ、ポーランド、フランスの各代表チームに選出される可能性があった。実際に 2001 年当時のポーランド代表監督イェジ・エンゲルは彼のポーランド代表入りを熱望していたようであるが、クローゼはその要請を断り、ドイツ代表となることを選択したのである。その後のドイツ代表での活躍は今更言うまでもないだろう。

　ポドルスキも「ウカシュ」というポーランド名を持っている。彼はポーランド領シロンスク県グリヴィツェ市で、カトリック教徒の中流家庭に生まれている。1987 年に「帰還移住者」の資格があるとして家族とともに西ドイツに移住し、ケルン近郊のベルクハイムに定住した。クローゼ家と同様に両親ともにポーランド語話者であるために、「帰還移住者」としてドイツへ移住したのちも家庭ではポーランド語で会話をするとのことである。

　ポドルスキはドイツ国籍とともにポーランド国籍も保持しており、一時はポーラン

ド代表チームが彼の招集を計画していると噂されたこともある。しかし彼自身はポーランド代表でのプレーに否定的ということもあり、それは実現しなかった。愛着のあるクラブチームとして、彼は「第二の故郷」の 1. FC ケルンだけでなく、出身地であるシロンスク県のグールニク・ザブジェのファンを公言している。2017 年から2020 年のシーズンまで、J1 のヴィッセル神戸にも所属した。

♟ その他の著名出身者

- **フリードリヒ・シュライアマハー**
  Friedrich D. E. Schleiermacher, 1768-1834, プロイセン領ブレスラウ出身の神学者・哲学者
- **アドルフ・フォン・メンツェル**
  Adolph F. E. von Menzel, 1815- 1905, プロイセン領ブレスラウ出身の画家・版画家
- **フェルディナント・ラッサール**
  Ferdinand J. G. Lassalle, 1825-1864, プロイセン領ブレスラウ出身の政治学者・労働運動家
- **ヴァルター・フォン・リュトヴィッツ**
  Walther Freiherr von Lüttwitz, 1859-1942, プロイセン領クロイツブルク出身の軍人，第一次世界大戦後の反ヴァイマル共和国クーデタであるカップ一揆の共謀者
- **オスカー・トロプロヴィッツ**
  Oscar Troplowitz, 1863-1918, プロイセン領グライヴィッツ出身の実業家，ニベア社中興の祖，ニベアクリームの発明者として知られる
- **リヒャルト・ヴェッツ**
  Richard Wetz, 1875-1935, ドイツ帝国領グライヴィッツ出身の作曲家
- **フリードリッヒ・ベルギウス**
  Friedrich K. R. Bergius, 1884-1949, ドイツ帝国領グライヴィッツ出身の化学者，1931 年にノーベル化学賞を受賞
- **オットー・クレンペラー**
  Otto Klemperer, 1885- 1973, ドイツ帝国領グライヴィッツ出身の指揮者・作曲家
- **ゲオルク・ハイム**

Georg Heym、1887-1912, ドイツ帝国領ヒルシュベルク出身の詩人
・アルノルト・ツヴァイク
Arnold Zweig, 1887-1968, ドイツ帝国領グローガウ出身の小説家
・オットー・シュテルン
英語読みでスターンとも, Otto Stern, 1888-1969, ドイツ帝国領グローガウ出身
の物理学者, 1943 年にノーベル物理学賞を受賞
・ヴィリー・フリッチ
Willy Fritsch, 1901-1973, ドイツ帝国領カトヴィッツ出身の俳優, 映画『会議は
踊る』(1931 年) で主演
・クルト・アルダー
Kurt Alder, 1902- 1958, ドイツ帝国領ケーニヒスヒュッテ出身の化学者, 1950
年にノーベル化学賞を受賞
・ディートリヒ・ボンヘッファー
Dietrich Bonhoeffer, 1906-1945, ドイツ帝国領ブレスラウ出身の牧師・神学者,
反ナチ抵抗運動を展開したことで知られる
・マリア・ゲッパート＝メイヤー
Maria Göppert-Mayer, 1906-1972, ドイツ帝国領カトヴィッツ出身で、のちにア
メリカで活躍した物理学者
・ハンナ・ライチュ
Hanna Reitsch, 1912- 1979, ドイツ帝国領ヒルシュベルク出身の女性パイロット
・クルト・マズア
Kurt Masur, 1927-2015, ドイツ領ブリーク出身の指揮者
・ハンナ・シグラ
Hanna Schygulla, 1943-, ナチ時代のケーニヒスヒュッテ出身で、ドイツで活躍
した女優・シャンソン歌手
・フロリアン・ヘンケル・フォン・ドナースマルク
Florian Henckel von Donnersmarck, 1973-, オーバーシュレージエンの貴族家
系の末裔でケルン出身の映画監督、『善き人のためのソナタ』で有名

第 4 章

ポーゼン

プロイセンによって「ドイツ化」の対象となった「ポーランド掠奪の地」

ポーゼン

DE Provinz Posen

現ポーランド領ヴィエルコポルスカ地方
PL Wielkopolska

　ドイツ帝国領ポーゼン州は DE ヴァルテ（PL ヴァルタ）川の流域にあり、南をシュレージエン州、東をロシア領ポーランド王国、北をポンメルン州とヴェストプロイセン州に囲まれた旧ドイツ東部領土のど真ん中に位置する自治体であった。この地域は長らくポーランド王国の領域内にあり、住民構成もポーランド系が多数派を占めるなど、ほとんど「ドイツ的」とは言えない土地柄であったが、近世末期にプロイセン領となって以降は歴史の荒波に揉まれていくこととなる。

　ポーランド名のヴィエルコポルスカは「大ポーランド」を意味する歴史的地理概念であるが、これはここが「ポーランド揺籃の地」であるとともに、クラクフを中心とするマウォポルスカ（＝小ポーランド）と並んでポーランド国家の中核をなす地域であることを意味している。それに対して「ポーゼン」という地域名は、ヴィエルコポルスカという名称を消し去るために用いられたドイツ的呼称である。以上のような歴史的経緯を考慮して、この章ではドイツ時代のみについてポーゼンという名称を用い、それ以外のポーランド時代にはヴィエルコポルスカを使用することとする。

　またオーダー川以東のブランデンブルクもドイツ帝国と戦間期ドイツの構成地域であったが、第二次世界大戦後にはポーランド領となる「旧ドイツ領」である。ここではヴィエルコポルスカとともにこのブランデンブルク東端地域も部分的に叙述する。それでは、これらの地域はなぜドイツ領となり、なぜドイツ領ではなくなったのだろうか。

主要言語

ドイツ領時代 1871-1919 年	ドイツ語、ポーランド語
現代	ポーランド語

近代以降の人口

①ドイツ領時代（ポーゼン州）

1871 年	1,583,843
1880 年	1,703,397
1890 年	1,703,397
1900 年	1,887,275
1910 年	2,099,831

第一次世界大戦後

1921 年	1,967,865（ヴィエルコポルスカ県）
1965 年	2,126,300（ポズナニ県）
2017 年	3,484,975

年表

960 年	ミェシュコ 1 世によるポーランド王国の創始
968 年	グニェズノに司教座が設置される
1000 年	聖ヴォイチェフの殉教と埋葬
1138 年	ヴィエルコポルスカ公領の成立
1295 年	ヴィエルコポルスカ公プシェミスウ 2 世の戴冠
1320 年	ヴワディスワフ〈短躯王〉によるポーランド再統一
1352 年	ヴィエルコポルスカ連盟の結成
1385 年	クレヴォ合同（ポーランド＝リトアニア国家連合の成立）
1569 年	ルブリン合同（ポーランド＝リトアニア共和国の成立）
1793 年	第二次ポーランド分割によるプロイセン領ズュートプロイセンの成立
1806 年	ヴィエルコポルスカのワルシャワ公国への編入
1815 年	ウィーン会議とプロイセン領ポーゼン州の成立
1830 年	ポーゼン州における「ポーランド熱」の高揚
1848 年	1848 年革命におけるポーランド人自治問題
1876 年	公用語法の制定
1899 年	学校ストライキの勃発
1918-1919 年	ヴィエルコポルスカ蜂起とポーゼン州の大部分のポーランド併合
1939 年	ナチ・ドイツによるポーランド侵攻とヴァルテラント大管区の成立
1945 年	オーダー・ナイセ線の画定とポーランド領ポズナニ県の成立
1956 年	ポズナニ暴動

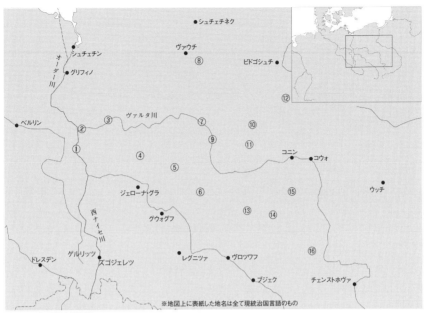

ポーゼン主要地名対照表

※地図上に表紙した地名は全て現統治国言語のもの

	PL ポーランド名		**DE** ドイツ名	
①	Słubice	スウビツェ	Frankfurt an der Oder	フランクフルト・アン・デア・オーダー
②	Kostrzyn nad Odrą	コストシン・ナド・オドロン	Küstrin	キュストリン
③	Gorzów Wielkopolski	ゴジュフ・ヴィエルコポルスキ	Landsberg an der Warthe	ランズベルク・アン・デア・ヴァルテ
④	Świebodzin	シフィエボジン	Schwiebus	シュヴィーブス
⑤	Wolsztyn	ヴォルシュティン	Wollstein	ヴォルシュタイン
⑥	Leszno	レシュノ	Lissa	リッサ
⑦	Oborniki	オボルニキ	Obornik/Obernik	オボルニク／オベルニク
⑧	Piła	ピワ	Schneidemühl	シュナイデミュール
⑨	Poznań	ポズナニ	Posen	ポーゼン
⑩	Gniezno	グニェズノ	Gnesen	グネーゼン
⑪	Września	ヴジェシニア	Wreschen	ヴレッシェン
⑫	Inowrocław	イノヴロツワフ	Inowrazlaw (1904-1919, 1939-1945: Hohensalza)	イノヴラツラフ（ホーエンザルツァ）
⑬	Krotoszyn	クロトシン	Krotoschin	クロトシン
⑭	Ostrów Wielkopolski	オストルフ・ヴィエルコポルスキ	Ostrowo	オストロヴォ
⑮	Kalisz	カリシュ	Kalisch	カリシュ
⑯	Wieluń	ヴィエルニ	Welun	ヴェルン

ドイツ領となるまで

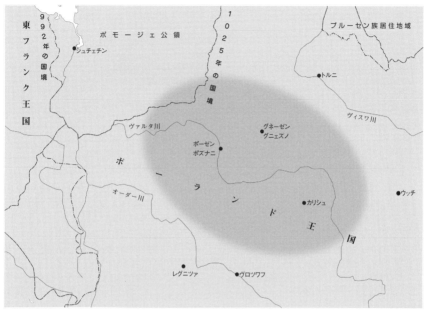

ポーランド王国とヴィエルコポルスカ

ピァスト朝黎明の地「ヴィエルコポルスカ」

　中世前期までのスラヴ族の中心地域はポンメルンや現在のウクライナなどの地域であったが、そののち徐々にスラヴ族の住む領域における政治的中心は**PL**グニェズノ（**DE**グネーゼン）を拠点とする、「ポラニェ族」と呼ばれる人々が支配する地域へと移っていった。12世紀に著された『匿名のガル年代記』と呼ばれる書物にポラニェ族の伝説的な指導者ピァストの名前が見えるが、この系譜は10世紀半ばにポーランド王国を創始す

るミェシュコ1世（在位960頃-992年）へと結びついた。そして彼らの建設した国家の領域こそが、グニェズノを中心とするヴィエルコポルスカであると伝承されている。

　ミェシュコは、968年にグニェズノに司教区を設置し、ポーランドを早々にキリスト教化した。当時キリスト教世界への仲間

ミェシュコ1世 出典：
Biblioteka Narodowa

259

入りをすることは、そこが「文明の地」となることとほぼ同義であったのであり、キリスト教化はポーランドがもはや「野蛮」ではないことを知らしめる象徴的な出来事となった。こうしたポーランドの「文明化」の中で、ミェシュコは東フランク（神聖ローマ帝国）のオットー1世と親密な関係を構築し、北部地域に居住する「異教徒」（プルーセン族）攻撃でも協力した。第1章で述べたように、ミェシュコの子ボレスワフ1世はプラハ司教ヴォイチェフをその地域でのキリスト教布教のために派遣するのであるが、彼はその途上で殉教してしまう。その遺体がグニェズノの教会に埋葬されたのであるが、彼の列聖をきっかけとして1000年にグニェズノは大司教区へと昇格したのである［Jurek 2013：61-62；伊東 1998：44］。このようにポーランド王国の権力基盤確立とキリスト教化は密接に結びついており、現在までグニェズノはポーランドにおけるキリスト教文化の中心地とみなされている。とはいえ、11世紀半ばにポーランドの首都はクラクフへと移されており、政治の中心はヴィエルコポルスカから離れていくこととなる。

ミェシュコ3世〈老公〉出典：Biblioteka Narodowa

同じように、ヴィエルコポルスカもボレスワフの子どもによって相続された。ヴィエルコポルスカの相続権を得たのは三男であるミェシュコ3世〈老公〉であり、彼に始まる領邦国家はヴィエルコポルスカ公領（Księstwo wielkopolskie）と総称される。老公の治世は1202年までの64年間という長きに及び、その間のほとんどを彼はポズナニ（ポーゼン）で過ごしたので、そこがヴィエルコポルスカ公領の首都となった。老公が亡くなったのち、その子孫であるプシェミスウ1世とボレスワフ敬虔公の時代（13世紀半ば）にポズナニ公領とカリシュ公領へと一時的に分裂するも、それ以外は一体の領邦としての存在を維持していた。

14世紀に入ると、ポーランドが再び統一の兆しを見せるようになる。南方ではドイツ化されたボヘミア君主やシロンスク諸侯が勢力を拡大しており、またクラクフ周辺のマウォポルスカ地域もボヘミアの影響下に置かれていた。こうした事態に危機意識を持った中小騎士たちがポーランド君主の必要性を感じ始めて、各地で諸侯を担ぎ上げたのである。ヴィエルコポルスカ公プシェミスウ2世はこの時期にポーランド統一を目指した君

ヴィエルコポルスカ公領─束の間の独立

1138年のボレスワフ3世の死後、お家騒動によりピァスト朝ポーランドは分裂状態となるのであるが、ヴワディスワフ2世によって継承されたシロンスクと

プシェミスウ 2 世の暗殺　出典：Biblioteka Narodowa

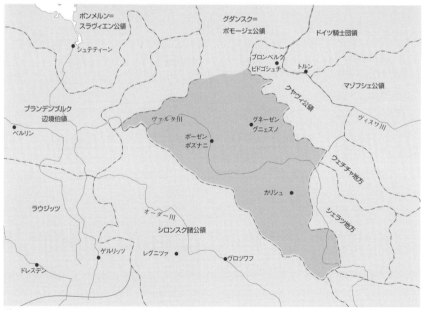

ヴィエルコポルスカ公領とその周辺（1275-1300 年）

ヴァーツラフ2世　出典：
Biblioteka Narodowa

主の一人であり、1295年6月にグダニスクを中心とする東ポモージェ地方を得るとグニェズノでポーランド王として戴冠した。しかし彼は翌年2月に敵対関係にあったブランデンブルク辺境伯の雇った刺客に暗殺されてしまったため、その在位期間はわずか6ヶ月あまりであった［Kosmanowie 1988：45-46］。

　空位となったヴィエルコポルスカ公を継いだのは、ボヘミア王であるプシェミスル家のヴァーツラフ2世であり、彼もまた1300年にポーランド王として戴冠された。ヴァーツラフはクラクフなども併合してボヘミア王によるポーランド統一への歩みを進めるも、高級官吏にドイツ系やチェコ系の人々を登用したことで現地社会の反発を招いた。ヴァーツラフは1305年6月に亡くなり、息子のヴァーツラフ3世へと権力移譲が行われるが、彼は翌年にモラヴィアのオロモウツで発生したクーデタで殺害された。これによってプシェミスウ家は断絶し、ポーランド王位は再び空位となる。

ポーランド王冠への統合

　1320年、十数年にわたって空位となっていたポーランド王位にヴワディスワフ〈短躯王〉が就いた。ヴワディスワフは

クヤヴィ公であったカジミエシュ1世の子どもであり、一時的にポーランド国外への亡命を余儀なくされるも、ヴァーツラフ2世の失政によって復権した。1305年にクラクフ公となると、彼はヴィエルコポルスカも手中に収めて1320年にクラクフで戴冠した。すでに言語と制度の面でドイツの影響下に入っていたシロンスクやポモージェはポーランド王国の支配下に入ることはなく、ここにマウォポルスカやヴィエルコポルスカを中核とするポーランド王国が成立したのである。

　しかし、北部で急速に勢力を伸長させたドイツ騎士団、そして南部のチェコ（ルクセンブルク朝）に挟撃されたポーランドは、厳しい立場に置かれることとなる。ドイツ騎士団は、異教徒であるプルーセン族の侵入に悩まされたマゾフシェ公がその地の征服を彼らに依頼した

ヴワディスワフ〈短躯王〉
出典：Biblioteka Narodowa

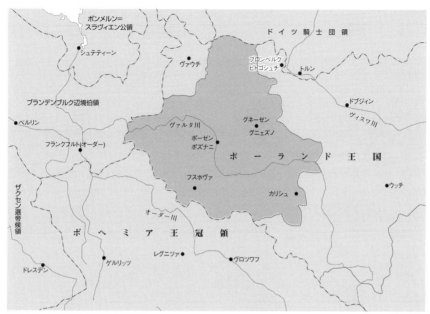

フスホヴァ地方周辺（1386-1434年）

ことをきっかけとしてプロイセン地域に定住し、独立した領域国家を建設していた。そして14世紀頃には、異教徒を平定するはずの騎士団が、今度はポーランドへの脅威として台頭するようになったのである（第1章を参照）。1320年代後半、領土拡大を目論む騎士団はボヘミアと同盟を結んでポーランドと戦争に突入した。緒戦で騎士団・ボヘミア連合軍はドブジンでの戦いに勝利し、クヤヴィ公領を獲得するなど大きな成功を収めたが、そののちヴワディスワフに指揮されたポーランドが反転攻勢に出て騎士団の拡張路線を何とか食い止めた。

こうした騎士団の脅威に対抗するために、ポーランドはやはり異教徒のリトア

クレヴォの合同文書

ニア大公国との合同で合意した。そして1385年にクレヴォで行われた調印式において、ポーランド王国とリトアニア大公国の国家連合（ヤギェウォ朝）が誕生するのである。リトアニアもこれを機にキリスト教化している。合同と内的統合によって国力を増強したポーランドは万全の態勢でドイツ騎士団との決戦に臨

んだ。1410年に行われたグルンヴァルトの戦いで、ポーランド＝リトアニアの連合軍はドイツ騎士団に対して圧勝し、中央ヨーロッパにおける覇権を確立したのである。一方、ドイツ騎士団はこの戦いを機に衰退の一途を辿り、騎士団長も1525年にポーランド王に服属するプロイセン公となった。

　ポーランド＝リトアニアにおける政治的中心はマウォポルスカ地方であったので、「古都」であるグニェズノやポズナニの立場は微妙であった。カジミエシュ大王の時代に公領が廃止されてヴィエルコポルスカは「フスホヴァ地方 Ziemia wschowska」の一部となり、さらにポズナニ県・カリシュ県・イノヴロツワフ県へと分割された。この地方行政組織は「県知事 Wojewoda」と呼ばれる地方長官のもとで運営された。ヴィエルコポルスカ諸県はクラクフに対する抵抗拠点でもあり、それについてはポズナニ県知事マチェイ・ボルコヴィチやカリシュ県知事プシェツワフ・ズ・グウトゥフが有名である。彼らは1352年にヴィエルコポルスカでの王領地拡大政策に反対してヴィエルコポルスカ連盟と呼ばれる組織を結成し、中央政府の政策に不満を示したが、最終的には失

マチェイ・ボルコヴィチ
出典：Biblioteka
Narodowa

敗した［Jurek 2013：298-299］。そして14世紀後半以降には法制度や貨幣制度において全国統一がなされ、ヴィエルコポルスカは徐々にポーランド王国に統合されていった。

ポーランド黄金時代のポズナニ県・カリシュ県・イノヴロツワフ県

　16世紀半ばになると、ヤギェウォ朝の断絶を目前にしてポーランドとリトアニアの統合強化が促進された。1569年にルブリンの議会で結ばれた合同（ルブリン合同）によってポーランド＝リトアニア共和国が成立し、（さらにリトアニア大公が廃されたことによって）両国が選挙によって選ばれた一人の君主によって束ねられることとなった。選挙王政そのものはルブリン合同以前から行われていたが、それは元老院が選出した国王をシュラフタ（貴族層）が追認するというものであった。これに対して1573年に採択されたワルシャワ連盟協約においては、その国家に属する全シュラフタによる直接選挙が明文化されており、より「共

ワルシャワ連盟協約

ルブリン合同　出典：Biblioteka Narodowa

ポーランド＝リトアニア共和国とヴィエルコポルスカ

和制」的な政治文化が強まったのである。

　ポーランド＝リトアニア共和国におけるヴィエルコポルスカは、地図上では領土の西端に位置する小地域のように見える。しかし、上で挙げたワルシャワ連盟協約の冒頭には次のような一文がある。「われわれ、ヴィエルコポルスカとマウォポルスカ、リトアニア大公国、キエフ、ヴォウィン、ポドラシェ、そしてルシ、プルスィ［王領プロイセン］、ポモージェ、ジュムチ、インフランティの各地方から成る一つにして不可分の共和国の聖・俗の王国評議会、および全騎士身分、および他の諸身分、および王領都市」（小山哲訳、一部改訳）。これはワルシャワ連盟を構成する諸地域の名称を挙げた

16世紀頃のポズナニ市庁舎（ただしこのスケッチの制作は1835年）
出典：Biblioteka Narodowa

ものであるが、興味深いのはその筆頭としてヴィエルコポルスカの名前が提示されている点であろう。16世紀初頭に始まる宗教改革により、ヴィエルコポルスカのドイツ系市民の間ではルター派プロテスタントが浸透しつつあった。これは従来のマウォポルスカとの間の政治的緊張とともに、宗派的緊張をも生み出すこととなったが、それでもポーランド王国におけるヴィエルコポルスカとマウォポルスカの双璧という性質には変化がなかったということであろう。ヴィエルコポルスカ三県のシュラフタは、この共和制期においてカルヴァン派の強いマウォポルスカの利害とは一線を画する政治勢力として重要なアクターとなった［小山2013：8, 25, 34, 37-38, 49］。

　同時に、16-17世紀のヴィエルコポルスカにおいては植民政策が実施され、西方から PL オレンドシィ（ DE ハウレンダー）と呼ばれる人々が移住してきた。ポーランドの諸侯や聖職者は、人口希薄であったこの地域を発展させるために現在のドイツ地域からの移住を促したのである。オレンドシィはプロテスタント系のドイツ語話者であったため、特にビドゴシュチ周辺（のちのドイツ領ブロンベルク県）を中心にドイツ語を話す住民の数が急激に増加したのである。

　また、近世のポーランドではルネサンス文化も花開いており、ヴィエルコポルスカではポズナニ市庁舎が豪華に改築されるなどした。

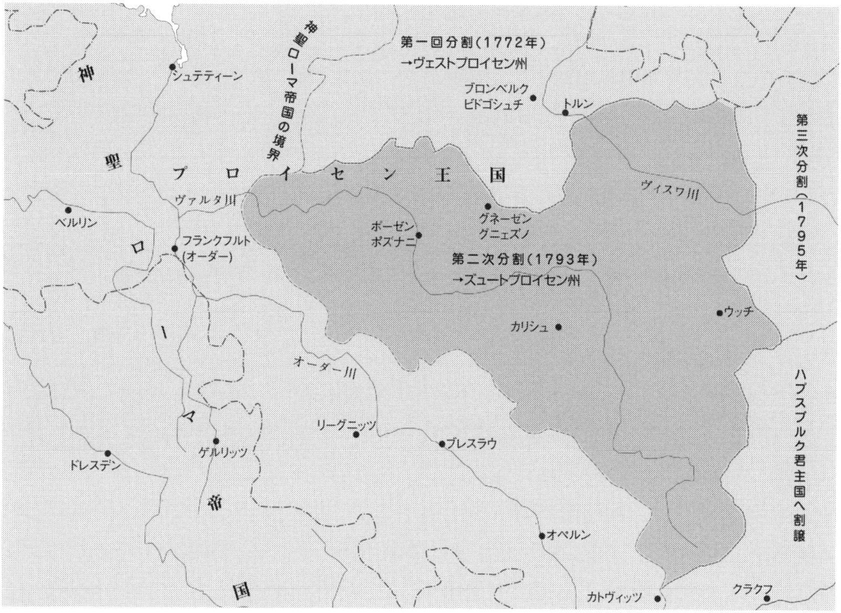

神聖ローマ帝国
神聖ローマ帝国の境界
第一回分割（1772年）
→ヴェストプロイセン州
シュテティーン
ブロンベルク
ビドゴシュチ
トルン
第三次分割（1795年）
プロイセン王国
ヴィスワ川
ヴァルタ川
ベルリン
グネーゼン
グニェズノ
ポーゼン
ポズナニ
フランクフルト
（オーダー）
第二次分割（1793年）
→ズュートプロイセン州
ウッチ
カリシュ
オーダー川
リーグニッツ
ブレスラウ
ドレスデン
ゲルリッツ
ハプスブルク君主国へ割譲
オペルン
カトヴィッツ
クラクフ

第二次分割でのプロイセンへの割譲領土

第二次ポーランド分割によるヴィエルコポルスカの割譲

17世紀末頃から、国外の君主による内政干渉やマグナート（大貴族）の自由拒否権乱発による共和国議会の混乱によりポーランド内政は混乱の度を深めていた。特にロシアの強権的な介入はポーランド国内での内戦的状況を生み出すが、反ロシア武装組織であるバール連盟の敗退を契機として、ポーランド＝リトアニア共和国の一部が1791年にロシア帝国、プロイセン王国、ハプスブルク君主国によって分割された（第一次分割。詳細は第2章を参照）。

これに続く第二次ポーランド分割は、四年議会において制定された五月三日憲法への危機感から断行されたものであった。ポーランド王スタニスワフ・アウグスト・ポニャトフスキは、1787年の第二次露土戦争の勃発を期にプロイセンと同盟

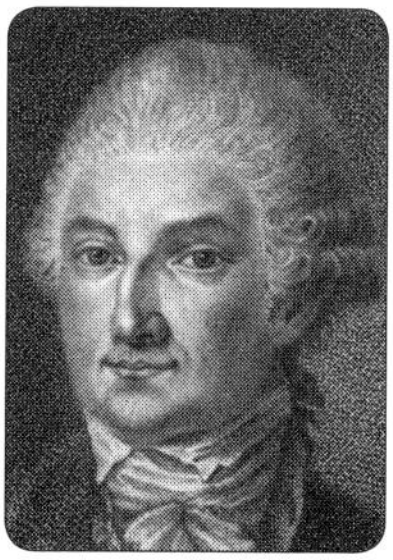
スタニスワフ・アウグスト・ポニャトフスキ
出典：Biblioteka Narodowa

五月三日憲法の制定 出典：Biblioteka Narodowa

を結ぶことで、翌年ロシアの干渉を受けない議会を招集することに成功した。この議会は会期を繰り返し延長した結果、4年間にわたって継続したので四年議会と呼ばれるのである。列強の脅威を前にして、改革の意欲に燃える議員たちに主導されたこの議会では、非常に自由闊達な議論が展開された。折しも、フランスでは大革命が勃発しており、その影響を受けて立憲君主制を始めとする自由主義的な国制が目指された。ここではロシアによる保護体制も無効とされた。そうした中で1791年に制定されたのが五月三日憲法であった。この憲法では自由拒否権の廃止、より広範な参政権、常備軍の設置、世襲王政の樹立などが規定されていたことから、同年のフランス1791年憲法とならぶ民主的憲法の嚆矢とみ

なされている［白木 2016：29-30；伊東 1998：180-181］。

　しかしこの憲法に反対するロシアは議会内反対派を支援するとともに、すぐさまワルシャワに軍を派遣した。スタニスワフ・アウグストとロシア側との交渉も決裂し、フランス革命の波及を防止するという利害で一致したロシアとプロイセンは、1793年に第二次分割を行ったのである。この分割により、これまで長らくポーランドの支配下にあったヴィエルコポルスカ地方（すでに1768年よりポズナニ県とカリシュ県はヴィエルコポルスカ州へと統合されていた）は、「ズュートプロイセン州 Provinz Südpreußen」の一部としてプロイセンの領土となった。

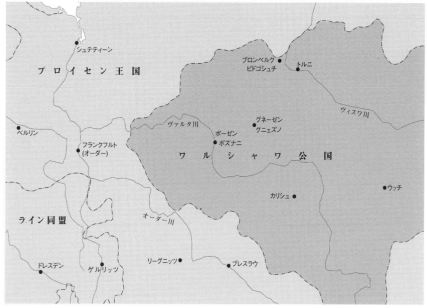

ワルシャワ公国

※以下、第一次世界大戦までドイツ名を優先。

プロイセン領ポーゼン州の成立とポーランド人問題の浮上

　1806年にナポレオン戦争においてプロイセンが敗北を喫すると、ティルジットの和約でプロイセンは第二次・第三次ポーランド分割で得た領土をすべて喪失した。これらの領土とマゾフシェを合わせた領域はナポレオンの指導のもとにワルシャワ公国へと再編され、ヴィエルコポルスカもその一部となっている。しかしこのワルシャワ公国は、ナポレオンのヨーロッパ支配の終焉とともに解体された。「正統主義」の名のもとにナポレオン後の国際秩序が模索された1815年のウィーン会議では、ポーランド王国はロシア帝国の傀儡として復活することが承認された。同時に解放戦争で大きな貢献を果たしたプロイセンも旧ワルシャワ公国西部の獲得を認められ、ここにヴィエルコポルスカ地方の再領有が決定されたのである。いわゆるプロイセン改革に連なる近代化政策の影響下で、ヴィエルコポルスカは州都ポズナニのドイツ語称であるポーゼンの名を冠して「ポーゼン州 Provinz Posen」（あるいはポーゼン大公国とも）と呼ばれるようになった。その域内には、南部のポーゼン県と北東部のブロンベルク県という2つの下位自治体が設置された。

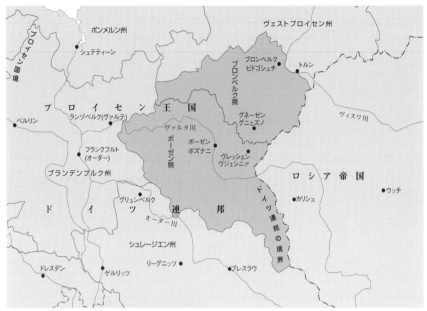

ポーゼン州（ポーゼン大公国）

1830 年のポーゼン市街
出典：Biblioteka Narodowa

19 世紀前半のカリシュ市街
出典：Biblioteka Narodowa

　19 世紀のポーゼン州は、ヨーロッパの歴史学研究の中で長らく、プロイセン王国において「ドイツ人」と「ポーランド人」が最も激しく対立した地域としてみなされてきた。これは、これまでに見てきたような歴史的過程によってドイツ語を話す住民とポーランド語を話す住民がこの地域に混在していたことに主たる原因があると言えるだろう。現在の学術水準では「民族」という概念は所与のものとしては理解されないために、従来の「民族対立」という観点は修正されつつある。それでも当時の指導者や住民の間でとりわけポーランド語話者をめぐる問題が度々起こっていたことは事実である。例えば、ウィーン会議中にイギリ

ス外相カルスレーは旧ポーランド領の「ポーランド人」の存在への注意を喚起したのであるし、プロイセンがポーゼンの領有を宣言した文書（領有宣言）の中でも「ポーランド人」の諸権利が擁護されている。しかし当の地域住民は州経済の不振の中で自らが「ポーランド人」として不当に冷遇されていると感じており、不満を蓄積していった。このようなポーランド語話者の問題が噴出するのが1830年の七月革命期であり、ロシア領ポーランドで発生した11月蜂起に際してはポーランド系貴族や住民からなる義勇軍が結成されて蜂起へ積極的に参加した。このポーランド人蜂起に連帯を示したのがドイツ連邦に加盟する諸邦であり、「ポーランド熱」と呼ばれるポーランド・ナショナリズム擁護のムードが最高潮に達した。このように、ポーゼン州をめぐってはポーランド系住民の民族的権利にまつわる問題が大きな課題として浮上してくるのである［割田 2012：23-25, 37-40；伊藤 2017：33-36］。

1848年革命とポーゼン州におけるポーランド人問題

　1848年に中央ヨーロッパ全域を巻き込む革命が勃発すると、30年の「ポーランド熱」が再現された。ポーランド民族運動の指導者たちの監獄からの解放がベルリン市民の熱狂的歓迎を受けた。ポーゼン（ポズナニ）市ではポーランド国民委員会（3月末からはポーランド中央委員会）を名乗る組織がベルリンに代表団を派遣し、国王フリードリヒ・ヴィルヘルム4世にポーゼン州の「国民的再編成」と「自治」の実現を迫った。さらに1万人規模の義勇軍を編成してプロイセン政府に軍事的圧力をかけていた。しかしこれに対してドイツ系やユダヤ系の住民はドイツ国民委員会を設立して「ドイツ民族」の利益を優先する立場をとり、ドイツ系住民が多数派を占めるポーゼン諸地域の、将来的に予想されるドイツ国民国家への編入を要求した。

　このように現地ではドイツ系とポーランド系の対立が深まっていたが、プロイセン政府は義勇軍解散の代わりにポーランド系の自治を承認するという妥協的提案を行っている。だがこの自治案がドイツ系住民の反発によって大きく縮小されると、これに反発したポーゼン州のポーランド系住民による大規模な蜂起が勃発した。しかし、この蜂起はポーランド勢力の内部対立もあってプロイセン軍に鎮圧されることとなった［伊藤 2002：44-46］。そののち、ドイツにおける革命勢力の中核となったフランクフルト国民議会ではポーゼン州を分割し、3分の2をドイツ連邦編入地域とし、残りの地域をグネーゼン（グニェズノ）公領という自治邦とする案が採択された。結局この分割案は、革命の失敗とともに消滅してしまった。

ポーランド中央委員会の声明文（1848 年 4 月 1 日）
出典：Biblioteka Narodowa

ドイツ国民委員会によるポーランド系住民への呼びか
け（1848 年 5 月 11 日）。ここではポーランド語で、「ド
イツ人」と「ポーランド人」が「プロイセン国旗の下で」
共通の利害を共有していることが訴えられている。
出典：Biblioteka Narodowa

ドイツ領の中のポーゼン

ヴィルヘルム2世のために建設されたポーゼン城（1906年、現ポズナニ城）
出典：Biblioteka Narodowa

ビスマルクによるポーゼン州のポーランド人問題への対応

　1871年、ついにドイツの統一国家であるドイツ帝国が誕生すると、当然のようにポーゼン州もその一部となった。これまでの東西プロイセンやシュレージエンの事例からも明らかなように、宰相ビスマルクは非常に雑多な住民・宗派構成となっていたドイツ帝国の国民国家化を志向していたのであるが、その最重要課題こそポーランド系住民の支配的なポーゼン州の「ドイツ化」であった。ビスマルクにとって、彼ら「ポーランド人」は

民族意識だけでなく、宗派的にもプロテスタント的なブランデンブルクとは異なるカトリックであり、まずはそのカトリック性を「帝国の敵」として攻撃して縮小させることが国民統合への近道であると考えた。ポーゼン州におけるカトリック人口の割合は8割程度であったので、まさにこの地域はこ

オットー・フォン・ビスマルク

帝政期のポーゼン中央広場
出典：Biblioteka Narodowa

ロシア帝政期のカリシュ市庁舎
出典：Biblioteka Narodowa

うした政策の最前線となったのである。これがいわゆる文化闘争と呼ばれる政策であるが、これまでの章でも説明してきた通り、これは東部諸州のカトリック教徒の根強い抵抗を受けてほとんど失敗に終わった。

「ドイツ化」のための次なる一手は、ドイツ語の強制であった。早くも1873年にはポーゼンのすべての民衆学校においてドイツ語のみを授業語として採用する州総督の通達が出されている。それまでは学校教育においてポーランド語を用いることは可能であったが、それが全面的に廃止された。また1876年には悪名高いプロイセン公用語法が成立しており、そこでは「ドイツ語は、国家のすべての官庁、官吏、政治機関の唯一の公用語である。それらとの文書による通信はドイツ語でおこなわれる」（伊藤定良訳）と規定された。これによって、学校教育のみならず、ドイツの公共機関からのポーランド語の排除が法的根拠を持つに至った。1815年のポーゼン州領有宣言ではポーランド語話者の権利が擁護されていたが、ドイツの国民国家化にあたって少数派の権利も反故にされたのである〔伊藤定良 2002：86-100：2017：77-83〕。

これらのビスマルクによる政策の結果は、皮肉にも、ポーランド系住民の政治的結集でしかなかった。文化闘争と言語政策を受けて、まずポーランド系住民はプロイセン＝ドイツに対する明確な拒否反応を示し始めたのである。このように

コペルニクス生誕400周年記念祭典に際して出版された書籍（表紙）
出典：Biblioteka Narodowa

ポーランド語新聞『ヴィアルス』創刊号の一面（1873年）
出典：Wielkopolska Biblioteka Cyfrowa

ドイツから距離を置き始めたポーランド系住民は、図書館の整備によるポーランド語書籍の読書、ポーランド語新聞の購読、さらには1873年のコペルニクス生誕400周年記念祭典に代表される国民祭典への参加を通じて、「ポーランド国民」へと育成されていった。こうしてポーゼンにおけるポーランド民族運動は拡大の一途となり、世紀転換期にそれはもはや後戻りできない地点まで歩みを進めていた。1899年にポーゼン住民は学校教育におけるポーランド語の使用を求める決議を行うのであるが、プロイセン政府がこの動きを封殺したために、抵抗運動が過激化した。なかでもヴレッシェン（ＰＬ

ヴジェシニャ）で展開された抗議運動は「学校ストライキ」と呼ばれ、現在では帝政期ドイツにおけるポーランド国民史の画期として記憶されている。

第一次世界大戦と戦後のヴィエルコポルスカ蜂起

　第一次世界大戦の勃発にあたって、当初はポーゼン州のポーランド系住民に対してドイツ当局から疑惑の目が向けられた。数多くのポーランド語新聞が発禁処分となり、これまでポーランド民族運動を指導してきた人々は逮捕・拘禁されたのである。

　こうした状況を前にして、ポーランド

第一次世界大戦中にポーランド民族主義者によって制作されたポスター（1915年にワルシャワで発行されたもの）。ワルシャワやクラクフと並んで、ポズナニも再興されるべきポーランド国家の中核地域とされた。
出典：Biblioteka Narodowa

ヴィエルコポルスカ蜂起15周年を記念して作成されたポスター（1933年）
出典：Narodowe Archiwum Cyfrowe

党に結集していたポーランド系政治家たちは「城内平和」の一翼を担うことに賛同した。城内平和とは、これまで様々に分断されてきたドイツ社会が、列強との戦争という危機的状況において一致団結するという理念を表す用語である。有名な事例として、それまで世界革命を標榜してきたドイツ社会民主党も、政治対立を一時棚上げして戦争に加担することに同意しており、同様の状況が社会の様々な領域で見られたのである。ポーランド系勢力もこうした戦時体制に自ら組み込まれることで敵対的ではないことを示し、そうした努力によってポーランド語新聞の発行再開や収監者の解放が実施された。戦争の推移にしたがって、ポーラ

ンド系住民はポーランド王国の復活を訴えたり、公用語法の廃止を叫んだりしたものの、概ね穏健な態度を見せたように思われる。

　しかしそうした態度も、ドイツの敗北によって大きく変化することとなる。ポーランド独立の前提にウィルソンの「14か条の平和原則」があることは別章でも説明したが、その念頭に置かれていたのは18世紀末のポーランド分割で3国に割譲された諸地域であった。その中には当然ポーゼン州も含まれており、帝政期ドイツにおけるポーランド民族運動の中心人物であったヴォイチェフ・コルファンティは戦争末期の帝国議会でシュレージエンや東西プロイセンと

ポーゼン市で市民に出迎えられるパデレフスキ（1918年12月27日）
出典：Narodowe Archiwum Cyfrowe

並んでこの地域のポーランド併合を要求
するのである。11月11日の休戦協定で
はポーゼン州のドイツ残留が暫定的に決
定されるが、それとは別に現地での事態
は日々動きを増していった。ポーゼン州
を始めとするプロイセン東部地域では
ポーランド系住民による権力奪取が目指
され、すでに12月頃には最高民族評議
会や邦議会が権力基盤を固めようとして
いたのである。これに対して、ドイツ系
住民も大規模なデモを行ってポーゼン州
のポーランド併合を阻止しようと試みて
いる。また同時期には、ポーランド側の
武装闘争に備えて「東部国境守備機構
Heimatschutz-Ost」という義勇軍（フラ
イコーア）を組織する動きも見られた（し

かしドイツ義勇軍は結局、ポーゼンでは
なくオーバーシュレージエンでの国境紛
争などに投入された）。

　きっかけは意図されたものではなかっ
た。イギリス政府に支援されてポーラン
ドへの帰国途上にあったイグナツィ・パ
デレフスキ（のちにポーランド新政府首
相に就任）は、滞在許可が無いにもかか
わらず、1918年12月26日にポーゼン
市を訪問した。彼は天才的ピアニストで
あるだけでなく当時世界で最も著名な
ポーランド人であったので、彼に敬意を
表してポーゼン市のポーランド系市民は
大規模なデモ行進を実施した。その時に
パデレフスキはプロイセン東部地域の
ポーランド併合を求める演説を行ったの

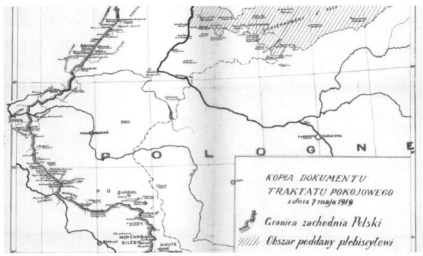

KOPIA DOKUMENTU
TRAKTATU POKOJOWEGO
z dnia 7 maja 1919
Granica zachodnia Polski
Obszar poddany plebiscytowi

1919年5月7日に提案されたドイツ・ポーランド国境。この時点ですでにポーゼン＝ヴィエルコポルスカ地域の大部分はポーランド領内に位置付けられている。
出典：Biblioteka Narodowa

であるが、これがドイツ側の反発を招く結果となり、翌日には両陣営は武装闘争へと突入した。戦闘ではポーランド陣営が優勢となり、数日のうちにドイツ陣営の武装勢力はポーゼン州周辺地域から撤退を余儀なくされた。戦闘は1月半ばまで半月以上続き、その過程でポーゼン州の大半がポーランド陣営の手に落ちたのである［Kaczmarek 2014：93-97］。以上の出来事はポーランドではヴィエルコポルスカ蜂起と呼ばれ、ポーゼンが再びポーランド領となる歴史的転換点に位置づけられている。

1919年1月より開催されたパリ講和会議では、ポーゼン州の帰属問題はもはやほとんど議論されなかった。ポーランド問題検討委員会も、ポーランド系が多数派かつすでに彼らによって実効支配されている旧ポーゼン州地域の大部分のポーランド併合を既定路線として各国首脳に提示している。そして最終的に、1919年6月のヴェルサイユ条約において当該地域のポーランド割譲が決定されるのである。これにより、28,000 km² の領域と約200万人の人口がドイツからポーランド領へと移譲され、ポズナニ県という行政区分となった。ただしこの際にドイツに残留した旧ポーゼン州の領域もあり、そこには「ポーゼン＝ヴェストプロイセン辺境県」という自治体が新設されている。

その後

ポーランドの戦間期とその破局

　戦間期初期のヴィエルコポルスカでは、大規模な住民移動が発生した。一方では約35万人のドイツ系住民がドイツ側に移住し、他方では10万人程度のポーランド系住民がヴィエルコポルスカ県に生活の拠点を移したのである。この住民移動によってヴィエルコポルスカ県を構成するポーランド系住民の割合はより高くなったが、依然としてドイツ系少数派も少なからず居住していた。

　政治の面では、戦間期のポーランド共和国は1921年に成立した三月憲法を基調としていた。しかしこの憲法はピウスツキによる独裁を恐れて行政府の権限を弱めており、本来その代わりに機能するはずの国会も小党分立状態の中で問題解決能力を喪失していた。国会選挙の結果を見てみると、1926年までこの地域では右派の国民民主党（エンデツィア）が最大勢力であったことが分かるが、国政レベルでは国民民主党は中道のキリスト

1939年頃のポズナニ中央広場　出典：Biblioteka Narodowa

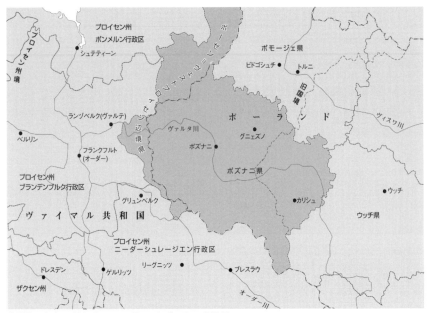

プロイセン州
ポンメルン行政区
シュテティーン
プロイセン州境
ボモージェ県
ビドゴシュチ
トルニ
旧国境
ランヅベルク(ヴァルテ)
ベルリン
辺境県
ヴァルタ川
グニェズノ
ポズナニ
ポーランド
ヴィスワ川
フランクフルト
(オーダー)
ポズナニ県
プロイセン州
ブランデンブルク行政区
グリュンベルク
ウッチ
カリシュ
ウッチ県
ヴァイマル共和国
プロイセン州
ニーダーシュレージエン行政区
リーグニッツ
ブレスラウ
ドレスデン
ゲルリッツ
ザクセン州
オーダー川

戦間期のポズナニ県とポーゼン＝ヴェストプロイセン辺境県

教民主党と激しく対立し、強力な政府を形成できなかったのである。民族的少数派の保護に関しても、ジュネーヴ協定が締結されたオーバーシュレージエン行政区／シロンスク県とは異なり、憲法で規定された少数派保護規定は形骸化し、

1930 年頃のグニェズノ市街
出典：Biblioteka Narodowa

ヴィエルコポルスカ県のドイツ系住民はポーランド国家へ統合されることはなかった。

　ポーランドの束の間の民主主義は、ピウスツキによる五月クーデタによって破壊された。その際にヴィエルコポルスカ住民はデモや抗議活動でクーデタに反対する意思を示し、武装闘争を行う構えも見せたが、結局一地方の政治的動向がポーランド全体の趨勢を変えることはできなかった。確かに議会制民主主義はしばらく形式的に維持されたかに見えたが、それも 1929 年のピウスツキ陣営（サナーツィア）による国会での示威行動でもって消失した。この時期以降、ポーラ

政府協賛無党派ブロックの国会議員たち（1930 年）　出典：Biblioteka Narodowa

ンド国内は世界恐慌の影響などもあって経済的には混迷を極め、政治的にはピウスツキ配下の「大佐グループ」による独裁的・全体主義的傾向がますます強まっていった。

当初はクーデタ政権に反発していたヴィエルコポルスカ住民も 1930 年代前半に入ると体制側に統合されており、選挙では過半数の有権者がサナーツィア陣営の政府協賛無党派ブロックに投票するようになっていた。しかし 1935 年にピウスツキが死去するとサナーツィアへの求心力は失われ、国民の中では期待よりも失望が大きくなっていく。国政レベルではサナーツィアは解体されて急進

的な国民結集連合が成立するが、ヴィエルコポルスカでもこの陣営への統合が進んだ。農村地帯が大部分を占めるヴィエルコポルスカでは多数の失業者が溢れて経済回復が遅れたので、それが政治の過激化へと影響したのであった［Topolski 2018：17. Wielkopolska na Mapie Politycznej Kraju］。1930 年代末にはポーランドをめぐる国際情勢は緊迫の度を増していくが、その結末こそヒトラー政権によるポーランド侵攻であったのだ。

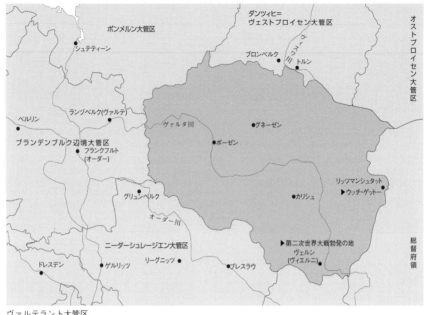

ヴァルテラント大管区

第二次世界大戦における「ヴァルテラント大管区」

第二次世界大戦が始まると、ヴィエルコポルスカ県は9月19日頃までに全域が占領された。「ポーゼン」はドイツであるという理解のもと、この地域はのちにヴァルテラント大管区として第三帝国に編入された。これは **DE** ヴァルテ（**PL** ヴァルタ）川の流域にある地域という意味である。その領域には、ポズナニやカ

アルトゥーア・グライザー
出典：Narodowe
Archiwum Cyfrowe

リシュだけでなく、より東方のウッチ（ナチ占領下ではリッツマンシュタットと呼ばれた）周辺も含まれていた。

大管区指導者となるアルトゥーア・グライザーは9月13日にはこの地域に入ったが、それ以降彼はヒトラーからほとんど無制限の権限を移譲された最高指導者として振る舞った。彼の武器はゲシュタポをはじめとする統率された警察組織であり、彼らは常時3万から4万の人員でもって「治安維持」にあたった。ドイツ占領下のポーランド全体で行われたことであったが、ナチはヴァルテラントでもポーランド指導層の排除と殺害に着手した。まず1万人に上る知識人、聖職者、職業軍人が、この地域の各都市で

Litzmannstadt, (Teilansicht)
リッツマンシュタット（ウッチ）市街（1940年）
出典：Biblioteka Narodowa

公開処刑などによって殺害された。そして1939年末からは政治指導者の粛清が始まり、1万人が強制収容所へ送られたほか、約5万人の一般市民も労働収容所へと連行されている。その一方で、「民族ドイツ人」の入植政策が推進され、ヴァルテラントは「ドイツ化」されていった（テーマ史を参照）。

　ヴァルテラント大管区においても、ナチによる犯罪の最たるものはユダヤ系住民の絶滅政策であった。占領直後からドイツ国防軍兵士によるユダヤ系住民殺害は頻発していたが、そののちユダヤ系住民は各都市に設置されたゲットーに強制定住させられ、その劣悪な環境の中で多くの餓死者や病死者が出た。中でもウッチ・ゲットーは東部編入地域における最大規模のゲットーとして知られており、16万人程度の収容者のうちの4分の1が死亡したとされる。最終的には、これらのゲットーの生存者たちも占領下ポーランド各地の絶滅収容所へと移送さ

破壊されたポズナニ中央広場

れ、そこで死亡するか、もしくは殺害された。以上の大規模な住民構成の変化により、東方からのドイツ系入植者を入れても、ヴァルテラントの人口は492万人から440万人へと減少したのである［Topolski 2018：21. Bezpośrednia Eksterminacja Ludności；永岑 2003：130-131］。

戦争末期のソ連軍の進撃は、1945年1月頃にヴァルテラント大管区に達した。パニックとなったドイツ人の避難はここでも発生し、数万人の住民が西方へと移動していった。ヴァルテラントの防衛にあたって、とりわけポズナニ市がベルリンへと繋がる要衝であったために要塞化されるなど、ドイツ軍はできる限りの防衛体制を敷いて対応した。そして両軍の非常に激しい戦闘の末に、ヴァルテラント全域が2月23日までにソ連軍によって占領されたのである。しかし戦闘によるポズナニの被害は甚大であり、16世紀に建てられた市庁舎が破壊されるなど、歴史的景観を誇った旧市街も完全に破壊されてしまった。

戦後のヴィエルコポルスカ周辺地域

テヘランやポツダムでの連合国首脳の会談ののち、ドイツ・ポーランドの戦後国境はオーダー・ナイセ線となることが暫定的に決定された。戦間期にポーランド領に属したヴィエルコポルスカがポーランドへ復帰するのは既定路線ではあったが、それより西方の旧ポーゼン＝ヴェ

ストプロイセン辺境県や旧ブランデンブルク州東端地域もポーランドへと併合されたのである。これらを合わせた領域は、ソ連の占領下でポズナニ県という自治体に再編されている。

ポズナニ県東部地域は、その他の旧ドイツ東部領土とは異なって「回復領」の一部とはされなかった。戦間期のポーランド領の一部であっただけでなく、中近世を通じてポーランド王国を構成してきた地域でもあったからである。そしてポーランド系が多数派を占める元来の住民構成もあってポーランド化そのものはそれほど問題にならなかったように思われる。もちろんドイツ人とされた住民は強制的に移住させられたが、その数は相対的に少ないものであった（ただし、戦間期までドイツ領であった地域では全面的な追放政策が実施されている）。それでも再建されたポズナニ大学は旧ドイツ東部領土のための専門チームを設置して、厳密な調査に基づいて回復領各地の地名をポーランド化することに貢献した。この際には、かつてのスラヴ的名称が復活する場合もあれば、新たにポーランド的な名称が創造される場合もあった［Topolski 2018：24. Pierwsze Dni Wolności］。

戦争直後のポーランドにおいて、ソ連に支援された労働者党（共産主義政党）が社会において広範な支持を得られていなかったことはよく知られている。それはヴィエルコポルスカでも同様であり、

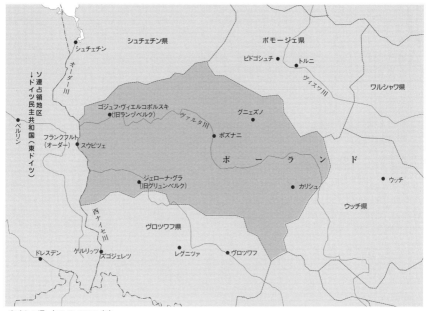

ポズナニ県（1946-1975年）

ロンドン亡命政府の首班であったスタニスワワ・ミコワイチクに率いられた農民党が大衆的な人気を博しつつあった。彼はポズナニでの党大会で農民党の党首に選ばれている。国内において有権者の支持が得られていないことを察知した労働者党は、様々なプロパガンダや政策を通じて自らの優位をアピールするも、1947年の選挙では投票結果を操作してようやく「勝利」した。これを受けてミコワイチクは亡命し、対立軸を失ったポーランド政治は労働者党（48年には統一労働者党へと拡大）の一党独裁へと一気に傾いていった。

　戦後のヴィエルコポルスカにおける最大の事件といえば、高校世界史の教科書

挙国一致臨時政府入りしたミコワイチクが1945年7月5日にポズナニに到着したことを伝える記事
出典：Biblioteka Narodowa

ポズナニで「我々はパンを要求する」と書かれたプラカードを掲げてデモ行進をする人々（1956年6月28日）

にも載っている1956年のポズナニ暴動（六月事件とも）であろう。1950年代前半はポーランドにおける統一労働者党の独裁体制が盤石化しつつある時期であった。ヴィエルコポルスカだけでなく、ポーランド全体で近代化＝重工業化政策が推し進められたが、それは生活用品などの欠乏を招くものでもあった。特に農村地域であったヴィエルコポルスカを急速に重工業化することは社会の矛盾を増大させており、それにスターリン批判がイデオロギー面で追い打ちをかけた。当初は待遇改善を求める自動車エンジン工場のストライキであったが、治安部隊がデモ行進に発砲したのを契機に大規模な暴動へと至った。そののち抗議活動は全国へと波及して党指導部の交代劇まで起こり、政治・社会に一定の自由化をもたらした。

その後のヴィエルコポルスカは、1970年代の短期的な「大衆消費社会」の到来、そして1980年代の連帯運動の盛り上がりと戒厳令といったポーランド現代史を共有しながら、1989年の体制転換を迎えることとなった。

ポーランド系の移民労働者たち（ゲルゼンキルヒェンにて）出典：Institute für Stadtgeschichte Gelsenkirchen

🏛 ルール・ポーランド人

　19世紀後半において、プロイセン東部からドイツ西部のルール工業地帯への移民労働者が急増した。これら東部から西部の移住者の多くはポーゼン州や東西プロイセン州出身のポーランド語話者やマズーリィ語話者であり、それゆえに「ルール・ポーランド人」と呼ばれる。

　ドイツ帝国内の炭鉱・工業地帯としてはオーバーシュレージエンとルール地方が有名であるが、とりわけ後者は1850年代に集中的な資本投下によってオーバーシュレージエンを凌ぐ経済力を持つに至っていた。他方でポーゼン州では依然として農村経済が中心であり、当時の人口増加や農奴解放によって労働人口が過剰となっていた。彼らは1880年代にルール工業地帯への出稼ぎが大幅に自由化されると、より良い賃金を求めて大挙してこの地域へと移住していったのである。当時の統計によれば、1880年から1910年までのプロイセン東部諸州からルール地方への出稼ぎ移住者は合計で約150万人にも達しており、ポーゼン州からの移民に限定するとその7割がポーランド系であったという（残りはドイツ系など）。ただし、当時は東部からの移民を総称して「ポーランド人」と呼んでおり、統計も実際の帰属意識や言語状況を正確に反映したものではないことに注意が必要である。

　ルール工業地帯に定住した出稼ぎ労働者たちは、炭田近くの農村部にコロニー

ケーニヒスベルク
シュトラールズント コルベルク ケスリン ダンツィヒ
ロストック エルビング
マリーエンブルク
ハンブルク アレンシュタイン
シュテッティーン トルン
ハノーファー ベルリン オーダー川 ブロンベルク
ヴァルタ川 グネーゼン ヴィスワ川
フランクフルト(オーダー) ポーゼン ワルシャワ
ゲッティンゲン エルベ川 ロ シ ア 帝 国
ルール工業地帯 カリシュ ウッチ
ベルギー王国 ルブリン
ライプツィヒ
オイペン ケルン ゲルリッツ リーグニッツ ブレスラウ
マルメディ ボン ヴァイマル
トリーア フランクフルト(マイン)
ルクセンブルク
メッツ ニュルンベルク
第三共和政フランス ナンシー シュトゥットガルト
コルマール シュトラースブルク
フライブルク ミュンヒェン
バーゼル チューリヒ
ス イ ス

ルール工業地帯の諸都市

リッペ川 ハム
ライン川 レクリングハウゼン
エムシャー川
ボットロプ ゲルゼンキルヒェン ドルトムント
オーバーハウゼン ボーフム
ミュールハイム エッセン ヴィッテン
デュースブルク
ルール川 ハーゲン
デュッセルドルフ ヴッパータール

ルール工業地帯

と呼ばれる集団住宅で暮らしていた。世紀転換期までポーゼンからの移民の大半は男性であったが、彼らがルール地方に定住するにつれて家族ぐるみでの移住も増えていっており、もはや帰郷を志す人々は少なくなっていった。定住化にしたがって現地生まれの「二世」も増えつつあり、ルール地方のポーランド系住民の中で現地生まれの者は 1890 年の約 7 パーセントから 1910 年の 32 パーセントへと増加した。

しかしポーランド系移民労働者たちは、現地で「ポーランド野郎 Polacken」などと差別的な名称で表象されており、現地のドイツ系住民とは相容れないと感じた彼らは徐々にポーランド民族運動へと結集していった。彼らは独自のポーランド語新聞を発行し、地元のポーランド系帝国議会議員を支援し、そしてまた各種の民族協会を結成するといった活動を通じて、ポーランドへの帰属意識を強めていくのである。このような移住者の動向を「ポーランドの脅威」として警戒を強めていくのがドイツ行政当局やドイツ民族主義者である。当局はポーランド系の動向に神経をとがらせており、監視体制を構築するとともに白い鷲のようなポーランドの民族的シンボルの使用を抑圧しようとした。こうした中、ポーランド系をドイツ化するための方策として用いられたのが改姓である。全ドイツ連盟などのドイツ民族主義団体

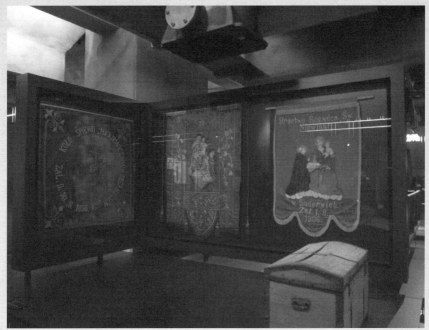

エッセンのツォルフェアアイン・ルール博物館に展示されているポーランド系合唱団体などの旗（筆者撮影）

は、ポーランド民族運動の浸透を防ぐためにポーランド系のドイツ姓への改姓を積極的に支援した。この改姓者は世紀転換期から急増しているが、その背景には、少なくとも名前からはポーランド系と判別できなくなることで差別が表面的に解消されていくのではないかという、ポーランド系移民労働者の期待があったと考えられる。

参考文献
伊藤 1987；坂東 1996；渡辺 2001

🏛 第二次世界大戦期の「民族ドイツ人」入植政策

ヒトラーに敬礼する民族ドイツ人たち（1939 年 9 月）
出典：Narodowe Archiwum Cyfrowe

　第二次世界大戦期のドイツ東方領土では、ヴォルィーニやベッサラビアなどのヨーロッパ東方から「民族ドイツ人」と呼ばれる人々を入植させる政策が展開された。その総数は 77 万人以上という大規模なものであり、戦中戦後の旧ドイツ東部領土の人口動態にも影響したので、ここでその歴史を簡潔にまとめておきたい。

　当初のナチの目的は、ドイツ国内における「ドイツ農民」の育成であった。1933 年に制定された「ドイツ農民の新形成」法は、人種主義的な選別に基づいて西南ドイツなどの農村地帯に国内のドイツ人を入植させるためのものであった。しかしこれは、入植希望者が想定数を下回るようになり、思うような成果を得られないものとなる。そこでドイツ当局によって目をつけられたのがヨーロッパ東方に点在する「ドイツ語を話す人々」であった。彼らは非常に豊富な、しかも「民族的にドイツ人」からなる労働力の貯蔵庫としてみなされたのである。1937 年に入植応募者の規定が改め

られ、ドイツ国外に居住する「民族ドイ
ツ人」への門戸が開かれた。

　民族ドイツ人の入植政策は、「帝国へ
帰ろう Heim ins Reich」というスロー
ガンのもと、第二次世界大戦中に最も盛
んに行われた。それは戦時中にヨーロッ
パ東方の大部分がナチ・ドイツとその実
質的同盟国ソ連（1941 年 6 月まで）の
占領下に置かれたという状況の変化が大
きな要因として作用していた。ナチ親衛
隊指導部は、開戦直後の 1939 年 10 月
に選別や管理を担う「民族ドイツ人中央
本部」と「入国者本部」を設置し、早く
も 12 月にはガリツィアやヴォルィーニ
からの移住が開始された。なお、この入
国者本部はヴァルテラント大管区のリッ
ツマンシュタット（ウッチ）に置かれて
いる。さらに 1940 年 8 月以降にソ連
が現在のルーマニア周辺にあたるベッサ
ラビアやブコヴィナ、ドブロジャを占領
すると、それらの地域からの移住が実施
された。ただルーマニアからの移住者に
対して比較的厳しい選別が課され、移住
開始から数ヶ月が経過した 1941 年初
頭にようやくヴェストプロイセン大管区
やヴァルテラント大管区への入植が認め
られた。戦間期にポーランド領であった
これらの大管区の諸地域は東部編入地域
（eingegliederte Gebiete）とも呼ばれ
るが、この地域こそが東方から移住して
いく民族ドイツ人の主たる受け入れ先と
なった。

　もちろん民族ドイツ人が入植してくる

東方からの「民族ドイツ人」の移住

土地には空いた家屋が必要となるのである
が、それはポーランド系住民の強制移住で
埋め合わされた。親衛隊の指導のもとに、
現地警察が各村落のポーランド系住民を無
理やり連行して収容所に送ったのである。
そののち入植者たちはそれらの村落に入
り、住居・畜舎などがあてがわれた。彼ら
は各集落に散在する形で入植したので、隣
人であるポーランド系住民との間で深刻な
民族対立を生じさせることとなる。またド
イツ系住民同士でも対立が見られ、土着ド
イツ系住民と民族ドイツ人の間や出身地の
異なる民族ドイツ人の間で相互の不理解が
発生したとされる。

　最終的に民族ドイツ人たちもまた戦争
末期および戦後の避難と追放の波に巻き
込まれ、そのほとんどがドイツへと移動
することとなった。

参考文献
足立 2012；衣笠 2015

ヴェルナー・フォン・ブラウン　　　パウル・フォン・ヒンデンブルク　　　マリアン・レイェフスキ

🏛 著名出身者

　日本人にとって最も馴染み深いポーゼン州出身者はロケット科学者の**ヴェルナー・フォン・ブラウン**（Wernher von Braun, 1912-1977）であろう。なんと言ってもフォン・ブラウンの人類史に残る功績はアポロ計画を成功に導いたことであるが、一方でナチ・ドイツのロケット兵器 V2 の開発責任者でもあった。ここではドイツ時代における半生を紹介しよう。

　彼は、ドイツ領ポーゼン州時代末期に、ブロンベルク（PL ビドゴシュチ）西方の街ヴィルジッツ（PL ヴィジスク）のユンカーの家庭で生まれた。父はのちにヴァイマル期に農業大臣を務める名士であり、ヴェルナーもその跡継ぎとしてエリート教育を受けるために早くからベルリンのギムナジウムで学び、工科大学へと進学した。彼は子どもの頃から自然科学や天文学に強い興味を抱いていたというが、大学ではエンジニアリングを専攻した。大学卒業後はしばらく生産現場の見習い奉公をしていたというが、彼がこのような道を選んだのは貴族だからといって偉そうにしたくないという理由であった。

　そののち、フォン・ブラウンはロケット研究者としての腕を見込まれてドイツ国防軍の機密ロケット研究計画の一員となった。当時ドイツ軍はヴェルサイユ条約によって軍備を制限されていたが、新分野のロケット兵器はその対象外であったためにその

開発を行える技術者が必要とされていたのである。彼はベルリン大学の博士課程に入学してそこでロケット開発計画の論文を書き、軍からますます重宝されるようになる。しかし、初期のA2と呼ばれるロケットは失敗続きであったが、ヒトラーは政権獲得後に再軍備宣言を行うとともに、このロケット開発計画に目をつけて資金を増強したのである。

ポンメルン大管区のペーネミュンデに建設された実験場と工場で、1万人の科学技術者や数百人のユダヤ系や外国人の強制労働者を指揮してロケット開発に邁進した。そこに良心の呵責は見られなかったようだ。完成した兵器にはV1/V2という名前がつけられ、1万発以上がイギリスに発射された。犠牲者は数千人とされる。

戦争が終わろうとする頃、米ソの間でドイツ人科学者の争奪戦が始まった。特に双方がロケット技術を渇望していたことはフォン・ブラウンに好都合に働き、彼はアメリカ軍の手に落ちると仲間とともにテキサス州の誘導ミサイル研究所で研究を続けることを許されたのである。その後、フォン・ブラウンは卓抜な能力を買われてNASAへ異動してアポロ計画の主任となり、人類初の月面着陸を成功に導いた。

第1章で度々登場した**パウル・フォン・ヒンデンブルク**（Paul von Hindenburg, 1847-1934）も、ポーゼン州の出身者である。

彼はポーゼン市のユンカーの家庭に生まれ、プロイセン軍の士官であった父と同様に職業軍人の道を歩んだ。彼の回想によると、幼少期からすでに父について各地を転々としていたので、ポーゼンの記憶はほとんどないのだという。しかしそれでも自伝では、1848年のポーゼンでのポーランド人蜂起とそれに立ち向かった父について書いており、ドイツ人としての出自に誇りを持っていたようである。

彼は普墺戦争や普仏戦争に従軍したのち、帝政期には幕僚や軍司令官に任用され、1911年に予備役となった。第一次世界大戦が勃発すると東部第8軍の司令官として復役し、タンネンベルクでの戦いをドイツの勝利に導いて窮地に陥っていたオストプロイセン地域からロシア軍を撤退させた。この東部戦線での軍功からヒンデンブルクはドイツにおいて国民的英雄となってゆくのは、すでに第1章テーマ史で述べた通りである。1916年以降は参謀総長に任命され、総力戦体制を指導した。ドイツ敗戦後に、彼は参謀総長の地位に留まり続けると同時に、ドイツの敗戦が共産主義者やユダヤ人による「背後からの一突き」でもたらされたと主張して、戦間期ドイツの民主主義的基盤を揺るがし続けた。

1925年には、攻撃し続けてきたヴァイマル共和国の大統領に自ら立候補し、保守派の支持を得て当選する。しかし彼には君主主義者であった上に利害調整を円滑に行うための政治的資質が乏しく、徐々に権威主義的傾向を強めていく。彼は1930年代

初頭に議会に基盤を持たない少数派内閣を立て続けに発足させるとともに、本来は非常時の大権である大統領緊急令を乱発してドイツを政治的混乱に陥れた。

それでも国民的人気は衰えておらず、1932年の大統領選挙ではヒトラーを破って再選された。しかし翌年にヒトラーを首相に任命してナチ政権を誕生させ、1934年にヒンデンブルクが死去したのちは、ヒトラーが大統領を兼ねる総統となった。なお、第一次世界大戦中に彼の部下であったエーリヒ・ルーデンドルフもポーゼン州の出身である。

マリアン・レイェフスキ（Marian Rejewski, 1905-1980）は、第二次世界大戦までドイツの誇った鉄壁のエニグマ暗号を解読した人物として現代ポーランドで英雄視されている人物である。

彼はポーゼン州ブロンベルクで商人の家庭に生まれ、地元のギムナジウムを卒業したのち、当時すでにポーランド領となっていた地元ヴィエルコポルスカのポズナニ大学数学科に進学した。ポーランド軍の暗号局はこの地域出身のドイツ語堪能な学生の軍事的有用性に注目しており、とりわけ対独暗号解読分野では優秀な数学専攻の学生に暗号学を学ばせることで諜報戦を優位に進めようと考えていた。その意味で、確かにレイェフスキは最適の人物であり、彼はその候補生に選ばれたのである。しかし1926年からポーランド軍の直面していたドイツの機械式暗号機「エニグマ」は極めて堅牢な機密性で知られており、すでに英米仏の研究者たちはさじを投げている状況であった。

それでも望みがないわけでもなかった。フランスによるドイツでのスパイ活動の結果、エニグマの暗号表と設定表を連合国側が入手しており、それはポーランド暗号局の手にも渡っていたからである。暗号表と設定表があるとはいえ、その先にはそれを元にエニグマ機の複製を制作するという大きな難題が待ち構えていた。そこで才能を発揮したのがレイェフスキであったのだ。彼は10万通り以上の設定の中から正しい設定を見つけ出し、エニグマ機の復元精度を高めていったのである。第二次世界大戦前にはドイツもエニグマ機を更新して暗号の設定数がさらに膨大となるも、レイェフスキに指揮されたチームはエニグマの暗号解読機を完成させた。

この成果は戦時下のイギリスへと引き継がれ、ブレッチリー・パークの暗号解読本部で本格運用されることとなった。

2007年にポーランドで発行されたエニグマ暗号機解読75周年を記念する10ズウォティ硬貨

1939 年 9 月の大戦勃発後、レイェフスキは避難と亡命生活を強いられた。辛うじてナチの手を逃れた彼は、フランスからポルトガルを経てイギリスへと逃避行を行った。

　戦後は家族のいるビドゴシュチへ帰るも、地元の労働者党幹部がエニグマ解読のことなど何も知らなかったために製造業の労働者として働くよう命令されるなど、そこでは彼の学歴や業績からは考えられないほどの冷遇が待っていた。ようやくその偉業が知られるようになるのは、レイェフスキ自身が回想録を書き、それが公開された1978 年のことであった。その年、彼はポーランドのポロニア・レスティトゥタ勲章を授与された。死の 2 年前に、その功績がようやく正当に評価されるようになったのである。そして現在では、エニグマにまつわる暗号解読のエピソードは、映画などを通じて日本でも知られるようになりつつある。

🏛 その他の著名出身者

- **ツヴィ・カリシャー**
  Zwi Hirsch Kalischer, 1795-1874, プロイセン領リッサ出身のシオニスト、タルムード学者
- **ハインリヒ・グレーツ**
  Heinrich Graetz, 1817-1891, プロイセン領クションス出身のユダヤ学者
- **エーリヒ・ルーデンドルフ**
  Erich Ludendorff, 1865-1937, プロイセン領シュヴェーアゼンツ出身の軍人。ヒンデンブルクとともに第一次世界大戦のドイツ軍を指導した
- **アウグスタ・ホルツ**
  Augusta Holtz, 1871-1986, ドイツ帝国領ポーゼン出身の元男性長寿記録保持者。115 歳という長寿は 1990 年まで男性の最長記録であった
- **ジョージ・アダムスキー**
  George Adamski, 1891-1965, ドイツ帝国領ブロンベルク出身の SF 作家、UFO 研究家。アメリカで活動し、「アダムスキー型 UFO」「空飛ぶ円盤」を一躍有名にした
- **エルンスト・カントロヴィチ**
  Ernst Kantorowicz, 1895-1963, ドイツ領ポーゼン出身の歴史学者。戦後はアメリカで活動した。主著は『王の二つの身体 *The King's Two Bodies*』(1957 年)

- **ジグムント・バウマン**

  Zygmunt Bauman, 1925- 2017, ポーランド領ポズナニ出身の社会学者、哲学者。主著は『リキッド・モダニティ *Liquid Modernity*』（2000 年）

- **オルガ・トカルチュク**

  Olga Tokarczuk, 1962-, ポーランド領スレフフ（ DE ツーリヒャウ）出身の作家。シロンスクを中心に活動する現代ポーランドを代表する小説家で、2019 年に発表された 2 つのノーベル文学賞のうち 2018 年のものを受賞した。代表作『昼の家、夜の家 *Dom dzienny, dom nocny*』『逃亡派 *Bieguni*』など（白水社などから小椋彩による翻訳が出ている）

- **マチェイ・ジュラフスキ**

  Maciej Stanisław Żurawski, 1976-, ポーランド領ポズナニ出身のプロサッカー選手。ワールドカップ日韓大会・ドイツ大会に出場

- **ドン・グラレスコ**

  DonGURALesko, 1980-, ポーランド領ポズナニ出身のラッパー、作詞家。レベルの高いライムや個性的なフロウを繰り出す、現代ポーランドを代表するラッパー。「Go Poznan」という曲がある事からも分かる通り、ポズナンを代表するラッパーとしての自負心が垣間見られる。代表作『**Totem leśnych ludzi**』

第5章

ヒンターポンメルン

スウェーデン支配を経て保守派の牙城となったバルト海の要衝

ヒンターポンメルン

DE Hinterpommern

現ポーランド領西ポモージェ地方
PL Pomorze Zachodnie

　DE ポンメルンもしくは PL ポモージェの語源となった「ポモラニア Pomorania」は、古いスラヴ語に由来し、「海辺の土地」を意味する。これは、バルト海に面し、オーダー川とヴィスワ川の間の地域に居住していた住民（ポモラン族と呼ばれた）によって命名されたものである。有名な犬種であるポメラニアンの原産地と言えば分かる人も多いのではないだろうか。ポンメルンは現在のドイツ北東部からポーランド北西部までの広い地域を指すもので、ドイツ語ではその西部地域をフォア（前部）ポンメルン、東部をヒンター（後部）ポンメルンと呼ぶ。一方のポーランドではヒンターポンメルンからグダニスクまでの地域を指して「ポモージェ」と呼ぶことが多く、言語間で地理的概念が微妙に一致しない。これはポンメルン／ポモージェをめぐる両国の歴史的な支配に関係するものであり、本来この概念はフォアポンメルンからヴィスワ川河口域までを含む非常に広大な地域概念なのである。ただすでにグダニスク周辺地域の歴史は第2章で説明しているので、ここでは主に旧ドイツ領と重なり合う部分の大きいヒンターポンメルン＝西ポモージェ地方を中心にその歴史をみていきたい。

主要言語

ドイツ領時代	ドイツ語、ポーランド語、カシューブ語
現代	ポーランド語、カシューブ語

近代以降の人口
①プロイセン時代（ポンメルン州全体）

1819	729,834
1846	1,165,073

②ドイツ領時代（ポンメルン州／行政区全体）

1871	1,431,633
1880	1,540,034
1890	1,520,889
1900	1,634,832

1910	1,716,921
1925	1,878,780
1939	2,393,844

③第二次世界大戦後（旧ヒンターポンメルン地域のみ）

1946	892,600（シュチェチン県）
1980	1,729,900（シュチェチン県、コシャリン県、スウプスク県の合算）
2019	1,696,193（西ポモージェ県）

近代以降の人口

10 世紀後半	ミェシュコ 1 世による征服
1138 年	ポモージェ公領の成立
12 世紀半ば	カミン司教領の成立
1181 年頃	ポンメルン＝スラヴィエン公領の成立と、デンマークおよびポーランドによる分割統治
1231 年	ポンメルン公とブランデンブルク辺境伯の封建的主従関係が神聖ローマ皇帝によって承認される
1570 年	シュテティーンの和約
1627 年	三十年戦争下、ヴァレンシュタインの軍勢にポンメルンが占領される
1630 年	スウェーデンによる戦争への介入とポンメルン占領
1637 年	最後のポンメルン公ボギスワフ 14 世の死去とポンメルン問題の浮上
1647 年	ブランデンブルクとスウェーデンによるポンメルン公領の分割
1720 年	プロイセンによるスウェーデン領ポンメルン東部の併合
1815 年	プロイセンによるポンメルン全域の併合とポンメルン州の成立
1847 年	シュテティーンでのジャガイモ革命
1871 年	ドイツ帝国の創設
1919 年	ヴァイマル共和国の成立
1933 年	ナチ政権下でのポンメルン大管区への権限委譲
1942 年	ペーネミュンデ実験場で V2 の試験飛行に成功
1945 年	避難と追放。ナチ・ドイツの敗北。オーダー・ナイセ線の暫定承認。ポーランド領シュチェチン県の成立。
1946 年	チャーチルのフルトン演説
1970 年	シュチェチンでの食料暴動
1980 年代	シュチェチンでの連帯運動の盛り上がり

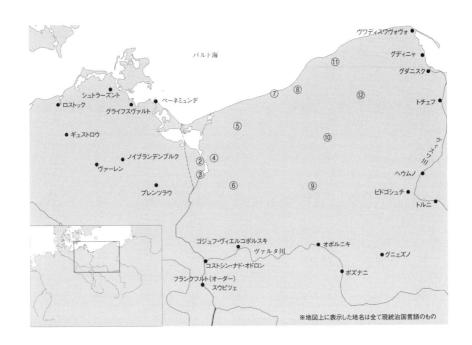

※地図上に表示した地名は全て現統治国言語のもの

PL ポーランド名 / DE ドイツ名

	ポーランド名		ドイツ名	
①	Świnoujście	シフィノウィシチェ	Swinemünde	シュヴィーネミュンデ
②	Police	ポリーツェ	Pölitz	ペリッツ
③	Szczecin	シュチェチン	Stettin	シュテティーン
④	Goleniów	ゴレニュフ	Gollnow	ゴルノフ
⑤	Gryfice	グリィフィツェ	Greifenberg	グライフェンベルク
⑥	Stargard (1950-2015: Stargard Szczeciński)	スタルガルト（スタルガルト・シュチェチンスキ）	Stargard	シュタルガルト
⑦	Kołobrzeg	コウォブジェク	Kolberg	コルベルク
⑧	Koszalin	コシャリン	Köslin	ケスリン
⑨	Wałcz	ヴァウチ	Deutsch Krone	ドイチュクローネ
⑩	Szczecinek	シュチェチネク	Neustettin	ノイシュテティーン
⑪	Słupsk	スウプスク	Stolp	シュトルプ
⑫	Bytów	ビィトゥフ	Bütow	ビュトフ

ドイツ領となるまで

ヴェント族とされる図像
出典：*Heidelberger Sachsenspiegel*
(Universitätsbibliothek Heidelberg)

ポモラニアの黎明

　ポモラニアというスラヴ的な地名が示すように、この地域はスラヴ語を話す人々の故地であると考えられている。紀元前 14-13 世紀にラウジッツ文化というスラヴ系と推定される原スラヴ的文化が発生し、さらにそれが前 800-300 年頃のポモージェ文化へと受け継がれたという説があるためである（ポモージェ文化を西バルト系とする説も存在）[伊東ほか編 1998：24-25]。またこの地域にはゲルマン系住民も古くから居住しており、古代ローマ時代の史料にはルーギ族と呼ばれるゲルマン族の一派の存在が記されている。しかしこのゲルマン系部族は、紀元後 4 世紀頃の民族移動期に南方もしくは西方に移住していったとされる。そしてその後には、この地に新たにスラヴ系の人々が移住してきたという。中世初

期には、スラヴ系ヴェント族の一派であるヴェネティ族、やはり西スラヴ系のラーン族、ウクラン族などといった部族がポモージェに定住していたことが知られている。

　11 世紀頃までのポモージェはこのように「スラヴ的」な地域であったと指摘されているが、10 世紀後半には初代ポーランド王ミェシュコ 1 世が PL シュチェチン（ DE シュテティーン）を含むオーダー川以東のポモージェを征服し、その支配下においたことで、ようやくスラヴ系部族が群雄割拠する時代は終わりを告げる。さらに、このミェシュコの治世にはコウォブジェク（コルベルク）に司教座が設置されて以降、ポモージェも徐々にキリスト教化されていった。この地域におけるキリスト教化には、12 世紀の

コルベルク（1650 年頃）
出典：Sächsische Landesbibliothek - Staats- und Universitätsbibliothek Dresden

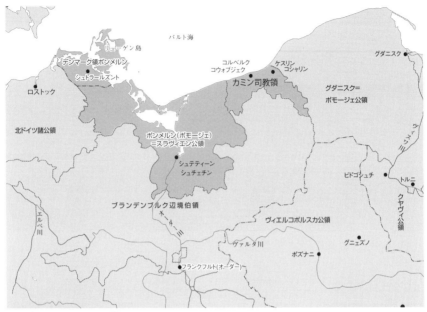

1250 年のポンメルンとその周辺

聖オットー・フォン・バンベルク

聖職者オットー・フォン・バンベルクによる貢献が大きいとされる。キリスト教伝播の過程でコウォブジェク周辺は 12 世紀半ばにカミン司教領となり、独自の領邦を形成した［Inachin 2008：12-16］。

ポモージェ公領の成立と展開

　1138 年にポーランド王ボレスワフ 3 世が死去すると、その版図は後継者たちによって分割されるのであるが、そ

の際に PL ポモージェ（DE ポンメルン）公領も成立した。しかしその初代公爵であるヴァルツィスワフ 1 世は様々な外圧に悩まされることとなる。12 世紀のポンメル

ヴァルツィスワフ 1 世
出典：Muzeum
Narodowe w Szczecinie

ン公領は、ポーランド大公であったミェシュコ 3 世〈老公〉、デンマーク王ヴァルデマー 1 世〈大王〉に相次いで攻撃されたのであるが、1181 年頃にはポーランドとデンマークに分割されつつ、同時にポモージェ公が「スラヴィエン公」と

いう肩書のもとで神聖ローマ皇帝の庇護下にも置かれるという複雑な事態となった。それでも最終的に皇帝フリードリヒ・バルバロッサはデンマーク王の支配権を承認し、これによりシュチェチンをはじめとするポンメルン（ポモージェ）＝スラヴィエン公領は1226年までデンマークの属領となる［Buchholz 1999：18］。

　デンマークが北ドイツ諸侯に敗北したボルンヘフェトの戦い（1227年）を契機として、ポモージェにおけるデンマーク王の権威は失われていくようになる。そして1231年には皇帝フリードリヒ2世がブランデンブルク辺境伯（アスカーニエン家）をポンメルン公爵の封主とする封建的主従関係を承認し、バルト海沿岸における神聖ローマ帝国の優位を確立した。この際にはポーランド王もポモージェの領有権を主張したが、認められなかった。またポンメルン公爵家も一旦は1250年のランディン条約でブランデンブルク辺境伯に対する封建的主従関係を公的に承認させられるも、それに納得せず同家との間で戦争に至った。しかし結局、旧ポンメルン公バルミン1世はブランデンブルク辺境伯に破れ、同家に服属す

バルミン1世
出典：Muzeum
Narodowe w Szczecinie

ることとなった。そしてポンメルン公爵家が断絶した際には、ブランデンブルク辺境伯がその後継者となることも規定された。またポンメルンは神聖ローマ帝国の一部ともなっている。

※以下、第二次世界大戦までドイツ名を優先。

東方移住による人口動態・社会構造の変化

　東方移住（東方植民）についてはすでに第1章および第3章で説明した通りであるが、ブランデンブルク辺境伯の影響下で、中世後期のポンメルンにも多数の移住者が到来している。12世紀から13世紀にかけて、ドイツ語を話す農民移住者が西南ドイツより北方の沿岸地域に移動して定住した。彼らはロカトーレンと呼ばれる入植請負人の手引きにより、ポンメルンにやってきたのである。こうし

東方移住の様子（帽子をかぶっているのがロカトーレン）
出典：*Heidelberger Sachsenspiegel*
(Universitätsbibliothek Heidelberg)

た入植者は、土地の処分権を含む特権的な法的地位の付与を背景として、集住地を建設するとともに、周辺の森林の開墾や土地の耕作を大規模に実施した。バルミン1世などのポンメルン諸公も、人口増加にともなう税収増加や権力基盤の確保を狙ってこうした入植政策を奨励しており、域内では都市化が急速に進んでいった。

またこの地域の特徴として、聖職者もこうした地域再編の一翼を担ったということがある。デンマーク支配期にポンメルンには多くの教会や修道院が建設されていたのであるが、貴族層の支援のもとに修道僧や修道女たちは入植者の開墾した土地を寄進されることで、領地や勢力を拡大させていった。

こうした新たな事態の中で、支配層や住民の中でも大きな変化が生じることとなった。言語や慣習の面で、スラヴ的な要素は少しずつ減少していき、ドイツ系住民へと同化していった。ポンメルン諸侯においても、スラヴ的側面を残していくこととなるのはその男子の名前くらいであったと言われる[Inachin 2008：24]。また都市や集落の自治権を定めたマクデブルク法のようなドイツ法も導入

エーリク・ア・ポンメルン
出典：Det Kgl. Biblioteks billedsamling

されるようになり、この時代のポンメルンでは都市化とドイツ語化が進展していくのである。

なお、14世紀末にはポンメルン公爵家のエーリヒがデンマーク王（**DM** エーリク・ア・ポンメルン）として戴冠し、カルマル連合の主役を担っている（第6章を参照）。

ポンメルンにおける宗教改革

16世紀になると、やはりこの地域にも宗教改革の波が押し寄せてくることとなった。すでに15世紀後半よりポンメルンにおいては修道院の堕落と腐敗が批判にさらされており、こうした中で起こったルターによる贖宥状批判は比較的受け入れやすいものであったと考えられる。とりわけ宗教改革期のポンメルン公であったゲオルグ1世とバルミン9世（兄弟であり、共同統治を行った）は、ルター派プロテスタントの教義を早くから信奉していたことで知られる。同時にベ

バルミン9世とゲオルグ1世の名前が刻まれた硬貨（1523年発行）
出典：Münzkabinett der Staatlichen Museen zu Berlin - Preußischer Kulturbesitz

ヨハネス・ブーゲンハーゲン
出典：Staats- und Universitätsbibliothek Hamburg Carl von Ossietzky

シュテティーンの和約（1570 年 12 月）
出典：Det Kgl. Biblioteks billedsamling

ルブック修道院のヨハネス・ブーゲンハーゲンを理論的指導者として、プロテスタンティズムが民衆の間にも浸透していくが、これは旧教側との軋轢を生むこととなった。特に DE シュトルプ（PL スウプスク）では両者の対立が激化して騒擾へと至り、「革命的」状況がもたらされたと言われている。こうした事態を沈静化するためにシュテティーンなどの諸都市の参事会はプロテスタント教会の設置を容認する条例を設け、また公爵もこれを容認した。こうして、16 世紀のうちにプロテスタンティズムはカミン司教領を含むポンメルン全域に浸透し、多数派を形成するに至るのであるが、それでもしばらくの間は新教と旧教の間で抗争が続くこととなる［Buchholz 1999：210-221］。

スウェーデンによる占領とポンメルン公領の分割

バルト海地域の覇権をめぐっては、16 世紀前半よりポーランド、デンマーク、スウェーデンが三つ巴状態となっていた。1560 年代に入ると、デンマーク王フレゼリク 2 世によるスウェーデン王位請求などの問題も噴出し、1563 年に両国は北方七年戦争と呼ばれる戦争へと突入している。この戦争の講和会議はポンメルン公の仲介のもとでシュテティーンの市庁舎で開催され、そこでは両国の代表と、利害関係国であるポーランド、フランスの代表の間で協議がなされた。その講和条約であるシュテティーンの和約では、デンマークとスウェーデンともに占領地返還のみで領土の喪失の課せられない「痛み分け」的な裁定がくだされた［Piskorski 2002：71-73］。

しかしこれはポンメルンにおけるスウェーデン支配の前兆であった。1618 年より始まる三十年戦争において、当初ポンメルン公は、ブランデンブルク選帝侯の政策に従って戦争参加を拒否し中立策をとっていたのであるが、1625 年のデンマークの参戦によって戦線が北部ドイツにも急速に拡大していった。特に皇帝（旧教）側のヴァレンシュタイン率いる軍勢はポンメルンに向かい、1627 年 11 月に領土の明け渡しを迫る最後通牒をポンメルン公に突きつけたのである。

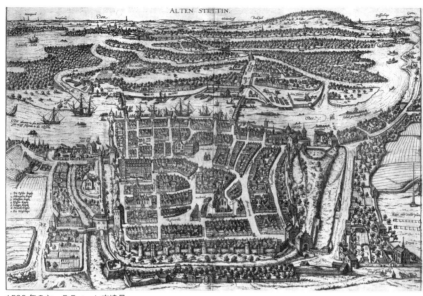

1590 年のシュテティーン市遠景
出典：Biblioteka Narodowa

戦争準備のままならないポンメルン公側はこれを受け入れるしかなく、カミン司教領を含むポンメルンはヴァレンシュタイン率いる軍隊の占領下に置かれること

GUSTAF ADOLFS LANDING I POMMERN.

ポンメルンに上陸したグスタフ・アドルフ
出典：Norsk Teknisk Museum

となった。

　しかしこの皇帝軍によるポンメルン占領は、バルト海での覇権的地位を目論むスウェーデンの目には脅威と映った。1630 年 7 月にスウェーデン王グスタフ・アドルフは 13,600 人の軍勢とともにポンメルン西部のペーネミュンデに上陸し、すぐさまウーゼドム島、ヴォリン島、シュテティーンといった地域を占領していった。ポンメルン公ボグスワフ 14 世は公領内での権力移譲およびスウェーデンとの同盟に同意し、これによってこの地域での皇帝勢力からスウェーデンへの権力交代が行われた。

　スウェーデン占領下の 1633 年、ボグ

1648 年のポンメルン

最後のポンメルン公ボグ
スワフ 14 世
出典：Biblioteka
Narodowa

スワフ 14 世が発作により倒れた。彼に
は子どもがいなかったために同家の断絶
が決定的となりつつあり、それはすなわ
ち古い相続契約に由来してブランデンブ
ルク選帝侯（ホーエンツォラーン家）が
ポンメルン公を
継承することを
意味していた。と
ころが、1634 年
当時の情勢のま
までブランデン
ブルク選帝侯が
ポンメルン公と
なると、前公の同
意した公領内で

のスウェーデンへの権力移譲という経緯
から、ポンメルンにおけるスウェーデン
の支配も承認することとなり、そうした
事態をブランデンブルク選帝侯フリード
リヒ・ヴィルヘルム（大選帝侯）は歓迎
しなかった。そこでボグスワフは参事会
とともにブランデンブルク選帝侯に権力
を譲り渡す制度改革を行ったが、実際に
1637 年に彼が死去するとポンメルンの
帰属問題はブランデンブルクとスウェー
デンの間で紛争となった。

　この問題は、デンマークやポーラン
ド、オランダ、フランスなども介入する
国際問題となったが、最終的には 1647
年にポンメルンがブランデンブルクとス

307

ウェーデンの間で分割されることで決着した。これは翌年のウェストファリア条約でも再確認されるが、スウェーデンは旧ポンメルン＝スラヴィエン公領のうち、シュテティーンを含むオーダー川河口地域とフォアポンメルンを得たのである。そしてオーダー川河口以東のヒンターポンメルンは、ブランデンブルク選帝侯の所領となった。

三十年戦争期における諸外国の軍隊による蹂躙、その後のスウェーデンの占領は、ポンメルンに大きな惨禍をもたらした。こうした状況の中で人口減少や経済的危機が社会に暗い影を落とし、このような混乱はユダヤ系商人の定住もあって、ようやく17世紀末になって終息していく。

プロイセンによるヒンターポンメルンの再統合

重要な港湾都市シュテティーンのスウェーデンへの割譲は、〈大選帝侯〉フリードリヒ・ヴィルヘルムを失望させたと言われている。そして契約に基づく正

フリードリヒ・ヴィルヘルム1世〈兵隊王〉

当な継承権も、スウェーデンのような大国の利害の前では無意味であると身にしみたのである。このことがブランデンブルク＝プロイセンを軍事大国にする契機とさせた。この大選帝侯のもとで財政を安定させ、常備軍を整備したブランデンブルク＝プロイセンは、1701年に王国に昇格するなど国力を増しており、虎視眈々とシュテティーンの獲得を狙っていた。その前年には、ポーランドの王位継承問題に端を発して、バルト海周辺諸国を巻き込む大北方戦争が勃発していたのであるが、1713年にシュテティーンがロシア軍によって占領されたことが転機となった。〈兵隊王〉と呼ばれたフリードリヒ・ヴィルヘルム1世は突如としてロシアと同盟を結び、その条約の中でシュテティーンの支配権を得ることに成功したのである。

18世紀前半のシュトラールズント（攻囲戦の様子も描きこまれている）出典：Bildarchiv Foto Marburg

1721年のポンメルン

　当然、カール12世に率いられたス
ウェーデン側も反撃するのであるが、強
大化したプロイセンに抗する力はもはや
なく、1715年にフェーマルンの海戦で
敗れると、続くシュトラールズントの攻
囲戦でも敗北し、1720年の講和条約へ
と至った。この講和条約と翌年のニュス

ニュスタード条約の調印

タード条約において、プロイセンはシュ
テティーンを含むフォアポンメルンの東
半分を得ることとなり、シュテティーン
周辺とヒンターポンメルンが再び行政的
に統合されることとなった［Buchholz
1999：343］。一方のスウェーデンは辛う
じてフォアポンメルン西部を保持するこ
とに成功したものの、既存の国外領土の
大半を失うこととなり、17世紀後半か
ら続いたバルト海での覇権的地位の喪失
は誰の目にも明らかなものとなった。

ナポレオン戦争とウィーン会議

　次なる転機は、ナポレオン指揮下のフ
ランス軍による占領とウィーン会議で
あった。1805年にフランス軍はスウェー

コルベルク攻囲戦を題材にしたドイツ映画『コルベルク』（1945年）。対外戦争に打ち勝つという目的意識の前面に出た、ナチによる宣伝映画である。

解放戦争でナポレオンから「吐き出される」諸地域。そこにはオランダ、ダンツィヒ、ドレスデンと並んでシュテティーンの文字も含まれている（1815年頃の風刺画）。
出典：Kupferstich-Kabinett, Staatliche Kunstsammlungen Dresden

コルベルク攻囲戦
出典：Bildarchiv Foto Marburg

デンと開戦し、スウェーデン領フォアポンメルンへと侵攻した。これに対してスウェーデンと同盟を結ぶロシアが軍を進めて反撃し、プロイセン北部国境沿いのポンメルン地域で戦闘が勃発した。第1章でも紹介した通り、プロイセンは1806年にフランスとの戦争に突入し、イエナとアウエルシュテットでの惨敗を期にティルジットの「屈辱的」和約を結んだ。ポンメルンでも、コルベルクで激しい攻囲戦が展開されるなど、プロイセンとナポレオンの軍勢が激突している。和約によってプロイセンは領土の大半を喪失する憂き目にあうのであるが、辛うじてポンメルンはプロイセン領内に

維持されている。しかしシュテティーンやコルベルクなどの諸都市の守備隊はフランス兵に置き換えられ、実質的にポンメルンはフランスの占領下となったのである。ポンメルンの諸都市は、フランスへの戦争賠償やフランス軍守備隊への供

出金を支払わねばならず、重税に苦しんだ。さらにナポレオンによる大陸封鎖令により、イギリスへの輸出が途絶えたことは、バルト海有数の貿易港であったシュテティーンに甚大な損害をもたらすこととなった [Piskorski 2002：123]。

1813年2月にオストプロイセン方面から解放戦争が始まると、早くも3月にはシュテティーンはプロイセン・ロシア連合軍に包囲され、12月にフランス守備隊は降伏した。こののち、ナポレオンの軍隊はプロイセンのパリ進撃に至るまで瓦解するように後退を繰り返し、最後には皇帝ナポレオンも廃位された。戦後処理を話し合う場であったウィーン会議では、ヒンターポンメルンがプロイセン領となることは既定路線とされたが、問題はスウェーデン領ポンメルンであった。ここではバルト海地域に影響力を増大させたいデンマークも加わって協議が実施されたが、1815年6月に締結された一連の条約においてプロイセンが旧スウェーデン領地域を獲得することが定められた。ここに、ポンメルン公領の断絶以来長らく分割されてきたフォアポンメルンとヒンターポンメルンがプロイセンのもとで再結合することとなったのである。

プロイセン領ポンメルン州と1848年革命

ウィーン会議の成果を受けて、旧スウェーデン領ポンメルンと従来のプロイセン領ポンメルンを合わせた領域が「ポンメルン州 Provinz Pommern」へと再編された。その下位自治体として西からシュトラールズント県（1818年以前はノイフォアポンメルンと呼ばれた）、シュテティーン県、ケスリン県が設置され、州総督の所在地である州都はシュテティーンに置かれた。正統主義が大義名分となったウィーン会議では、神聖ローマ帝国の後継としてドイツ連邦が成立するが、ポンメルンも旧帝国の構成邦であったためにこの国家連合に参入している。

19世紀前半のポンメルンでは、例に漏れず工業化と近代化の時代が始まった。ブランデンブルクに隣接しているという地理的特性を生かして、従来の水運業だけでなく同世紀半ばにはポンメルンからベルリンまでの鉄道網も整備されつつあり、両地域間でのヒトやモノの移動が盛んになった。このように経済的にはシュテティーン県はプロイセン内外との貿易で利益を得ていたが、他方で東部のケスリン県では農業中心の経済が発展するなど、主要産業に違いも見られる。実はこの時期までポンメルンの農家はなんと夏耕地・冬耕地・休耕地からなる中世的三圃制を採用していたのであるが、1830年代により効率的な近代農法が導入されて収穫量が増大した。こうした農産物も近代的インフラによって域外へと輸出されることでポンメルン全体の収益が増加したのである [Inachin 2008：123-133]。

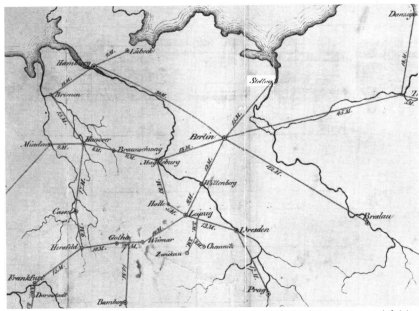

1833年の鉄道網。ベルリンを中心としたネットワークが形成されているが、その中にシュテティーンも含まれている。出典：Sächsische Landesbibliothek - Staats- und Universitätsbibliothek Dresden

しかし1848年革命の前夜には、この農産物の価格高騰が民衆の不満を爆発させる原因となった。シュテティーンでは、1845-47年の二年間でジャガイモの価格が二倍に跳ね上がるインフレが起こり、それをきっかけとして「ジャガイモ革命」と呼ばれる食料暴動が発生している。当時の言説では、この価格高騰の原因として大商人による投機的買い占めが挙げられたが、実際には全ヨーロッパ的な疫病と凶作が背景にあった。

1848年3月にウィーンに続いてベルリンでも革命が始まると、それはすぐさまポンメルンに波及した。ポンメルンにおいて大きな話題となったのはポーラン

ド問題であった。フランス革命以降に広まった民族主義的な潮流はこの時、ドイツの統一だけでなく、ポーランドの独立へも流れ込んだのである。中世までの歴史的経緯から、この地域にはスラヴ語話者が少数派として居住していたが、彼らの一部はこの時期に高まっていたポーラ

シュテティーンでのジャガイモ革命を描いたとされるスケッチ（1847年）

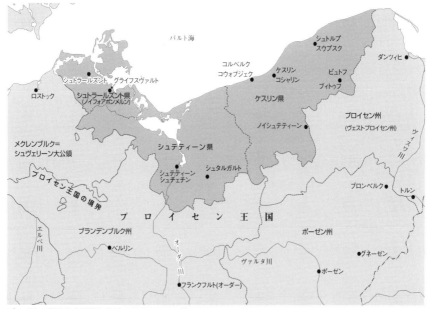

バルト海

シュトルプ
スウプスク

ダンツィヒ

コルベルク
コウォブジェク

ケスリン
コシャリン

ビュトフ
ブィトゥフ

シュトラールズント　グライフスヴァルト

ロストック

シュトラールズント県
（ノイフォアポンメルン）

ケスリン県

プロイセン州
（ヴェストプロイセン州）

ノイシュテティーン

メクレンブルク＝
シュヴェリーン大公領

シュテティーン県

プロイセン王国の境界

シュテティーン
シュチェチン

シュタルガルト

ブロンベルク

トルン

プ　ロ　イ　セ　ン　王　国

エルベ川

ブランデンブルク州

ベルリン

オーダー川

ポーゼン州

グネーゼン

ヴァルタ川

ポーゼン

フランクフルト（オーダー）

プロイセン期から帝政期にかけてのポンメルン州

ンド民族主義の煽りを受けて、その民族運動に参加し始めていた。それだけでなく、彼らや域外のポーランド系の人々を後押しするように、多くのポンメルン住民はポーランド独立への共感や賛同を表明したのである。例えば、革命中のシュテティーンの諸新聞においてはポーランドの再興が公然と唱えられ、そして隣接するポーゼン州ではロシア攻撃の義勇軍まで編成された。しかしこうしたポンメルンにおける親ポーランド的な動きは、革命の後退とともに沈静化していった。そして、この1848年革命の時期は、ポンメルン住民が自らの地域の多様性を容認した最後の時代であったように思われる。

ドイツ領の中のヒンターポンメルン

1899年のシュテティーン市街。初代ドイツ皇帝ヴィルヘルム1世の記念碑が広場に設置されていた。
出典：Biblioteka Narodowa

ヴルカン造船所
出典：Biblioteka Narodowa

帝政期のポンメルン

　帝政期のポンメルンは引き続き近代化に邁進した。農業分野では先進的な技術が次々と導入されただけでなく、各都市を結ぶ鉄道輸送網も完成し、ポンメルン農業は高度な国際競争力を持つに至った。シュテティーンも依然としてバルト海の主要港であり、貿易業や運送業で大いに成長した。こうした経済基盤を支えとして、この都市は工業化していく。市の郊外には化学工場や製油工場、ビール工場などが建設され、そこで労働する移住者が数多くシュテティーンにやってきた。しかしなんと言ってもシュテティーンの主要産業として想起されるのは、造船業であろう。「ヴルカン」や「オーダーヴェルケ」といった造船所がこの時代に操業を開始し、街の一大産業へと発展していった。このような工業化の恩

シュテティーンの王立ギムナジウム
出典：Landesbibliothek Mecklenburg-Vorpommern
Günther Uecker

グライフスヴァルト大学（1890年代）
出典：Museum für Kunst und Gewerbe Hamburg

恵もあり、1875年に約11万人だった街の人口は1914年には27万人へと急増している。ただし、農業地域を含むポンメルン全体での人口増加率は20％程度であり、これは低調な人口動態であったオストプロイセンを少し上回る程度であった。

　近代化の中の重要な要素として、教育や学術の発展が挙げられる。この時代のポンメルンでは無数の民衆学校（初等教育機関）が設置され、中等教育機関であるギムナジウムも整備された。その基礎教育の上には大学が位置付けられるが、ポンメルンにおいてそれは1815年に設立（ただしその前身の創設は1456年まで遡る）されたグライフスヴァルト大学が重要な役割を担った。経済の中心はシュテティーンであったが、このように学術の中心はフォアポンメルンとなったのである。この大学はドイツの大学の中で決して中心的というわけではなかったが、それでも細菌学者のフリードリヒ・レフラーや古典文献学のウルリヒ・フォン・ヴィラモーヴィッツ＝メレンドルフといった著名学者を輩出している。

　すでにポーランド系少数派について言及したが、その他のプロイセン東部諸州と比べると、ポンメルンにおけるポーランド語話者の割合は極めて低いものであった。当時のポーランド語話者の状況を示すものとしてはカトリック教会の残した史料がある。カトリック教会は形式的にはナショナリズムに与しない「普遍

シュテティーンのカトリック教会「洗礼者ヨハネ教会」（1890年建設）。

主義」的な理念に基づいて司牧を実施しており、それゆえに現地住民の言語に合わせたミサなどを開催していたのである。その史料が示すところによると、世紀転換期のシュテティーンにおいてポーランド語でのミサを必要としたのは最大で300人であり、20万人強であった全人口から考えれば1％にも満たない少数派であったと言える［Piskorski 2002：159］。その他の「旧ドイツ領地域」では、プロイセン期から帝政期にかけて住民の「ドイツ化」が問題となるのであるが、例外的にポンメルンはその対象からは外れていた。すなわちプロイセン政府からしてみれば、この地域は「ドイツ化」するまでもなくドイツ的な地域であり、それゆえに特別な政策が必要であると認識されなかったのである。

Stettin — Schulzen Straße

1920 年のシュテティーン市街 出典：Landesbibliothek Mecklenburg-Vorpommern Günther Uecker

ヴァイマル期──保守派の牙城

　ポーランド系を始めとする民族的少数派の圧倒的少数性に起因して、シュレージエンや東西プロイセン、ポーゼンなどのその他のドイツ帝国東部諸州と異なり、第一次世界大戦後のポンメルンにつ

1930 年のシュタルガルト市街
出典：Sächsische Landesbibliothek - Staats- und Universitätsbibliothek Dresden

いてはパリ講和会議で帰属問題が表面化することはなかった。しかし一方で、内政面では非常に保守的な傾向が現れたと言えるだろう。

　まず大戦末期のドイツ帝国の崩壊とドイツ革命によって、ポンメルンも混乱状態に陥った。1918 年 11 月 10 日頃にはシュテティーン、シュトルプ（PL スウプスク）、ケスリン（PL コシャリン）、シュタルガルト（PL 現スタルガルト・シュチェチンスキ）といった都市部で労兵評議会が立ち上げられ、革命が最高潮に達した。ポンメルン当局の調査によれば、1919 年 1 月までに、行政区内の全都市で労兵評議会が設立されたという。しかしこうした革命的状況も、ベルリンやバ

戦間期のケスリン中央広場
出典：Biblioteka Narodowa

イエルンでの赤色革命が頓挫し、ドイツ
社会民主党による穏健的な国家制度の構
築が目指されるようになると、とたんに
停滞した。

　ポンメルンにおいて、共産主義と入れ
替わるように台頭したのがプロイセン
の君主主義者であった。とりわけ農村
地帯で保守的傾向が明らかで、多くの
人々が当初より共産革命の拡大を毛嫌
いし、プロイセン王を中心とした「古
き良き時代」への復古を求め始めたの
である。1919 年初頭になると彼らは
政治的・軍事的に結集を始め、12 万人
の会員を有する「ポンメルン地域同盟
Pommerscher Landbund」を中心に保
守系住民の利害を代表する運動を展開し
た。当時のポンメルンで賛同を集めたの
は「東部国家計画 Oststaatplan」と呼ば
れる構想であった。これは、もし講和条
約において帝国東部諸州がドイツから切
り離されるのであれば、その際にはドイ
ツ人が結集して独立国家を建設するとい
う構想である。さらにそれだけでなく、
独立国家としてのポンメルン公領の再興
を求める声まで挙がるなど、保守的な風
潮は頂点を極めた。それでも、極左的な
スパルタクス団の蜂起が失敗して共産革
命の挫折が決定的となると、こうした反
動的潮流も一気に退潮した。

　しかし、この大戦直後に顕在化した保
守的傾向の延長線上に、ヴァイマル期
のポンメルン政界もあったように思わ
れる。というのも、保守系政党のドイツ
国家人民党（DNVP）がそこで中心的な
位置を占めたからである。この政党は帝
政期の諸保守政党を糾合してできたもの

ハルツブルク戦線の結成集会（1931年10月11日、バート・ハルツブルク）

ドイツ国家人民党の絵葉書（1931年のハルツブルク戦線の時のもの）。フリードリヒ大王が有権者に「これが私のプロイセンなのか？」という問いかけをしている。

で、この時期にはリベラルなヴァイマル連合（社会民主党、中央党、民主党からなる）に極めて批判的な性格を持つものであった。1920年代の国会選挙で、国家人民党は最大で約50％の得票率を獲得して、ドイツ国内における同党の最大拠点ともなっていた。

1930年代に入ると、ポンメルンはハルツブルク戦線などの反ヴァイマル的勢力との親和性をさらに明確にしていく。ハルツブルク戦線とは、1932年の国会選挙を前にして成立した右翼政党の連合体であり、国家人民党のほかに、鉄兜団やナチ党などから構成されていた。この政治連合は1933年の選挙の際に、ポンメルン州において全国平均を大きく上

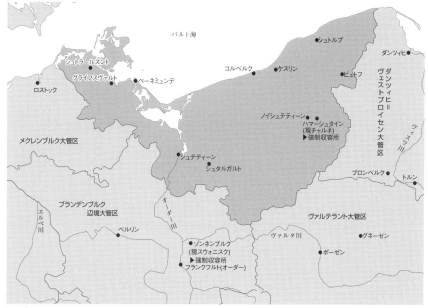

地図の文字:
バルト海
シュトルプ
ダンツィヒ
シュトラールズント
コルベルク
ケスリン
ビュトフ
グライフスヴァルト
ペーネミュンデ
ノイシュテティーン
ハマーシュタイン
ロストック
(現チャルネ)
▶強制収容所
ダンツィヒ=ヴェストプロイセン大管区
ヴァイ...
メクレンブルク大管区
シュテティーン
シュタルガルト
ブロンベルク
トルン
オ・・・
ブランデンブルク
辺境大管区
エルベ川
ベルリン
ヴァルタ川
ヴァルテラント大管区
グネーゼン
ゾンネンブルク
(現スウォニスク)
▶強制収容所
フランクフルト(オーダー)
ポーゼン

第三帝国におけるポンメルン大管区

回る73％の得票率を記録した。なかでも約56％の得票を得て同州で第一党となったのはナチ党であり、ポンメルンはドイツ全土で吹き荒れたナチ党旋風の象徴の地となった［Buchholz 1999：489］。

ナチ期と第二次世界大戦

　1933年3月に成立したナチ政権下で、ポンメルン行政区は第三帝国の一部へと再編された。強制的同質化（グライヒシャルトゥング）と総称される政策にしたがってドイツ国家の様々な領域においてナチ党の支配を確立するための措置が実施されたのであるが、これは国制にもおよんだのである。ポンメルン行政区の政府や議会からは旧来の権限が剥奪さ

れ、名目上は1923年頃より存在していたポンメルン大管区に統治権が移譲された。さらに中央より、大管区指導者としてオーバーファー・フォン・ハルファーンが任命されている（ただし1934年にフランツ・シュヴェーデ=コーブルクに交代）。

　ここでもナチ期を特徴づけるのは、繰り返しになるようであるが、やはり排除と統合の論理である。「民族共同体」の名のもとに「ドイツ人」とされた

フランツ・シュヴェーデ
=コーブルク
出典：Narodowe
Archiwum Cyfrowe

打ち上げられる V2 ロケット（1942 年以降）

ハイデブレックの著作『我々は戦狼』（1931 年）。実は彼は第一次世界大戦後に義勇軍に参加しており、1921 年の第三次シロンスク蜂起にドイツ側で参戦していた。この本はその義勇軍時代の回想録なのだ。ハイデブレックはこうした豊富な準軍事的経験を活用して、突撃隊の指導者として活動したのである。

人々は様々な恩恵を得られると謳われた社会であったが、反面その外部に置かれた人々には差別や暴力、そして収容所が待ち受けていた。10 万人の勢力を誇ったポンメルンの突撃隊は、現地指導者ハンス・ペーター・フォン・ハイデブレックの指揮下で略奪行為や「敵対勢力」の逮捕・拷問・脅迫を実施するだけでなく、近郊に設置されたゾンネンブルクやハマーシュタインといった収容所へと逮捕者を送致した。ポンメルンには 17 世紀後半から多数のユダヤ系商人が定住するようになったのであるが、当時 8,000 人弱の人口を有した彼らがその迫害の主たる犠牲者となったことは言うまでもない。その他にも、社会民主党員や共産党員がこうしたナチ政権初期の暴力の対象となったのである。そして 1930 年代半ばになると心身障害者や同性愛者も迫害の対象となったのであるし、また 38 年の 11 月ポグロム（水晶の夜事件）ののちにはユダヤ系住民の一斉逮捕も実施された。

　第二次世界大戦が始まると、しばらくの間ポンメルンが戦場となることはなかったが、代わりにそこは現代軍事史を塗り替える新技術の実験場となった。世界初の長距離弾道弾「V1/V2」の実験が行われたのである。ウーゼドム島の漁村ペーネミュンデにおいて、実験室や発電所、発射台などの複合施設が建設され、そこに数千人の科学者たちが集められた。その中心人物は旧ポーゼン州出身の

第二次世界大戦中のシュヴィーネミュンデ　出典：Biblioteka Narodowa

ロケット科学者ヴェルナー・フォン・ブラウンであり、彼の指導のもとに「奇跡の兵器」とされた V2 の開発が進められた。V2 は 1942 年 10 月に初めて発射実験に成功し、1944 年 9 月よりロンドンなどに向けて使用され始めた。精度は高くなかったものの、当時の技術では撃墜不可能であったこの新型兵器はロンドン市民にとって大きな脅威となり、多数の犠牲者を出す結果となった。

ポンメルンにおけるドイツ人の避難

　1944 年になると、ポンメルンの諸都市は連合軍による激しい空襲に見舞われた。中心都市シュテティーンでは石油プラントなどを狙った爆撃が相次ぎ、約 1 万人の犠牲者が出たと言われている。しかしこのような状況においても、軍事的安全性の観点から疎開は禁じられていた。それでも、1945 年初めに東西プロイセンからの避難民が押し寄せてくると、住民の危機意識も高まっていった。シュテティーンを通過した東部からの避難民の列は、ときに 60 キロメートルにもなったというのである。

　ソ連軍がポンメルンの東部境界に到達したのは 45 年 1 月 26 日であった。その前の 22 日には、最東端のビュトフ（PL ブィトゥフ）郡において避難準備のための第一次警戒情報が発令されていたが、住民たちの心の準備はまだできていなかった。ビュトフでは空襲が始まっていたが、依然として疎開情報は出ず、人々は居住地に釘付けにされていた。しかも、当時の支配的な言説では許可無く勝手に疎開する者は「売国奴」や「裏切り

ポンメルンからの避難（1945 年 1 月）

者」とされる向きが強く、個人の判断で動くことも憚られたという。しかしソ連軍の進撃速度は凄まじく、わずか7週間でヒンターポンメルン全土を占領した。2月半ばにようやく疎開命令が発令されるも、すでにソ連軍は住民の眼前に迫っており、住民たちは遅きに失した避難を強いられることとなったのである。

　ウーゼドム島東部のシュヴィーネミュンデ（PL シフィノウィシチェ）では3月12日に連合軍による戦略爆撃が実施され、2万5千人の死者を出している。このためにこの都市は（ドレスデンが第二次世界大戦末期の爆撃被害地として有名なことから）「北のドレスデン」とも呼ばれる。また多くの都市が包囲戦を強

いられたが、シュテティーンは3月15日から5月26日までの2ヶ月間もソ連軍に抵抗し、灰燼に帰した。こうした中で、避難民は着の身着のままでの自宅からの出発を余儀なくされ、数万人単位の人々が厳冬のバルト海地域において徒歩やトラック、船での西方への移動を行った。このような事情ゆえに、その途上での死者の数はおびただしい数に上ったと推定される。ポンメルン全土からの避難民および戦後の被追放民の合計人数は、約147万人であるとされる［Beer 2011：85］。

その後の「ヒンターポンメルン」

破壊しつくされたシュチェチン市街（第二次世界大戦直後）

「ステティンからトリエステまで」——
ポーランド領シュチェチン県の誕生

戦後のポンメルンの立場を象徴する出来事は、間違いなくウィンストン・チャーチルによるフルトン演説であろう。彼は 1946 年 3 月に行われたこの演説の冒頭で、「バルト海に面するステティンからアドリア海に面するトリエステまで、ヨーロッパ大陸を横断する〈鉄のカーテン〉が下ろされている」という有名な一節を発しているのである。英語で「ステティン」と発音されたこの都市こそシュチェチン（旧シュテティーン）であり、東側陣営の最前線に位置していたこの都市がまさに戦後ヨーロッパにおける東西分断状況の象徴とされたのである。

大戦末期の避難の時期ののち、一部の避難民たちはポンメルンがドイツ領のままとなることを期待して故郷に帰還していた。だがそのような期待は無残にも裏切られることとなる。1945 年 8 月

シュチェチンに到着した送還者たち（1948 年 4 月 6 日）

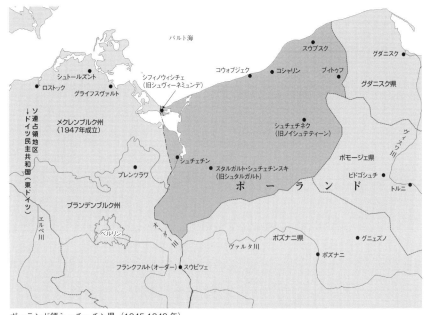

ポーランド領シュチェチン県（1945-1949年）

には、ポツダム協定によってオーダー・ナイセ線がドイツ・ポーランド間の暫定国境となることが確定的となったのであり、旧ポンメルン大管区東部を中心とする約3万平方キロメートル（ポンメルン全体の5分の4の面積にあたる）がポーランド行政当局へと移管された。「オーダー・ナイセ線」という名称からはもっぱらオーダー川が国境とされたと理解されがちであるが、ポンメルンでは少し事情が異なっていた。南ではオーダー川より西にあるシュチェチンを迂回して街の西側を国境が走り、北部の島嶼部ではシュヴィーネ（**PL**シフィナ）川の西岸に境界が設定されたのである。旧ドイツ領ポンメルンはポーランド新国家

のもとで行政的に再編成され、その大部分がシュチェチン県（Województwo Szczecińskie）という新しい名称を与えられた（1950年にはシュチェチン県とコシャリン県に分割）。そしてこの地がポーランド領となる正当性の論理はやはり「回復領」という用語で説明されたが、その考えに則ると「ポンメルン」は実に12世紀以来800年ぶりにポーランドに「回復」されたこととなる。

　これと関連して、ソ連占領地域の一部となったポンメルン西部（フォアポンメルン）地域においても、名称変更が行われている。1947年にソ連指導部は、「フォアポンメルン」という名称がポーランド領となった「ヒンターポンメルン」との

1950 年代後半のシュチェチン港

シュチェチンでの暴動に対応する治安部隊（1970 年 12 月）

結びつきを想起させるという理由で、「東メクレンブルク」へと変更させている [Buchholz 1999：518]。

　戦争直後のポーランド領となった旧ポンメルン地域には依然としてかなりの数のドイツ系住民が残留していた。まず彼らの大部分はソ連占領当局の用意した暫定居住区に集められ、工場の解体の労働力として動員されたのち、最後には故郷を去ることを強いられた。こうした強制移住（追放）の被害者は約 100 万人であると推定されている。その他の旧東部領土と同様に、ドイツ系住民と半ば入れ替わるようにポーランド系入植者がこの地域にもやってきた。その規模は百万人単位であったと考えられる。しかし激しい戦禍の影響で、諸都市におけるインフラや住宅の状況は壊滅的であり、入植者たちにとってそこは決して住みよい土地ではなかった。それでも新たな居住者たちは、その都市での生活再建のために日々尽力したのである。

シュチェチンと戦後ポーランド

　戦後のシュチェチンでは様々な再建策が実行されたが、その基本方針は都市の「向き」をベルリンからワルシャワへと変えるというものであった。これによってそれまでのオーダー川に沿った都市開発が改められたため、確かに市内中心部の市庁舎やシュチェチン城が再建されたにせよ、街の容貌は大きく姿を変えざるを得なかった。1970 年代には大規模住宅団地が多数建設され、復興段階から経済成長へと順調な歩みを進めたかに見えた。特に貿易港を有するシュチェチンはポーランドの経済発展を担う重要都市であり、ポーランド政府もその経済活動を支援する政策を実施した。シュチェチン港の貨物取扱量は高水準で推移し、1980 年には最高の 2500 万トンに達したのである [Piskorski 2002：190-192]。

　しかし、このような「好調」な経済とは裏腹に、シュチェチンは反体制運動の中心地ともなった。1970 年 12 月、食料価格の高騰を引き金として労働者のデモがグダニスクを中心とする諸都市で発生

戒厳令下のシュチェチン（1982年5月）

した。それはすぐさまシュチェチンにも飛び火し、造船所の労働者たちが政権与党であるポーランド統一労働者党の事務所に放火する騒ぎとなった。この際は治安部隊が出動し、19人が犠牲となっている。彼らは抗議活動の中で、シュチェチン地域の近代化を求めていたのであり、政府も一度はこれを承認するも、結局は実現されなかった。このことに対す

1974年に開発が始まったシュチェチン市東部の五月団地（Osiedle Majowe）。写真は1990年代初頭。

る不満の高まりと、日常生活での負担増大を背景に、1980年代に再びシュチェチンにおいて大規模な民衆運動が展開された。この時も、グダニスクの造船労働者ヴァウェンサ（ワレサ）に指導された運動が先んじて展開されており、それにシュチェチンの労働者も即座に反応する形となった。のちに「連帯」と呼ばれることとなるこの運動は、一度は戒厳令によって弾圧されるも、ポーランドにおける体制転換の舞台となった1988年の円卓会議へと結びついていくこととなる。シュチェチンでは戒厳令下においてもデモが繰り返されるなど、勇気ある行動が他の地域の模範となったとされている。

スウェーデン領ポンメルン

スウェーデン領時代のポンメルン地域については、その複雑な事情にもかかわらずほとんど説明をしてこなかったので、ここでその成立と歴史的な位置を概観しておきたい。

三十年戦争の講和会議において、ポンメルン公領の継承問題は「一時期講和会議全体の成立を左右する程の重要性」［伊藤宏二 2002：149］を有していた。スウェーデンはバルト帝国の維持を目的として北ドイツの要衝であるポンメルンに攻め込むのであるが、戦争末期の講和の時点ではポンメルンの継承権を要求する正統性を持ち得ていなかった。ポンメルンの継承権はブランデンブルク選帝侯（ホーエンツォラーン家）に帰されていたからである。それでも当時この地域を実効支配していたのはスウェーデンであったことが事態を複雑にした。その代表団によればスウェーデンは反ヴァレンシュタイン勢力を助けるために参戦したのであり、その補償としてポンメルンを要求するのは必然ということであった。このような背景のもとで、講和会議においてポンメルン公領の継承問題が浮上した。

もちろんスウェーデン側の要求にブランデンブルク選帝侯側は強硬に反対するが、当時のホーエンツォラーン家の影響力はそれほど強くなく、「早期の平和」を望むポンメルン諸身分や皇帝はむしろポンメルン全土のスウェーデン割譲に賛同するのである。こうした事態に直面して、ブランデンブルク選帝侯はフランスに仲介を依頼し、ヨーロッパにおける勢力均衡のためにポンメルンの分割を辛うじて勝ち取るのである。これによりスウェーデンは神聖ローマ皇帝の臣下である「ポンメルン公」の地位を得て、バルト海におけるドイツへの入り口に位置するフォアポンメルン地域を獲得することとなった。

スウェーデン領ポンメルンは、本国にとって経済的・軍事的に重要性を有していた。同地域の人口が 1764 年に約 82,000 人、1805 年に約 118,000 人であったように、18 世紀後半に経済成長にともなう人口増加が見られた。ポンメ

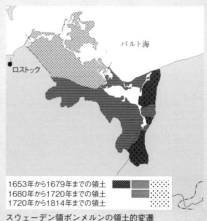

スウェーデン領ポンメルンの領土的変遷

1653年から1679年までの領土
1680年から1720年までの領土
1720年から1814年までの領土

ルンからスウェーデンへの輸入において
は穀物が主要産品であり、特に18世紀
後半のストックホルム市場では大麦の5
割、モルトの9割がポンメルンからの
輸入品であった。当時のスウェーデンに
とって、ポンメルンは穀物の輸入先とし
てロシアやオストプロイセンなどと並ぶ
重要経済地域であったのである（ただし
入江は、スウェーデンにとってドイツ地
域が突出した意義を持っていたとまでは
言えないと述べている）。

　軍事的には、ポンメルンは大陸への
橋頭堡としての意味を持っていた。ス
ウェーデンの国家予算においては、ポン
メルンの維持管理に多くの財源が回され
ていた。赤字覚悟で、軍事的拠点として
のポンメルンに多くの予算が支出されて
いたのである。これは特に、スウェーデ
ン領ポンメルンが三十年戦争以後のプロ
イセンの台頭と直面し、それに対抗しう
る財源を確保することが必要とされたか
らであった。実際に七年戦争やナポレオ
ン戦争時には、ポンメルンはスウェーデ
ン軍のドイツ地域への橋頭堡として機能
している。

　しかし後ろ盾である神聖ローマ帝国も
崩壊し、さらにナポレオン戦争において
ポンメルンに対する影響力を減退させた
スウェーデンは、最終的にこの地域をプ
ロイセンに割譲することとなるが、その
過程も複雑なものであった。1814年の
キール条約においてスウェーデンはポン
メルンを一旦デンマークに譲渡し、翌年

のウィーン議定書でプロイセンが補償金
を支払うことでスウェーデンからポンメ
ルンを得ている。こうした一連の経過
を、入江は複合国家／礫岩国家の一様相
であるとみなしているが、それは妥当で
あろう。

参考文献
入江 2018；伊藤宏二 2002

フルトン演説におけるシュチェチンの位置

フルトンで演説するチャーチル
出典：winstonchurchill.org
https://winstonchurchill.org/the-life-of-churchill/senior-statesman/fulton-missouri-1946/

　イギリス首相であったチャーチルは第二次世界大戦末期の選挙で敗北を喫し、野党党首に転落していた。彼は1946年3月5日に、アメリカ大統領ハリー・トルーマンに招かれてミズーリ州フルトンで演説を行ったのであるが、これが世界的に有名になる「鉄のカーテン」演説であった。この演説では、「バルト海に面するステティンからアドリア海に面するトリエステまで、ヨーロッパ大陸を横断する〈鉄のカーテン〉が下ろされている。その向こう側に、中・東ヨーロッパの歴史的諸国家のすべての中心的都市があるのだ」と述べられ、その東側にソ連の勢力圏が形成されていたと指摘された。この「鉄のカーテン」という比喩が、当時

のヨーロッパで進行しつつあった西側陣営対東側陣営という対立構造を的確に言い表していると考えられたため、それは人口に膾炙することとなったのである。
　しかしその後の冷戦構造に鑑みれば、鉄のカーテンの起点は東西ドイツの北部国境（リューベックの東方）に置かれるべきであろうが、この演説の行われた1946年の段階では状況が少し異なっていた。戦争直後のドイツは、ポーランドおよびソ連領となったオーダー・ナイセ線以東を除いて連合国の占領下にあったのであり、将来的な国家像がまだ不明確であった。その西部は米英仏による、東部はソ連による占領統治が行われていたのであるが、これはあくまでも暫定措

置であり、その後にドイツが主権を回復する際にどのような国家建設が行われるのかということは、なお流動的であったのである。しかし1946年4月にソ連占領地区でドイツ社会主義統一党が成立し、政治的な指導力を発揮するようになると、占領国間の対立が激化するようになる。47年には西側三国はソ連との交渉を放棄して、西側占領地区単独での政府樹立を目指すようになる。さらに翌年には西側占領地区で通貨改革が実施されると、これに対抗してソ連はベルリンを封鎖。これで東西分断は決定的となり、1949年にドイツ連邦共和国（西ドイツ）とドイツ民主共和国（東ドイツ）がそれぞれ成立したのである。

　フルトン演説の行われた1946年3月というのは、こうした緊張激化が起こる前の時期であり、西側の政治家であるチャーチルがソ連占領地区単独での独立など承認するはずもなかった。また実は、「鉄のカーテン」という用語の初出は、1945年6月にチャーチルがトルーマン宛に送った電報であり、この時期においては戦後ドイツの再建構想などますます未確定であったと言える。こうした事情から東西分断の起点として、リューベックではなくシュチェチンが取り上げられたのである。

　実際、この演説はアメリカでは好意的に受け止められなかったという。チャーチルは、この演説でソ連の膨張主義を阻止するために英米が再び強固な同盟関係で結ばれることを主張し、そのために「鉄のカーテン」という比喩を用いたのであるが、それは世間一般に理解されるには早すぎるものであった。彼を招いたトルーマンさえ、この立場に賛同しなかったのである。このような状況をチャーチルは「アメリカの国論はまだソ連を相容れない敵として認識する用意ができていないのだ」と嘆くのであるが、それでも彼の現状認識の正しさは後の歴史が証明したと言えるだろう。

参考文献
アプルボーム 2019；石田 2005；田村 1981；ドックリル／ホプキンズ 2009；成瀬ほか 1997b

エカチェリーナ2世（まだゾフィーと呼ばれていた20代半ば頃の肖像画）

ルドルフ・クラウジウス

アガータ・クレーシャ

著名出身者

　エカチェリーナ2世（Екатерина Великая / Katharina II., 1729-1796）と聞いて、ポンメルンという地域を連想する人はほとんどいないだろうが、彼女はまさにプロイセン領シュテティーンの出身であった。貴族家系であるアンハルト＝ツェルプスト家（アスカーニエン家の傍系）は中部ドイツを本拠とするが、父クリスティアン・アウグスト候はプロイセン国王に任命された歩兵連隊司令官として当時シュテティーンに赴任しており、そこで彼女はゾフィー・アウグステ・フリーデリケとして生まれたのである。母は名門ホルシュタイン＝ゴットルプ家のヨハンナ・エリザベートであった。しかし当時わずか16歳であった母は、思春期の複雑な感情からか、はたまた男子を望んだからか、ゾフィーに一切の愛情を傾けなかったとされる。これによりゾフィーの感情は大きく損なわれることとなるが、それはシュテティーン時代の家庭教師であるエリザベット・カルデル（ベバ）によって補われることとなる。ベバの努力によってゾフィーは世界への興味を開き、天才的とも称された記憶力や頭脳の一端を開花させていたのである。

　貧乏貴族であったツェルプスト家の屋敷は立派とは言いがたかったが、クリスティアン・アウグストが市総督に出世すると、一家は市内中心部のシュテティーン城で暮らすようになった。この頃から母ヨハンナはゾフィーを連れてドイツ各地を訪問する。

これはヨハンナの野心から、ソフィーをより良い縁談に持ち込むための策略であった。その際に出会ったのが、母と同じホルシュタイン＝ゴットルプ家のペーター（のちのロシア皇帝ピョートル3世）である。実はペーターは、ホルシュタイン家の世継ぎであるとともに初代ロシア皇帝ピョートル大帝の血筋も引いており、子供のいなかったロシア女帝エリザヴェータの後継者筆頭候補として考えられていた。同時にエリザヴェータはソフィーの又従兄弟であり、後継者選定にあたってそうした血縁を重視した彼女はピョートルが成人するのを待ってソフィーと結婚させたのである。その後ソフィーが、数奇な運命を経て、ロシア女帝エカチェリーナ2世となるのは周知のとおりである。

　学術分野では、物理学者の**ルドルフ・クラウジウス**（Rudolf Clausius, 1822-1888）が最も著名だろう。

　彼はプロイセン時代のケスリンで、視学官を務めるプロテスタント牧師の父のもとに生まれた。父は民衆学校の校長も兼務する名士であり、彼はその学校に通った。ギムナジウムからは親元を離れ、シュテティーンで勉学に励んだ。高等教育においてはベルリン大学でまず歴史を学び、その後に自然科学へと関心が移っていった。当時のベルリン大学には、オームの法則で有名なゲオルグ・シモン・オームなどの錚々たる教授陣が揃っており、そこで彼は薫陶を受ける。しかし彼は経済的な理由から大学を離れざるを得ず、1843年からベルリンのギムナジウムで教鞭をとっていた。努力家であったクラウジウスはその間も勉強と研究を続け、学位を得て大学の私講師となる。

　その時期に彼がプロイセン科学アカデミーに提出した論文が熱力学第一法則（エネルギー保存の法則）に関するものであり、さらに1854年の論文において熱力学第二法則を完成させている。第一法則は、エネルギー保存の法則という別名の通り、「物理的・化学的変化において、これに関与するエネルギーの総量が、変化の前後で変わらない」という法則であり、我々にも馴染み深いものである。第二法則はやや複雑で、「巨視的な現象が一般に不可逆的である」というものであるが、現代では「エントロピーの増大」という概念で理解されることもある。これは、ひとつの孤立系においては、秩序だった（エントロピーの小さい）状態から無秩序な（エントロピーの大きい）状態へと不可逆的に変化するという考え方である。これらの概念の創出に関わったために、彼は熱力学の創始者として記憶されている。

　またクラウジウスはプロイセン愛国者でもあった。例えば、普仏戦争の際には傷病者の荷役を買って出るが、その時に膝に重傷を負い、それ以後は軽い障害を抱えることとなった。

　女優の**アガータ・クレーシャ**（Agata Kulesza, 1971-）は現代のポーランドを代

表する女優である。

　彼女は戦後のポーランド領シュチェチンで生まれ、そこで高校卒業資格（マトゥーラ）を得た。高校卒業後はワルシャワの国立演劇アカデミーに進学し、在学時代からドイツやポーランドのテレビドラマに端役で出演していた。1994 年にアカデミーを卒業すると映画女優としても活躍するようになり、『私のローストチキン *Moje pieczone kurczaki*』（2002 年）などで人気を博した。

　彼女の女優人生において画期となったのは 2000 年代半ばに放映され、助演を務めたドラマシリーズ『バラの下のペンション *Pensjonat pod Różą*』であり、これ以後は主役級の配役を得ることができるようにな

る。そしてクレーシャの名前がはるかアメリカや日本まで轟くようになったのは、映画『イーダ *Ida*』（2013 年）で主演を務めたことによるものだ。この映画は、戦後のポーランドを舞台に、ユダヤ人「イーダ」と知らされずに育った少女アンナが自らの出生の秘密を知るために旅をするという物語である。その優れた物語性と作品の完成度が評価され、ポーランド映画として初めてアカデミー賞外国語映画賞を受賞した。日本では早くも 2013 年中に公開され、高く評価された。

　この作品の成功によって、クレーシャは一躍ポーランドの誇る国際的な女優となったと言えるだろう。今後のさらなる活躍が期待される。

その他の著名出身者

・**ジェジー・アイゼンバーグ**

Jesse Eisenberg, 1983-. シュチェチンにルーツを持つ俳優。映画『ソーシャル・ネットワーク』（2010 年）でマーク・ザッカーバーグ役を演じた

・**クレオ**

Cleo, 1983-. ポーランド領シュチェチン出身の歌手

・**藤城アンナ**

日本のアイドル。父がポーランド領シュチェチン出身

第6章

北シュレースヴィヒ

普墺戦争からドイツ統一、デンマーク国民国家化への足掛かり

北シュレースヴィヒ

DE Nordschleswig

現デンマーク領南ユラン地方
DM Sydjylland

　シュレースヴィヒという地域名称は、DM ユラン（DE ユトランド）半島東部の DM スリー（DE シュライ）湾岸に建設された都市にちなむ地名で、「スリー湾の町」というのが語源である［村井編 2009：43］。日本ではドイツ名のシュレースヴィヒの認知度が高いようであるが、デンマーク語では同じ地域を指してスレースヴィと呼ぶ。シュレースヴィヒ地方の北部（北シュレースヴィヒ）は、現在はユラン半島南部のデンマーク領南限に位置し、ドイツ側の南シュレースヴィヒ地方と国境を接する地域である。なお、現代のデンマークではスレースヴィよりも南ユランという名称で呼ばれることのほうが多い。

　他方で「シュレースヴィヒ＝ホルシュタイン」という地名は、日本人にも馴染み深いものであろう。特にホルシュタインと言われれば、ホルシュタイン馬や乳牛を思い浮かべる人も多いだろう。北ドイツからデンマークに広がるこれらの地域は酪農の中心地であり、その先進性が明治以降に日本にも導入されために広く認知されている。また高校世界史の教科書には、ドイツ統一問題の一部としてのシュレースヴィヒ＝ホルシュタイン問題が取り上げられており、こちらもその存在を知る人も多いだろう。しかし日本の歴史教育は依然としてドイツなどの大国の視点が歴史記述に強く反映されている面があり、実はそれだけで 19 世紀のシュレースヴィヒ＝ホルシュタインを取り巻く複雑な状況を理解することは難しいと言える。そこで、様々な国家や人物の思惑の絡み合うシュレースヴィヒ史を理解するためには、ドイツ史だけではない多角的な視点から地域の歴史を把握しようとする本書の強みが最も生かされると言えるだろう。

主要言語

ドイツ領時代	デンマーク語、ドイツ語
現代	デンマーク語、ドイツ語

近代以降の人口

①デンマーク領時代（スレースヴィとホルシュタイン両地域の合算）

1835 年	772,974
1864 年	960,306

②ドイツ領時代（シュレースヴィヒ＝ホルシュタイン州全体）

1871 年	995,873
1880 年	1,127,149
1890 年	1,219,523
1900 年	1,387,968
1910 年	1,621,004

③現代（セナーユラン県）

1980 年	249,949
2006 年	252,433

年表

798 年	ボルンヘフェトの戦い
811 年	アイダ川がフランク王国とデンマーク王国の国境となる
934 年	ハインリヒ 1 世によるスレースヴィ占領
11 世紀前半	再びアイダ川が東フランク・デンマーク間の国境となる
13 世紀頃	スレースヴィ公領の成立
1386 年	シャウエンブルク家がスレースヴィ公領を得る
1469 年	シュレースヴィヒ＝ホルシュタインを「永遠に不可分」とするリーベ条約が締結される
1490 年	王領および公爵領の成立
1721 年	デンマーク王による公爵領の継承
1815 年	ウィーン会議でのヘールスタートおよびドイツ連邦の成立
1830 年	ローンセンによるシュレースヴィヒ＝ホルシュタイン問題の提起
1842 年	レーマンによるアイダ政策の提唱
1848-1851 年	第一次スレースヴィ戦争
1864 年	第二次スレースヴィ戦争。三公領はプロイセン＝オーストリアの共同管理下に
1866 年	プラハ条約による三公領のプロイセン併合。シュレースヴィヒ＝ホルシュタイン州の成立
1871 年	ドイツ帝国創設
1888 年	北シュレースヴィヒ言語令
1918 年	ドイツの敗北とオベンロー決議
1919 年	ヴェルサイユ条約におけるシュレースヴィヒでの住民投票の
1920 年	住民投票が実施され、第一投票区でデンマークが勝利。第一投票区と第二投票区を分けるクラウセン・ラインがデンマーク・ドイツ国境となる
1955 年	ボン＝コペンハーゲン声明

※地図上に表示した地名は全て現統治国言語のもの

DM デンマーク名　　　　　　　　　　　DE ドイツ名

	DM デンマーク名		DE ドイツ名	
①	Rømø	レミィ島	Röm	レム島
②	Ribe	リーベ	Rippen	リッペン
③	Gram	グラム	Gramm	グラム
④	Løgumkloster	リィグムクロースター	Lügumkloster	リューグムクロース ター
⑤	Tønder	テナー	Tondern	トンダーン
⑥	Tinglev	ティングレフ	Tingleff	ティングレフ
⑦	Aabenraa/Åbenrå	オベンロー	Apenrade	アペンラーデ
⑧	Vojens	ヴォイェンス	Woyens	ヴォイェンス
⑨	Haderslev	ハザスレウ	Hadersleben	ハダースレーベン
⑩	Dybbøl	デュブル	Düppel	デュッペル
⑪	Sønderborg	セナボー	Sonderburg	ゾンダーブルク
⑫	Augustenborg	アウゴステンボー	Augustenburg	アウグステンブルク
⑬	Als	アルス島	Alsen	アルゼン島

ドイツ領となるまで

オボトリト族の居住地（8世紀頃）

スレースヴィの黎明

　8世紀頃までのスレースヴィおよび南隣のホルシュタインについての歴史は、文献史料の不足を原因としてほとんど分かっていない。それでも考古学的知見から、判明していることがいくつかある。鉄器時代よりこの地にはゲルマン系部族が居住していたが、彼らは紀元後4世紀から6世紀頃にこの地を離れたとされる。そこにはアングル族やザクセン族と呼ばれる人々が含まれており、その大部分がブリテン島へと移動していったのである。これにより、シュレースヴィヒやホルシュタインの大部分は無人の原野と

なった。それでもいわゆる「民族移動」の末期にはザクセン族が大挙してこの地域へと移住しており、エルベ川の北方に3つの小国家（Gau）を建設した。また7世紀頃にはオボトリト族（**DE** Abotriten / **PL** Obodryci）と呼ばれるロシア中央部を原住地とするスラヴ系部族がホルシュタインやスレースヴィに移住し、そこで定住したとされる。

　中世前半のスレースヴィ史を理解するためには、フランク王国とデンマーク王国という同地域を挟み込む形で成立した2つの地域大国の動向をフォローしなければならない。8世紀後半にフランク王

カール（のちの
カール大帝）がこ
の地のザクセン
族を服属させよ
うとザクセン戦
争（772-804年）
を開始し、ボル
ンヘフェトの戦
い（798年）では

カール大帝　出典：The
British Library

アイダ川

オボトリト族の軍勢にも助けられなが
ら、最終的にこの地を支配下に置くこと
に成功している。この頃、より北方に居
住していたヴァイキングの一派（デーン
族）はデンマーク国家を形成しつつあっ
たが、彼らは王であるゴズフレズを中心
にフランク王国に抵抗し、両国の境界に
防壁を建設した。この防壁の築かれた地
は **DM** ヘーゼビュー（**DE** ハイタブ）と呼
ばれる交易都市となり、のちにその機能
はスレースヴィ地方の中心都市となるス
レースヴィ（シュレースヴィヒ）へと受
け継がれた。

　ザクセン戦争後も両国の小競り合いは
続くも、811年に和約によって **DM** アイ
ダ（**DE** アイダー）川をフランク王国と
デンマーク王国の国境とすることが定め
られた。これにより、アイダ川北方のス
レースヴィ地方はデンマーク領となった
のである。そののちフランク王国は、カー
ル大帝の死後の843年にヴェルダン条約
によって三分割され、その際にスレース
ヴィの隣接地域は東フランク王国となっ
た。キリスト教世界の守護者としてその

北方布教を目指す東フランク王ハインリ
ヒ1世は、934年にスレースヴィ地方に
侵攻し、和約によりスレースヴィ市から
ヘーゼビューまでの領土を得ている。

　その後のデンマークは小国分立状態
となるも、ユラン半島北部やその東方
の島嶼部でデーン族による統一国家形
成の動きが活発化し、10世紀中頃には
ゴーム・デン・ガムレ朝が成立した。こ
の時期においては934年の侵攻が物語っ
ているようにキリスト教を受け入れるか
どうかということが問題となっていたの
であるが、この王朝は東フランク王国の
側からの圧力を
受けてキリスト
教の受容を決定
し、ようやく「キ
リスト教ヨー
ロッパ世界」へ
の仲間入りを果
た し た ［Witt/
Vorsgerau 2010：
58-65]。

クヌーズ大王
出典：Det Kgl. Biblioteks
billedsamling

フランク王国とスレースヴィ（811年の国境）

その後クヌーズ大王（在位：1018-1035）とその息子ハーデクヌーズの治世に、イングランドやノルウェー、スウェーデン南部（スコーネ地方）をも支配下に置く北欧随一の大国へと強大化していくのである。これは北海帝国と呼ばれる。一方の東フランク王国では、962年にオットー1世がローマ皇帝として戴冠し、のちに神聖ローマ帝国と呼ばれることとなる国家の枠組みが完成した。

スレースヴィ公領の成立とシャウエンブルク家の台頭

スレースヴィをめぐって戦争を繰り広げてきた両国であるが、クヌーズ大王と東フランク王コンラート2世（在位：1024-1039年）は非常に親密な友好関係を締結し、そのことを背景としてアイダ川以北の地域がデンマークに属することで合意に至った。ここでアイダ川が再びデンマーク・東フランク王国（神聖ローマ）国境として承認されたのである。そののちアイダ川以北からユラン半島中央部までの領域は13世紀頃よりデンマーク王家に血縁を持つアベル家の世襲のもとで「スレースヴィ公領 Hertugdømmet Slesvig」と呼ばれる領邦となる。1375年にヘンリク・ア・セナーユラン（**DE** ハインリヒ・フォン・シュレースヴィヒ）が跡継ぎなしに亡くなるとア

ベル家は断絶し、スレースヴィをめぐる後継者問題が発生した。

マルグレーテ 1 世
出典：Det Kgl. Biblioteks billedsamling

その後継にはホルシュタイン伯を世襲するシャウエンブルク家が就くのであるが、そこには当時のデンマークをめぐる政治力学が作用していた。当時のデンマークにおける最高権力者であったマルグレーテ 1 世は、前王ヴァルデマー 4 世が死去した直後からメクレンブルク公ハインリヒ 3 世との間で激しい権力闘争を繰り広げていたのであり、このことを背景として彼女はシャウエンブルク家の中立を保証させる必要があった。メクレンブルク公はスラヴ系のヴェント族に由来する家系（当時はすでにドイツ化されていた）であり、また広大なバルト海地域を支配する強力な封建領主であった。しかしここで問題となるのは、同家がデンマーク王位請求権を持っていた（同時にノルウェーとスウェーデンの王位請求権も保持）という事実である。

メクレンブルク公の動向を脅威と感じていたマルグレーテは、1386 年にシャウエンブルク家の当主がスレースヴィ公となることを承認せざるを得なかったのである。これにより権力基盤を固めたマルグレーテは後継者にエーリク・ア・ポンメルンを指名し、1397 年には彼を紐帯とするデンマーク・スウェーデン・ノルウェーの同君連合体「カルマル連合」が成立している。この強大なカルマル連合の成立を背景として 1410 年にエーリクは一転してシャウエンブルク家に戦争を仕掛け、同地域の支配権の確保を狙った。この戦争は非常に長期に及んだのち、1431 年にシャウエンブルク家がスレースヴィ公領の軍事的支配権を最終的に確保するに至り、翌年に休戦が成立した［Witt/Vorsgerau 2010：119-122］。

しかし 1459 年にアドルフ 8 世が亡くなるとシャウエンブルク家は途絶えてしまい、同家によるスレースヴィ支配は長続きしなかった。これ以後は、これを契機にスレースヴィ公爵位を手にしたデンマーク王クリスチャン 1 世の子孫がこの所領を世襲していくこととなる。またこれまで「伯領 Grafschaft」であったホルシュタインは、1474 年に「公領 Herzogtum」へと格上げされている。このスレースヴィとホルシュタインの両公領は名目上別々の所領であるとされたが、1460 年には両領邦の一体的継承（「永遠に不可分」との文言があった）を規定するリーベ条約も締結されていたため、これ以後は一体的な「シュレースヴィヒ＝ホルシュタイン公領」という認識が浸透していくこととなる。この「永遠に不可分」という条文は、のちのシュレースヴィヒ＝ホルシュタイン問題へと結びつく重要な文言となる。

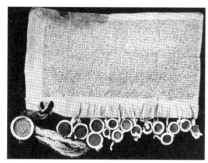

リーベ条約の原本

シュレースヴィヒ公ハンス
出典：Det Kgl. Biblioteks
billedsamling

シュレースヴィヒ公フレ
ゼリク
出典：Det Kgl. Biblioteks
billedsamling

　なお、カルマル同盟に関して、スウェー
デンは 1523 年には早くも同盟を脱退す
るも、デンマーク＝ノルウェーの同君連
合体制は 1814 年まで継続されている。

分割されるシュレースヴィヒ＝ホルシュタイン

　クリスチャン 1 世が死去した際、デン
マーク王位およびノルウェー王位は長子
であるハンスに継承されたが、シュレー
スヴィヒ＝ホルシュタイン公領について
は聖職者と諸身分による長い交渉の末に
ハンスとその弟フレゼリクによる共同統
治となった。この措置は両公領の一体性
を保持するための妥協であったが、まだ
幼かったフレゼリクが成人となるまでと
いう条件がついていた。この規定により
彼が成人となった 1490 年に公領は二分
割されることとなるが、それは単にス
レースヴィとホルシュタインに分けると
いうことではなく、税収が均等になるよ
うにモザイク状の管轄地が設定された。
このようにスレースヴィとホルシュタイ

ンの分割を防ぐための慎重とも言える区
分けとなった理由は、リーベ条約を尊重
して両公領が一体とすべきという諸身分
の理解にあったと言えるだろう。この 2
つの領域のうち、ハンスの領地はのちに
「王領 Kongelig del」（もしくはゼーゲ
ベルク領）と、フレゼリクの所領は「公
爵領 Hertugelig del」（もしくはゴトー
プ領）とそれぞれ呼ばれるようになる。

　さらに複雑なことに、1544 年にデン
マーク王クリスチャン 3 世は、一体の
シュレースヴィヒ＝ホルシュタイン公領
を三人の息子に等しく相続させることを
決定し、これによって両公領は三分割さ
れたのである。これを受けて、これまで
の王領と公爵領に加えて、「ハザスレウ
領」と呼ばれる所領が成立した。ただこ
のハザスレウ領の領主であったシュレー
スヴィヒ＝ホルシュタイン＝ハザスレウ
家は 1580 年に途絶え、その領地は再び
他の 2 つの領主へと統合された［Witt/
Vorsgerau 2010：148-153］。

メルキオール・ホフマン
出典：Det Kgl. Biblioteks
billedsamling

クリスチャン3世
出典：Det Kgl. Biblioteks
billedsamling

伯爵戦争（1536年のコペンハーゲンでの攻防）
出典：Det Kgl. Biblioteks billedsamling

ティリーとクリスチャン4世の戦闘（ルッターの戦い、
1626年）出典：Det Kgl. Biblioteks billedsamling

宗教改革の波及と三十年戦争

　16世紀にはシュレースヴィヒ＝ホルシュタイン公領のプロテスタント化が進行する。この地域にはルターの95か条の論題の発表（1517年）を経てすぐにプロテスタンティズムが持ち込まれ、メルキオール・ホフマンらの説教者たちによって布教されていった。このような背景のもとで1526年にシュレースヴィヒ＝ホルシュタイン公となったクリスチャン（のちのデンマーク王クリスチャン3世）は熱狂的なルター派として知られ、彼への公爵位授与によってこの地域はプロテスタント化への道をひた走ることとなるのである。しかしデンマーク王国の指導層はルター派の王を嫌い、ハンザ都市リューベックと組んでクリスチャンに戦争を仕掛けた。いわゆる伯爵戦争（1534-1536年）である。対するクリスチャンはスウェーデン王グスタフ・ヴァーサの助けを借りてこの戦争に勝利し、デンマーク国内や属国化していたノルウェーにおいてもルター派改革を推進したのである。

　このような事情から、1618年に始まる三十年戦争においてデンマーク王クリスチャン4世も新教側で参加することとなった。ただし、王国参事会がデンマークの戦争参入を拒否したため、1625年にクリスチャン4世はドイツ諸侯であるホルシュタイン公の身分で参戦した。しかしデンマークの軍勢は司令官ティリー率いる皇帝軍（旧教側）に大敗を喫し、

ユラン半島全域を占領されるに至った。

フレゼリク3世
出典：Det Kgl. Biblioteks billedsamling

　この際にもうひとりのシュレースヴィヒ＝ホルシュタイン公、すなわちゴトープ公爵家のフレゼリク3世は個別に皇帝軍に接近し、占領状態からの解放に成功している。当然クリスチャン4世側はこれに不信感を募らせるのであるが、この両者の対立はコペンハーゲンのあるシェラン島での騒乱へと結びつき、さらに国王側は公爵領（ゴトープ領）への侵攻を試みた。だが1629年5月にリューベックの和約が締結されたとの報が入ると戦闘は終結する。この和約においてデンマーク王はこれ以後の三十年戦争への不介入を約束させられ、北欧においてデンマークの覇権的地位を確立するというクリスチャンの野心はこれでもって挫折した。デンマークが没落する一方で、戦争を通じて強大化したスウェーデンは、1648年のウェストファリア条約では北ドイツの一部地域をも支配下に置くこととなり、デンマークを挟み込む形で領土を獲得した。さらなる攻勢をかけるスウェーデンは1657年にデンマークの支配を狙って戦争（カール・グスタフ戦争）を起こし、1659年のロスキレ条約および1660年のコペンハーゲン条約でスコーネ地方などを喪失したデンマークの凋落は決定的となった。この諸条約においてはスレースヴィにおける公爵領の維持が確認されているが、それは当該領邦のデンマーク王国からの分離だけでなく、そのスウェーデンへの傾斜と従属を示すものであった。

　しかしこうしたスウェーデンの覇権も1700年に始まる大北方戦争によって終焉を迎える。この戦争によってスウェーデンは国外領土の大半を失ったのであるが、こうした事態はその政治的後ろ盾を失うこととなる公爵領にとっても破滅を招くものであった。戦争の終結した1721年、デンマーク王フレゼリク4世は公爵領を自らの支配下に統合することを決定し、ここに15世紀末から続いたシュレースヴィヒ＝ホルシュタイン公領の分断が解消されたのである。とはいえ、ゴトープ公爵家によるデンマーク王家への敵対はこれ以後も継続されていく。例えば同家出身のピョートル3世は反デンマーク勢力の急先鋒であって、彼が1762年にロシア皇帝となると一時はデンマークへの侵攻が決定されるのであるが、エカチェリーナ2世が皇位を簒奪したことで戦争は回避された［浅野ほか2006：35］。

近代スレースヴィの言語状況

　19世紀になるとデンマークとドイツの間でスレースヴィとホルシュタインの帰属問題が浮上するが、その前にスレー

王領
公爵領
共同統治領

デ

ン

マ

ー

ク

王

国

北
海

神　王
聖
ロ　国
ー
マ　帝

フュン島

リッベン
リーベ

ハダースレーベン
ハザスレウ

アベンラーデ / オベンロー

アウグステンブルク / アウゴステンボー

ゾンダーブルク / セナボー

フレンスブルク
フレンスボー

シュレースヴィヒ
スレースヴィ

アイダー川

ハイデ

神聖ローマ帝国の境界

キール

デンマーク王国の境界

スヴェンボー

リューベック

メクレンブルク＝
シュヴェリーン公領

ホルシュタイン諸邦

スウェーデン領

ハンブルク

エルベ川

シュレースヴィヒ＝ホルシュタイン公領（1650 年）

スヴィにおける言語状況を確認しておきたい。中世前期の段階で、この地域は言語的に非常に多様であり、古デンマーク語やその南ユラン方言、古フリジア語などが話されていた。そののち 13 世紀頃にドイツ系住民の入植が行われ、低地ドイツ語が普及するようになったとされている。中世後期から近代まで、これらの低地ドイツ語はハザスレウやオベンロー（アペンラーデ）などのスレースヴィ東部地域で広く用いられ、他方の西部海岸地域ではフリジア語が日常言語として残っていた。19 世紀前半の時点では、過半数のスレースヴィ住民がデンマーク語を日常語として用い、南部や都市部ではドイツ語話者が多数派を形成していた。他方でデンマーク語はスレースヴィの北側を中心に大きな広がりを見せた。19 世紀半ばになると、デンマークの国民国家化を志向するスレースヴィの行政当局は教会と学校での使用言語をデンマーク語に限定するデンマーク化政策を実行した。

　このように言語的にスレースヴィはデンマークとドイツの境界地域であり、それゆえに両陣営による近代国民形成運動の狭間に置かれることとなったのである。

シュレースヴィヒ＝ホルシュタイン（南ユラン）問題

　ナポレオン戦争を経た 1815 年のウィーン会議ではデンマーク王が引き続きスレースヴィおよびホルシュタインの両公領を保持することが認められた。ナポレオン戦争中にノルウェーがデンマークとの同君連合を解消したのであるが、その代償としてスウェーデンから与えられたラウエンブルク公領とそれらを合わせて「ヘールスタート」と呼ばれる新たなデンマーク同君連合国家が成立した。ここで重要なのはホルシュタイン公領とラウエンブルク公領はウィーン会議でドイツ連邦への加盟を義務付けられていたということである。同時にウィーン会議はホルシュタインでの憲法制定もまた約束しており、これらのことが 19 世紀中頃からシュレースヴィヒ＝ホルシュタインの法的立場を動揺させることとなる。実は近代のデンマーク・ドイツ間で争われるシュレースヴィヒ＝ホルシュタインの帰属問題は、この将来的に制定されるはずのホルシュタイン憲法をスレースヴィにも適用するべきか否かという論争に端を発していたからである。

　1830 年にフランスで七月革命が発生すると自由主義的思潮がデンマークにも流れ込んだのであるが、その際にホルシュタインでの憲法問題が大きな議論を呼び起こした。スレースヴィ公領の官吏であった U・J・ローンセンという人物が七月革命の影響下で『シュレースヴィヒ＝ホルシュタインにおける憲法作成について』という書物をドイツ語で発表し、その中でホルシュタインに約束されている憲法をスレースヴィにも与えるべ

U・J・ローンセン
出典：Det Kgl. Biblioteks
billedsamling

クリスチャン・パウルセン
出典：Det Kgl. Biblioteks
billedsamling

『シュレースヴィヒ＝ホルシュタインにおける憲法作
成について』（1830年）

きだとの主張を展開した。ここで念頭に置かれていたのは、両地域の「不可分」を規定した1460年のリーベ条約であり、この1460年の理念が両公領の一体不可分を堅持すべきとする「シュレースヴィヒ＝ホルシュタイン主義者」と呼ばれる人々の中核的思想となった。これはのちにドイツ民族主義者によって利用されることとなるが、ローンセン自身は両地域の歴史的一体性の維持という文脈からこの思想を唱えたのである。

とはいえ、ローンセンの要求はデンマーク国内において激しい反発を招いた。特にフレンスボー（フレンスブルク）出身のキール大学教授クリスチャン・パウルセンは、1832年に出版した『スレースヴィ公領における民族性と国法』という書物の中で、歴史・国法・民族性のいずれにおいてもスレースヴィはデンマークとの一体性を保持しているとし、その上でアイダ川を国境として当該地域の全域がデンマーク領にとどまるべきだと主張したのである。このようなス

レースヴィがデンマークと一体不可分であるという立場の人々から同地域は「南ユラン」と呼ばれ、デンマーク人の土地たるユラン半島の内側に位置することが強調された［Witt/Vorsgerau 2010：231-232］。そしてこの考え方は、デンマークの「ナショナル・リベラル」と呼ばれる政治党派に受け継がれていくこととなる。

1848年革命までのシュレースヴィヒ＝ホルシュタイン問題に関する議論は非常に複雑な経過を辿った。上記の議論の文脈を踏まえつつ、スレースヴィ、ホルシュタイン、ドイツ、デンマークのそれぞれの立場から様々な見解が提出されたのである。七月革命後にスレースヴィ公領に設置された議会では、とりわけロー

北ユラン

リッベン
リーベ

ハダースレーベン
ハザスレウ

スレー
スヴィ
公領

ヘ

ー

フュン島

スヴェンボー

ル

ゾンダーブルク
セナボー

ドンダーン
テナー

フレンスブルク
フレンスボー

ス

シュレースヴィヒ
スレースヴィ

タ

北
海

アイダ川

ドイツ連邦の境界

キール

ー

ト

ホルシュタイン公領

リューベック

ド　イ　ツ　連　邦

メクレンブルク＝
シュヴェリーン大公領

ハンブルク

ラウエンブルク公領

ハノーファー王国

ヘールスタートの境界

エルベ川

ブレーメン

ヘールスタート

ンセンの持ち出したシュレースヴィヒ＝ホルシュタイン主義を根拠に憲法制定を求める自由主義者とそれを容認しない保守派の間での亀裂が顕在化し、度々紛糾した。それでも 1830 年代後半のスレースヴィ議会では、自由主義者と保守派とを問わずシュレースヴィヒ＝ホルシュタイン主義の立場からの要求が強まっていった。一方で、ホルシュタインでは、テオドーア・オルスハウゼンに代表されるようなドイツ民族主義の立場からスレースヴィとホルシュタインの一体性を擁護する議員も現れている。さらにデンマーク本国では「ドイツ的」なホルシュタインの分離を本旨とする、近世的国家からデンマーク国民国家への転換が提唱されている。この代表的論者であるオーラ・レーマンは、1842 年に「デンマー

オーラ・レーマン
出典：Det Kgl. Biblioteks billedsamling

クはアイダ川まで」とするナショナル・リベラルの政治的綱領（アイダ政策）を発表したのである。

こうしたデンマーク民族主義の台頭とは別に、デンマークと北欧の一体性と、そこにスレースヴィも包含されるという思想を掲げる「スカンディナヴィア主義」と呼ばれる潮流も高揚していた。1844 年にはそのスカンディナヴィア主義に基づいた祝祭（スカムリングの丘の民族祭典）が実施されるなど、デンマークおよびそれと同一視されたシュレースヴィヒは北欧の一部であるという自覚を強めつつあった。

1848 年革命と第一次スレースヴィ戦争

1840 年代になると、上記の様々な思想的立場の中からナショナル・リベラル

スカムリングの丘の民族祭典
出典：Det Kgl. Biblioteks billedsamling

が急速に伸長した。決定的な出来事となったのは 1846 年にデンマーク王クリスチャン 8 世によって発表された「公開書簡」である。その中ではデンマーク王家によるスレースヴィ公領の継承権が確認された一方で、ホルシュタインについては独自の継承法が存在しており、それゆえに将来的なデンマーク国家からの分離がありうるということが示された。すなわち、これはナショナル・リベラルの代表者レーマンの考え方とほとんど一致するものであったのである。また民衆の側でもナショナル・リベラルへの共鳴が日に日に増しており、農民や労働者もレーマンの運動へ続々と参加した。

1848 年に中央ヨーロッパ全域を巻き込んだ革命は、デンマークにとっては無血革命となった。その中でシュレースヴィヒ＝ホルシュタイン問題は急速にデンマーク・ドイツ両国間の懸案として認識されるようになる。まず 3 月 11 日にスレースヴィとホルシュタインの地方議会議員がレンツブルクの劇場に参集し、両公領に共通の憲法制定やスレースヴィのドイツ連邦編入を含む「三月要求」を発表した。この急を要する事態に対して、ナショナル・リベラルはスレースヴィの割譲に反対し、デンマーク王国とスレースヴィに共通の憲法を制定するように求めた。3 月 21 日、この日は王宮までの大規模なデモ行進が繰り広げられていたのであるが、これを受けて国王フレゼリク 7 世は立憲制を受け入れる声明

シュレースヴィヒ＝ホルシュタイン主義者の臨時政府
（ベーゼラーは左から３人目）
出典：Sylter Heimatmuseum

1848年４月10日にフレンスボーでパレードを行う
デンマーク軍
出典：Det Kgl. Biblioteks billedsamling

を出し、すぐさま「三月内閣」を組織した。

　しかしシュレースヴィヒ＝ホルシュタイン問題の展開は、無血とはいかなかった。三月政府はアイダ政策を採用し、シュレースヴィヒ＝ホルシュタイン公領の議員団に対してホルシュタインのデンマークからの分離の自由を明言した。だがキールに結集したシュレースヴィヒ＝ホルシュタイン主義者たちはすでに、親ドイツ派のヴィルヘルム・ベーゼラーを首班とする臨時政府を立てて、デンマークとの敵対的立場を固めていた。シュレースヴィヒ＝ホルシュタイン主義者は必ずしも親ドイツというわけではなかったが、いつしか両公領の一体的継承を求めるドイツ側と利害を共にするようになっていたのである。

　第一次スレースヴィ戦争（三年戦争）と呼ばれる戦争は４月９日にフレンスボー近郊のボウ（バウ）で始まった。シュレースヴィヒ＝ホルシュタイン陣営にド

イツ連邦だけでなく強精なプロイセンも加わったこともあり、デンマーク軍はスレースヴィ域内で敗北を重ねた。５月に入るとスレースヴィ公領の全域がドイツ陣営の支配下となり、プロイセンはユラン半島北部への進撃も伺うようになる。しかしここでヨーロッパの勢力均衡を重んじる英仏露が外交的介入を開始するとプロイセンは以前のように優位を保てなくなり、ついには戦争から離脱した。これによりシュレースヴィヒ＝ホルシュタイン軍は単独で戦争を遂行しなければならなくなり、結局デンマーク軍にスレースヴィの大部分を再占領されたのである。

　戦後に締結されたロンドン条約では、ヨーロッパ列強による保守的な態度が全面に押し出された。英仏露墺、スウェーデン＝ノルウェーなどの主要各国が調印したこの条約は旧来のデンマーク同君連合体制「ヘールスタート」の維持を確認

1852年のデンマークの風刺画。デンマーク内政において、ヘールスタート勢力はロンドン条約を味方につけても、アイダ政策陣営に全く及んでいないことが皮肉られている。ロンドン条約直後の時点ですでにヘールスタートの挫折は予見されていたと言えるだろう。
出典：Det Kgl. Biblioteks billedsamling

1850年頃のハザスレウ
出典：Det Kgl. Biblioteks billedsamling

1864年のオベンロー
出典：Det Kgl. Biblioteks billedsamling

したのである。ただし、スレースヴィはデンマーク王国からもホルシュタインからも分離するものとされた。この結果ヘールスタートはデンマーク王国本国、スレースヴィ公領、ホルシュタイン公領、ラウエンブルク公領がそれぞれ独立した政体となる新たな国制のもとで出発することとなった。この国際的圧力の前にデンマーク政府も従来のアイダ政策を破棄せざるをえなくなり、ナショナル・リベラル派は国内で急速に勢いを失っていった。

ヘールスタートの挫折と第二次スレースヴィ戦争

それでもなお、1850年代後半にデンマーク政府はアイダ政策への回帰を余儀なくされた。原因はヘールスタート域内における法制面での矛盾であった。1855年にヘールスタート全土に適用される共通憲法が発布され、そのもとで立法府で

ある共通議会が設置された。しかしこれはドイツ連邦に加盟するホルシュタインおよびラウエンブルクの独立性を脅かすものであると理解され、シュレースヴィヒ＝ホルシュタイン主義者やドイツ連邦の議会から攻撃されることとなったのである。これに恐れをなしたデンマーク政府は憲法を停止し、ここにヘールスタートの確立に向けた政策は頓挫してしまう。

この頃からデンマーク政府は再度ナショナル・リベラルへの転換を図っていくが、それが決定的になったのが1863年であった。というのも、この年の初頭にデンマーク政府は王国とスレースヴィ

デュブル砦の戦い
出典：Det Kgl. Biblioteks billedsamling

公領の法的一体化およびヘールスタート
からのホルシュタイン・ラウエンブルク
の切り離しを主旨とする三月布告を発表
したからだ。これがプロイセンとオース
トリアにロンドン条約違反であると激し
く批判された。それでもデンマーク共通
議会は同年11月に三月布告に基づいた
新憲法の採択を強行し、条約に基づいて
シュレースヴィヒ＝ホルシュタインの不
可分を訴えるプロイセンおよびオースト
リアとの対立は決定的となる。

　時にプロイセン宰相ビスマルクはプロ
イセンを中心としたドイツ統一を目論ん
でおり、彼の国家統一プランではドイツ
系住民が多数派を占めるシュレースヴィ
ヒ＝ホルシュタインの併合も視野に入れ
られていた。さらにこの時期のビスマル

クはプロイセン憲法闘争と呼ばれる政治
的内紛の渦中におり、デンマークとの領
土争いによって人民の関心を外へと向け
させ、政治的混乱を収拾しようと考えた
のである。

　1864年2月1日に始まる第二次スレー
スヴィ戦争（ドイツ・デンマーク戦争）
の経過はデンマークに不利なものであっ
た。とりわけ4月中旬に行われたデュブ
ル砦の戦いにおいて、デンマーク軍は壊
滅的敗北を喫し、列強の仲介によってロ
ンドンで交渉のテーブルに就いた。しか
しこの交渉ではデンマークとプロイセン
の間で両国の国境線をめぐって合意が形
成できず、再び戦闘が開始された。だが、
戦争再開後もプロイセン軍の勢いは止ま
らず、各地でデンマーク軍を撃破した。

北ユラン

×4月末 フレゼリシア陥落

リッベン
リーベ

ハダースレーベン
ハザスレウ

フュン島

アベンラーデ
オベンロー

スヴェンボー

トンダーン
テナー

アウグステンブルク
アウゴステンボー

×6月29日 アルス島制圧

×4月中旬 デュプル砦の戦い

フレンスブルク
フレンスボー

シュレースヴィヒ
スレースヴィ

ダーネヴィアケ砦

アイダ川

×2月5日 ダーネヴィアケ砦の陥落

ドイツ連邦の境界
＝デンマーク新憲法に基づく国境

× キール

×1864年2月1日 普墺連合軍越境

ホルシュタイン公領

ド　イ　ツ　連　邦

リューベック

ハノーファー王国

ハンブルク

ラウエンブルク公領

メクレンブルク＝
シュヴェリーン大公領

エルベ川

ブレーメン

プロイセン＝オーストリア連合軍の進軍経路

これを受けてデンマークは降伏し、10月30日にはウィーン条約が結ばれてスレースヴィ、ホルシュタイン、ラウエンブルクの三公領はプロイセンとオーストリアの共同管理下に置かれることとなった。さらに翌年8月のガスタイン条約により、三公領は普墺両国による分割統治の形へと改められている。

しかしビスマルクの真の狙いはシュレースヴィヒ＝ホルシュタイン主義の実現では決してなく、プロイセンによるドイツ統一であった。彼がこの政治方針を貫く限りでプロイセンとオーストリアの対立は避けられないものであり、現にプロイセンは1866年にオーストリアのガスタイン条約違反を主張して強引に開戦した。対するオーストリアはドイツ連邦の支援を受けて戦争に臨んだ。7月の

フレンスボーを攻撃するプロイセン軍
出典：Sächsische Landesbibliothek - Staats- und Universitätsbibliothek Dresden

ケーニヒグレーツの戦いで勝利を収めた
プロイセンは、ナポレオン 3 世の仲介に
よってオーストリアと和平交渉に入っ
た。そこで締結されたプラハ和平条約
は、シュレースヴィヒ＝ホルシュタイン
のプロイセン併合を規定していた［成瀬
ほか 1996：376-377］。そして何よりも、
この結果としてドイツ連邦が解体されて
北ドイツ連邦が成立し、ビスマルクの望

敗北するデンマーク軍。デンマーク兵捕虜がフレンス
ボーへ連行されている場面が描かれている。
出典：Det Kgl. Biblioteks billedsamling

む小ドイツ主義が大きく前進したという
点で重要である。1870-1871 年の普仏戦
争を経てドイツ帝国が創設され、この地
域もドイツ領の一部となるのである。

ドイツ領の中のシュレースヴィヒ

1900 年頃のハザスレウ市街
出典：Kunsthalle zu Kiel

帝政下のゾンダーブルク（セナボー）

Abb. 13: Altaufnahme der Volkshochschule in Tingleff/Nordschleswig, 1908 v. Dinklage u. Paulus/Berlin

帝政期のティングレフ（民衆学校の校舎）
出典：Staats- und Universitätsbibliothek Hamburg
Carl von Ossietzky

※以下、第一次世界大戦直後までドイツ名を優先。

ドイツ帝国における北シュレースヴィヒ問題

　デンマーク王の支配下から離れ、君主を失ったシュレースヴィヒ＝ホルシュタイン両公領は「近代国家」プロイセンにおいてシュレースヴィヒ＝ホルシュタイン州へと再編され、州総督のポストがシュレースヴィヒ市に置かれた。通常プロイセンに併合された地域は下位自治体である複数の県に細分化されるのであるが、例外的にこの州は単一のシュレースヴィヒ＝ホルシュタイン県のみを有していた。これはシュレースヴィヒ＝ホルシュタイン主義者に配慮した結果であり、ここからプロイセン側が無用な内部対立を避けようとしていたことが窺える。

　ドイツ帝政下のシュレースヴィヒ＝ホルシュタイン州では、北シュレースヴィヒに関わる諸問題が焦眉の課題となった。この領域は、ドイツ帝国議会選挙において「第一選挙区」を割り当てられていたのであるが、その選出議員は常に親デンマーク派もしくはデンマーク民族主義者であった。これはプロイセン邦議会選挙においても同様で、このことはプロ

シュレースヴィヒ=ホルシュタイン州（北ドイツ連邦およびドイツ帝国）

イセン=ドイツの指導的政治家たちを悩ませる問題となった。

　この地域をドイツ化するために、プロイセンはデンマーク時代の政策を鏡写しにするように教会、学校、行政における使用言語のドイツ化に着手している。とりわけ学校教育においてはプロイセン当局による視察が細かく実施され、ドイツ語教員養成のための師範学校も整備された。さらに 1888 年には「北シュレース

ヴィヒ言語令」が公布され、これによって学校からのデンマーク語の排除とドイツ語での教育がより厳格化されていったのである。それでも、例えば農村部の教会においてはデンマーク語からドイツ語への即時移行は容易でなく、二言語によるミサを容認するなどの移行措置がとられた［小峰 2007：17-18］。

　他方で北シュレースヴィヒの住民はプロイセンによる支配が短期的なものに留

まるとの楽観も抱いていた。なぜなら
1866年のプラハ条約第5条では「シュ
レースヴィヒの北部区域の住民は、もし
自由な住民投票でその希望が承認されれ
ば、デンマークへ統合しうる」と明記さ
れていたからである。この条文を足がか
りに多くの地域住民がプロイセンに抵抗
しようとするが、当然これに対するプロ
イセン当局の反応は強硬なものであっ
た。当局に求められたプロイセン王への
宣誓を拒否した教員や聖職者がその職か
ら追放され、親デンマーク的なプロイセ
ン邦議会議員も政治活動から閉め出され
た。最終的にプラハ条約第5条は1878
年にプロイセンとオーストリアによって
失効させられてしまい、デンマークへの
復帰を夢見る親デンマーク派住民の望み
は絶たれてしまう。先の北シュレース
ヴィヒ言語令も、このプラハ条約の制約
から解放されたプロイセンが北シュレー
スヴィヒのドイツ化をさらに推進するた
めに導入したものであったのである。

　この高圧的とも言えるプロイセン側の

ハンス・ペーター・ハン
セン
出典：Det Kgl. Biblioteks
billedsamling

政策に、北シュ
レースヴィヒ住
民は粘り強い抵
抗で対抗してい
くこととなる。
彼らは、このまま
プロイセンの言
語政策が進行す
れば間違いなく
デンマーク語や

北シュレースヴィヒ有権者協会の規約

文化を育む住民の衰退に直結するだろう
と考えていた。こうした中で北シュレー
スヴィヒ出身のジャーナリストであった
ハンス・ペーター・ハンセンはデンマー
ク民族運動の指導者となり、彼を中心と
してデンマークの言語と文化を維持する
対抗運動が展開された。1880年にはデ
ンマーク言語協会が設立され、その後も
北シュレースヴィヒ有権者協会、学校協
会などの有力な民族主義組織が作られ
た。またハダースレーベンやフレンスブ
ルクではデンマーク語新聞も創刊され、
北シュレースヴィヒはドイツ帝国におけ
る少数派文化保護運動の拠点のひとつと
なっていった。ハンセンらの運動は、プ
ロイセン当局の厳しい監視を掻い潜りな
がら、第一次世界大戦まで継続されてい
くのである。

オベンロー決議を行った北シュレースヴィヒ有権者協会の幹部
出典：Det Kgl. Biblioteks billedsamling

第一次世界大戦下のシュレースヴィヒと戦後の住民投票

　第一次世界大戦が勃発すると、潜在的脅威とみなされた北シュレースヴィヒの親デンマーク派は厳しく取り締まられた。デンマーク語新聞の出版は禁止され、指導的政治家も一時的に逮捕・拘禁された。そして戦争が長期化するにつれ、シュレースヴィヒでも食糧不足が顕在化し、1916年には食料を求めるデモ行進や略奪行為が発生した。こうした民衆の不満は革命へと結びついていく。1918年11月初頭、ホルシュタインのキール軍港にて、皇帝からの無謀な出撃命令と命令不服従者の逮捕・収監に反発した水兵たちが反乱を起こし、この赤色革命の色彩を帯びた蜂起がドイツ全土へと拡大していったのである。

　このドイツ帝国の崩壊に際して北シュレースヴィヒの帰属問題が再び俎上に載せられた。ハンセンはドイツ帝国議会において「南ユトランド」の住民がデンマークとドイツのいずれに属すのかを決める住民投票を行うべきだと演説し、続いてオベンローにおいて当該地域のデンマーク復帰の希望が決議された（オベンロー決議）。ドイツの社会民主党政権もハンセンらの要求を容認し、シュレースヴィヒ帰属問題の解決をパリ講和会議へと付託した。ハンセンの演説はドイツ帝国東部のポーランド割譲を要求したコルファンティ演説に比肩する重要な出来事であ

シュレースヴィヒ国際代表部
出典：Det Kgl. Biblioteks billedsamling

投票用紙（デンマーク票〈左〉とドイツ票〈右〉のいずれかを投票）

ろう。

　しかし、ピアスト朝時代以来の歴史的
権利に基づく広大な領土を要求したポー
ランドとは対照的に、パリ講和会議での
デンマークの要求は控えめなものであっ
た。歴史的観点から言えば、デンマーク
は 1864 年までシュレースヴィヒだけで
なく、ホルシュタインとラウエンブルク

も保持していたのであるが、デンマーク
代表団はシュレースヴィヒの北部および
中部（それぞれ第一・第二投票区とされ
た）のみで住民投票を実施することを求
めた。パリの最高会議は、この問題の討
議にあたってベルギー問題検討委員会に
調査を依頼し、フランス代表団のアンド
レ・タルデューらを中心に報告書がまと

ドイツへの投票を呼びかけるポスター

デンマークへの投票を呼びかけるポスター

アベンラーデに到着したデンマーク人有権者 出典：Det Kgl. Biblioteks billedsamling

第一投票区
有権者数 :112,515
デンマーク票:75,431 (74.39%)
ドイツ票 :25,324 (24.98%)
棄権 :640 (0.63%)

第二投票区
有権者数 :70,286
デンマーク票:12,800 (19.8%)
ドイツ票 :51,742 (80.2%)
棄権票数不明

第三投票区(実施されず)

住民投票区と投票結果

められた。この委員会の調査において
は、シュレースヴィヒの急進派からシュ
レースヴィヒ南部（第三投票区）での住
民投票の実施を求める声も出されたが、
デンマーク政府があくまでもドイツとの
合意に基づく第一・第二投票区のみでの
住民投票を要請している［Wambaugh
1933：58-61］。
　デンマーク政府がこうした消極的姿勢
を見せたのは、シュレースヴィヒ＝ホル
シュタイン州全域がデンマークに返還さ
れるという事態を避けるためであった。
もしそうなれば、多数のドイツ系少数派
を国内に抱えてしまうこととなり、19
世紀のシュレースヴィヒ＝ホルシュタイ
ン問題およびスレースヴィ戦争が再現さ
れてしまうとデンマークは恐れていたの
である。実は5月7日にドイツ代表団に

二つの国境線案とその後のドイツ・デンマーク国境

手渡された仮講和案には第三投票区においても住民投票を実施すると明記されていたのであるが、それはこの件を伝えられていなかったデンマーク側において激しい反発を呼び起こし、デンマーク議会も第三投票区の撤廃を求める決議を行っている。

　結局、ヴェルサイユ条約第109-114条において第一・第二投票区のみでの住民投票の実施が規定された。その文言によると、デンマーク領となることが予め想定されていた第一投票区に関してはその全体の投票率によって帰属が決定され、第二投票区においては自治体ごとの投票結果に基づいて帰属が判断されるということであった。

　その他の住民投票実施地域と同様に、1920年1月よりシュレースヴィヒはド

イツの施政下から離れた。ドイツ行政と入れ替わるように英仏軍が当該地域を占領し、さらに英仏、ノルウェー、スウェーデンの代表からなるシュレースヴィヒ国際代表部（Commission Internationale Slesvig）がその実権を握っている。

まず2月10日、冷たい雨の降りしきる中で第一投票区における住民投票が実施された。その2日前には域外のドイツ系住民を乗せた特別列車が到着して、ドイツへの投票を呼びかけるアピールが行われるなど、すでにシュレースヴィヒは騒然とした雰囲気となっていた。デンマーク陣営が「南ユラン人よ、今こそ祖国に帰る日だ」と叫んだと思えば、ドイツ陣営は「国民感情と偉大なるドイツの文化共同体への共属感情にことをゆだねさせよ」と述べて対抗した［ヘルムス 2013：266；尾崎 2003：9］。有権者数 111,200 人のうち投票率は 91.5 ％であり、うちデンマーク票が 74.9 ％（75,431票）、ドイツ票が 25.1 ％（25,319）という結果であった。トンダーン（テナー）、ゾンダーブルク、アペンラーデなどの南部の都市部ではドイツ票が多数派となっていたものの、第一投票区は「全体」の投票率が問題となるため、これによってこの区域がデンマークに帰属することは明白であった。

続いて、3月14日に第二投票区でも住民投票が実施される。約 78,900 人の有権者のうち投票率はおよそ 81 ％であり、デンマークへの投票がわずか 19.8 ％

（12,800 票）であった一方、80.2 ％（51,724）の票がドイツへ投じられた。ただしこの投票区では「自治体」ごとの投票結果に基づいて帰属が決定されるということであったが、いずれの自治体においてもデンマーク票がドイツ票を上回ることはできなかった。

以上の住民投票結果を踏まえ、シュレースヴィヒ国際代表部では国境線画定のための作業が進められた。デンマーク側は第一投票区の南限をデンマーク・ドイツ国境とするクラウセン・ラインを提唱するが、これに対抗してドイツ側はドイツ票が多数派となったトンダーン地方などの残留を求めるティーディエ・ラインを策定した。最終的に国際代表部はクラウセン・ラインを両国国境とすることを決め、第一投票区、すなわちシュレースヴィヒ北部地域がデンマークへと手渡された。このデンマーク・ドイツ国境は今日に至るまで変更されていない。

その後

戦間期の民族問題

　国土の 10 分の 1 に当たる領域面積と 164,000 人の住民のデンマークへの「復帰」は、デンマーク人にとって輝かしい国民史の一部となった。あるデンマークの歴史教科書には次のような記述がある。「ついに 1920 年の夏、忠実なデンマーク系南ユラン人のほとんどが、古来の自分の国に戻りました。デンマークは彼らとともに一部のドイツ系住民も取り込みました。そしてデンマーク人とデンマーク人とを分けていた、あの憎き国境の標柱は倒れました。歓喜するデンマーク人が道沿いに千人、また千人と群がるな

か、国王クリスチャン 10 世が白馬に乗って、再びデンマークの一部となったこの地に入りました。そしてデンマーク兵が南ユランの地を守るために激しく戦ったデュブルの丘では、大祝賀会が開かれて再統合が祝われました」[ヘルムス 2013：267、一部改訳]。ここに示されているのは、デンマーク国民国家の内部としての「南ユラン」であり、もはや 19 世紀的なシュレースヴィヒ＝ホルシュタイン主義は見る影もない。20 世紀とは結局のところ国民国家の世紀なのであり、デンマークもその例外ではなかった。

　もちろんこの国境線画定でスレース

デュブルの丘で開催された再統合祝賀会（1920 年 7 月）出典：Det Kgl. Biblioteks billedsamling

オベンローでのデンマーク軍のパレード（1920 年）
出典：Det Kgl. Biblioteks billedsamling

スレースヴィ連合の規約（1920 年にドイツ領フレン
スブルクで設立）

ヴィにおける全ての民族問題が解決した
わけではなかった。先の引用文にもあ
る通り、スレースヴィ北部地域の内部に
はドイツ系少数派が居住していたので
あり、戦間期において彼らはドイツ本国
の民族主義者たちと連携しながらスレー
スヴィ全域のドイツ復帰を求めていくの
である。それだけでなく、ドイツ領シュ
レースヴィヒ地域においてもデンマーク
系少数派の存在があり、国境画定直後
の 1920 年 7 月には、デンマーク首相ニ
アゴーが彼らに対して「おまえ達を忘れ
たりしない！」と訴えている。戦間期に
おいて、この地域のデンマーク系少数派

は「スレースヴィ連合」を結成してデン
マーク文化の保護と「祖国復帰」のため
の運動を展開した。

第二次世界大戦と戦後

　第二次世界大戦中の1940年4月9日、
突如ドイツ軍がスレースヴィの国境を超
えてデンマークへと侵攻した。1939 年
にドイツとデンマークは不可侵条約を締
結していたので、デンマークはこの侵
攻で完全に虚を突かれたのである。さ
したる戦闘もなくユラン半島全域が占

領された。意外に
も、ナチ・ドイツ
はデンマークと北
スレースヴィにお
いて寛容な政策を
とったと言える。
国家全権として派
遣されたヴェル
ナー・ベストはデ
ンマークに独自政

ヴェルナー・ベスト
出典：Hessisches
Staatsarchiv Darmstadt

府や行政を認めることで「モデル保護国
Musterprotektrat」を作り上げ、対外宣
伝に役立てようと考えたのである。この
ようなデンマーク国家を形式的に維持し
ようとする政策のもとで、北スレース
ヴィのドイツ再併合を望むドイツ系住民
の希望は打ち砕かれた。それでもドイツ
系住民の多くは国防軍や武装親衛隊に志
願し、自らの愛国心を満足させようとし
ていた。

　しかしデンマーク国民の多くが望んだ
のは、デンマークの自由と民主主義で
あった。1943年に実施された国会選挙
において、デンマーク・ナチ党は149議
席中わずか3議席しか獲得できず大敗し
たのである。また同年後半からはデン
マーク自由評議会と呼ばれるグループに
よるレジスタンス活動が活発化し、ユダ
ヤ系住民の救出活動、諜報活動、破壊活
動などが終戦まで繰り広げられた。この
ように、デンマーク市民であったユダヤ
系住民の処遇に関して、大多数のデン
マーク国民は寛容な態度を見せ、同時に
ナチに抵抗した。ナチによるユダヤ系住
民の移送がささやかれた際、多くのユダ
ヤ系の受け入れをスウェーデンが表明し
たのであるが、デンマーク政府はそれを
速やかに実行したのである。このような

デンマーク自由評議会の幹部（1945年6月）
出典：Det Kgl. Biblioteks billedsamling

ボン＝コペンハーゲン宣言について説明するデンマーク首相ハンス・クリスチャン・ハンセン（前列左）と西ド
イツ首相コンラート・アデナウアー（前列右）
出典：NRD.de

抵抗を受けて、結局、一部の逮捕された
ユダヤ系もいわゆる絶滅収容所ではない
チェコスロヴァキアのテレージエンシュ
タット収容所へと送られた。

　第二次世界大戦後もデンマーク領南ユ
ランと西ドイツ領シュレースヴィヒで
の少数派問題は依然として提起され続
けるものの、1955年に「ボン＝コペン
ハーゲン宣言」が出されることでようや
く事態の沈静化に至った。これは国境の
両側の民族的少数派それぞれに憲法上の
基本権を保証するものであり、今日では
少数民族問題解決の模範例とみなされて
いる。なお、ここで少数派の定義として
主観的基準（例えば「デンマーク人であ
ると考える者がデンマーク人である」）
が採用されている［Witt/Vorsgerau
2010：306；村瀬 1996：147］。

　戦後のデンマークは戦間期の中立政策
を破棄して NATO に加盟し、西ドイツ
と同じ陣営になった。また 1972 年には
ヨーロッパ共同体（EC）へ加盟し、軍事・
経済の両面で西側諸国の一員となったと
言えるだろう。こうした冷戦下特有の政
治状況によってデンマーク領スレース
ヴィ／ドイツ領シュレースヴィヒにおけ
る少数派問題は問題となりづらくなった
と言えるが、冷戦以後にそれが完全に途
絶えたわけではない。むしろそれらの少
数派保護規定は法文化され、強化されて
いることに示されるように、現実問題と
して少数派の問題は存在し続けている。
それでもデンマーク・ドイツ両国の努力
によって、もはや以前のような激しい民
族対立は起こりえない状況となっている
のである。

デンマークとスカンディナヴィア主義

19世紀半ばのシュレースヴィヒ＝ホルシュタイン問題の展開の中で、ドイツ民族主義への対抗関係からデンマークではスカンディナヴィア主義という思想潮流が興隆した。これはユラン半島からスカンディナヴィア半島までの「北欧」が一体であるべきという地域認識であり、特にスレースヴィの維持と防衛のためにナショナル・リベラルによって華々しく展開された。その精華と言えるものが、1840年代のスカムリングの丘の民族祭典であったことはすでに説明した通りである。

（汎）スカンディナヴィア主義はもともと文芸活動において成立したものであったが、それは近代民族主義の勃興と時を同じくして北欧諸国の学生の間でのブームとなっていった。すなわち、民族主義に基づく個々の民族＝国家利害の追求ではなく、「北欧は一体である」というスローガンのもとに、デンマーク、スウェーデン、ノルウェーなどの北欧諸国の連帯が叫ばれたのである。すなわちこの時点では、北欧概念とそれぞれの民族概念の分化がそれほど進んでおらず、それゆえに「デンマークと北欧」や「スウェーデンと北欧」などが競合することなく共存しえた。

それでも、スカンディナヴィア主義の解釈には国ごとに違いがあり、デンマークではスレースヴィとの親和性を強調するために用いられた一方で、スウェーデンではロシアの脅威に対抗するための思想的枠組みとして理解された。またノルウェーでは、上記二国のように近隣国との軋轢を抱えていなかったがゆえにスカンディナヴィア主義は大きな広がりを見せなかったとされるが、それでも近年の研究では親デンマーク派やノルウェー民族主義者などの幅広い層の中で一定の地

スカンディナヴィア主義を支持したフレゼリク7世
出典：Det Kgl. Biblioteks billedsamling

歩を確保していたことが明らかにされている。

さて、これは1850年代半ばまでは知識人や学生を中心とする思想や運動であったが、それ以後になると北欧諸国の君主や政治家たちがスカンディナヴィア主義を利用し始める。

きっかけはクリミア戦争（1853-1856年）であり、パリで行われたその講和において、スウェーデン王オスカル1世は、彼を中心とするスカンディナヴィア同君連合を構想した。これはヘールスタート路線を基調とするデンマーク政府の反対にあって失敗しているが、デンマーク王フレゼリク7世には跡継ぎがいなかったために、スウェーデンは長子であったオスカル王子をその後継者にするという計画を立てるなど、政治的スカンディナヴィア主義の実現に積極的だったのである。デンマーク側では、ナショナル・リベラルや学生の間でスウェーデン王家によるスカンディナヴィア統合の実現というアイデアが好感をもって受け入れられた。

しかし、政治的スカンディナヴィア主義はもっぱらスウェーデン王とデンマーク王の個人的紐帯を軸に展開されており、各政府首脳と見解が一致していたわけではなかった。1863年にプロイセン＝オーストリア連合軍によるシュレースヴィヒ＝ホルシュタインへの侵攻の可能性が高まると、時のスウェーデン王カール15世はフレゼリク7世に援軍の派遣を約束した。だがこうした動きはスウェーデン政府やノルウェー議会によって封じられ、結局デンマークは第二次スレースヴィ戦争を単独で戦うこととなった。

このように王族中心の政治的スカンディナヴィア主義は、大衆の利害も踏まえなければならない政府や議会との間で合意を図ることができず、最終的に「北欧の一体化」は実現されることなく霧散するのである。

参考文献
百瀬ほか編 1998；東海大学文学部北欧学科編 2010；武田 1993

戦闘に勝利したプロイセン軍の兵士たち

🏛 デュブル砦の戦い

デンマーク国民の歴史における重要な場所のひとつに「デュブルの丘」がある。19世紀半ばの二度のスレースヴィ戦争期には、この地に砦が建設され、デンマーク・プロイセン両軍の激戦地となったのである。特に1864年の第二次スレースヴィ戦争時の塹壕戦は、デンマーク史における重大な転換点として記憶されている。

デンマーク軍は1864年2月1日の戦争勃発直後、まずスレースヴィ南部のダーネヴィアケでプロイセン軍を迎え撃ち、進撃を阻止しようとしたが、強精な

プロイセン軍を前に同月5日には撤退を強いられた。そこでデンマーク軍主力はより北方のセナボー近郊のデュブルの丘まで移動し、そこに陣地を構築したのである。2月半ばにプロイセン軍はデュブルに到達し、砦への攻撃を開始した。両陣営は砲撃を避けるために塹壕を掘って防衛したので、この戦闘は世界史上初の塹壕戦として記録されている。またこの戦闘には、プロイセン軍の浮き橋を破壊するためにデンマーク軍の装甲艦「ロルフ・クラーケ」が参加しており、これは装甲艦としてはヨーロッパで初めての

作戦行動であった。

　2ヶ月以上に及ぶプロイセン軍の攻勢にもかかわらず、砦は陥落しなかった。業を煮やしたプロイセン軍は、多数の砲兵を投入した攻囲戦で即時決着を図ったが、結局それも長い時間を要する作戦となった。それでもプロイセン軍は徐々に砦に接近し、4月18日朝には最も激しい砲撃が開始される。6時間で8,000発の砲弾がデンマーク陣地に浴びせられ、その後歩兵が突撃して砦は陥落した。戦死者は、デンマーク側で1,669名、プロイセン側で1,201名であった。

　戦後、この戦闘は両国民の中で神話化されていく。プロイセン側では4月18日の突撃の際にカール・クリンゲという兵士が爆弾を抱えて敵陣で自爆したというエピソードが「英雄譚」として語られるようになる。他方のデンマーク側では、1920年夏に北スレースヴィが「復帰」したとき、真っ先にこのデュブルの丘で祭典が催されたのである。この祭典において激戦地の砦は、クリスチャン10世の参列を記念するために「王の砦」と呼ばれるようになった。これに示されるように、北スレースヴィのデンマーク民族主義は、プロイセン＝ドイツとの対抗の中で形成されていったと言っても良いかもしれない。

参考文献

Witt/Vorsgerau 2010, 253-254；村井1996

ヤルマール・シャハト

エミール・ノルデ

ケル・アベル

👥 著名出身者

　20世紀ドイツ経済界の重鎮**ヤルマール・シャハト**（Horace Greeley Hjalmar Schacht, 1877-1970）は、ドイツ領北シュレースヴィヒのティングレフという小さな村に生まれている。父ヴィルヘルムは1870年に北シュレースヴィヒからアメリカに移住し、そこで北シュレースヴィヒの街トンダーンで知り合っていたコンスタンツェと結婚したが、仕事がうまく行かなかったので帰国し、ティングレフで教師の仕事をしていたのである。

　ヤルマールが1歳の頃から、父の職探しのために家族はシュレースヴィヒ＝ホルシュタイン州各地を点々としている。ヤルマールはこの時期を回顧して「貧しい時代」「悲惨な時代」と述べており、彼にとってシュレースヴィヒ＝ホルシュタイン時代はあまり良い思い出ではなかったのかもしれない。ヤルマールはたいへん秀才で、ハンブルクの名門ギムナジウムに進学したのち、ベルリン、ライプツィヒ、ミュンヘンなどの大学で医学やドイツ語学を学んだ。

　彼にとって転機となるのはミュンヘン大学で経済学者ルヨ・ブレンターノの講義を受けたことであり、ここから彼は経済学に並々ならぬ関心を注ぐようになる。1898年にキール大学で博士論文（『イギリス重商主義理論小史』。邦訳あり）を完成させ、シャハトは博士号を授与された。1903年からはドレスデン銀行で仕事を始め、第一次世

界大戦中の 1916 年には国民銀行の役員へと出世した。

　シャハトがドイツ経済界で名を上げるのはヴァイマル期である。ドイツ国内経済は 1923 年初頭に発生したハイパーインフレによって激しく混乱し、政情不安となっていた。こうした状況を打開するため、政府より通貨委員への就任を要請され、彼はこれを受け入れた。通貨委員としてシャハトは、レンテンマルクの導入や交換レートの固定化に尽力し、奇跡的にインフレ終息を成功に導いたのである。このような功績が評価されて、彼は中央銀行であるライヒスバンクの総裁に就任することとなった。

　こうした功の部分とともに罪の部分として語られるのが、彼のナチ政権への参画である。シャハトはナチ政権獲得以前からヒトラーの思想に共感を示しており、1933 年以後はナチの失業対策に巨額の資金援助を決定している。1934 年からは財務大臣も兼任して権限を拡大させるとともに、ドイツの軍拡にも積極的に賛成に回った。しかし徐々にヒトラーの戦争計画と「生存圏」構想の全貌が見えてくると、シャハトとヒトラーは対立するようになる。1930 年代末には財務相とライヒスバンク総裁を辞任させられ、無任所相となった。1944 年のヒトラー暗殺未遂事件（第 1 章を参照）の際には容疑者の一人として逮捕され、収容所に移送されたのであるが、そのまま終戦を迎えた。

　戦後のニュルンベルク国際軍事裁判においては「戦争の共同謀議」と「戦争準備」の罪で A 級戦犯として起訴されるも、無罪判決を受けている。アデナウアー政権下での公職復帰を望むも、やはり元 A 級戦犯被疑者という肩書が足かせとなって実現しなかった。1953 年からは銀行業を再開するも 1963 年に引退し、1970 年に 93 歳で死去している。

　エミール・ノルデ（Emil Nolde, 1867-1956）は「色彩と幻想の画家」として日本でも知られている。日本では「ドイツの画家」として紹介されることが多い彼も、北シュレースヴィヒの出身者である。

　普墺戦争直後の 1867 年、彼はトンダーン地方の村ノルデで、農場主ニールスとハンナの間にハンス・エミール・ハンセンとして生まれた。農場主の息子ということで、彼は北シュレースヴィヒの大自然の中で悠々と育った。この地域の言語的特性から、エミールは家庭や日常生活では低地ドイツ語の方言を用いるが、学校では標準ドイツ語や標準デンマーク語を教えられ、使用していたという。

　幼少期から芸術家になりたいという強い願望があり、1884 年からフレンスブルクで木彫や素描の修業を始めた。1892 年頃からは工芸博物館の専任講師として素描を教えていたが、1894 年の作品「山岳絵葉書」が商業的に成功し、本格的に画家の道を歩み始めることとなった。1898 年からはミュンヘン、パリ、コペンハーゲンなど

で作品制作を行い、また 1902 年に結婚して以後はエミール・ノルデと名乗るように
なる。1903 年に北シュレースヴィヒに戻り、アルゼン（DMアルス）島で祭壇画や
油彩画「室内の春 *Frühling im Zimmer*」を制作するも、経済的に困窮した。

　そののち、借金をしてヨーロッパ各地やロシア、日本、中国、ドイツ領南洋諸島を
周遊する旅を行うが、エジプト滞在中に第一次世界大戦が勃発し、アルゼン島に帰還
する。戦時下の作品は南洋諸島を題材にしたものや宗教画がメインである。

　戦間期の大半はベルリンで過ごすが、ナチ体制下でノルデの作品は監視対象とされ
るようになる。1934 年に自叙伝『闘いの歳月』が発禁となると、1937 年には「キ
リストの生涯 *Leben Christi*」を含む 37 点の作品が「退廃芸術」として押収された。
ただ彼は 1935 年に北シュレースヴィヒのナチ党員となるなど、ナチそのものには好
意的であった。第二次世界大戦中はベルリンで生活するも、1944 年 2 月の空襲で住
宅が焼け落ちてしまい、多くの作品が失われた。戦後はスイスに拠点を移し、1955
年まで精力的に制作活動を行った。1956 年、ドイツ・デンマーク国境の街ゼービュ
ルにて死去。国籍は生涯デンマークのままであった。

　デンマーク系では、劇作家の**ケル・アベル**（Kjeld Abell, 1901-1961）がデンマー
ク国内において最も人気のある作家のひとりとして知られている。アベルはドイツ領
時代のシュレースヴィヒ＝ホルシュタイン州リッペンに生まれ、中等教育を終えたの
ち大学で政治学を学んでいた。

　人生の転機は 1927 年頃からパリで演劇の仕事に携わるようになったことであり、
この頃から自らも戯曲の執筆を準備し始める。デンマークに戻った 1935 年、アベル
は『失われたメロディ *Melodien, der blev væk*』で劇作家デビューするが、そこに
は彼の作品群に一貫して見られるようになる社会批判と風刺という特徴がすでに織り
込まれていた。特にこの作品では、政治体制によって愛好する音楽を破棄させられる
プチブル的人物を批評的に描き出し、興行面で成功を収めた。また『アンナ・ソフィー・
ヘドヴィ *Anna Sophie Hedvig*』（1939 年）や『シルケボー *Silkeborg*』（1946 年、
ただし執筆は戦中）といった 1930 年代後半以後の作品では主にファシズム体制下に
おける個々人の人間的責任が問題視されており、とりわけ彼は抑圧に対して無気力な
市民を批判し、自由の擁護を呼びかけた。

　戦後も精力的に執筆活動を続け、原爆登場以後の科学者たちの苦悩を描いた『雲
の上の日々 *Dage på en sky*』（1947 年）、最高傑作とも評される『青い狆 *Den blå
pekingeser*』（1954 年）を発表している。これらの作品によって、アベルは現代デ
ンマークを代表する劇作家としての地位を確立した。

 **その他の著名出身者**

・**フレゼリク2世**
Frederik 2., 1534-1588、デンマーク王国領ハザスレウ出身の貴族・君主。スレースヴィ公・デンマーク王

・**フレゼリク3世**
Frederik 3., 1609-1670、デンマーク王国領ハザスレウ出身の貴族・君主。スレースヴィ公・デンマーク王

・**エミール・クリスチャン・ハンセン**
Emil Christian Hansen, 1842-1909、デンマーク王国領リーベ出身の真菌学者

・**ラース・クリスチャンセン**
Lars Roslyng Christiansen, 1972-、デンマーク領セナボー出身のプロ・ハンドボール選手

第7章

エルザス＝ロートリンゲン

独仏対立の舞台から和解の象徴、欧州連合の中心地に

エルザス＝ロートリンゲン

DE Reichsland Elasaß-Lothringen

現フランス領アルザス地方、ロレーヌ地方
FR Alsace, Lorraine

　ドイツ語でエルザスとロートリンゲンと呼ばれる地域は、フランスとドイツの国境に位置する帯状の地域である。この地域は一般にはアルザス・ロレーヌの名で広く知られているが、このフランス名が我が国で一般化している理由はもちろん現在その領域がフランス領の中に位置していることに理由がある。そしてエルザス＝ロートリンゲンというドイツ名が示すようにこの地域もまた 20 世紀前半のある時期まではドイツ領の一部であったのであり、この地をめぐってドイツとフランスの間に領土紛争があったという事実に関してもアルフォンス・ドーデの短編『最後の授業』によって広く認知されている。しかしながら、この地域の領土的変遷にまつわる近代以前の歴史的背景については、我が国ではあまり知られていないのではないだろうか。

　実はこのエルザス＝ロートリンゲンは、1871 年にドイツへ併合されるまでアルザスとロレーヌという別々の行政地域圏であった。ここでは、「エルザス＝ロートリンゲン州」においてその全域がドイツ領となり（ロレーヌ地域は北部の一部のみ）、激動の近世近代史を歩んだアルザスを中心にその歴史を概観していきたい。なおそのような歴史的事情と「エルザス＝ロートリンゲン」という用語の持つ様々な意味を考慮して、本章のタイトルに反するようではあるが、基本的にはその地名は用いず、個別に「アルザス」と「ロレーヌ」（もしくは「＝」を用いずにアルザス・ロレーヌ）という表記を採用する。例外としてドイツ帝国時代を記述する際にのみ、「帝国直轄領エルザス＝ロートリンゲン」に準ずる表記を用いることとする。

主要言語

ドイツ領時代 1871-1918 年	フランス語、ドイツ語、アルザス語（エルザス・ドイツ語）、ロレーヌ語（ロートリンゲン・ドイツ語）
現代	フランス語、アルザス語、ロレーヌ語

近代以降の人口

① フランス領時代

1821	1,291,141
1866	1,597,228

② ドイツ領時代（帝国直轄地エルザス＝ロートリンゲン）

1871	1,549,738
1880	1,566,670
1890	1,603,506
1900	1,719,470
1910	1,874,014

③ 戦後

1946	1,767,131
1975	2,523,703
2017	2,933,111（バ＝ラン県、オー＝ラン県、モーゼル県の合算）

年表

855 年	ロタリンギア王国の成立
870 年	ロレーヌ地方の西フランク王国への併合
962 年	神聖ローマ帝国の成立とそこへのアルザス・ロレーヌの編入
1618 年	三十年戦争の勃発
1621 年	マンスフェルトのアルザス侵攻
1630-1634 年	スウェーデン軍の侵攻と支配
1648 年	アルザスのフランス併合および諸都市の特権的地位の承認
1661-1673 年	デカポールによる反フランス的運動
1673 年	フランスによる軍事介入
1681 年	フランスによるアルザス平定の完了。行政区分の再編
1790 年	ストラスブールにおけるライン連盟祭の開催
1820 年	中等・高等教育におけるフランス語の導入
1870 年	普仏戦争の勃発
1871 年	ドイツ帝国の創設と帝国直轄地エルザス＝ロートリンゲンの成立
1879 年	エルザス＝ロートリンゲン統治法の制定
1902 年	エルザス＝ロートリンゲンに不利な専制条項の廃止
1918 年	ドイツの敗北とエルザス＝ロートリンゲン共和国構想
1919 年	ヴェルサイユ条約におけるアルザス・ロレーヌ地域のフランス併合承認
1926 年	アルザス自治派が逮捕されるコルマール事件
1940 年	ドイツのフランス侵攻とアルザス・ロレーヌの占領
1944 年	オラドゥール虐殺事件
1945 年	第二次世界大戦の終結とアルザス・ロレーヌのフランス復帰
1949 年	欧州評議会本部がストラスブールに設置される
1953 年	オラドゥール裁判
1993 年	欧州連合の成立により欧州議会の置かれるストラスブールがヨーロッパ政治の結節点となる（「ヨーロッパの首都」）

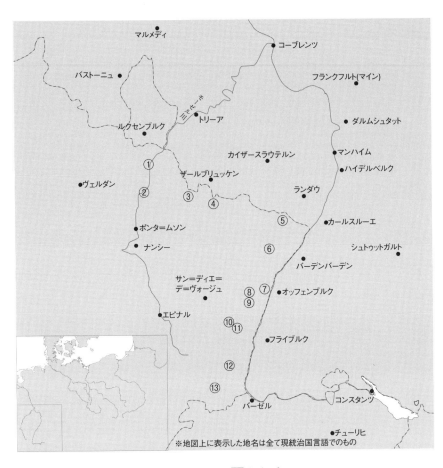

※地図上に表示した地名は全て現統治国言語でのもの

	FR フランス名		**DE ドイツ名**	
①	Thionville	ティオンヴィル	Diedenhofen	ディーデンホーフェン
②	Metz	メス	Metz	メッツ
③	Saint-Avold	サンタヴォル	Sankt Avold	ザンクト・アヴォルト
④	Sarreguemines	サルグミーユ	Saargemünd	ザールゲミュント
⑤	Wissembourg	ヴィサンブール	Weißenburg	ヴァイセンブルク
⑥	Haguenau	アグノー	Hagenau	ハーゲナウ
⑦	Strasbourg	ストラスブール	Straßburg	シュトラースブルク
⑧	Molsheim	モルスアイム	Mollesheim	モーレスハイム
⑨	Obernai	オベルネ	Oberehnheim	オーベレンハイム
⑩	Kaysersberg	ケゼルスベール	Kaisersberg	カイザースベルク
⑪	Colmar	コルマール	Colmar/Kolmar	コルマール
⑫	Mulhouse	ミュルーズ	Mülhausen	ミュールハウゼン

	FR フランス名		**AL アルザス名**	
⑬	Altkirch	アルトキルシュ	Àltkirech	——

ドイツ領となるまで

イギリス海峡

●ユトレヒト

●ミュンスター

●ハンブルク

東
フ
ラ
ン
ク
王
国

●アーヘン

●フランクフルト(マイン)

西
フ
ラ
ン
ク
王
国

トリーア ●

パリ ●

●メッツ
●メス

シュトラースブルク
ストラスブール
コルマール

●ブザンソン

●チューリヒ

ザルツブルク ●

ロタリンギア王国（855 年）

キリスト教の浸透と神聖ローマ帝国による支配

　アルザスの歴史そのものは先史時代のケルト族の時代にまで遡ることができる

が、その後ローマ帝国の支配やアレマン族（ゲルマンの一部族）の侵入を経て中世へと至っている。アルザス／エルザスという地名の初出は 625 年頃にラテン語

で著された年代記にまで遡ることがで
き、さらにアルザス人（Alesaciones）
という語についてもより早い時期に登場
していたという。この語の原義として
は、(1) ライン川を渡河しなかったアレ
マン族から見て「ライン川の向こう側の
連中」、(2)「ヴォージュ山脈の裾野に生
きる民」、(3)「イル川に居を定めた民」
の三通りの解釈がアルザス史家によって
提出されている［市村 2002：30-31］。
　一方のロレーヌは、ローマ帝国時代
よりメスを中心として発展した地域で
ある。ロレーヌ／ロートリンゲンの語
源は、ヴェルダン条約後の「プリュ
ムの分割」（855 年）でこの地域がロ
タール 2 世の封土「ロタリンギア王国
Lotharingia」となったことに由来する。
　現在のイタリア、フランス、ドイツの
領域は 8-9 世紀にはフランク王国の版図
であったが、その領域はその後のヴェル
ダン条約（843 年）とメルセン条約（870
年）によって三分割され、特にメルセン
条約後にアルザス地域は東フランク王
国（現在のドイツの原型）へと併合され
た。ロレーヌも先のヴェルダン条約後の
ロタリンギア王国建国ののち、メルセン
条約によっていわゆる **FR** オートロレー
ヌ（**DE** オーバーロートリンゲン）のみ
が西フランク王国（現在のフランスの原
型）に帰属するようになる。現在一般に
ロレーヌ地域と呼ばれるのは、このオー
トロレーヌ地域の領域である。さらに
962 年に神聖ローマ帝国が成立すると、

それまでそれぞれ東西フランク王国に服
属していたアルザスとロレーヌもその支
配下に入ることとなった。とはいえ神聖
ローマ帝国下のオートロレーヌ地域は
「ロレーヌ公領」として自立的な領域支
配を認められていた。
　神聖ローマ帝国支配下のアルザスで
は、キリスト教文化が大きく花開いた。
古代のアルザス地域ではケルトの神々が
祀られていたが、6 世紀頃から徐々にキ
リスト教が浸透していき、7-8 世紀には
すでに 20 の修道院が林立するヨーロッ
パでも有数の敬虔な地域へと変貌してい
たのだ。その修道院群は、ドイツ語詩人
オトフリート・ド・ヴィサンブールの諸
作品やラテン語叙事詩『ヴァルターの
歌』に代表されるキリスト教文学のよう
に、優れた文化的所産を生み出してい
る。同時にキリスト教会を中心としたロ
マネスク様式の美術も隆盛し、その痕跡
が教会建築や彫刻などに残されている。
　しかしこうした高度なキリスト教文化
も、13 世紀頃になるとフランス宮廷文

オトフリート・ド・ヴィ
サンブール
出典：Bibliothèque
nationale de France

化にとって代わら
れた。フランス王
フィリップ 2 世（在
位：1180-1223 年）
とルイ 9 世（在位：
1226-1270 年）の
治世から西欧世界
は平和な安定した
時代に突入しつつ
あったのであり、

その時代にあっては貴族たちが洗練と礼節という新しい価値観を求めて宮廷文学を持て囃していた［市村 2002：46-67］。それまで東フランクや神聖ローマ帝国に属していたアルザスにも、ついにフランス的な文化の影響力が徐々に及び始めたのである。

三十年戦争による荒廃とフランスへの併合

　神聖ローマ帝国の支配下にあったアルザスの運命を変えたのは、17世紀前半の三十年戦争であった。これによりアルザスの一部にフランス王権が及ぶようになり、さらに同世紀後半にはそれまで聖俗諸侯の領地として細分化されていた域内の各地域が王国によって一元的に管理されるようになったのである。これはアルザスへの本格的なフランス文化の到来を意味していた。

　三十年戦争の発端としてよく知られるプラハ城窓外投擲事件によって中央ヨーロッパの貴族はプロテスタント諸侯（プロテスタント同盟）とカトリック諸侯（神聖連盟）に分裂したが、連盟側に立ったボヘミア王フェルディナント2世はハプスブルク家の当主として FR オートアルザス（ DE オーバーエルザス）の大部分を領有しており、カトリック聖職者の側でもハプスブルク家のレオポルト1世が FR ストラスブール（ DE シュトラースブルク）司教を努めていた。しかし同時にストラスブールやコルマールなどの諸都市は同盟側についていた。

エルネスト・フォン・マンスフェルト
出典：Rijksmuseum
(Netherlands)

　戦争勃発後しばらくはアルザスに戦禍が及ぶことはなかったものの、敵対勢力への残虐行為で恐れられていた同盟側の傭兵隊長エルネスト・フォン・マンスフェルトが1621年にアルザスへ侵攻したことで、その平穏も破られる。マンスフェルトは根っからの戦争屋であり、略奪行為のためなら陣営に関係なく攻撃したとされる。そして彼の部隊はヴィサンブール（ヴァイセンブルク）、アグノー（ハーゲナウ）、ストラスブール、コルマールなどを容赦なく攻撃し、多くの都市や農村を壊滅・荒廃させたのだ。このマンスフェルト部隊による破壊活動は1622年7月まで続けられた。1630年以後にはスウェーデン王グスタフ・アドルフの指導のもとに同国軍が同盟側として参戦するが、彼らもまたアルザスを蹂躙する。スウェーデン軍はプロテスタントの権利擁護のためにアルザス全土を支配下に置くが、その過程で傭兵部隊が略奪や破壊行為、拷問と殺戮を繰り返した。このような破局的状況から逃れるために、アルザスはフランスに保護と支援を求めたのである［市村 2002：187-191］。

　三十年戦争へフランスが参戦した背景としては、スウェーデンを中心とする同

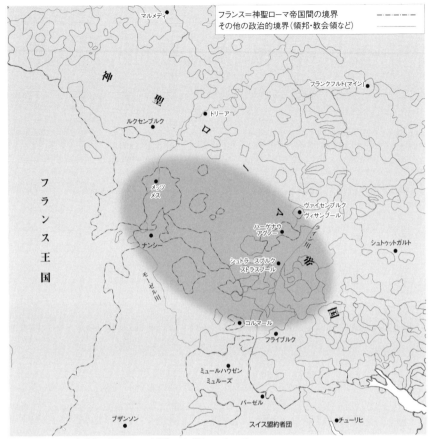

フランス＝神聖ローマ帝国間の境界　─・─・─・─
その他の政治的境界（領邦・教会領など）

神聖

フランクフルト(マイン)

マルメディ

ルクセンブルク

トリーア

フランス王国

メッツ
メス

ヴァイセンブルク
ヴィサンブール

ハーゲナウ
アグノー

シュトゥットガルト

ナンシー

シュトラースブルク
ストラスブール

モーゼル川

コルマール

フライブルク

ミュールハウゼン
ミュルーズ

バーゼル

ブザンソン

チューリヒ

スイス盟約者団

ウェストファリア条約後の神聖ローマ帝国とアルザス・ロレーヌ

盟側の侵攻に対して、1634年以後、ハプスブルク家を主軸とする連盟側が反転攻勢に出ていたことがあった。オーストリアとスペインに領土を持つハプスブルク家の勢力拡大を恐れたフランス王ルイ13世は、連盟勢力の押し戻しを目的として全面参戦に至った。当初、フランス側もストラスブールやアグノーの「カトリック防御のために」という求めに応じて、フランスの対外的な発言権を確保するために「ドイツへの門戸」として戦略的に重要なアルザスに出兵しただけであった。しかし時を経るにつれて、フランスのアルザス支配は既成事実と化していった。それでも1648年のウェストファリア条約およびミュンスター条約では、フランスがアルザスに対して持ちうる支配権は極めて曖昧かつ両義的に規定され

三十年戦争下の戦闘・略奪の様子　Beyerisches Armeemuseum

ている。すなわちフランスはハプスブル
ク家よりアルザスにおける全ての所領と
その政治的権利を譲渡されたと条約が定
める一方で、そこでは同時にアルザスの
諸都市はフランス王の至上権の例外とし
て特権的立場を享受できると謳われてい
た。この規定こそ、フランスとアルザ
ス、そしてドイツを交えた領土紛争であ
る「アルザス問題」を生み出す根源となっ
たのである［市村 2002：191-196］。

　三十年戦争終結後の最初の危機は
1661年に訪れた。この年の12月、フラ
ンス王国のアルザス地方総督として任命
されたマザラン1世（宰相マザランの
甥）がアルザスに到着するやいなや、ミュ
ンスター条約の解釈をめぐるフランス王
権の側と神聖ローマ帝国に服属する諸都
市（デカポールと呼ばれた）との間の対
立があらわとなった。アグノー、コルマー
ルなどの諸都市は神聖ローマ帝国への服

ストラスブールでの戦いに勝利したフランス軍と国王
ルイ14世（中央）

マザラン1世

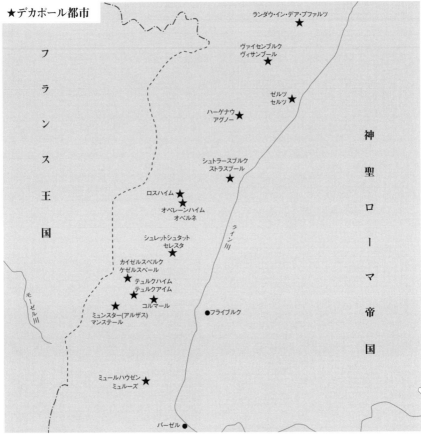

★デカポール都市

ランダウ・イン・デア・プファルツ

ヴァイセンブルク
ヴィサンブール

ゼルツ
セルツ

ハーゲナウ
アグノー

フランス王国

シュトラースブルク
ストラスブール

ロスハイム

オベレーンハイム
オベルネ

シュレットシュタット
セレスタ

ライン川

モーゼル川

カイゼルスベルク
ケゼルスベール

テュルクハイム
テュルクアイム

コルマール

ミュンスター(アルザス)
マンステール

●フライブルク

神聖ローマ帝国

ミュールハウゼン
ミュルーズ

バーゼル●

デカポール諸都市

ストラスブールへの砲撃（1871年頃の絵画）
出典：Deutsches Historisches Museum

1744年のストラスブール市街
出典：Strasbourg Historical Museum

属を破棄し、フランス王とマザラン1世
への忠誠を求められたのである。この際
はデカポール側の内部分裂もあって全都
市がフランス王への忠誠と恭順に同意し
たものの、その後コルマールなどの一部
都市は誓約の無効を訴えて神聖ローマ帝
国への復帰を繰り返し主張した。しかし
このような反フランス的な態度はフラン
スによる武力介入を招くこととなり、
1673年8月末にフランス王国東部方面
軍によって奇襲され、要塞と市街全土が
制圧された。デカポールにフランス服属
への道以外ないことを軍事力でもって示
したフランスは、さらに1674年からア
ルザスにおいて神聖ローマ帝国との全面
対決に至り、最終的に1681年10月まで
に、当時はスイス領であったミュルーズ
(ミュールハウゼン)を除くアルザス全
土の占領を完了したのである。

　アルザスとは異なり、ロレーヌの帰属
変更は平和的なものであった。近世のロ
レーヌ公爵家は神聖ローマ皇帝フラン
ツ・シュテファン・フォン・ロートリン
ゲン(フランツ1世)やネーデルラント
総督カール・アレ
クサンダー・フォ
ン・ロートリンゲ
ンを輩出する名
門であったが、政
治的な理由から
後継者が不在と
なった。この空位
状態を利用して

フランツ・シュテファン・
フォン・ロートリンゲン

1766年にフランス王国はこの地域を王
国領へと編入し、新行政地域「ロレーヌ
州」を設置した。

フランス王国領「アルザス州」

　1681年よりアルザスは正式にフラン
ス領の一部となり、「アルザス州」と命
名された。州行政の構造は国王を頂点と
する中央集権的・ピラミッド状の構造と
なっており、国王のもとには州のトップ
である地方長官職が置かれたほか、スト
ラスブールと旧デカポールに配置されて
地方長官と都市行政官の調整役となった
「王室プレトゥール」や聖俗諸侯領に派
遣されて地方長官と聖俗諸侯との媒介と
なった「レジャンス」などの独自の行政
官職も設置された。

　フランス領アルザス州において焦眉の
課題となったのは、間違いなく住民の使
用言語であろう。それまでのアルザス地
方はドイツ語圏の内部に位置しており、
フランス語を用いていたのは少数のフラ
ンス亡命者のみであった。しかもそのド
イツ語も「アルザス語」と呼ばれる方言
(地方言語)であり、中世以来文学にお
いても一定の影響力を保持していたもの
の、17世紀頃にはもっぱら「話し言葉」
として用いられていた。「書き言葉」と
しては高地ドイツ語が用いられていたの
であった。また「アルザス語」という用
語そのものも近世までは存在せず、近代
の地域的アイデンティティの形成過程で
ドイツとの違いを示すために作られた用

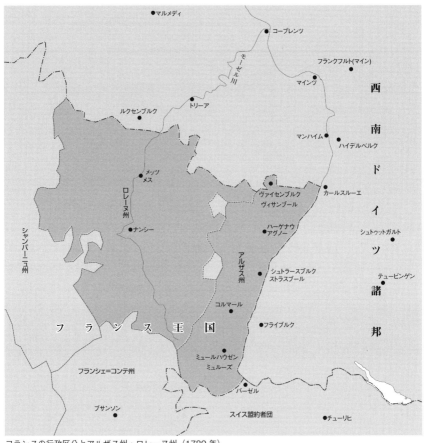

マルメディ
コーブレンツ
モーゼル川
フランクフルト(マイン)
マインツ
ルクセンブルク
トリーア
西
南
ド
イ
ツ
諸
邦
マンハイム
ハイデルベルク
メッツ
メス
ロレーヌ州
ヴァイセンブルク
ヴィサンブール
カールスルーエ
ナンシー
ハーケナウ
アグノー
シュトゥットガルト
シャンパーニュ州
アルザス州
シュトラースブルク
ストラスブール
テュービンゲン
コルマール
フ　ラ　ン　ス　王　国
フライブルク
フランシェ=コンテ州
ミュールハウゼン
ミュルーズ
バーゼル
ブザンソン
スイス盟約者団
チューリヒ

フランスの行政区分とアルザス州・ロレーヌ州（1789 年）

語であるという［市村 2002：232-233］。

　それはともかくとして、この地域における支配を正当化したいフランスは、このドイツ的なアルザス語の圧倒的な影響力をどうにかして排除しなければならなかった。17 世紀の末にはアルザスの各都市でドイツ語使用の禁止が条文化されたが、ほとんど意味がなかった。それでもフランス語は、現地に派遣され、移住した官僚や将校、商工業者などによって徐々に流通するようになり、時間をかけてであるが国家権力や行政機構という巨大な装置を背景としてフランス語とアルザス語の比重を変化させていくこととなる。

　とはいえ、この時点ではアルザスの住民に「フランス人」としての自己認識はほとんど根付いていなかった。アルザス

1789 年の三部会
出典：Bibliothèque nationale de France

ストラスブールのライン連盟祭

の人々は依然として、フランス王国のその他の地域の住民と彼らとの間に共通項を見出すことができないでいたのである。アンシャン・レジーム期のフランスは厳格な身分制社会であり、基本的には三部会の構成身分である聖職者、貴族、第三身分に分断されつつ、それぞれの身分内でも更に細かい序列が存在していた。そもそもこのような社会においてひとつの帰属意識のもとに住民を束ねることは困難であった。

フランス革命以後のフランス領アルザスとロレーヌ

　このような古い身分秩序を破壊したのが、フランス革命である。三部会における第三身分とそれ以外の特権二身分との対立を背景として、1789 年 7 月の民衆蜂起によって始まった「大革命」は、アルザスとロレーヌ住民にその他のフランス王国臣民とともに政治的危機を共有するという歴史的体験を提供した。パリの政治的騒擾もすぐさまアルザスにも波及しており、ストラスブール、コルマール、

アグノーといった諸都市において暴動が発生している。同時に 1789 年 8 月 11 日のいわゆる人権宣言もドイツ語への翻訳を通じてアルザスへと積極的に紹介された。

　アルザスとロレーヌの住民にとってフランス国民意識の端緒となる記憶はライン連盟祭であろう。これはバスティーユ占領 1 周年を記念して 1790 年 6 月 13 日から 4 日間にわたってストラスブールにて開催されたものであり、ロレーヌの諸都市からも代表団が駆けつけていた。そこでは三色旗によって飾られた「国民の祭壇」や大聖堂を背景に、ストラスブール市長やフランス軍司令官が（国王亡命前であるため）フランス王国と国王への忠誠を宣誓し、また市民の前でフランス軍のパレードと演習が実演されるなど、終始愛国的なムードが演出された［市村 2002：259-261］。

　なお 1789 年末にフランスの行政区分が全面的に再編され、アルザスにおいても「アルザス州」の廃止とオー＝ラン県とバ＝ラン県の新設が行われている。ま

た16世紀以来スイス盟約者団の同盟都市であったミュルーズも、フランス側から武力と経済封鎖による攻撃を加えられた結果、最終的に盟約者団からの脱退とフランス併合を受け入れ、1799年3月にオー＝ラン県に併合された。ロレーヌでも「ロレーヌ州」の廃止とモーゼル県、ムルト県、ヴォージュ県の新設が実施された。

　しかし大革命というフランスの国民的記憶を共有するアルザス住民であったが、彼らの主要言語は依然としてアルザス語であった。19世紀前半のフランス政府のアルザス言語問題への態度は比較的穏健であったと言える。ナポレオン帝政期のバ＝ラン県知事アドリアン・ド・ルゼ＝マルネジア（在職：1810-1814年）が実行できたのはフランス語教員の養成課程を開設したことくらいであり、この地域におけるアルザス語の権利は守られていた。初等教育においてフランス語教育が導入されたのはようやく1853年になってからであり、それもフランス語で書かれた教科書をドイツ語で読解していくというスタイルのものであった。中等・高等教育におけるフランス語の導入はより早く1820年のことであったが、こ

アドリアン・ド・ルゼ＝
マルネジア
出典：Bibliothèque
nationale de France

アドルフ・ストゥベール『詩集』の表紙
出典：Bibliothèque nationale de France

の時期にこうした教育が受けられるのは貴族や市民層のようなごく限られた人々のみであった。フランス時代には、基本的にアルザスにおけるアルザス語とフランス語の二言語併用主義が貫かれていくこととなる［Vogler 2012：135-136, 156-157］。

　芸術や文学の分野でも、この地域においてはドイツ語もしくはアルザス語による作品が主流であった。ただドイツ語作品といっても、その内容は詩人オーギュスト・ラメの『詩集』（1839年）のようにフランス愛国的なものから、アドルフ・ストゥベールの『詩集』（1845年）のようにアルザス人アイデンティティを掻き立てるものまで幅があり、必ずしも言語選択とそこの表明される帰属意識との間に一致が見られるわけではなかったことに注意が必要である。また少数では

あるもののフランス語を用いて文筆活動を行う新世代も登場してきており、その中でもルイ・スパック（ルイ・ラヴァテール）はパリの文壇でも高く評価される売れっ子となっている。

　以上のようにアルザスは、徐々にではあるがドイツ諸邦（かつての神聖ローマ帝国の領域）から距離を置くようになり、同時にフランス国民意識とアルザス人意識を受け入れるようになっていた。

ドイツ領の中のエルザス＝ロートリンゲン

※以下、第一次世界大戦までドイツ名を優先。

普仏戦争の帰結とドイツ帝政下のエルザス＝ロートリンゲン

　アルザス・ロレーヌの運命を変えたのは 1870 年から 1871 年の普仏戦争（近年は独仏戦争とも呼ばれる）におけるフランスの敗戦である。7 月 19 日に始まった戦争の最初の舞台はアルザスとロレーヌであった。当初フランス軍はロレーヌのモーゼル県とアルザスのバ＝ラン県周辺に部隊を配置し、プロイセンとドイツ諸邦からなるドイツ連合軍を迎え撃ったのである。しかしフランスは 8 月 4 日に国境沿いの街ヴィサンブールを占領さ

戦闘で破壊されたストラスブール市街（1871 年にフランスで出版されたカレンダー）
出典：Bibliothèque nationale et universitaire de Strasbourg

れ、続いて 8 月 13 日からはストラスブールを攻撃されると、この地域を放棄してスダンまで後退した。

　この機に乗じてプロイセン宰相ビスマルクは、8 月 14 日にアルザスとロレーヌ両地域に「軍政」を敷いており、これでもって事実上の併合を実施している [Vogler 2012：158-159]。スダンでの決戦とナポレオン 3 世の捕縛、パリでの絶望的な籠城戦ののち、1871 年 1 月 28 日にフランス臨時国防政府はドイツ側との講和を受け入れ、戦争はプロイセン＝ドイツ諸邦連合軍の勝利に終わった。この直前の 1 月 18 日にはヴェルサイユ宮殿でプロイセン王ヴィルヘルム 1 世を皇帝とするドイツ帝国の成立が宣言された。そして最終的にフランス国民議会において対ドイツ賠償として、50 億フランの支払いとアルザスとロレーヌの割譲が正式に決定されたのである。

　1871 年 5 月 10 日、アルザスとロレーヌのドイツへの併合が正式に実施され、新たな行政地域「帝国直轄地エルザス＝ロートリンゲン Reichsland Elsaß-Lothringen」へと再編された。この際にアルザスの大部分がドイツへ割譲されたものの、ロレーヌ地域はモーゼル県周辺を除いた広い領域がフランスへとどまっ

1900年頃のシュトラースブルク市街
出典：Rijksmuseum (Netherlands)

た。地方自治体レヴェルでの再編も実施
され、新たにウンターエルザス県、オー
バーエルザス県、ロートリンゲン県の三
県が設置され、その下に郡と市町村が置
かれた。それぞれの首長として官選の県
知事と郡長、市長が配され、また県議会
と市議会も創設されている。

　本章冒頭で述べたように、アルザスと
ロレーヌはこの時代まで政治的・経済
的・地理的・宗教的のどの観点から見て
も密接に関連し合う地域とは言えなかっ
た。特に行政単位に関して近世近代の両
地域は一体の地域として扱われたことは
なかったし、またカトリック司教区も
別々で、さらにプロテスタント的なアル

帝政期のコルマール市街
出典：Rijksmuseum (Netherlands)

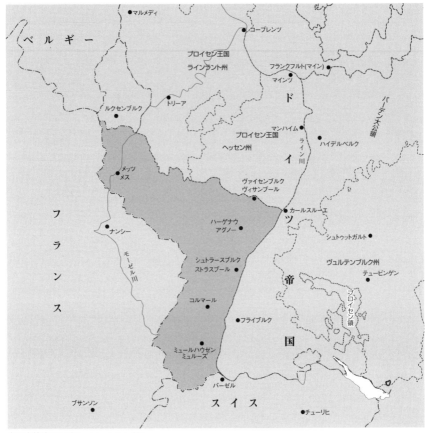

帝国直轄地エルザス・ロートリンゲン

ザス（バ＝ラン県）とカトリック的なロ
レーヌに二分されていた。それでもドイ
ツ帝国がこの地域を一体的に再編し、「エ
ルザス＝ロートリンゲン」という造語を
編み出したことには、フランスとドイツ
本国の間に緩衝地帯を設置するという防
衛戦略上の理由があったことは間違いな
い。

　しかしこの本来の目的を隠蔽するため
に、ドイツ側は別の論拠を持ち出して一

帝政期のメッツ市街遠景
出典：Rijksmuseum (Netherlands)

体的な再編成とドイツへの併合を正当化
しようと試みた。つまりアルザスとロ
レーヌはゲルマン人が住み、ドイツ語が
話される地域であると同時に、神聖ロー
マ帝国の歴史を共有する「兄弟」であ
ると表象されたのである［市村 2002：
321-324］。このことには、19世紀初頭以
来のドイツ学術界においてアルザスとロ
レーヌのドイツ併合が盛んに主張されて
いたことが積極的な役割を果たしたこと
も、付け加えておかなければならない。

　ビスマルク期のエルザス＝ロートリン
ゲンは、激しいドイツ化政策の対象と
なった。そもそも帝国宰相ビスマルクは
エルザス＝ロートリンゲンの動向を警戒
しており、この地域における戒厳令の発
動と無制限の警察権・軍事権の行使を法
制化していた（行政令第10条「専制条
項」）。そのため、併合初期にはドイツ化・
抑圧政策に反対する住民の抗議活動が活
発化するも、ドイツ側は約400人の住民
を逮捕・拘束することでその運動を抑え
込んでいる。このような状況の中で、講
和条約において容認されている「フラン
ス国籍を選択する権利」を行使すること
を希望する人々も現れている。この権利
の期限は1872年10月であったので、そ
れまでに約4万人がフランスへ移住し、
さらに1895年までに約25万人の国外移
住者がいたとされている。このような大
量の国外移住者が発生したことには、ド
イツが1872年に徴兵制を導入したこと
にも一因があると言われている。帝国政

府がエルザス＝ロートリンゲンへの移住
を奨励したことにより、この地域からの
退去者による空隙は20万人におよぶド
イツからの移民によって埋め合わされて
いる。彼らはエルザス＝ロートリンゲン
をドイツ化するための「尖兵」であった。

　この時期、エルザス＝ロートリンゲン
住民の中でもドイツ併合への対応は割れ
ていた。1874年2月の帝国議会におい
て、同地域選出の国会議員であるエドゥ
アール・ド・トゥーシュがドイツによる
強権的併合に反対する演説を行ったかと
思えば、カトリック司教・枢機卿でもあ
るレスが当該地域のカトリック教徒はド
イツ併合に賛同するという正反対の発言
を行っているのである。これは15名か
ら構成されたエルザス＝ロートリンゲン
選出議員団の政治的分裂を反映したもの
であった。

　とはいえここでドイツ併合に賛同する
グループはビスマルクのドイツ化政策に
も賛成というわけではなく、議会活動を
通じてドイツ本国から自治権を勝ち取る
という穏健な抵抗運動を模索していた。
彼ら穏健派は1874年10月に各県の代表
者から構成されるエルザス＝ロートリン
ゲン諮問議会（定員30）の設置を認め
させて予算と立法の権利を獲得すると、
1879年には「エルザス＝ロートリンゲ
ン統治法」によって諮問議会の権限の拡
大といくつかの行政部門のベルリンから
シュトラースブルクへの移転などを実現
している。このような地方自治主義の動

カイザー・ヴィルヘルム大学シュトラースブルク
出典：Deutsche Forschungsgemeinschaft

きは、ビスマルク退陣後の 1891 年より
さらに拡大していき、ようやくドイツ政
府も 1902 年 6 月に「専制条項」の廃止
を決定した。

　教育においては、より徹底したドイツ
化が推進された。併合時のエルザス＝
ロートリンゲンではすでにフランス語に
よる初等教育がようやく浸透していた頃
であったが、それが突然覆されたのであ
る。フランスから派遣されていた多数の
教員が去り、半ば崩壊の最中にあった当
該地域の教育現場には、ドイツ内地から
大量の教員が補充・動員された。高等教
育においても、エルザス＝ロートリンゲ
ンにおけるドイツ文化の中核を形成する
ことを目指して、シュトラースブルクに
カイザー・ヴィルヘルム大学が設置され
ている。

第一次世界大戦とエルザス＝ロートリンゲンの行方

　1914 年 8 月に第一次世界大戦が勃発

すると、ドイツの人々はエルザス＝ロー
トリンゲンに疑念の目を向けた。43 年
にわたるドイツ時代を経てもなお、ドイ
ツ本国はエルザス＝ロートリンゲン住民
を、フランス統治時代にかなりの程度フ
ランス化されていただけでなく、数々の
フランスの国民的記憶を共有し、かつ普
仏戦争においてフランス側に立って戦っ
た住民として警戒していたのである。戦
争勃発直後にエルザス＝ロートリンゲン
ではフランス国籍者が国外追放され、次
いで親フランス派の政治家やジャーナリ
ストが逮捕拘禁された。また多数の亡命
者も出て、それらの総数は数千人単位で
あったとされる。エルザス＝ロートリン
ゲン域外の当該地域出身者も同様で、「フ
ランス野郎 Franzosenköpfe」などとし
て収容所に送られた。

　さらに悪いことに、エルザス＝ロート
リンゲンはドイツとフランスの間の戦場
となった。フランス軍は機先を制して
オーバーエルザス地域に侵攻し、ミュン
スター（🇫🇷マンステール）やコルマー
ルなどを攻撃、さらにウンターエルザス
のヴァイラー（🇫🇷ヴィレ）とザールブ
ルク（🇫🇷サールブール）などに進撃し
た。南部のミュールハウゼンでも一進一
退の攻防が繰り広げられた。ドイツ軍
と同様に、オーバーエルザスを占領し
たフランス軍もまた、エルザス＝ロー
トリンゲン住民を「ドイツの下衆 sales
Boches」と罵倒するなど、彼らには両
側から厳しい視線が注がれることとなっ

ストラスブールでのフランス軍のパレード（1918年11月25日）
出典：Bibliothèque nationale et universitaire de Strasbourg

たのである［Vogler 2012：175］。反フランス的とみなされた住民は逮捕され、刑務所か収容所送りにされた。フランス側は徴兵適齢者には特に厳しい態度で臨み、約5,100人全員が収容所に移送されたとされる（そのうち1,000名は、のちにフランス軍の志願兵となった）。

　大戦中のエルザス＝ロートリンゲンにおける生活環境は低劣なものであった。社会と経済の根幹をなす学校や工場、金融機関、事業所が移転・閉鎖されただけでなく、ドイツの国家・地方官吏や行政組織までもが域外へと疎開してしまっていた。農村では戦時経済のために食料徴発が強行され、物資・食糧不足が深刻化していった。配給制が敷かれ、街には闇市が現れた。

　1918年秋に中央同盟は敗北し、ドイツはフランスと休戦協定を結んだ。この時すでにエルザス＝ロートリンゲンの行く先は明らかであっただろう。フランス軍は11月中旬にミュルーズとコルマールに「凱旋」したし、ストラスブールでは三色旗が掲揚され、ラ・マルセイエーズが響き渡るなかで部隊のパレードが行われた。アルザスとロレーヌの「フランス復帰」を祝賀するムードはしばらく続き、12月9日にはフランスのポアンカ

ストラスブールでのフランス軍のパレード（1918年11月25日）
出典：Bibliothèque nationale et universitaire de Strasbourg

ポアンカレとクレマンソーの訪問（コルマール、1918年12月9日）
出典：Bibliothèque nationale et universitaire de Strasbourg

レ大統領やクレマンソー首相を含めた大訪問団による「復帰」祝典も華々しく挙行されているのである。

　当のアルザス・ロレーヌ側もフランス併合を歓迎していた。それはフランス側がアルザスとロレーヌの地域的な自治を容認する構えを見せていたからである。ここではオー゠ラン県でのジョッフル将軍の演説を引用しておこう。「われわれの復帰は決定的である。諸君は永遠にフランス人である。フランスはフランスが体現してきた自由とともに、諸君に自由を、アルザスの自由、伝統、信条、習慣を尊重することをたずさえてきた。私はフランスだ。諸君はアルザスだ」［市村2002：363］。この地域の国家帰属を決定するために住民投票を実施することも可能であったにもかかわらず、その権限を委ねられた「アルザス・ロレーヌ評議会」はフランスが彼らに地方自治を与えると信じてフランスへの復帰を12月5日に決議している。

　とはいえ、最終的にアルザスとロレーヌのフランス復帰が確定するためにはパリ講和会議での合意が必要であった。そしてそのためには、講和会議の場でフランスが「復帰」を正当化するための論理を展開する必要もあった。まず持ち出されたのはアルザスとロレーヌがフランスの歴史的領土であるという主張である。カエサルの『ガリア戦記』の記述に基づく自然国境説、三十年戦争後のミュンスター条約などが論拠とされたが、それらはアルザス・ロレーヌがフランスであることを決定づけるものではなかった。フランス側の論拠の中核は、ドイツが1871年に「不正」にアルザスとロレーヌを併合したというものであった。つま

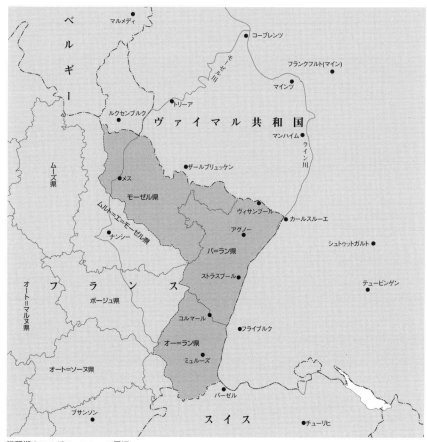

ベルギー

マルメディ

コーブレンツ

フランクフルト(マイン)

マインツ

ルクセンブルク
トリーア

ヴァイマル共和国

ムーズ県

マンハイム

ザールブリュッケン

メス

ライン川

モーゼル県

ムルト=エ=モーゼル県

ヴィサンブール

ナンシー

アグノー

カールスルーエ

バ=ラン県

シュトゥットガルト

フランス

ストラスブール

テュービンゲン

ヴォージュ県

オート=マルヌ県

コルマール

フライブルク

オー=ラン県

ミュルーズ

オート=ソーヌ県

バーゼル

ブサンソン

スイス

チューリヒ

戦間期のアルザス・ロレーヌ周辺

り近世にフランス領となった当該地域は、フランス革命以後その国民的記憶を共有してきた断固たるフランス領土なのであり、それをビスマルクが「犯罪」的にドイツ領としたというのである。講和会議において住民投票を全く容認しようとしなかったフランス側は、ほとんどこの「1871年の不正」という一点のみによって、アルザスとロレーヌのフランス併合をその他の戦勝国に認めさせようとしたのである。

アメリカ大統領ウィルソンやイギリス首相ロイド・ジョージはアルザスとロレーヌのフランス復帰には概ね同意していたものの、住民投票の必要性も考慮していた。しかしすでに見たように、この時点でアルザスとロレーヌのフランス併合は既成事実化しており、さらに大統領

ポアンカレが 1918 年 12 月 9 日にストラ
スブールで「住民投票はなされた」と演
説したように、アルザス・ロレーヌ住民
の大歓迎こそが帰属問題への返答である
と主張したのである［市村 2002：363］。
　1919 年 6 月 28 日、ヴェルサイユ条約
が締結され、アルザスとロレーヌのフラ
ンス復帰が最終的に決定した。当該地域
の行政区分はフランス統治時代へと戻さ
れ、オー＝ラン県、バ＝ラン県、モーゼ
ル県が復活したのである。これにより、
約 14,500km²の領域と約 190 万人の住民
がフランスへと移譲された。

その後

戦間期におけるアルザス・ロレーヌのフランス化と自治運動

　第一次世界大戦直後より、アルザス・ロレーヌからの「ドイツ人」の強制移住政策が展開された。1918年12月にフランス政府によって選別委員会が設置され、その準備が始まる。現地出身の住民はA：1871年以前にフランス人であった者とその子孫、B：両親のうち一方が外国出身者である者、C：中立国出身者、D：ドイツ及びその同盟国からの移住者とその子孫の4つに分類された。この分類法は個々人に適用されたので、同一家族内でも別々のランクとなるということがありえた。ドイツ移民の夫、アルザス・ロレーヌ出身の妻、その子どもという家族であれば、その分類はそれぞれD、A、Bとなる。特にDランクは、域内における諸権利を制限することでその保持者に当該地域からの退去を強いるためのものであり、先の家族の場合では夫のみが移住することになるのかという問題が発生する。

　しかし各分類の定義にはフランスへの「愛国心」といった曖昧な要素も介在しており、それは現地住民の疑念や不満をますます募らせる結果となった。最終的にはDランク＝「ドイツ人」と

A分類の登録証。フランス人としての完全な権利を示す青と赤の並行線が引かれている。

雑誌『未来』（1925年6月15日、第6号）の表紙
出典：Bibliothèque nationale et universitaire de Strasbourg

分類された人々は、たとえ家族と離れ離
れになろうが国外へ「追放」されること
となったのである。彼らは十分な準備期
間も与えられず、わずか30kgの荷物と
200マルクの現金の所持だけを認められ
た。1920年までの「ドイツ人」移住者
は15万人程度であるとされる［近藤編
2015：194-197］。住民とともに、地名も
「フランス化」された。例えばアルザス
やロレーヌの通りの名前はすべて、ドイ
ツ名からフランス名へと変更されたので
ある。

コルマール事件の裁判
出典：Bibliothèque nationale de France

　フランスへの復帰にあたって、アルザ
スの住民は文化や言語の特殊性が守られ
ると期待していたが、そのような幻想は
無残にも打ち破られる。確かにジョッフ
ル将軍はアルザスの自由と伝統を尊重す
ると述べたが、あくまでそれはパフォー
マンスに過ぎず、実際には「一にして不
可分」なフランス国家への統合が求めら
れていくのである。とりわけフランス政
府は、行政分野でのドイツ語やアルザス
語の使用を認めず、さらに敬虔なキリス
ト教徒の多いアルザスに対して政教分離
の徹底を命じた。こうした現地住民の意
思を無視した政策を背景に、戦間期のア
ルザスでは自治権の獲得を目指す運動が
拡大していった。運動の中心は「郷土の
諸権利」を謳うドイツ語雑誌『未来 *Die
Zukunft*』の支持者から構成された「郷
土同盟」（1926年結成）であり、この組
織は宗教教育の維持とドイツ語併用主義
を含む「フランスの枠内での完全な自

治」を要求した［Vogler 2012：181；市
村 2002：372］。

　フランス政府は、このアルザス自治運
動に強権的な対応を示した。1926年12
月に郷土同盟のメンバー22名が国家転
覆共謀の容疑で逮捕されたのである。こ
れはコルマールで裁判が行われたので、
コルマール事件と呼ばれる。この裁判で
は検察が明確な証拠を提示できなかった
にもかかわらず、被告4名の分離主義的
策動や武装蜂起の罪が認められ、懲役な
どが課された。この判決にアルザス住民
は大いに失望し、激しい抗議の声をあげ
たが、もはや判決が覆ることはなかった。

第二次世界大戦

　1939年9月1日、ドイツ第三帝国の
ポーランド侵攻によって第二次世界大戦
が勃発した。これと同時に、フランス政
府はドイツ軍の侵攻に備えてアルザスの
国境沿い地域に居住する43万人に南西
フランスへの疎開命令を発令した。これ
により列車とバスで住民の大群が移動す

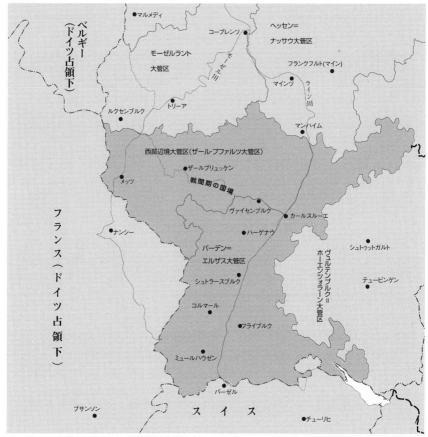

マルメディ

ベルギー
（ドイツ占領下）

コーブレンツ

ヘッセン＝
ナッサウ大管区

モーゼルラント
大管区

モ
ー
ゼ
ル
川

フランクフルト（マイン）

マインツ

ライン川

ルクセンブルク

トリーア

マンハイム

西部辺境大管区（ザール・プファルツ大管区）

ザールブリュッケン

戦間期の国境

フランス（ドイツ占領下）

メッツ

ヴァイセンブルク

カールスルーエ

ナンシー

ハーゲナウ

シュトゥットガルト

バーデン＝
エルザス大管区

ヴュルテンブルク＝
ホーエンツォラーン大管区

テュービンゲン

シュトラースブルク

コルマール

フライブルク

ミュールハウゼン

バーゼル

ブサンソン

ス　イ　ス

チューリヒ

バーデン＝エルザス大管区および西部辺境大管区（ザール＝プファルツ大管区）

ることとなったが、疎開先での生活は
フランス語ができない人々（特に年長
者）にとっては困難を極めたとされる
［Vogler 2012：188-189；近藤編 2015：
200］。

　1940年5月10日にドイツはとうとう
フランスへ侵攻し、翌月にはヴィシー政
権支配地域も含めてフランス全土をその
支配下に置いた。その行政区分上は、ア

ルザスが「バーデン＝エルザス大管区
Gau Baden-Elsass」、ロレーヌが「ザー
ル・プファルツ大管区 Gau Saarpfalz」
の一部へとそれぞれ編入され（これに
伴い後者は名称を「西部辺境大管区 Gau
Westmark」に変更）、両地域はドイツ
国家に組み入れられた。ただし国際法的
なアルザス・ロレーヌの地位は明確では
なく、それゆえに地域住民はフランス国

ストラスブールを行進するナチ親衛隊
出典：Bibliothèque nationale et universitaire de Strasbourg

籍者のままとなった。

　今度はナチがアルザス・ロレーヌの「ド
イツ化」を推進する番だった。そしてそ
れはこれまでより激しい形で表出する。
まずナチは南西フランスへの疎開者のう
ち、「ドイツ人」と認められた人物の帰
還を推奨した。これによりアルザス・ロ
レーヌの人口は回復するが、それと並行
してナチはかつての選別委員会を裏返し
たかのような「アルザス救援委員会」と
いう組織を設置して「好ましくない人
物」の追放を行ったのである。これに該
当するのはフランス人、親フランス的な
アルザス人、ユダヤ人、犯罪常習者な
どであるとされ、両地域全体で約 25,000

人が帰還拒否もしくは追放を宣告され
た。また東方からの「民族ドイツ人」入
植者（第 4 章参照）も、アルザス・ロレー
ヌへ続々と到来していた。こうした「ド
イツ化」は生活空間にも及び、住民はフ
ランス語の禁止やナチ組織への加入義務
を課せられている。

　独ソ戦の長期化とともに 1941 年冬頃
からドイツ軍の人員不足が顕在化する
が、この問題を解決するためにアルザス
やロレーヌからの徴兵が実施されるよう
になる。1942 年 8 月には強制的な徴集
が始まり、多くの住民がドイツ国防軍と
武装親衛隊へと召集された。なお召集兵
にはドイツ国籍が与えられている。第二

アルザスでの徴兵義務施行を伝える新聞（1942 年 8 月 25 日）

ドイツ軍へ徴兵され、戦死したアルザス出身者

次世界大戦中のアルザス・ロレーヌ出身者のうち、13 万人が徴兵され、3 分の 1 が戦死・病死したとされる［近藤編2015：201］。

第二次世界大戦後のアルザス・ロレーヌ

第二次世界大戦末期の1945 年 3 月頃、アルザスとロレーヌは連合軍によって「解放」された。民間人を含めた戦死者は 8 万人であり、人口は 12 万人減少した。また各都市は戦闘によって壊滅的な被害を受けた。一方で戦後のアルザスと

オラドゥール裁判（1953 年）

ロレーヌの国家帰属は問題とならなかった。これまでの歴史的経緯により、両地域は、ドイツ東部領土とは違って、戦後のポツダム協定を待つまでもなくフランスへと復帰することが既定路線となっていたのである。

　戦争直後のアルザスで大きな問題に発展したのが、オラドゥール裁判であった。ドイツの武装親衛隊は 1944 年 6 月にリモージュ近郊のオラドゥール村でレジスタンス掃討作戦を実施したのであるが、その際に村人のほぼ全員である 642 名を殺害（生存者は 7 名）したのである。この虐殺事件が戦後に戦争犯罪として法廷に持ち込まれると、戦争犯罪とは別の側面から異議が申し立てられた。実はこの裁判で被告になった 21 名のうち、14 名がアルザス出身者であったのである。アルザス住民がドイツによって強制的に徴兵されたことはすでに述べた通りであり、それゆえに虐殺行為をめぐる彼らの裁量が問題となった。結局この裁判では、13 人中ひとりに対して死刑、その他全員に 12 年以下の懲役刑の判決が下された。

　この結果を、アルザス住民は彼らに対する「フランス人」の独善的な判決としてみなし、憤った。すべての市庁舎の国旗が半旗にされ、街頭には「我々は判決を受け入れない」という文字が躍った。これを受けてフランス議会は、強制徴兵されたアルザス住民についての恩赦法を可決することで、事態の沈静化を図っ

たのである［リグロ 1999：156-161；Vogler 2012：203］。その後、アルザス住民を含めたフランス人による戦争犯罪の問題はタブーとされ、長らく歴史の闇に飲まれていくことなる。

　戦後のアルザス・ロレーヌは、もはや独仏対立の舞台ではなく、欧州統合の中心として理解されている。戦後のアルザスではキリスト教民主主義政党である人民共和運動が支配的な政党となるが、その指導者ピエール・フリムランは「ヨーロッパ共同体」の理想を掲げる国会議員ロベール・シューマンの思想的影響下にあった。冷戦下の西ヨーロッパにおいて欧州統合の動きが進み始めると、フリムランは積極的にそれに関与した。1949 年に統合の中核的組織となるべく設置された欧州評議会の本部はストラスブールに置かれたが、これは彼の尽力によるものであった。次いで 1953 年に設立された欧州石炭鉄鋼共同体（ECSC）の共同

ピエール・フリムラン
出典：Bibliothèque nationale et universitaire de Strasbourg

ロベール・シューマン（1933 年）
出典：Bibliothèque nationale de France

ストラスブールで開催された欧州評議会（1967 年 1 月 24 日）出典：Bundesarchiv

総会もまたストラスブールに置かれ、さ
らにそれが 1957 年には欧州経済共同体
（EEC）へと発展するなど、冷戦期の
アルザス・ロレーヌ地方は西ヨーロッパ
の統合深化の象徴とも言える場所となっ
たのである［市村 2002：426-429］。

　また 1950 年代には欧州人権委員会や
欧州人権裁判所もストラスブールに本拠
を置いた。これらの欧州国際機関の多く
は欧州共同体（EC）を経て、1993 年に
欧州連合（EU）へと移行している。現
在の欧州議会の議場のひとつもストラス
ブールに置かれていることから、この都
市は「ヨーロッパの首都」とみなされる
こともある。

旧欧州評議会議場「メゾン・ド・ルロップ Maison
de l'Europe」（1949-1977 年）

🏛 アルザスとロレーヌの言語

アルザス・ロレーヌの言語をテーマにした小説と言えば、何と言ってもまずドーデの『最後の授業』（1871-1873年）が挙げられるだろう。この小説は、1871年の普仏戦争での敗北によってドイツ領となったアルザスを舞台に、フランス語教師のアメル先生がフランス人であることを理由に免職された際のエピソードを綴ったフィクションである。

アメル先生が、最後のフランス語の授業においてアルザス人にとってはフランス語こそが母語であり、そして「フランス語は世界中でいちばん美しい、いちばんはっきりした、いちばん力強いことば

LA DERNIÈRE CLASSE.

RÉCIT D'UN PETIT ALSACIEN.

E matin-là j'étais très en retard pour
aller à l'école, et j'avais grand'peur
d'être grondé, d'autant que M. Hamel
nous avait dit qu'il nous interrogerait sur les
participes, et je n'en savais pas le premier mot.
Un moment l'idée me vint de manquer la classe
et de prendre ma course à travers champs. Le
temps était si chaud, si clair! On entendait les
merles siffler à la lisière du bois, et dans le pré
Rippert, derrière la scierie, les Prussiens qui
faisaient l'exercice. Tout cela me tentait bien
plus que la règle des participes; mais j'eus la
force de résister, et je courus bien vite vers
l'école.

En passant devant la mairie, je vis qu'il y

『最後の授業』の冒頭（1873年版）
出典：Bibliothèque nationale de France

である」と宣言したのち、「フランスばんざい！」と大きく板書して教室を出ていくシーンは非常に有名である。本邦では1936年に翻訳が出版され、国語愛を称揚する物語として広く知られるようになった。

しかし言語学者である田中克彦が鋭く指摘しているように、この物語には大きな欺瞞が隠されている。すなわち、本書でも言及してきたように、19世紀後半の時点でのアルザスの主要言語はフランス語ではなく、ドイツ系のアルザス語であったということである。その前提のもとでは、フランス人教師のアメル先生の主張するアルザスにおけるフランスの母語性というものは歴史的実態というより、小説の中にのみ存在するまさに「フィクション」でしかないのだ。さらに田中はアルザスのドイツ系言語を「アルザス語」と呼ぶことのイデオロギー性にも注意を向ける。現在のアルザスはまさしくフランス国家の内部に位置しており、そこで話される言語がドイツ語であることは許されない。しかしアルザス・ドイツ語の存続を国家に容認させるためのフィクションとして、フランス語ともドイツ語とも異なる固有の言語「アルザス語」が発明される必要があったのである。

それでは現代アルザス語（ここでは便宜的にこのように記述する）にしてもド

イツ語系ロレーヌ語にしても、どのように標準ドイツ語と異なっていると理解されているのだろうか。これに関しては、それらの言語の歴史的な変遷と言語的な違いの両方を見ていかなければならない。

まずアルザス語は、ドイツ語のアレマン方言およびライン・フランク方言に属するとされる。このアレマン方言の源流にあたる言語はアルザスにおいて早くも3世紀頃から用いられていたとされるが、5世紀頃のフランク族のアルザス侵入にともなってライン・フランク方言もアルザス北部を中心に広がりを見せ、定着したのだという。これは近代における標準ドイツ語の普及よりもはるか昔のことである。それゆえアルザス語は単一かつ均質な言語ではなく、むしろこの2つのドイツ系言語のいずれか、もしくはその混合から成るものと言える。語彙としても、例えばワインについて、ドイツ語でWeinと言うところをライン・フランク方言ではWoin/Wain、アレマン方言ではWin/Wiiと呼び、同じくSauerkraut（ザウアークラウト）と言うものを、ライン・フランク方言とアレマン方言のいずれもSürkrütと呼ぶのである。

一方、ロレーヌ語はドイツ語系ロレーヌ地域である旧モーゼル県を中心に話されていた言語であり、ライン・フランク方言とモーゼル・フランク方言に属するとされる。ロレーヌ全域には5世紀頃にアレマン系およびフランク系のグループが移住してきており、フランク方言もこの時期にもたらされた。その後、西フランク王国の支配下において古フランス語の浸透に伴ってフランク方言が東方へ徐々に後退し、最終的にモーゼル地域周辺にのみドイツ系ロレーヌ語が話されるようになった。やはりロレーヌでも、標準ドイツ語の広まりとは関係なく、ロレーヌ語が歴史的に先行して存在していたという論理が展開されている。語彙の面でも、ドイツ語でWir（我々）と言うところをロレーヌ語ではMirと言い、同様にschreiben（書く）と言うところをschreiweと言うという風に、ある程度の差異が見受けられる。

両者とも、歴史的にドイツ語にはるか先行してこの地域に存在し、かつ語彙面でもドイツ語との違いが確認できる。現在ではアルザス語やロレーヌ語の使用者は減少傾向にあるというが、それでもなおこれらの特殊性がアルザスおよびロレーヌ住民の地域的アイデンティティの一部となっていることは間違いないだろう。

参考文献
田中 1981；手塚／呉羽 2008

🏛 エルザス＝ロートリンゲン邦国・共和国構想

実は第一次世界大戦末期から直後にかけての帝国直轄地エルザス＝ロートリンゲンでは、ドイツ残留やフランスへの復帰とも異なる第三の道が模索されていた。それが表題の「エルザス＝ロートリンゲン邦国」や「エルザス＝ロートリンゲン共和国」の建設構想である。ただし、特に前者は純然たるアルザス・ロレーヌ（エルザス＝ロートリンゲン）のための国家建設を目指したものではなく、むしろドイツのイニシアティブのもとにこの地域のフランスへの復帰を阻止するために構想された過渡的性格の強い自治・独立計画であったことに注意が必要である。

そのことは、自治計画の発端に強く表れている。1918年10月3日にマクス・フォン・バーデンを宰相とするドイツ新政府が成立するが、この内閣は敗色濃厚となった第一次世界大戦の講和交渉を有利に進めるために幾つかの内政改革に着手した。この「10月改革」と総称される戦後の講和を見越した動きの中で、エルザス＝ロートリンゲンは直轄地から「邦国」へと昇格することとなり、より独立性の高い自治体へと改組されたのである。邦国となったエルザス＝ロートリンゲン内部には自治政府が新設され、首班にエルザス出身者で帝国議会議員であったシャルル・オースが任命されてい

る。しかしこの新政府はほとんど機能することなく役目を終えてしまう。この地方自治を承認したドイツ帝国そのものが11月9日には消滅してしまったからである。

共和国構想は、このドイツ敗戦の最中に持ち上がった独立運動である。11月初旬のドイツ革命の勃発に伴ってエルザス＝ロートリンゲンでも、ドイツ系住民を含めた左派勢力による地方自治組織である労兵評議会が設立されるが、この評議会内部ではエルザス＝ロートリンゲンの将来構想をめぐる対立が起こっていた。実はドイツ敗戦とともに、その他のドイツ諸地域とは異なり貴族・諸侯が不在であったエルザス＝ロートリンゲンはすぐさま独立状態となり、政治的に非常に不安定な状態へと変化していた。

この独立状態をどのように発展させるかに関して、労兵評議会は一枚岩ではなく、ソヴィエト・ロシアをモデルとする「ソヴィエト共和国」を目指すグループと、より穏健な「共和国」を志向するグループの二手に分かれていたのである。共和国派は11月11日にエルザス＝ロートリンゲン共和国の建国を宣言するも、国際社会がこれを承認することはありえなかった。なぜならドイツの敗戦によって、この地域がフランスへと復帰することはほぼ確実な情勢となっており、

それをドイツ人の息のかかったグループが覆すなどということがフランスに容認されるはずがなかったからである。11月17日以降、ミュルーズ、コルマール、ストラスブールといった主要都市にフランス軍が到着し、それ以降フランスの実効支配が推し進められていったのはすでに述べた通りである。しかしそれでも、もし連合国がパリ講和会議においてアルザスとロレーヌでの住民投票実施を決定していたら、オーバーシュレージエンでの分離主義運動のように大規模かつ長期的な独立運動が展開されていたかもしれない、と歴史の「if」を妄想するのも歴史の醍醐味だろう。

参考文献
市村 2002：359

アルフレド・ドレフュス

ユリウス・レーバー

フレデリック・オーギュスト・
バルトルディ

ウィリアム・ワイラー

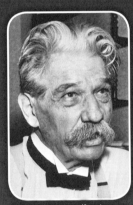

アルベール・シュヴァイツァー

アーセン・ヴェンゲル

著名出身者

　まず政治・軍事分野からは、激動のアルザスとロレーヌの近代の中で、時代の荒波に翻弄された二人を紹介する。ひとり目は**アルフレド・ドレフュス**（Alfred Dreyfus, 1859-1935）、あのドレフュス事件で名高いフランスの軍人である。

　ドレフュスはフランス領ミュルーズで織物業を営むユダヤ系家庭に生まれた。ミュルーズは、彼が10歳の時に普仏戦争でドイツに併合され、それを契機としてドレフュス一家はパリへと移住している。彼はそのパリで1877年に軍事学校エコール・ポリ

テクニークに入学し、軍人としてのキャリアを歩み始めた。その後は、フォンテーヌ ブローの砲兵学校で学び、卒業して士官となっている。1880年代後半にはドレフュ スは軍人として順調なキャリアを歩み、1891年にはエリート養成校であるサン・シー ル陸軍士官学校への入学を許可され、2年後には優秀な成績で卒業している。

これにより彼は参謀本部の士官として勤務するようになっていたのであるが、その 最中に一大スキャンダルが持ち上がった。1894年9月、陸軍情報部がフランス軍上 層部にドイツのスパイが暗躍している証拠を入手したのであるが、調査の結果、ドレ フュスがドイツのスパイであったとして逮捕されたのである。この事件は公になるや いなや、フランス世論を二分する冤罪事件へと発展する。軍部は証拠が不十分にもか かわらず、右派勢力の攻撃におびえてドレフュスを軍法会議にかけ、仏領ギアナの悪 魔（ディアブル）島への終身流刑を言い渡していた。

彼が疑われ、有罪となったことにはアルザス出身者であり、ユダヤ系でもあるとい う二重のマイノリティ性が影響していたとされている。現にフランスの右派メディア や言論人は当初から根拠なくこの事件が「ユダヤ人による裏切り」であり、彼らは「売 国奴」であるなどと囃し立てていたのである。これに真っ向から反論したのが作家の エミール・ゾラであり、「私は糾弾する！」と題された公開質問状において大統領や 軍部の不誠実な対応を批判した。

結局この事件は、再審において有罪判決が下されたのち、ドレフュスに大統領令に よる特赦が与えられるという妥協的解決が図られて沈静化していく。この事件は世紀 転換期のフランスにおいて、アルザス人やユダヤ系住民がどのような差別的視線に晒 されていたのかということを考える上で興味深い事例であり続けるだろう。

ふたり目は**ユリウス・レーバー**（Julius Leber, 1891-1945）、ドイツ帝国領エル ザス＝ロートリンゲンのオーバーエルザス県ビースハイム（🇫🇷 ビサイム）出身の政 治家である。

彼は、特に母方の家系がかなりの程度親仏派であったと言われている小農の両親の もとに生まれた。レーバーは小学校卒業までビースハイムで暮らしており、その後 1902年にバーデン大公領ブライザッハの中等学校に進学するため移住している。基 本的には経済的に困窮する苦学生であったが、何とか奨学金や仕事を得ながらフライ ブルクの上級実科学校にも進学し、さらに成績の優秀さから1912年にはシュトラー スブルク大学へも進学している。

この頃、彼は政治活動にも目覚めるようになる。ドイツ社会民主党（SPD）に入 党したのである。彼の社会民主党入党の動機としては、社会主義に基づく社会改革へ の意欲とともに、この時期の同党がエルザス＝ロートリンゲンの地方自治主義を容認

する姿勢を示していたことが挙げられる。時代の流れがこの青年の政治的方向性を知らず知らずのうちに決定づけていた。シュトラースブルク大学では国民経済学と歴史学を学んだが、1学期限りで退学し、翌年からはフライブルク大学に転入した。

　1914年に第一次世界大戦が勃発すると彼はドイツ軍に志願し、故郷エルザス＝ロートリンゲンの防衛任務を任された。しかしこの地域出身の兵士が頻繁に連合国側に脱走・投降したことが軍内部で問題視され、その他のエルザス＝ロートリンゲン出身兵と同じようにレーバーも西部戦線から東部戦線へと配置転換を余儀なくされている。

　1918年秋に第一次世界大戦がようやく終わっても、彼は戦場から逃れることができなかった。ポーゼンやオーバーシュレージエンのような東部国境地域は新生ポーランドへの割譲の危機に瀕していたが、そうした地域を守るために義勇軍に入隊したのである。このドイツ民族主義的な行動の理由として、この時期のレーバーを研究した今井宏昌は、彼が社会主義者とアルザス人という二重のマイノリティ性ゆえに〈ドイツの子〉たろうとしたと説明している。ドレフュスの事例と表裏一体であるようにも思えるが、ややもすれば疑惑の目を向けられることになりうる自身の複層的なマイノリティ性を覆い隠すためにレーバーはドイツ民族主義的傾向を強めたのである。一方で彼は新生ヴァイマル共和国の支柱であった社会民主党の一員としての自覚も持っており、反共和国で団結する義勇軍による蜂起（いわゆるカップ一揆）が勃発するとヴァイマル共和国軍の側で鎮圧活動に参加している。

　その後、軍を離れた彼はフライブルク大学で博士号を取得し、また社会民主党の政治家としてリューベック市議会議員や国会議員を歴任した。1933年のヒトラーの政権掌握後に政敵として逮捕され、オラーニエンブルク強制収容所に収容されるも、1937年の釈放後には反ナチ抵抗運動に参加する。しかし1944年7月にゲシュタポによって逮捕され、1945年1月に絞首刑となった。こうした経緯により、レーバーは、戦後ドイツ社会において反ナチ闘士の代表として高く評価される人物のひとりとなっている。

　文化・芸術分野においてはアメリカにおいて大きな足跡を残した二人を取り上げたい。まず挙げなければならないのは**フレデリック・オーギュスト・バルトルディ**（Frédéric Auguste Bartholdi, 1834-1904）だろう。

　彼は何と言っても「自由の女神像」の作者として知られている彫刻家である。彼はフランス時代のアルザス地方コルマールにドイツ系プロテスタントの両親のもとに生まれている。ただドイツ系とはいってもそこは複雑で、バルトルディという名が示すように、彼の祖先はイタリアに起源を持つという。2歳の時に父が死に、彼はその後

家族とともにパリに移住するが、これが彼の運命を左右した。その芸術の街パリで、バルトルディはアントワーヌ・エテクスのような名だたる彫刻家から彫刻を学ぶことができたのである。パリの名門中等教育機関リセ・ルイ＝ル＝グランを卒業した彼は、やはり名門のパリ国立美術大学（ENSBA Paris）に進学して建築を学んだ。1850年から普仏戦争の時期まで、バルトルディは王立絵画彫刻アカデミーの展覧会「サロン・ド・パリ」に作品を出品したり、故郷コルマールから依頼された作品を制作したりするなど、精力的に活動していた。

　彼がフランス人アイデンティティを完全に受け入れていたことを伺わせるのは普仏戦争に関するエピソードで、その戦場に彼はフランス軍および義勇軍の将校として出征し、なおかつコルマールでの対ドイツ戦闘に従軍したのである。そしてフランスの敗北に取り乱した彼は、普仏戦争におけるフランスの勇敢さを称揚するモニュメントを幾多も作り上げた。中でも「ベルフォールのライオン *Lion de Belfort*」（1880年完成）は有名である。

　傷心の最中の1871年にアメリカ合衆国を旅していたバルトルディは、そこでアメリカ独立100周年を祝う巨大像のコンセプトを思いつく。このアイデアは友人エドゥアール・ド・ラブライエの助力もあり、最終的にニューヨーク港に自由の女神を建てるという形で具体化された。この自由の女神像は、バルトルディによる指揮のもとフランスにおいて制作されたのち、214個のパーツに分けてアメリカに輸送され、ようやく1886年に落成した。よく知られているように、自由の女神は「自由の国」アメリカの象徴となり、人々に愛され続ける傑作としての地位を不動のものとしている。晩年においてもバルトルディの創作意欲は衰えることはなく、パリを中心に制作活動を展開した。

　もうひとりの巨匠は、映画『ローマの休日』や『ベン・ハー』の監督を務めた**ウィリアム・ワイラー**（William Wyler, 1902-1981）である。

　ドイツ帝国下のオーバーエルザス県ミュルーズに生まれている。ワイラーというのは英語風の改名であり、ユダヤ系家庭に生まれた当時はヴァイラー（Weiller）という名字であった。ワイラーは家業の古物商を継ぐと思われていたが、第一次世界大戦後の困窮を見かねた母マリーヌが彼の叔父であったユニバーサル・スタジオ創業者カール・レムリに連絡を取り、ワイラーを雇ってくれるよう懇願した。レムリはワイラーと会った上でその申し出を承諾し、1920年、18歳の時に彼は渡米することとなった。

　数年間の下積み時代ののち、ワイラーは短編の西部劇で監督デビューし、瞬く間にユニバーサル映画のスター監督となった。戦前の主要作としては『嵐が丘』（1939年）

や『偽りの花園』（1940年）がある。第二次世界大戦中にワイラーは連合国向けの
プロパガンダ映画を制作したが、その一方で実家に住んでいた家族を含めたミュルー
ズのユダヤ系住民はナチのホロコーストの犠牲となっていたという悲劇もあった。

　彼の映画監督としての絶頂期は1950年代であり、『ローマの休日』（1953年）や『ベ
ン・ハー』（1959年）のほか、『大いなる西部』（1958年）、ドラマ『探偵物語』（1951年）
などを立て続けに製作している。アカデミー賞監督賞を3度受賞し、12回のノミネー
トという最多記録も持っている。

　学術・社会貢献の領域では、神学者・哲学者・医者であった**アルベール・シュヴァ
イツァー**（Albert Schweitzer, 1875-1965）の業績が傑出している。

　シュヴァイツァーはドイツ帝国領オーバーエルザス県カイザースベルク（FRケゼ
ルスベール）の比較的裕福な牧師家庭に生まれている。その後移住したスイスのミュ
ンスタータールでギムナジウムを卒業し、シュトラースブルク大学へ進学するなどエ
リートコースを歩んだ。まず人文学において才覚を現したシュヴァイツァーは、同大
学で神学と哲学の博士学位を取得し、その後さらに医学博士号も取得した。

　彼の原体験として有名なのは、幼少期に同級生と喧嘩をした際に「一週間に肉入り
スープの食べられる回数の違い」を指摘され、裕福な家庭で育つ自らとその貧しい同
級生との境遇の違いを認識したというエピソードである。この時に感じた出自に起因
する貧富の格差と不条理は、シュヴァイツァーをアフリカでの医療活動へと駆り立て
る遠因となったとされる。1912年にパリ宣教師団の医師としてフランス領赤道アフ
リカのランバレネ（現在のガボン）に旅立ち、医療活動に従事するようになる。

　第一次世界大戦が勃発すると、ドイツ国籍者であった彼はフランス軍の厳しい監視
下に置かれるようになり、さらに1917年には熱帯性貧血に冒されてフランス本国へ
送還された。地元アルザスへと帰還したシュヴァイツァーであったが、1920年頃ま
では病気療養に専念した。健康が回復すると彼は、特技であったパイプオルガンのコ
ンサートを開くなどして資金集めに奔走し、1924年に再びアフリカへと旅立ってい
る。

　シュヴァイツァーはランバレネに病院を開設し、そこで助手たちとともに長年にわ
たって医療活動に従事した。これらの活動が評価され、1952年にはノーベル平和賞
を受賞している。また20世紀後半にはバートランド・ラッセルらとともに反核運動
にも参加しており、まさに20世紀を代表する人道主義者であった。

　スポーツの分野では、この地域は現代サッカーを代表する名監督を輩出している。
我が国でも有名な**アーセン・ヴェンゲル**（Arsène Wenger, 1949-）である。彼は
イングランド・プレミアリーグの名門アーセナルを長年率いた名将として日本でもよ

く知られているプロサッカー監督である。

　彼の出生地は戦後のストラスブールであり、同市の南に位置するドゥトレンハイムという村で育った。彼の父アルフォンスは第二次世界大戦中にドイツ兵として徴集され、東部戦線へ送られている。家庭での使用言語はアルザス語であり、そのためヴェンゲルは小学校入学後には自然とアルザス語とフランス語の二言語話者となった。なおストラスブール大学で政治経済学の修士号を取得している。サッカーを始めたのは6歳くらいの時であり、地元ドゥトレンハイムのユースチームなどを経て、1978年にはプロデビューしている。

　しかし彼のサッカーキャリアにおいて重要なのは選手時代ではなく、指導者としての時代である。初めて指導者となったのは、地元のRCストラスブールのユースチーム監督となった時であり、その後幾つかのクラブを渡り歩きながらステップアップしていった。1987年のリーグ・アン（フランス1部リーグ）のASモナコ時代には初めての主要リーグ優勝を経験している。1995年にはJリーグの名古屋グランパスの監督となり、同年のリーグ戦ではクラブを後期シリーズ2位に導いている。1996-1997年シーズンからは欧州リーグに復帰し、イングランドのアーセナルを率いることとなった。そこでの輝かしい経歴はここで詳しく紹介するまでもないが、中でも2002-2003年シーズンに達成したリーグ戦無敗優勝は伝説的である。

　プレミアリーグにおける最長在職監督、FAカップ最多優勝監督などの記録を保持しつつ、2017-2018年シーズン限りで退団した。2016年には故郷ストラスブール近郊に「スタッド・アーセン・ヴェンゲル」というスタジアムも建設されており、彼をアルザスの英雄として称えるムードも伺える。

⚑ その他の著名出身者

・シャルル・ミュンシュ
Charles Munch, 1891-1968, ドイツ帝国領シュトラースブルク出身の指揮者。フランス、アメリカで活躍

・ルドルフ・ミンコフスキ
Rudolph Minkowski, 1895-1976, ドイツ帝国領シュトラースブルク出身の天文学者。ユダヤ系であったために、1935年にアメリカに移住して活躍

- **アルフレッド・カストレル**

  Alfred Kastler, 1902-1984, ドイツ帝国領ゲプヴァイラー（**FR** ゲプヴィレール）出身の物理学者。1966 年にノーベル物理学賞受賞

- **ハンス・ベーテ**

  Hans Bethe, 1906-2005, ドイツ帝国領シュトラースブルク出身の物理学者。主にアメリカで活躍し、1967 年にノーベル物理学賞を受賞した

- **ジャン・マリー・レーン**

  Jean-Marie Lehn, 1939-, フランス領ロサイム出身の超分子化学者、ノーベル化学賞受賞者

- **カティアとモーリスのクラフト夫妻**

  Katia Krafft, 1942-1991, ナチ支配下ウルツ＝オ＝ラン出身 / Maurice Krafft, 1946-1991, フランス領ゲプヴィレール出身。ともに火山学者であったが、1991 年に日本の雲仙普賢岳の火砕流に巻き込まれて死去

- **ミシェル・プラティニ**

  Michel François Platini, 1955-, フランス領ジェフ出身の元プロサッカー選手、現役時代は「将軍」と呼ばれたレジェンド

- **セバスチャン・ローブ**

  Sébastien Loeb, 1974-, フランス領アグノー出身のラリードライバー。世界ラリー選手権などで活躍

第8章

オイペン・マルメディ

ベルギーの中のドイツ語共同体と、線路で分断された飛び地

オイペン・マルメディ周辺地域

DE Eupen, Malmedy

現ベルギー領オイペン／ユーペン、マルメディ

FR Eupen, Malmedy

　DE オイペン／FR ユーペンとマルメディは、本書で分類している旧ドイツ領の中で
も最も領域の小さい地域である。我が国では、このオイペン・マルメディという地域
がかつてドイツに属していた事実はほとんど知られていない。それどころか、この地
域の存在さえ、本書によって知る人がほとんどなのではないだろうか。実は、第一次
世界大戦後のパリ講和会議でベルギーの国境線問題が話し合われた際、ベルギー代表
団さえ、一時はこの地域の存在を忘れていたのである。本章では、第一次世界大戦後
のパリ講和会議で話し合われた帰属問題とその後の住民調査の過程について比較的詳
しく紹介するが、それはその経緯を取り上げた邦語書籍が管見の限り見当たらないと
いうだけでなく、それが現在までのこの地域の帰属を規定し続けているという現代性
も考慮してのことである。それでは、この知られざる地域の歴史について見ていこう。

主要原語

ドイツ領時代	ドイツ語、フランス語、ワロン語
現代	ドイツ語、ワロン語、フランス語

近代以降の人口

①ドイツ領時代

	オイペン郡	マルメディ郡
1871 年	25,299	30,171
1890 年	27,132	30,527
1910 年	26,156	34,768

②現代

	ドイツ語共同体
2018 年	77,185

年表

648 年	スタヴロ＝マルメディ大修道院領の成立
870 年	オイペン・マルメディ地域の東フランク王国へ服属
962 年	東フランク王オットー 1 世が皇帝として戴冠される
1477 年	オーストリア・ハプスブルク家によるネーデルラント支配の開始
1555 年	スペイン・ハプスブルク家のフェリペ 2 世がネーデルラントの支配権を継承する
1713 年	ユトレヒト条約。再び、オーストリア・ハプスブルク家による支配
1797 年	カンポ・フォルミオ条約。フランスによるネーデルラント支配とスタヴロ＝マルメディ大修道院領の解体
1815 年	ウィーン会議。オイペンとマルメディのプロイセンへの編入。モレネの中立化
1830 年	ベルギー独立革命と独立宣言
1919 年	パリ講和会議でのオイペン・マルメディ帰属問題の提起。ヴェルサイユ条約にて国家帰属決定のための住民調査が規定される
1920 年	国際連盟による住民調査の実施。調査結果に基づいて、連盟理事会はオイペン・マルメディのベルギー併合を承認
1940 年	ナチ・ドイツによる占領
1944 年	マルメディ虐殺事件
1993 年	ベルギーの連邦制移行に伴うドイツ語共同体の設置

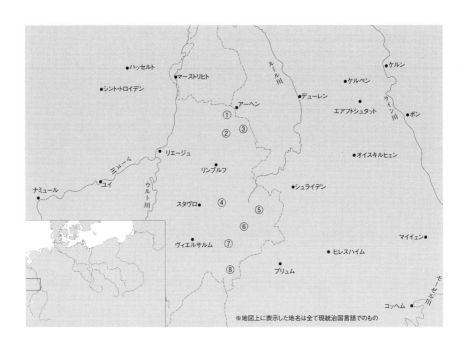

	DE ドイツ名		**FR** フランス（ワロン）名	
①	Kelmis	ケルミス	La Calamine	ラカラミナ
②	Eupen	オイペン	Eupen	ユーペン
③	Raeren	ラエーレン	——	
④	Malmedy	マルメディ	Malmedy	マルメディ
⑤	Bütgenbach	ビュトゲンバッハ	Butgenbach	ビュテジャバック
⑥	Amel	アーメル	Amblève	アンブレーヴ
⑦	Sankt Vith	ザンクト・フィート	Saint-Vith	サンヴィート
⑧	Burg-Reuland	ブルク・ロイラント	——	

ドイツ領となるまで

アンビオリクスの銅像
出典：Ghent University Library

1020 年頃にスタヴロ＝マルメディ修道院で制作され
た本の挿絵
出典：Staatsbibliothek Bamberg

ガリア族の支配地域と大修道院領

DE オイペン（FR ユーペン）についての情報を含む史料のうち、最も古いものは古代ローマ時代のものである。当時のこの地域にはガリア系部族であるエブロネス族が居住しており、オイペンもその住民を束ねる王アンビオリクスの支配下にあったことが史料に残されている。一方のマルメディ（DE と FR で同音）は、648 年のベネディクト会修道院の建設とともにその街の歴史が始まったとされる。同時期には西隣の FR スタヴロ（DE スタブロ）においても修道会が建てられており、これらの地域はまとめて「スタヴロ＝マルメディ大修道院領 FR Principauté abbatiale de Stavelot-Malmedy ／ DE Fürstabtei Stablo-Malmedy」として発展していく。そののち、843 年のヴェルダン条約においてオイペンとスタヴロ＝マルメディの両地域はロタリンギア王国の一部となった。

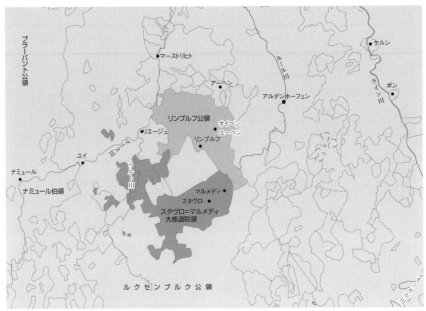

スタヴロ=マルメディ大修道院領（1560年）

スタヴロ=マルメディ修道院の風景（1735年頃）
出典：Kupferstich-Kabinett- Staatliche
Kunstsammlungen Dresden

　第7章でも説明した通り、この王国は870年のメルセン条約において分割されているが、ロレーヌ地方とは違ってオイペンとマルメディは東フランク王国へ服属することとなった。そして東フランク王オットー1世が962年に皇帝として戴冠されたことにともない、オイペン・マルメディ地域も神聖ローマ帝国の領土となる［Wambaugh 1933：519］。またオイペンとマルメディは宗教的にはケルン大司教区に属しており（スタヴロはリエージュ司教区）、そのこともドイツ語地域との結びつきを強める原因となった。

フィリップ善良公
出典：Royal Institute
for Cultural Heritage
Photolibrary

マリ・ド・ブルゴーニュ
出典：Heinz Kisters
Collection

1850 年頃のマルメディの庭園
出典：Kupferstich-Kabinett- Staatliche
Kunstsammlungen Dresden

中近世のオイペン

　神聖ローマ帝国の中にあって、スタヴロ＝マルメディ大修道院領は 18 世紀末までその独立性を維持していくが、一方のオイペンの国家帰属の変遷は複雑なものとなった。11 世紀頃よりオイペンは帝国領内のリンブルフ公領の一部となるが、1288 年のヴォーリンゲンの戦いを契機としてブラーバント公領の領土となった。1430 年にはブラーバント公領の継承権はブルゴーニュ公フィリップ善良公へと移るが、それはこのブルゴーニュ家がネーデルラント（現在のオランダ、ベルギーに相当する地域。「低地地方」の意味）の統一国家建設を目指す野心的な政策を推進していたことが関係していた。その政策を継承したシャルル突進公は行政組織の統一などを実施するも、1477 年のフランス連合軍との戦いで彼が戦死すると状況が一変する。同年、ブルゴーニュ女公となったマリ・ド・ブルゴーニュは、フランスへの対抗の必要性からオーストリア・ハプスブルク家のマクシミリアン 1 世（のちの神聖ローマ皇帝）と結婚し、その結果オイペンを含む旧ブルゴーニュ支配地域はハプスブルクの世襲領となった。しかしマリの思惑とは裏腹に、ネーデルラントでの統一国家の建設という夢はここに潰え、ハプスブルク家による当該地域支配が確立されていくのである［森田ほか編 1998：223-226］。

　マクシミリアン 1 世の後を継いだ神聖ローマ皇帝カール 5 世（在位：1500-1558 年）はスペインや南イタリアをも支配する大帝国を築き上げた。その一部であったネーデルラントは、カール 5 世の帯びた称号から「17 州」と呼ばれるようになる。そしてオイペンも、そのうちの 1 州であるリンブルフに属していたのである。1555 年にカール 5 世はその息子フェリペ 2 世にネーデルラント 17 州の継承権を与え、それ以後はしばらくスペイン・ハプスブルク家がオイペンの

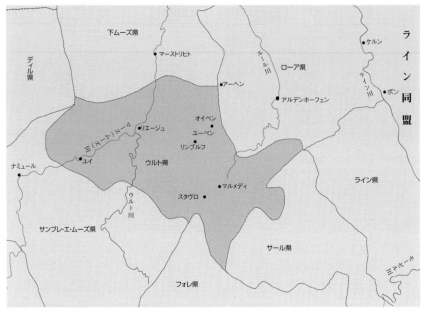

フランス支配下のネーデルラント南部地域とウルト県

統治者となった。しかしカルロス2世
（在位：1665-1700年）でもってスペイ
ン・ハプスブルク家が途絶えると、その
王位をめぐってスペイン継承戦争が勃発
し、1713年のユトレヒト条約によって
ネーデルラント南部地域（オーストリア
領ネーデルラント）はオーストリア・ハ
プスブルク家に再び与えられている［成
瀬ほか編 1996：22-23］。

フランスによる支配とウィーン会議

　この地域にとっての画期となるのは、
フランス革命である。1789年にフラン
スで発生した革命の波及を恐れて、ハプ
スブルクとプロイセンは軍事同盟を結

び、1792年にはフランスに宣戦布告し
て戦争が勃発した。この戦争では両者と
もに一進一退の攻防を繰り広げたが、最
終的にネーデルラント南部周辺で勝利を
収めたのはフランスであり、1797年の
カンポ・フォルミオ条約においてオイペ
ンを含む旧オーストリア領ネーデルラン
トとスタヴロ＝マルメディ大修道院領の
フランスへの割譲が承認された。すでに
戦争勃発の時点で修道院長はマルメディ
から逃れており、この条約でもって最終
的に同大修道院領は解体された。

　旧オーストリア領ネーデルラント地域
は、フランスの行政改革によって9つの
県に再編され、オイペンとマルメディは

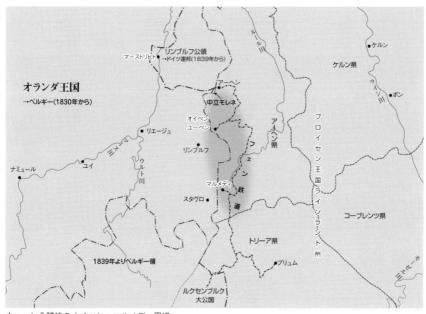

オランダ王国
→ベルギー(1830年から)

マーストリヒト
リンブルフ公領
→ドイツ連邦(1839年から)

ケルン
ケルン県

アーヘン
中立モレネ

ボン

オイペン
ユーペン

アーヘン県

プロイセン王国ラインラント州

リエージュ

リンブルフ

フェン鉄道

ナミュール
ユイ
ウルト川
ミューズ川

マルメディ
スタヴロ

コーブレンツ県

トリーア県

1839年よりベルギー領

プリュム

ルクセンブルク大公国

ウィーン会議後のオイペン・マルメディ周辺

ウルト県の一部となった［Wambaugh 1933：519］。この改革下では、旧来の封建的特権や諸制度が次々と廃止され、教会財産の没収や売却が断行されている。この急進的な改革の影響を最も受けたのが旧スタヴロ＝マルメディ大修道院領であり、教会の閉鎖と没収といった世俗化が聖職者や現地農民の生活基盤を破壊したのである。こうした政策に対して、フランス統治下のネーデルラント南部地域全域でカトリック聖職者や農民の抵抗や蜂起が勃発し、またフランス政府の課す国家への誓約を多くの聖職者が拒否するという事態に至っている。しかしこれらの騒擾も、フランス当局や軍の介入に

よって鎮圧された。

ワーテルローの戦いでのナポレオンの敗北によってこの地域におけるフランス支配が終焉すると、1815年のウィーン会議において新たな勢力圏の設定が協議された。この会議において、スタヴロを含むネーデルラント南部地域は北部地域（オランダ王国）と合併することが決定されたのであるが、同時にオイペンとマルメディのみがプロイセン領となると定められた。これは、プロイセンがザクセン地域における領土要求を断念する見返りとして与えられたものであった。また近隣のモレネ地域は中立地帯とされた（中立モレネと呼ばれた）［マクミラン

427

2007b：21]。

　こののち、1830 年にフランス七月革命の報が伝わると、ネーデルラント南部地域において革命的状況が発生し、9 月末には臨時政府がオランダからのベルギー国家の独立を宣言した。ただ、オランダがこの独立を承認するのはようやく 1839 年のことである。

ドイツ領の中のオイペン・マルメディ

オイペン・マルメディでの言語政策とフェン鉄道の開通

　この地域におけるプロイセン行政当局にとっての課題は、住民の言語であった。この地域においてはこの時期までにフランス語に近いロマンス語系のワロン語、フランス語、ドイツ語が混在するようになっており、ドイツ語を母語とするプロイセン官僚はこの状況を嫌ったのである。特にオイペンにおいては、プロイセン支配下では行政語や教育言語としてドイツ語が定められ、住民のドイツ化が推し進められた。一方のマルメディでは比較的寛容な政策がとられ、1876年まではフランス語が行政語とされ、ドイツ語は第二言語と規定されていた。また住民の使用言語は、1910年のプロイセン統計によれば、オイペンではほとんどがドイツ語話者であり、フランス語やワロン語の話者は少数派であった。しかしマルメディにおいては、オイペンとは逆に、ワロン語話者とフランス語話者が多数派を占め、ドイツ語話者が少数派として記録されている。ドイツ帝国の時

帝政期のオイペン中央広場　出典：Universiteitsbibliotheek Gent

帝政期のマルメディ中央広場
出典：Universiteitsbibliotheek Gent

帝政期のマルメディ市庁舎
出典：Universiteitsbibliotheek Gent

帝政期のオイペン市街（オーバーシュタット地区）
出典：Universiteitsbibliotheek Gent

代になると、宰相ビスマルクはフランス語やワロン語の使用を抑制しようと試みるが、これはこの地域の反プロイセン感情を呼び起こしただけであったとされる［Wambaugh 1933a：519-520］。

　交通の面では、アーヘンからオイペン・マルメディの東方を通過して、南方のプリュムまでをつなぐ鉄道が建設された。また支線として、オイペンに至る路線も作られた。この鉄道はフェン高地を越えていく鉄道であるため、「フェン鉄道 Vennbahn」と名付けられた。この路線は、一方でベルギーとの国境地帯での兵站を機能させるという軍事面での役割

を担うと同時に、他方で炭鉱地帯である
アーヘンから工業地帯エルザス＝ロート
リンゲンを結ぶ、経済的にも重要な交通
路となっていく。

第一次世界大戦とパリ講和会議でのオイ
ペン・マルメディ帰属問題

　第一次世界大戦が勃発すると、オイペ
ン・マルメディ地域のベルギー編入を要
望する地域住民からの嘆願書がベルギー
政府に送付されるなど、当該地域とベル
ギーとの結びつきが徐々に顕在化して
いった。こうした文脈の中で、ベルギー
の諸政党や政治家はオイペンとマルメ
ディが「ワロン・アルザス地域」に位置
しているとして、そのベルギーへの併合
を求める要求を行うようになっていく。
ベルギーの社会主義者であったエミー
ル・ヴァンデルヴェルデとルイ・ドゥ・
ブルケールも、1917年に、プロイセン
の支配下にあるスタブロ近郊のワロン系
の村々の住民はベルギーと連合したいよ
うに思われ、講和条約では彼らの意思を
自由に表明する機会が与えられるべき
だ、と述べている。
　しかしながら、第一次世界大戦後にパ
リ講和会議が始まった時点では、この地
域の問題は、ベルギー代表団にとっても
ほとんど忘れられたものとなっていた。
確かにベルギー代表の外相ポール・ハイ
マンは、1919年2月11日にマルメディ
と中立モレネを要求する声明をパリで出
しているが、そこにはオイペンに関する

エミール・ヴァンデルヴェ
ルデ（1919年）

ルイ・ドゥ・ブルケール
出典：Koninklijk
Instituut voor het
Kunstpatrimonium,
Brussel

言及は一切なかった。この問題が本格的
に提起されるのは、ようやく3月になっ
てからである。講和会議においては、ア
メリカ代表団のハスキンス博士らを中心
とするベルギー問題検討委員会が設置さ
れ、その国境線についても調査を行って
いた。そして3月12日にこの委員会が
勧告したところによると、ドイツはオイ
ペンとマルメディに関する全ての権利を
放棄し、ベルギーに譲渡すべきであると
されたのである。この勧告にウィルソン
やクレマンソー、ロイド・ジョージなど
の四巨頭も賛成し、これが仮講和案に組
み込まれてドイツ代表団に手渡された
［マクミラン 2007b：21］。
　ドイツ代表団はこのベルギー国境線案
に対しても猛反発し、5月25日に反対
提案を提示している。その反対提案の中
では、「歴史的に見て、オイペンとマル
メディ地域がベルギーに属したことは一
度もない」「民族性の面でも、オイペン
は純粋にドイツ的である」といった抗議

が書き連ねられて
いた。このドイツ
による抗議を受け
て、ベルギー問題
検討委員会は国際
連盟がこの地域に
代表団を派遣し、
「自由かつ秘密の
意思表明」に基づ
いて住民の希望を
調査する方法を提

ベルギー問題検討委員
会の中心人物であった
チャールズ・ホーマー・
ハスキンス博士

案している。この提案はいったん最高評
議会によって却下されているにもかかわ
らず、最高評議会はこの提案の文面を最
終条約案に反映させ、それをドイツ側に
手渡した。フランス代表クレマンソー
が、プロイセンからの分離の可能性のあ
るベルギーやデンマーク地域を念頭に置
きながら、住民投票によってその意志が
確認されるべきだと書簡の中で述べてい
るように、ベルギー問題検討委員会の提
案が四巨頭の間で再評価されたことで最
終条約案となった可能性は高い。ただし
ヴェルサイユ条約においては、これは住
民投票（plebiscite）ではなく、住民調
査（inquiry）という方法で実施される
ものとされている［Wambaugh 1933a：
522-523]。

国際連盟による暫定統治と住民調査

　このような講和会議の経緯を受けて、
ベルギー政府は早くも5月29日にはオ
イペンに軍を派遣し、続いてマルメディ

もイギリス軍の
占領下に入って
いる。公正な住
民調査の実施に
向けて行政組織
の刷新も予定さ
れており、その
計画のもとでは
ドイツ当局は排

ヘルマン・バルティア

除され、その代わりにヴェルサイユ条約
の発効する1920年1月より国際連盟か
ら派遣される高等弁務官が行政長官とし
て着任することとなった。この高等弁務
官には、ベルギー軍人のヘルマン・バル
ティア将軍が任命され、オイペン＝マル
メディ政府と通称される臨時政府が発足
した。このようなベルギー側に有利な環
境が構築されつつある中で、ドイツ側は
実質的にはベルギー政府の大きな影響力
のもとで住民調査が実施されることにな
るとして再三にわたって苦情を申し立て
ている。事実、この高等弁務官が必ずし
もベルギーとドイツの間で中立であった
わけではなく、彼は就任当初の布告の中
で、地域住民にベルギー王室への忠誠
とベルギー憲法の遵守を要求している
［Wambaugh 1933a：526]。

　住民調査は、オイペンとマルメディに
それぞれ1箇所ずつ設置された登録所に
おいて、1920年2月から7月までの6ヶ
月間にわたって実施された。規定では、
有権者はオイペンとマルメディに住む
20歳以上の男女とされ、調査の際に彼

				JE DÉSIRE ICH WÜNSCHE		
NUMERO NUMMER	NOMS ET PRÉNOMS NAMEN UND VORNAMEN	DOMICILE WOHNORT	LIEU ET DATE DE NAISSANCE ORT UND DATUM DER GEBURT	voir la totalité des cercles d'Eupen et de Malmédy maintenue sous la souveraineté allemande verbleiben zu sehen die Gesamtheit der Kreise Eupen und Malmedy unter deutscher Souveränität	voir maintenir sous la souveraineté allemande von mir bezeichneten Teil la partie des territoires des Kreise Eupen u. Malmedy d'Eupen et de Malmédy unter deutscher Souveränität indiquée par moi au-dessus de ma signature verbleiben zu sehen den über meiner Unterschrift	OBSERVATIONS BEMERKUNGEN
1						
2						

TABLE SHOWING THE FORM OF REGISTER USED IN EUPEN AND MALMÉDY [1]

[1] From the two registers, now in the Archives of the League of Nations.

※調査項目について、左から「番号」「氏名」「居住地」「出生地と誕生日」「オイペン郡とマルメディ郡の全域を
ドイツ施政下にとどめたいと望む（望む場合には印をつける）」「私によって以下に記されるオイペン郡とマルメ
ディ郡の一部をドイツ施政下にとどめたいと望む（望む場合には地名を記入）」「特記」とフランス語とドイツ語
で記述されている。
出典：Wambaugh 1933a：527

彼らは登録簿に氏名と居住地を明記した上で、「オイペン郡とマルメディ郡の全域をドイツ施政下にとどめたい」もしくは「オイペン郡とマルメディ郡の一部をドイツ施政下にとどめたい」という欄に無記入か、チェック（後者の場合は残したい地名）を記すことが求められた。この無記入の場合が当該地域のベルギー併合を希望する意思表示となったのであるが、事実上のベルギー当局の監視下で氏名・居住地の記入を強要され、それ以上の何かを記入すればすなわちドイツ帰属への賛成であることが明らかとなる状況において、果たして「自由な意思表明」が可能であったかはかなり疑わしいように思われる。少なくとも、ここにおいてヴェルサイユ条約で示された「秘密の意思表明」という原則は破られていたので

ある［Wambaugh 1933a：527-531］。

1920年7月23日に満期を迎えて締め切られた住民調査の結果について、ベルギー政府は国際連盟に報告している。それによると、63,940人の当該地域住民の中で、オイペン・マルメディの全域もしくは一部のドイツ施政下への残留を希望した人数は、わずか271人であったという。このような結果を受けて、ドイツ政府は「公正」な住民調査が実施されなかったとして国際連盟理事会に異議を申し立てたが、成果は得られなかった。こうした中、9月16日に、連盟理事会のメンバーであったブラジル代表ミゲル・ガスタン・ダ・クーニャは「当該住民がベルギー施政下にとどまることに反対するいかなる強力な根拠もない」として、オイペン・マルメディ地域のベルギー併合を支持す

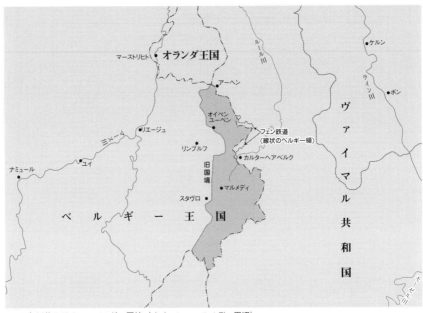

ケルン

マーストリヒト● ●オランダ王国

アーヘン

オイペン
ユーペン

フェン鉄道
（線状のベルギー領）

リエージュ

リンブルフ

カルターヘアベルク

ナミュール

ユイ

旧国境

スタヴロ ●マルメディ

ベ ル ギ ー 王 国

ヴァイマル共和国

ボン

1920 年以後のドイツ・ベルギー国境（オイペン・マルメディ周辺）

る提案を行っている。結局このダ・クーニャの解決策が国際連盟理事会によって承認され、この地域のベルギー併合が最終的に決定されたのである。ただし、この地域のベルギーへの完全編入には5年間の移行期間が設けられたため、正式にベルギー領となったのは 1925 年のことである。またこの正式編入の時期には、ドイツとベルギーの間で、2億金マルクの譲渡と引き換えにオイペン・マルメディ地域をドイツに返還する交渉が行われたが、それに反対するフランスの介入もあって実現しなかった［Wambaugh 1933a：532-538］。

またベルギーは、オイペン・マルメディ地域だけでなく、フェン鉄道に関連する

問題の解決も国際連盟に要求した。実はフェン鉄道は、この国境画定によってオイペン東方の一部区間のみがドイツ領側に飛び出すという奇妙でいびつな鉄道路線となってしまったのである。ここでの問題は鉄道の管轄権である。ヴェルサイユ条約第 372 条では、「新国境画定の結果、同一国の二つの地域を結ぶ鉄道が別の国を横切る」場合には、「関係する鉄道管理者の間での協定において運営条件を定めることとする」という規定が存在した。ベルギー側は、この規定に基づいて鉄道敷地のベルギー領への帰属を主張したのだ。この管轄権・領土紛争の解決のために専門委員会が設置され、この委員会は、1921 年 11 月にラエーレンから

ベルギー領となったオイペン／ユーペン（1934年の式典の様子か）

カルターヘアベルクまでのこの鉄道区間
について、その管轄権と主権をベルギー
に認めた。この決定により、ベルギー領
からドイツ領を横切り、またベルギー領
へと入っていく、線状の不思議なベル
ギー領が誕生することとなった。同時に
フェン鉄道の西側の地域は、ドイツから
切り離されたドイツの飛び地となった。
この鉄道敷地は、鉄道が廃線となった現
在までベルギー領のままである。

オイペンのサナトリウム（1924年、現ドイツ語共同
体議会）

その後

　ベルギー領土の一部として戦間期を過ごしたオイペンとマルメディであったが、1940年5月にドイツがベルギーに侵攻するとドイツとの国境地帯に位置していたこの地域はすぐさま占領され、再びドイツに編入された。この地域の住民は1941年秋以降ドイツ軍に招集され、親近感の抱きやすいフランス語圏を避けて東部戦線へと派遣された。その数はオイペンだけで1,872人とされ、そのうち606人が戦死した［Küchenberg /Grenz-Echo 2016：174-175］。1944年に連合国の攻勢が開始されると、マルメディは両勢力の激戦地となり、その古い市街地は

ドイツ軍の空爆によって破壊された。また同年12月には、マルメディ虐殺事件も発生している。これはドイツ武装親衛隊による連合国兵捕虜の殺害事件であり、数十名が殺害されたとされる。ただ、戦後の裁判記録によれば、この事件は明確な指揮命令のもとに実行されたのではなく、偶発的に発生したものであるとして、親衛隊将校ヨアヒム・パイパーなどからなる容疑者は無罪となった。

　戦後のオイペンとマルメディがベルギーへと復帰することが既定路線であったが、ベルギーはさらなる領土を要求した。その結果、1956年に締結された

ナチ支配下のユーペン／オイペン（「ひとつの民族、ひとつの国家、ひとりの指導者」というスローガンが見える）

ベルギー・ドイツ国境条約においては、1920年の国境線とは微妙に異なる線引きが行われることとなった。またこの条約では、文化協定や保証金の支払いでも合意が見られ、第二次世界大戦以来悪化していた両国関係が改善するきっかけとなった。

注目すべきは、このような緊張緩和の中でオイペンとマルメディの周辺地域のドイツ語話者たちの権利要求が容認されていくことである。1993年にベルギーが連邦制に移行すると、オイペンを中心とする地域とマルメディの東方に位置する小地域が連邦国家を構成する主体のひとつ「ドイツ語共同体 DE Deutschspachige Gemeinschaft」として再編されたのである。このドイツ語共同体はオイペンに独自の議会と政府を設置し、言語と文化の領域において一定の自治権を付与されている（テーマ史を参照）。

マルメディ虐殺事件当時の写真
出典：Bundesarchiv

マルメディ虐殺事件裁判（1946年5月、ダッハウ）
出典："Über Galgen wächst kein Gras"（ドキュメンタリー作品）のワンシーン

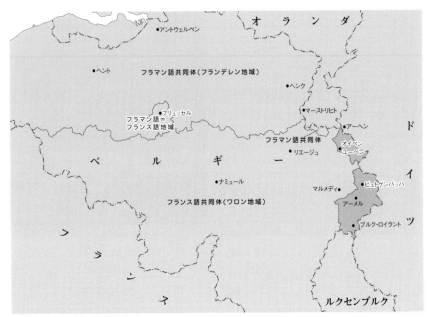

ベルギーの中のドイツ語共同体

🏛 ベルギーのドイツ語共同体

1993 年に成立したドイツ語共同体は、もちろんこの時に突然できあがったものではなく、ベルギーの歴史の中で徐々に形成されていった行政区分であった。ベルギーの独立以来、その内部では南部のワロン語＝フランス語圏と北部のオランダ語圏の対立が深まったが、1962 年から翌年にかけてこの両者の言語と文化における平等を達成するためにワロン地域（ワロン＝フランス語圏）とフランデレン地域（オランダ語圏）が法的に分離された。さらに 1968-71 年にはオランダ語圏、フランス語圏、ドイツ語圏 3 つの言語圏（ただしブリュッセルは、オランダ語とフランス語の言語圏が重複）の境界が画定され、現在の行政区分の原型が完成した。そして 1993-94 年の行政改革によってベルギーは連邦制国家となり、「地域」（フランデレン、ワロン）と「言語共同体」（フラマン語、フランス語、ドイツ語）の 2 層に分かれた個別の行政区分の自治権が保証されたのである。

ドイツ語共同体は、連邦を構成するワロン地域リエージュ州の東端に位置し、領域面積は 856.6 平方キロメートル、人口は 2018 年時点で 77,000 人程度（ベルギー総人口の約 0.7％）の小さな自治体である。また近年は地理的特性が分かりづらいドイツ語共同体に代えて、「東ベルギー地方 **DE** Ostbelgien」という名称を積極的に用いる方針であるそうだ。この自治体における言語的・文化的自治に関してであるが、それは立法・司法・教育の各機関におけるドイツ語の使用が容認されているということを意味している。この地域のドイツ語話者は、その母語でもって公的生活を謳歌することができるのである。それだけでなく、この地域ではドイツ語メディアも発達しており、1945 年 10 月に放送を開始した公共放送 BRF、90 年以上の歴史を持つドイツ語日刊紙 *GrenzEcho*（「国境のこだま」の意味）などを介して、住民はドイツ語での日常的な情報収集も可能となっている。

ただ、このようにドイツ語を公用語とするドイツ語共同体と言っても、そこではドイツ語だけが流通しているわけではない。住民の多くがドイツ語とフランス語の二言語話者であるし、先に見たようにワロン語も用いられている。このような環境の中で、この地域では特に複数言語教育が重視されており、幼稚園の段階からフランス語教育が実施されるのだという。またドイツ語の高等教育機関として、ドイツ語共同体自治大学も設置されている。

参考文献
黒子 2017；黒子 2018

⚱ ワロン語（方言）の歴史と標準化への取り組み

ワロン語はマルメディ周辺地域を含むベルギー南部で広く用いられている言葉である。この言葉はフランス語と同様にオイル諸語に属すために長らく「フランス語の方言」ともみなされてきたが、現代においてはワロン語とフランス語は別の言語であるという理解も広く見られる。

ベルギーにおいてはその独立以来、フランス語を唯一の公用語とする政策がとられてきたために、戦間期から20世紀末に至るまでのワロン語をめぐる事情は必ずしも芳しいものではなかった。そもそもワロン語は、おおよそ1600年頃に最初の文学作品が書かれ、それ以来多くの作品が発表されたとされるが、近世においては統一的な正書法や文法は存在せず、それゆえに読解に多大な苦労が伴うものであったとされる。

19世紀になるとこのような状況を問題視した作家や知識人らによって言語文化協会が設置され、「正書法と文法規則」の統一が図られるようになったのである。この際に採用されたのが、1900年にジュール・フェレールという人物の提唱した正書法であり、ワロン語の音声的な特徴を忠実に文字に転写しつつも、フランス語の正書法も考慮されており、比較的受け入れられやすいものであった。だがこれまで言語的な一元化を経験して

こなかったワロン語はその内部に幅広い発音のヴァリエーションを抱えており、そのことを原因として完全な標準化へは至らなかった。むしろワロン語内部の「分断」を深めたという、正書法への批判も提出された。

新たなワロン語正書法の枠組みが議論されるようになるのは、ようやく連邦制移行を目前に控えた1990年前後のことである。実は1970年代より少数派言語を保全する全ヨーロッパ的な動きが強まっており、また言語・文化自治圏としてのワロン地域の設置という潮流に乗ってワロン語の復権運動が盛り上がりを見せ始めていた。1983年には学校教育において「ワロン方言」の使用が認められるようになる。こうした中で、1989年に言語文化協会会員の言語学者ジャン・ジェルマンがワロン語の標準化を訴える論文を発表したことで、そのための取り組みが一気に活性化し始めた。1994年には言語文化協会内に「言語」委員会なる組織が設立され、その組織を中心にワロン語標準化の議論が展開された。そして1997年には委員会によって正書法を含む標準化のガイドラインが発表されるも、この提案が標準ワロン語の枠組みとして採用されることはなかった。実は現地の方言学者が、ワロン語の内的多様性という観点からこの委員会をはじめとす

る標準化論者に対して厳しい批判を展開
しており、その両者の立場の違いが委員
会の提案を退けることとなった要因のひ
とつであると考えられるのである。本節
が依拠している石部論文は、日常言語と
してのワロン語の衰退を指摘した上で、
立場の違いを越えた「新しい時代の新し
いワロン語のために新しい試みに挑戦す
ること」を提起している。

参考文献
岩本／石部編 2013 年

Nasty

👥 著名出身者

・ナスティ
Nasty, ベルギー領ドイツ語共同体ケル
ミス出身者から構成されるビートダウ
ン・ハードコアバンド。結成は2004年。
彼らのYouTubeビデオにおけるツアー
ドキュメンタリーやライブのMCでド
イツ語が用いられている事から、ドイツ
出身と誤認されている事が多い。しかし
ベルギーのドイツ語共同体出身なのであ
る。ちなみにケルミスはドイツ領アーヘ
ンと隣接している。

参考文献・ウェブサイト一覧

欧語文献

· Arndt, Werner 1984. *Die Flucht und Vertreibung. Ostpreußen, Westpreuße, Pommern, Schlesien, Sudetenland,* Friedberg: Podzun-Pallas-Verlag.
· Augustyniak, Urszula 2008, *Historia Polski* 1572-1795, Warszawa.
· Bahlcke, Joachim / Gawrecki, Dan / Kaczmarek, Ryszard (eds.) 2011. *Historia Górnego Śląska. Polityka, gospodarka I kultura europejskiego regionu,* Gliwice: Dom Współpracy Polsko-Niemieckiej (独語翻訳版： *Geschichte Oberschlesiens. Politik, Wirtschaft und Kultur von den Aufängen bis zur Gegenwart,* Berlin: De Gruyter Oldenbourg, 2015).
· Banasiak, Stefan 1963, *Działalność osadnicza państwowego urzędu repatriacyjnego na ziemiach odzyskanych w latach 1945-1947,* Poznań: Instytut Zachodni.
· Becker, Rolf O. 1990. *Die Flucht - Niederschlesien 1945,* Landshut: Aufstieg-Verlag.
· Beer, Mathias 2011. *Flucht und Vertreibung der Deutschen, Voraussetzungen, Verlauf, Folgen,* München: Verlag C.H.Beck.
· Beer, Mathias / Beyrau, Dietrich / Rauh, Cornelia (Hg.) 2009. *Deutschsein als Grenzerfahrung: Minderheitenpolitik in Europa zwischen 1914 und 1950,* Essen: Klartext.
· Beske, Hans / Handke, Ernst (Hg.) 1976. *Landsberg an der Warthe. 1257-1945-1976 Stadt und Land im Umbruch der Zeiten,* Bielefeld: Verlag Ernst und Werner Gieseking.
· Boockmann, Hartmut 1992. *Deutsche Geschichte im Osten Europas:* Ostpreußen und Westpreußen, Berlin: Siedler Verlag.
· Broszat, Martin 1972. *Zweihundert Jahre deutsche Polenpolitik,* München: Suhrkamp.
· Brubaker, Rogers 1996. *Nationalism Reframed: Nationhood and the National Question in the New Europe,* Cambridge, Eng.: Cambridge University Press.
· —— 2004. *Ethnicity Without Groups,* Cambridge, Mass.: Harvard University Press.
· Buchhofer, Ekkehard 1967. *Die Bevölkerungsentwicklung in den polnisch verwalteten deutschen Ostgebieten von 1956-1965,* Kiel: Selbstverlag des Geographischen Instituts der Universität Kiel.
· Buchholz, Werner 1999. *Deutsche Geschichte im Osten Europas. Pommern,* Berlin: Siedler Verlag.
· Conrads, Norbert (Hg.) 1994. *Deutsche Geschichte im Osten Europas. Schlesien,* Berlin: Siedler Verlag.
· Czapliński, Marek / Wiszewski, Przemysław (eds.) 2014. *Region Divided. Times of Nation-States (1918-1945),* Wrocław : Publishing House eBooki.com.pl.
· Ćwienk, Tomasz 2014. *Autonomia Śląska w perspektywie historycznej i współczesnej,* Katowice: Wydawnictwo Prasa i Książka.
· Czerniakiewicz, Jan 1987. *Repatriacja ludności polskiej z ZSRR 1944-1948,* Warszawa: Państwowe Wydawnictwo Naukowe.
· Dobrowolski, Piotr 1972. *Ugrupowania i kierunki separatystyczne na Górnym Śląsku i w Cieszyńskiem w latach 1918-1939,* Warszawa/Kraków: Państwowe Wydawnictwo Naukowe.
· Doose, Günther 1987. *Die separatistische Bewegung in Oberschlesien nach dem Ersten Weltkrieg (1918-1922),* Otto Harrassowitz/Wiesbaden: n.d.
· Douglas, R. M. 2012. *Ordnungsgemässe Überführung: die Vertreibung der Deutschen nach dem Zweiten Weltkrieg,* München: C.H.Beck.

· Dziurzyński, Patrycy 1983. *Osadnictwo rolne na Ziemiach Odzyskanych,* Warszawa: Ludowa Spółdzielnia Wydawnicza.

· Eberhardt, Piotr 2011. *Political Migrations on Polish Territories,* Warszawa: Instytut Geografii i Przestrzennego Zagospodarowania im. Stanisława Leszczyckiego PAN.

· Emmerling, Danuta 2007. *rzewodnik po zabytkach województwa dolnośląskiego z mapami powiatów,* Wrocłąw: Śląskie Wydawnictwo ADAN.

· Frohloff, Erich-Carl (Hg.) 1955. *Landsberg an der Warthe. Geschichte und Schicksal,* Dinkelsbühl, Mittelfranken: Krons-Verlag.

· Grosch, Waldemar 2002. *Deutsche und polnische Propaganda während der Volksabstimmung in Oberschlesien 1919-1921,* Dortmund: Forschungsstelle Ostmitteleuropa.

· Haubold-Stolle, Juliane 2008. *Mythos Oberschlesien. Kampf um Erinnerung in Deutschland und in Polen 1919-1956,* Osnabrück: fibre Verlag.

· Haubold-Stolle, Juliane / Linek, Bernard 2005. *Górny Śląsk wyobrażony. wokół mitów, symboli i bohaterów dyskursów narodowych / Imaginiertes Oberschlesien. Mythen, Symbole und Helden in den nationalen Diskursen,* Opole: Instytut Śląski.

· Heisig, Doren 2004. *Flucht und Verteibung 1945-1947. Am Beispiel Obernigk /* Kr. Trebnitz (Schlesien), Falkenberg, Elster: n.d.

· Herzig, Arno 2015. *Geschichte Schlesiens. Vom Mittelalter bis zur Gegenwart,* München: C.H.Beck.

· Historische Komission für Schlesien (Hg.) 1999. *Geschichte Schlesiens,* Stuttgart: Brentano-Verlag.

· Inachin, Kyra T. 2008. *Die Geschichte Pommerns,* Rostock: Hinstorff.

· Irgang, Winfried / Bein, Werner / Neubach, Helmut (Hg.) 1995. *Schlesien. Geschichte, Kultur und Wirtschaft,* Köln: Verlag Wissenschaft.

· Jankowiak, Stanisław 2005. *Wysiedlenie i emigracja ludności niemieckiej w polityce władz polskich w latach 1945-1970,* Warszawa: Instytut Pamięci Narodowej.

· Jurek, Tomasz / Kizik, Edmund 2013, *Historia Polski do 1572,* Warszawa: Wydawnictwo Naukowe PWN.

· Kaczmarek, Ryszard 2014. *Historia Polski, 1914-1989,* Warszawa: PWN.

· Kamusella, Tomasz 2006. *The Emergence of National and Ethnic Groups in Prussian Silesia and Austrian Silesia, 1848-1918,* West Lafayette, Indiana: Purdue University Press.

· Kersten, Krystyna 1974. *Repatriacja ludności polskiej po II wojnie światowej (Studium Historyczne),* Wrocław/Warszawa/Kraków/Gdańsk: Ossolineum.

· Killy, Walther (Hg.) 1995-2003. *Deutsche biographische Enzyklopädie (DBE),* Bd. 1-13, München: Deutscher Taschenbuch.

· Koniarek, Łukasz / Pękalska, Marta 2017. *200 lat Zakładu Narodowego im. Ossolińskich. 1817-2017. Wystawa jubileuszowa. Informator,* Wrocław: Zakład Narodowy im. Ossolińskich.

· Kosmanowie, Bogumiła / Kosmanowie, Marceli 1988. *Sylwetki Wielkopolan,* Poznań: Wydawnictwo Poznańskie.

· Kossert, Andreas 2009. *Ostpreußen: Geschichte und Mythos,* München: Pantheon, E-Book.

· —— 2014. *Ostpreussen. Geschichte einer historischen Landschaft,* München: C.H.Beck.

· Kranz, Jerzy 2013. *Wysiedlenie ludności niemieckiej w wyniku II wojny światowej. kraywda czy bezprawie?,* Warszawa: Dom Wydawniczy Elipsa.

· Küchenberg, Alfred / Grenz-Echo ANG 2016. *Eupen. Gestern war heute,* Eupen: Grenz-Echo-Verlag.

· Linek, Bernard / Michalczyk, Andrzej (eds.) 2015. *Leksykon Mitów, Symboli i Bohaterów Górnego Śląska XIX-XX wieku,* Opole: Państwowy Instytut Naukowy-Instytut Śląski w Opolu.

· Loew, Peter Oliver 2011. *Danzig. Biographie einer Stadt*, München: C.H.Beck.
· Łagiewski, Maciej / Okólska, Halina / Oszczanowski, Piotr / Weger, Tobias (Hg.) 2011. *Städtisches Museum Breslau. 1000 Jahre Breslau. Führer durch die Ausstellung*, Wrocław: Muzeum Miejskie Wrocławia.
· Magocsi, Paul Robert / J. Matthews, Geoffrey 1993. *Historical Atlas of East Central Europe*, Seattle/ London: University of Washington Press.
· Mykietów, Bogusław / Sanocka, Katarzyna / Tureczek, Marceli (eds.) 2007. *Küstrin - Kostrzyn. Z dziejów miasta i twierdzy*, Kostrzyn/Zielona Góra: Księgarnia Akademicka.
· Nawratil, Heinz 1994. *Vertreibung der Deutschen - unbewältige Vergangenheit Europas* (kulturelle arbeitshefte 29), Bonn: Bund der Vertriebenen.
· Neumeyer, Heinz 1993. *Westpreussen. Geschichte und Schicksal*, München: Universitas.
· Nowosielska-Sobel, Joanna / Strauchold, Grzegorz / Wiszewski, Przemysław 2015. *Permanent Change. The New Region(s) of Sileisia (1945-2015)*, Wrocław: Publishing House eBooki.com.pl.
· O'Connell, Vincent 2018. *The Annexation of Eupen-Malmedy. Becoming Belgian, 1919–1929*, New York: Palgrave Macmillan US.
· Piskorski, Jan M. / Wachowiak, Bogdan / Włodarczyk, Edward 2002. *A Short History of Szczecin*, Poznań: Poznańskie Towarzystwo Przyjaciół Nauk.
· Roszkowski, Wojciech 2017. *Historia Polski, 1914-2015*, Warszawa: Wydawnictwo Naukowe PWN.
· Schwarz, Wolfgang 1965. *Die Flucht und Vertreibung, Oberschlesien 1945/46*, Bad Nauheim: Podzun-Verlag.
· Skubiszewski, Krzysztof 1968. *Wysiedlenie Niemców po II wojnie światowej*, Warszawa: Książka i Wiedza.
· Smolorz, Dawid / Czado, Paweł / Waloszek, Joachim 2012. *Górnoślązacy w polskiej i niemieckiej reprezentacji narodowej w piłce nożnej wczoraj i dziś. Sport i polityka na Górnym Śląsku*, Gliwice/Opole: Dom Współpracy Polsko-Niemieckiej.
· Stier, Hans-Erich / Kirsten, Ernst / Wühr, Wilhelm (Hg.) 1998. *Großer Atlas zur Weltgeschichte*, Braunschweig: Westermann.
· Struve, Kai (Hg.) 2004. *Oberschlesien nach dem Ersten Weltkrieg. Studien zu einem nationalen Konflikt und seiner Erinnerung*, Marburg: Verlag Herder-Institut.
· Ther, Philipp 1998. *Deutsche und polnische Vertriebene: Gesellschaft und Vertriebenenpolitik in SBZ/DDR und in Polen 1945-1956*, Göttingen: Vandenhoeck & Ruprecht.
· Thum, Gregor 2011. *Uprooted. How Breslau became Wrocław during the century of expulsions*, Wrocław: Princeton University Press.
· Topolski, Jerzy 2018. *Wielkopolska poprzez wieki*, Poznań: Wydawnictwo Poznańskie, E-book.
· Vogler, Bernard 2012. *Geschichte des Elsass*, Stuttgart: Kohlhammer.
· Wambaugh, Sarah 1933a. *Plebiscites since the World War. With a Collection of Official Documents*, vol.I, Washington: Carnegie Endowment for International Peace.
· —— 1933b. *Plebiscites since the World War. With a Collection of Official Documents*, vol.II, Washington: Carnegie Endowment for International Peace.
· Witt, Jann M. / Vosgerau, Heiko (Hg.) 2010. *Geschichte Schleswig-Holsteins. anschaulich - spannend – verständlich*, Heide: Heide Boyens Buchverlag.

日本語文献

・浅野仁／牧野正憲／平林孝裕編 2006.『デンマークの歴史・文化・社会』創元社。

・足立芳宏 2012.「〈民族ドイツ人〉移住農民の戦時経験　ナチス併合地ポーランド入植政策から東ドイツ土地改革へ」『生物資源経済研究』(17)、39-76 頁。

・アン・アプルボーム 2019. 山崎博康訳『鉄のカーテン──東欧の壊滅 1944-56（上）』白水社。

・阿部律々子 2016.「シュレージエンにおけるドイツ人少数民族の現状と展望」『大阪大学言語文化学』(25)、3-16 頁。

・網谷壮介 2019.『共和制の理念──イマヌエル・カントと一八世紀末プロイセンの「理論と実践」論争』法政大学出版局。

・荒木勝 1994.「『匿名のガル年代記』第 1 巻(翻訳と注釈)〈5 章から第 17 章まで〉〔含 原文〕」『岡山大学法学会雑誌』第 44 号(2)、334-287 頁。

・── 2018.『ポーランド年代記と国家伝承：『匿名のガル年代記』から『ヴィンセンティの年代記』へ（ポーランド史叢書 5)』群像社。

・蘭信三／川喜田敦子／松浦雄介編 2019.『引揚・追放・残留──戦後国際民族移動の比較研究』名古屋大学出版会。

・ベネディクト・アンダーソン 2007. 白石隆／白石さや訳『定本　想像の共同体　ナショナリズムの起源と流行』書籍工房早山（日本語版初版 1997 年）。

・池田浩士 2018.『ドイツ革命──帝国の崩壊からヒトラーの登場まで』現代書館。

・池内紀 2013.『消えた国 追われた人々──東プロシアの旅』筑摩書房。

・池谷文夫 2019.『神聖ローマ帝国──ドイツ王が支配した帝国』刀水書房。

・石井誠 2016.「ベルギーの言語事情──二つの家族から見た現状」『宇都宮共和大学──シティライフ学論叢』17 (0)、107-122 頁。

・石川文康 1995.『カント入門（ちくま新書 029)』筑摩書房。

・石坂昭雄 2013.「ヨーロッパ史におけるアルザス＝ロレーヌ / エルザス＝ロートリンゲン地域問題──地域・言語・国民意識」『札幌大学総合研究』第 4 号、139-177 頁。

・石田勇治 2005.『20 世紀ドイツ史』白水社。

・── 2007.『図説 ドイツの歴史』河出書房新社。

・── 2014.『過去の克服──ヒトラー後のドイツ』白水社（初版 2002 年)。

・── 2015.『ヒトラーとナチ・ドイツ』講談社現代新書。

・板橋拓己 2016.『黒いヨーロッパ──ドイツにおけるキリスト教保守派の「西洋」主義、1925 ～ 1965 年』吉田書店。

・市村卓彦 2002.『アルザス文化史』人文書院。

・伊藤宏二 2002.「ヴェストファーレン講和会議におけるスウェーデンとポメルン問題──ヴェストファーレン条約規定の成立に関する一考察」『法制史研究』(52)、147-178 頁。

・伊藤定良 1987.『異郷と故郷──ドイツ帝国主義とルール・ポーランド人』東京大学出版会。

・── 2002.『ドイツの長い 19 世紀──ドイツ人・ポーランド人・ユダヤ人』青木書店。

・── 2007.「国民国家・地域・マイノリティ」『ヴァイマル共和国の光芒──ナチズムと近代の相克』昭和堂、42-75 頁。

・── 2017.『近代ドイツの歴史とナショナリズム・マイノリティ』有志舎。

・──／平田雅博編 2008.『近代ヨーロッパを読み解く』ミネルヴァ書房。

・伊東孝之／井内敏夫／中井和夫編 1998.『ポーランド・ウクライナ・バルト史』山川出版社。

・今井宏昌 2016.『暴力の経験史　第一次世界大戦後ドイツの義勇軍経験 1918 ～ 1923』法律文化社。

・入江幸二 2018.「ドイツへの鍵──スウェーデン領ポメルンにみる「礫岩のような国家」の一様相」『富山大学

人文学部紀要』第68号、45-58頁。

・岩本和子／石部尚登編 2013.『「ベルギー」とは何か？：アイデンティティの多層性』松籟社。

・内田日出海／谷澤毅／松村岳志編 2014.『地域と越境——「共生」の社会経済史』春風社。

・リチャード・オヴァリー 2015. 秀岡尚子／牧人舎訳『ヒトラーと第三帝国（新装版）』河出書房新社。

・大嶋えり子 2018.『ピエ・ノワール列伝——人物で知るフランス領北アフリカ引揚者たちの歴史』パブリブ。

・大渓太郎 2013.「ノルウェーの歴史家ムンクのスカンディナヴィア主義論——第一次スリースヴィ戦争期を中心に」『史観』第169号、37-55頁。

・—— 2014.「L. K. ドーのスカンディナヴィア主義とネイション論——ノルウェーにおけるスカンディナヴィア主義の思想的系譜に関する一考察」『北ヨーロッパ研究』第10巻、41-51頁。

・大月誠 1972.「ビスマルク体制期のシュレージェン州におけるユンカー的土地所有」『經濟論叢』109（3）、332-358頁。

・大津留厚／水野博子／河野淳／岩﨑周一編 2013.『ハプスブルク史研究入門』昭和堂。

・尾崎修治 2003.「シュレスヴィヒにおける住民投票（1920）——ドイツ系住民運動における国民意識と地域」『紀尾井史学』第23号、1-12頁。

・岡田早由 2018.『東欧ブラックメタルガイドブック』パブリブ。

・岡田早由 2019.『東欧ブラックメタルガイドブック2』パブリブ。

・踊共二 2011.『図説 スイスの歴史』河出書房新社。

・帶谷俊輔 2019.『国際連盟——国際機構の普遍性と地域性』東京大学出版会。

・外務省条約局編 1925.『對獨平和條約及關係諸條約（條約彙纂 第三巻第一部）』。

・垣本せつ子 2004.「東欧植民の子孫たちの旅——シロンスク地方の18世紀と今日」『観光学研究』第3号、21-31頁。

・加藤房雄 1986.「第一次世界大戦期ドイツにおける世襲財産の清算：プルタレス伯爵家のグルムボヴィッツ所領」『社会経済史学』51巻4号、490-519頁。

・—— 1988.「帝政ドイツのポーランド人政策と世襲財産——第一次大戦前ポーゼン州の実態」『社会経済史学』54巻4号、492-525、613-661頁。

・唐渡晃弘 2003.『国民主権と民族自決——第一次大戦中の言説の変化とフランス』木鐸社。

・川喜田敦子 2005a.『ドイツの歴史教育』白水社。

・—— 2005b.「20世紀ヨーロッパ史の中の東欧の住民移動——ドイツ人〈追放〉の記憶とドイツ＝ポーランド関係をめぐって（特集「二〇世紀ヨーロッパ史の中の〈境界〉」）』『歴史評論』665、54-64頁。

・—— 2013a.「難民入植地の遮断された記憶——第二次世界大戦後の東欧からのドイツ系移住者と〈暴力〉の記憶」『ヨーロッパ研究』12、105-127頁。

・—— 2013b.「特集にあたって——強制移住の後で——独仏における国民再編と記憶」『ヨーロッパ研究』12、101-104頁。

・—— 2019.『東欧からのドイツ人の「追放」——20世紀の住民移動の歴史のなかで』白水社。

・河崎靖／クレインス・フレデリック 2002.『低地諸国（オランダ・ベルギー）の言語事情——ゲルマンとラテンの間で』大学書林。

・川瀬泰史 2017.『シャハト——ナチスドイツのテクノクラートの経済政策とその構想』三恵社。

・川手圭一 2009.「第一次世界大戦後〈自由市ダンツィヒ〉のポーランド人」『東京学芸大学紀要 人文社会科学系』II 60、73-83頁。

・—— 2012.「第一次世界大戦後の東プロイセンにおける民族的相克」『東京学芸大学紀要 人文社会科学系』II 63、73-86頁。

・菊池良生 2009.『図説 神聖ローマ帝国』河出書房新社。

・衣笠太朗 2015.「上シレジアにおける〈ドイツ人の追放〉と民族的選別——戦後ポーランドの国民国家化の試み」『日独共同大学院プログラム（東京＝ハレ）ワーキングペーパーシリーズ』No. 16。

・——2019.「第一次世界大戦直後のオーバーシュレージエン／グルヌィシロンスクにおける分離主義運動：オーバーシュレージエン委員会の活動とカトリック聖職者トマシュ・レギネク」『神戸大学史学年報』第34号、1-29頁。
・——2020.「第一次世界大戦直後のオーバーシュレージエン／グルヌィシロンスクにおける分離主義運動」博士論文（東京大学大学院総合文化研究科）、2020年。
・——2021（刊行予定）.「複合国家の近現代—シュレージエン／シロンスク／スレスコの歴史的経験から」岩井淳／竹澤祐丈編『複合国家論の可能性——歴史学と思想史の対話』ミネルヴァ書房。
・木村靖二編 2001.『ドイツ史（新版世界各国史13）』山川出版社。
・——／千葉敏之／西山暁義編 2014.『ドイツ史研究入門』山川出版社。
・木村香織 2019.『亡命ハンガリー人列伝——脱出者・逃亡犯・難民で知るマジャール人の歴史』パブリブ。
・木村理恵子／濱本聰／曽根広美編 2004.『エミール・ノルデ展』エミール・ノルデ展実行委員会。
・清眞人／高坂純子 2005.『ケーテ・コルヴィッツ——死・愛・共苦』御茶ノ水書房。
・熊谷一男 1973.『ドイツ帝国主義論』未来社。
・マガリ・クメール／ブリューノ・デュメジル 2019. 大月康弘／小澤雄太郎訳『ヨーロッパとゲルマン部族国家（文庫クセジュ1028）』白水社。
・栗原久定 2018.『ドイツ植民地研究——西南アフリカ・トーゴ・カメルーン・東アフリカ・太平洋・膠州湾』パブリブ。
・H. クラーク／B. アンブロシアーニ 2001. 角谷英則訳『ヴァイキングと都市』東海大学出版会。
・ウィリアム・H・クロッパー 2009. 水谷淳訳『天才物理学者列伝 上——ガリレオ、ニュートンからアインシュタインまで（ブルーバックス B1663）』講談社。
・解良澄雄 2009.「ドイツ人〈追放〉問題とポーランド」『歴史評論』（716）、43-56頁。
・ローベルト・ゲルヴァルト 2019. 小原淳訳『敗北者たち——第一次世界大戦はなぜ終わり損ねたのか 1917-1923』みすず書房。
・アーネスト・ゲルナー 2000. 加藤節監訳『民族とナショナリズム』岩波書店。
・剣持久木編 2018.『越境する歴史認識—ヨーロッパにおける「公共史」の試み』岩波書店。
・黒子葉子 2017.「ベルギーのドイツ語共同体——国境を越えたドイツ語圏の広がりの把握に向けて」『独協大学ドイツ学研究』（73）、29-55頁。
・——2018.「国境地帯における言語状況の変遷に関する一考察——ベルギーのドイツ語共同体を例に」『独協大学ドイツ学研究』（75）、1-24頁。
・ユーリー・コスチャショーフ 2011.「〈ドイツ人追放〉」『ロシア・ユーラシアの経済と社会』（948）、19-31頁。
・——2016. 橋本伸也解題・訳「戦後の東プロイセンのソヴィエト化——第二次世界大戦の帰結によせて」『関西学院史学』第43号、25-50頁。
・——2019. 橋本伸也／立石洋子訳『創造された「故郷」——ケーニヒスベルクからカリーニングラードへ』岩波書店。
・小峰総一郎 2007.『ドイツの中の「デンマーク人」 ニュダールとデンマーク系少数者教育』学文社。
・——2014.『ポーランドの中の《ドイツ人》——第一次世界大戦後ポーランドにおけるドイツ系少数者教育』学文社。
・小山慶太 2013.『科学史人物事典—— 150のエピソードが語る天才たち』中央公論新社。
・小山哲 1990.「ワルシャワ連盟協約の成立—— 16世紀のポーランドにおける宗教的寛容の法的基盤」『史林』73（5）、722-757頁。
・——2013.『ワルシャワ連盟協約（1573年）（ポーランド史叢書2）』東洋書店。
・近藤和彦編 2015.『ヨーロッパ史講義』山川出版社。
・近藤潤三 2013.『ドイツ移民問題の現代史——移民国への道程』木鐸社。
・近藤孝弘 1998.『国際歴史教科書対話——ヨーロッパにおける「過去」の再編（中公新書1438）』中央公論社。

・ジョン・コーンウェル 2015. 松宮克昌訳『ヒトラーの科学者たち』作品社。

・今野元 2003.『マックス・ヴェーバーとポーランド問題——ヴィルヘルム期ドイツ・ナショナリズム研究序説』東京大学出版会。

・—— 2007.『マックス・ヴェーバー——ある西欧派ドイツ・ナショナリストの生涯』東京大学出版会。

・—— 2009.『多民族国家プロイセンの夢——「青の国際派」とヨーロッパ秩序』名古屋大学出版会。

・斉藤孝 2015.『戦間期国際政治史』岩波書店。

・佐々木真 2016.『図説 フランスの歴史』河出書房新社。

・貞包和寛 2013.「ポーランド共和国におけるマイノリティ言語の記述と規範——カシューブ語、シロンスク方言、レムコ語を考察する」『スラヴィアーナ』第5号、41-50頁。

・—— 2015.「言語状況はどのように記述されうるか：ポーランド共和国におけるカシューブの場合」『スラヴィアーナ』第7巻、61-79頁。

・—— 2016.「言語研究史と言語ステータス——ポーランド共和国のカシューブ言葉、レムコ言葉を例として」『スラヴィアーナ』第8巻、51-73頁。

・—— 2017.「ポーランドのシロンスク地方における〈言語〉をめぐる諸問題」『スラヴィアーナ』第9号、35-54頁。

・佐藤成基 2008.『ナショナル・アイデンティティと領土——戦後ドイツの東方国境をめぐる論争』新曜社。

・篠原琢／中澤達哉編 2012.『ハプスブルク帝国政治文化史——継承される正統性』昭和堂。

・篠原初枝 2010.『国際連盟——世界平和への夢と挫折（中公新書 2055）』中央公論新社。

・柴宜弘／木村真／奥彩子編 2012.『東欧地域研究の現在』山川出版社。

・柴宜弘ほか監修 2015.『[新版] 東欧を知る事典』平凡社。

・オリヴァー・ジマー 2009. 福井憲彦訳『ナショナリズム 1890-1940』岩波書店。

・島尾永康 2002.『人物化学史——パラケルススからポーリングまで』朝倉書店。

・アルフレート・シュピース／ハイナー・リヒテンシュタイン 2017. 守屋淳訳『総統は開戦理由を必要としていた——タンネンベルク作戦の謀略』白水社。

・白木太一 2005.『近世ポーランド「共和国」の再建——四年議会と五月三日憲法への道』彩流社。

・—— 2016.『一七九一年五月三日憲法（ポーランド史史料叢書 2）』群像社。

・ティモシー・スナイダー 2014. 池田年穂訳『赤い大公——ハプスブルク家と東欧の20世紀』慶應義塾大学出版会。

・—— 2015. 布施由紀子訳『ブラッドランド 上／下—ヒトラーとスターリン 大虐殺の真実』筑摩書房。

・—— 2016. 池田年穂訳『ブラックアース 上／下—ホロコーストの歴史と警告』慶応義塾大学出版会。

・アントニー・D・スミス 1999. 巣山靖司／高城和義訳『ネイションとエスニシティ 歴史社会学的考察』名古屋大学出版会。

・エミリオ・セグレ 1992. 久保亮五／矢崎裕二訳『古典物理学を創った人々——ガリレオからマクスウェルまで』みすず書房。

・武田龍夫 1993.『物語 北欧の歴史——モデル国家の生成（中公新書 1131）』中央公論社。

・竹中亨 2018.『ヴィルヘルム2世——ドイツ帝国と運命を共にした「国民皇帝」（中公新書 2490）』中央公論社。

・田口雅弘 2005.「両大戦間期ポーランドにおける国家主義の台頭——成長戦略としてのエタティズム」『岡山大学経済学会雑誌』37 (2)、187-203頁。

・田中克彦 1981.『ことばと国家（岩波新書）』岩波書店。

・—— 2002.『法廷にたつ言語』岩波書店。

・谷喬夫 2017.『ナチ・イデオロギーの系譜——ヒトラー東方帝国の起原』新評社。

・田村栄子／星乃治彦編 2007.『ヴァイマル共和国の光芒——ナチズムと近代の相克』昭和堂。

・田村幸策 1981.「チャーチルのフルトン演説——「鉄のカーテン」産みの親」『日本政教研究所紀要』第5巻。

・地球の歩き方編集室 2013.『A06 フランス '14-'15』ダイヤモンド社。

・地球の歩き方編集室 2019.『A26 チェコ ポーランド スロヴァキア '19-'20』ダイヤモンド社。

・千葉敏之 2003.「閉じられた辺境――中世東方植民史研究の歴史と現在」『現代史研究』(49)、1-23 頁。
・手塚章／呉羽正昭編 2008.『ヨーロッパ統合時代のアルザスとロレーヌ』二宮書店。
・マイケル・I・ドックリル／マイケル・F・ホプキンズ 2009. 伊藤裕子訳『冷戦 1945-1991』岩波書店。
・富田矩正 2009.『バルト海の中世――ドイツ東方植民と環バルト海世界』校倉書房。
・東海大学北欧学科編 2010.『北欧学のすすめ』東海大学出版会。
・永畑沙織 2018.「ドイツ人の東欧からの引揚げや故郷喪失をめぐる文学」『立命館言語文化研究』29 巻 3 号、
　91-101 頁。
・永岑三千輝 1994.『ドイツ第三帝国のソ連占領政策と民衆　1941-1942』同文館。
・―― 2001.『独ソ戦とホロコースト』日本経済評論社。
・―― 2003.『ホロコーストの力学　独ソ戦・世界大戦・総力戦の弁証法』青木書店。
・名越健郎 2012.『独裁者プーチン（文春新書 861）』文藝春秋。
・成瀬治／山田欣吾／木村靖二編 1997a.『ドイツ史〈1〉――先史 -1684 年（世界歴史大系）』山川出版社。
・―― 1996.『ドイツ史〈2〉―― 1648 年 -1890 年（世界歴史大系）』山川出版社。
・―― 1997b.『ドイツ史〈3〉―― 1890 年 - 現在（世界歴史大系）』山川出版社。
・西牟田靖 2005.『僕の見た「大日本帝国」――教わらなかった歴史と出会う旅』情報センター出版局。
・西山暁義 1992.「1870-71 年のアルザス・ロレーヌ併合問題（I）――併合決定と国境画定をめぐって」『クリオ』
　第 6 号、40-55 頁。
・―― 1993.「1870/71 年アルザス・ロレーヌ併合問題（II）：併合決定と国境画定をめぐって」『クリオ』第 7 号、
　27-40 頁。
・日波協会編 1929.『波蘭事情』日波協会。
・伸井太一編／齋藤正樹著 2018.『第二帝国 上』パブリブ。
・伸井太一編／齋藤正樹・小野寺賢一著 2018.『第二帝国 下』パブリブ。
・野村真理 2013.『隣人が敵国人になる日――第一次世界大戦と東中欧の諸民族』人文書院。
・―― 2014.「帝国崩壊と東中欧の民族的再編の行方――オーストリア領ガリツィア戦線によせて」『遺産（現代
　の起点　第一次世界大戦　第 4 巻）』、105-128 頁。
・セバスチャン・ハフナー 2000. 魚住昌良／川口由紀子訳『図説プロイセンの歴史――伝説からの解放』東洋書林。
・濱口學 1992.「上部シレジア定境紛争（1921）の射程」『國學院法政論叢』第 13 輯、1-20 頁。
・―― 1993a.「国際連盟と上部シレジア定境紛争」『國學院大學紀要』(31)、129-158 頁。
・―― 1993b.「フランス＝ポーランド同盟と上部シレジア紛争」『國學院法學』第 30 巻第 4 号、351-388 頁。
・馬場哲 1988.「18 世紀後半ドイツ・シュレージエンの社会経済構造と麻織物工業」『社会経済史学』54 巻 2 号、
　1-33 頁。
・―― 1993.「シュレージエン麻織物工業の成立過程――農業工業の勃興と都市商人の優位の確立」『経済学論集
　（東京大学経済学会）』第 59 巻第 1 号、2-33 頁。
・マレク・ハルトフ 2006. 西野常夫／渡辺克義訳『ポーランド映画史』凱風社。
・鴋澤歩 2020.『鉄道のドイツ史――帝国の形成からナチス時代、そして東西統一へ（中公新書 2583）』中央公論
　新社。
・阪東宏 1996.『ヨーロッパにおけるポーランド人―― 19 世紀後半～ 20 世紀初頭』青木書店。
・―― 2008.『ヨーロッパ／ポーランド／ロシア―― 1918-1921』彩流社。
・肥前栄一 1961.「プロイセン絶対主義の鉱業政策とオーベル・シュレージエン鉱山業」『経済論叢』87 (6)、
　472-494 頁。
・平井ナタリア恵美 2018.『ヒップホップ東欧――西スラヴ語 & マジャール語ラップ読本』パブリブ。
・フィオナ・ヒル／クリフォード・G・ガディ 2016. 濱野大道／千葉敏生訳『プーチンの世界――「皇帝」になっ
　た工作員』新潮社。

・平野高志 2020.『ウクライナ・ファンブック——東スラヴの源泉・中東欧の穴場』パブリブ。

・ヒンデンブルク元帥 1943. 尾花午郎訳『わが生涯より』白水社。

・ウージェーヌ・フィリップス 2007. 宇京頼三訳『アイデンティティの危機——アルザスの運命』三元社。

・ウージェーヌ・フィリップス 2010. 宇京頼三訳『アルザスの言語戦争』白水社。

・福井憲彦編 2001.『フランス史（世界各国史 12）』山川出版社。

・藤田恭子 1996.「第二次世界大戦後のドイツ語圏におけるブコヴィナ文学受容——ナショナリズムと多文化共
　生」『東北大学言語文化部 言語と文化』第 6 号、265-292 頁。

・藤原辰史 2011.『カブラの冬——第一次世界大戦期ドイツの飢饉と民衆』人文書院。

・古谷大輔／近藤和彦編 2016.『礫岩のようなヨーロッパ』山川出版社。

・リチャード・ベッセル 2015.『ナチスの戦争 1918-1949——民族と人種の戦い（中公新書 2329）』中央公論新社。

・ニコリーネ・マリーイ・ヘルムス 2013. 村井誠人／大渓太郎訳『デンマーク国民をつくった歴史教科書』彩流社。

・細田信輔 1994a.「オーバーシュレージエン鉱山業における労働関係の史的展開（一八四七〜一八七〇年）——
　プレス候領の石炭鉱業について」『社会経済史学』59（6）、817-846、857 頁。

・—— 1994b「オーバーシュレージエン鉱山業における大貴族経営の近代化と発展—— 1847 年からプレス候領
　の石炭鉱業で実施された近代化政策をめぐって」『三田学会雑誌』87（1）、98-123 頁。

・—— 2002.「カシューブ人の歴史と地域主義（リージョナリズム）（II）, ドイツとポーランドのはざまで」『龍谷大学経済学論集』42
　（2）、75-96 頁。

・—— 2006.「カシューブ人の歴史と地域主義（リージョナリズム）（III）, ドイツとポーランドのはざまで」『龍谷大学経済学論集』46
　（3）、33-60 頁。

・牧野雅彦 2009.『ヴェルサイユ条約——マックス・ヴェーバーとドイツの講和（中公新書 1980）』中央公論社。

・マーガレット・マクミラン 2007a. 稲村美貴子訳『ピースメイカーズ—— 1919 年パリ講和会議の群像　上』芙
　蓉書房出版。

・—— 2007b. 稲村美貴子訳『ピースメイカーズ—— 1919 年パリ講和会議の群像　下』芙蓉書房出版。

・松岡由季 2004.『観光コースでないウィーン——美しい都のもう一つの顔』高文研。

・ロバート・K・マッシー 2014. 北代美和子訳『エカチェリーナ大帝——ある女の肖像』白水社。

・マーク・マゾワー 2015.『暗黒の大陸——ヨーロッパの 20 世紀』未来社。

・松井芳郎（編集代表）2006.『判例国際法』東信社。

・松尾秀哉 2014.『物語 ベルギーの歴史——ヨーロッパの十字路』中央公論新社。

・松川克彦 2006.「ポーランド・西ドイツ関係正常化基本条約と国境画定問題」『京都産業大学論集 社会科学系列』
　23、99-125 頁。

・—— 2008.「ヴェルサイユ体制下のイギリス勢力均衡政策とポーランド」『京都産業大学論集——社会科学系列』
　25、119-143 頁。

・三ツ木道夫 2017.「『東プロイセン——歴史と神話』（Andreas Kossert, Ostpreußen: Geschichte und Mythos
　2005 München）」『Ｇ Ｒ——同志社大学グローバル地域文化学会 紀要』第 9 号、101-113 頁。

・湊正雄 1968.「ポズナンとワルソワについて」『地球科学』第 22 巻第 5 号、263-265 頁。

・宮崎悠 2010.『ポーランド問題とドモフスキ——国民的独立のパトスとロゴス』北海道大学出版会。

・村井誠人 1996.「南スリースヴィ問題とデンマークにおける国境観の対立——デンマーク・ドイツ国境成立七五
　周年に寄せて」『早稲田大学大学院文学研究科紀要（第 4 分冊, 日本史東洋史西洋史考古学）』第 42 巻、129-151 頁。

・——編 2009.『デンマークを知るための 68 章（エリア・スタディーズ 76）』明石書店。

・百瀬宏／熊野聰／村井誠人編 1998.『北欧史（新版世界各国史 21）』山川出版社。

・森井裕一編 2016.『ドイツの歴史を知るための 50 章（エリア・スタディーズ 151）』明石書店。

・森下嘉之 2013.「〈地域〉はいかに構築されうるか——チェコ、ポーランド、ドイツ境界〈ベスキーデンラント〉
　の事例から」『境界研究（北海道大学スラブ研究センター）』第 4 号。

・森田耕司 2017.「クレスィ（Kresy）のポーランド語 —歴史と現在」『言葉とその周辺をきわめる4』（東京外国語大学語学研究所企画）、第6回、105-120頁。

・森田安一編 1998.『スイス・ベネルクス史』山川出版社。

・ヒュー・S＝モンティフィオーリ 2007. 小林朋則訳『エニグマ・コード——史上最大の暗号戦』中央公論新社。

・柳川平太郎 2005.「プロイセン絶対主義下ヒンターポンメルンのユダヤ人社会」『高知大学学術研究報告』第54巻、29-37頁。

・柳沢秀一 2012.「第二次世界大戦期・戦後初期のソ連のポーランド人移住政策」『コスモポリス』(6)、2012年、23-33頁。

・山井敏章 2017.『「計画」の20世紀——ナチズム・〈モデルネ〉・国土計画』岩波書店。

・山内芳文 1974.「プロイセン東部辺境地域教育政策にかんする若干のノオト—— 19世紀はじめのポーゼン州ブロンベルグ県を中心の事例として」『山梨県立女子短期大学紀要』第7号、1-12頁。

・山田高生 1987.「ドイツ第二帝政期におけるポザダフスキ社会政策の形成（一）——生い立ちとポーゼン州の郡長時代」『成城大學經濟研究』第97号、1-20頁。

・山室信一／岡田暁生／小関隆／藤原辰史編 2014a.『世界戦争（現代の起点　第一次世界大戦　第1巻）』岩波書店。

・—— 2014b.『総力戦（現代の起点　第一次世界大戦　第2巻）』岩波書店。

・—— 2014c.『精神の変容（現代の起点　第一次世界大戦　第3巻）』岩波書店。

・—— 2014d.『遺産（現代の起点　第一次世界大戦　第4巻）』岩波書店。

・吉岡潤 1997.「ポーランド「人民政権」の支配確立と民族的再編——戦後農地改革をめぐる政治状況を軸に」『史林』80 (1)、1-37頁。

・—— 2005.「戦後初期ポーランドにおける複数政党制と労働者党のヘゲモニー(1944-47年)」『スラヴ研究』(52)、1-37頁。

・—— 2007.「ポーランド——地名表記をめぐるヨーロッパ・スタンダード対歴史」大島美穂編『EUスタディーズ——国家・地域・民族』勁草書房、91-110頁。

・—— 2018.「ポーランド現代史における被害と加害—歴史認識の収斂・乖離と歴史政策」剣持久木編『越境する歴史認識—ヨーロッパにおける「公共史」の試み』岩波書店。

・四方田雅史／加藤裕治編 2018.『中東欧の文化遺産への招待——ポーランド・チェコ・旧東ドイツを歩く』青弓社。

・良知力 1959.「ウィルヘルム・ヴォルフ著『シュレージエンの十億』ほか」『一橋論叢』第41巻第6号、78-85頁。

・ピエール・リグロ 1999. 宇京頼三訳『戦時下のアルザス・ロレーヌ（文庫クセジュ819）』白水社。

・エーリヒ・ルーデンドルフ 2015. 伊藤智央訳・解説『ルーデンドルフ総力戦』原書房。

・歴史学研究会編 2006.『20世紀の世界Ⅰ——ふたつの世界大戦（世界史史料〈10〉）』岩波書店。

・キース・ロウ 2018. 猪狩弘美／望龍彦訳『蛮行のヨーロッパ—第二次世界大戦後の暴力』白水社。

・渡瀬正三郎 1922.「シレシアの陶土及其成因」『地學雑誌』34 (1)、47-48頁。

・渡辺和行 1995.「ナチ占領下のアルザス」『香川法学』第14巻、第3・4号、149-194頁。

・—— 1997.「アルザスとエルザス：ナシオンとフォルクのはざまで」『香川法学』第16号 (3/4)、1-48頁。

・渡辺克義編 2001.『ポーランドを知るための60章（エリア・スタディーズ16）』明石書店。

・—— 「第二次世界大戦におけるポーランドの地名のドイツ化」『山口県立大学学術情報』3、2010年、51-67頁。

・—— 2017.『物語 ポーランドの歴史——東欧の「大国」の苦難と再生（中公新書2445）』中央公論新社。

・渡辺格司 1972.「ハウプトマン「織匠」シュレージエン版について」『帝塚山大学紀要』第9号、21-93頁。

・割田聖史 2010.「〈境界地域〉を叙述する——オストマルク協会編『ドイツのオストマルク』(1913年)を読む」『群馬大学国際教育・研究センター論集』(9)、15-32頁。

・—— 2012a.『プロイセンの国家・国民・地域——一九世紀前半のポーゼン州・ドイツ・ポーランド』有志舎。

・—— 2012b.「1840年代前半のポーゼン州におけるユダヤ教徒—— 1842年、1843年の政府調査から」『キリス

ト教文化研究所研究年報――民族と宗教』、57-86 頁。
- ―― 2013.「ビスマルクとミツキェヴィチ――ポズナンの記念碑と記憶」『人文社会科学論叢（宮城学院女子大学附属人文社会科学研究所）』第 22 号、15-33 頁。
- ―― 2014.「プロイセン議会成立期（1849 年 -1850 年）におけるポーゼン問題」『青山史学』第 32 巻、19-37 頁。
- ―― 2015.「1850 年代のポーゼン州議会に関する一考察」『青山史学』第 33 巻、69-88 頁。
- ―― 2016.「「地域」から「地方」へ――ポーゼン州議会 1861 年 -1875 年」『青山史学』第 34 巻、51-67 頁。
- ―― 2018.「プロイセン地方行政改革期のポーゼン州議会（1877 年 -1888 年）」『青山史学』第 36 巻、63-82 頁。
- 「藤代アンナ CY8ER」『読むアイドルマガジン Idol and Read 16』シンコーミュージック・エンタテインメント、2018 年。

ウェブサイト

デジタルアーカイヴ・図像出典

- Biblioteka Narodowa (https://bn.org.pl/)
- Bundesarchiv Internet – Bilder (https://www.bundesarchiv.de/DE/Navigation/Finden/Bilder/bilder.html)
- Deutsche Digitale Bibliothek (https://www.deutsche-digitale-bibliothek.de/)
- Deutsche Fotothek (http://www.deutschefotothek.de/)
- Europeana Collections (https://www.europeana.eu/portal/en)
- Flickr (https://www.flickr.com/)
- fotopolska.eu (https://fotopolska.eu/)
- Willich nach 1945 Flucht und Vertreibung | Heimatverein Willich e.V. (https://willich-nach-1945-flucht-und-vertreibung.de/)
- Historische Bildpostkarten (http://www-old.bildpostkarten.uos.de/search.php)
- Internet Archive (http://web.archive.org/)
- Det Kgl. Bibliotek (https://www.kb.dk/en)
- LEMO (https://www.dhm.de/lemo/)
- Narodowe Archiwum Cyfrowe (https://audiovis.nac.gov.pl/)
- National Digital Library Polona (https://polona.pl/)
- Münchener Digitalisierungszentrum (https://www.digitale-sammlungen.de//)
- Österreichische Nationalbibliothek (https://www.onb.ac.at/)
- Pierwsze powojenne lata (część 4) | dzieje.pl - Historia Polski (https://dzieje.pl/content/pierwsze-powojenne-lata-cz-4)
- Stiftung Preußische Schlösser und Gärten (https://www.spsg.de/forschung-sammlungen/bibliothek-fotothek-archive/fotothek/)
- Wikimedia Commons (https://commons.wikimedia.org/wiki/Main_Page?uselang=ja)
- World Digital Library (https://www.wdl.org/en/)

参照地図

- Geschichte und Geographie von Europa (https://www.euratlas.net/index_de.html)
- Historical maps: Europe (https://r12a.github.io/maps-europe/)
- Maps for Mappers/Historical Maps (https://thefutureofeuropes.fandom.com/wiki/Maps_for_Mappers/

Historical_Maps)
· F. W. Putzgers Historischer Schul-Atlas, 1905 (http://www.maproom.org/00/01/index.php)

各章にまたがって参照したウェブサイト

· Austria-Forum (https://austria-forum.org/)
· Bund der Vertriebenen (https://www.bund-der-vertriebenen.de/)
· Deutsche Biographie (https://www.deutsche-biographie.de/home)
· Ehemalige deutsche Gebiete (http://wiki-de.genealogy.net/Ehemalige_deutsche_Gebiete)
· Ehemalige deutsche Ostgebiete - Sehenswürdigkeiten und | akpool.de (https://www.akpool.de/ informationen/ehemalige-deutsche-ostgebiete)
· Focus Online (https://www.focus.de/)
· Gazeta Wyborcza (https://wyborcza.pl/)
· Jak odbywało się przesiedlenie ludności polskiej - Polityka.pl (https://www.polityka.pl/pomocnikhistory czny/1674782,1,jak-odbywalo-sie-przesiedlenie-ludnosci-polskiej.read)
· JapanKnowledge (https://japanknowledge.com/library/)
· Nobelprize.org (https://www.nobelprize.org/)
· rbb Preußen-Chronik (https://www.preussenchronik.de/index_jsp.html)
· StayPoland.com (https://www.staypoland.com/de/touristische-sehenswuerdigkeiten/)
· UNESCO World Heritage Centre - World Heritage List (https://whc.unesco.org/en/list/)
· Die Welt (https://www.welt.de/)
· Wikipedia 各国語版 (英語版 https://en.wikipedia.org/wiki/Main_Page)
· 朝日新聞デジタル (https://www.asahi.com/?iref=pc_gnavi)
· 世界文学大辞典 （JapanKnowledge 版）
· ポーランド 政府観光局公式サイト (https://www.poland.travel/ja)
· 日本大百科全書 （JapanKnowledge 版）
· ロイター (https://jp.reuters.com/)

オストプロイセン

· Archiv-Ostpreußen (http://www.archiv-ostpreussen.de/)
· Bruzi Digitale Bibliothek - Münchener Digitalisierungszentrum (https://daten.digitale-sammlungen. de/0001/bsb00018763/images/index.html?id=00018763&groesser=&fip=193.174.98.30&no=&seite=322)
· Czy pogańscy Prusowie naprawdę byli barbarzyńcami i prymitywami? | CiekawostkiHistoryczne.pl (https://ciekawostkihistoryczne.pl/2018/02/18/czy-poganscy-prusowie-naprawde-byli-barbarzyncami-i-prymitywami/)
· Deutsche Biographie - Kant, Immanuel (https://www.deutsche-biographie.de/sfz39751.html)
· Gazeta Olsztynska (http://gazetaolsztynska.pl/)
· Informacja Turystyczna Kętrzyn (http://www.it.ketrzyn.pl/)
· Königsberg/Kaliningrad (https://ome-lexikon.uni-oldenburg.de/orte/koenigsberg-kaliningrad/)
· Köthe Kollwitz Museum Köln (https://www.kollwitz.de/)
· Münchner Stadtmuseum (https://www.muenchner-stadtmuseum.de/)
· Olsztyn - Tourism (https://www.staypoland.com/about_olsztyn.htm/)

· Ostdeutsches Diskussionsforum (http://www.ostpreussenforum.de/default.htm)
· Ottokar II., Přemysl | AEIOU Österreich-Lexikon im Austria-Forum (https://austria-forum.org/af/AEIOU/Ottokar_II.,_P%C5%99emysl)
· Portal turystyczny Miasta Olsztyna (https://visit.olsztyn.eu/)
· President of Russia (http://en.kremlin.ru/)
· Preußische Allgemeine Zeitung (https://www.preussische-allgemeine.de/)
· Visitkaliningrad.com (http://visitkaliningrad.com/whattosee.html)
· Visit-kaliningrad.ru - Всё о Калининграде и Калининградской области (https://visit-kaliningrad.ru/en/)
· Warmińsko-Mazurska Biblioteka Cyfrowa (http://wmbc.olsztyn.pl/dlibra?action=ChangeLanguageActio n&language=pl)
· Wladimir Putin trennt sich von seiner Frau Ljudmila - SPIEGEL ONLINE (https://www.spiegel.de/consent-a-?targetUrl=https%3A%2F%2Fwww.spiegel.de%2Fpolitik%2Fausland%2Fwladimir-putin-trennt-sich-von-seiner-frau-ljudmila-a-904274.html)
· リトアニアの世界遺産クルシュー砂州：DTAC リトアニア観光情報局 (http://www.dtac.jp/baltic_eeurope/lithuania/news_597.php)
· ロシア W 杯会場となったカリーニングラードが辿った 900 年におよぶ数奇な歴史 ［橘玲の世界投資見聞録］(https://diamond.jp/articles/-/175923)

ヴェストプロイセン

· Auf den Spuren von Günter Grass in Danzig (https://www.gdansk.pl/de/touristisch/auf-den-spuren-von-g-nter-grass-in-danzig,a,3036)
· Der Name „Kaschubei" (http://www.glischinski.de/roots/Kaschubei.htm)
· Dziennik Bałtycki (https://dziennikbaltycki.pl/)
· Fahrenheit's House (https://www.inyourpocket.com/gdansk/fahrenheits-house_115184v)
· Flucht und Vertreibung im bundesdeutschen Spielfilm der 1950er-Jahre (https://www.bpb.de/geschichte/zeitgeschichte/deutschlandarchiv/74912/flucht-und-vertreibung?p=all)
· Gabriel Daniel Fahrenheit (https://www.nndb.com/people/950/000029863/)
· Gdansk Schopenhauer House (http://www.wikitour.io/travel-destinations/gdansk-schopenhauer-house)
· Gdańsk - the official site of the city (https://www.gdansk.pl/en/)
· Glischinski.de (http://www.glischinski.de/roots/Kaschubei.htm)
· Muzeum Kaszubskie (https://www.muzeum-kaszubskie.pl/)
· NSZZ Solidarność (http://www.solidarnosc.org.pl/)
· The official Gdansk tourism portal (https://visitgdansk.com/en/)
· Pomorskie.eu (https://pomorskie.eu/)
· Pomorska Biblioteka Cyfrowa (https://pbc.gda.pl/dlibra)
· Trojmiasto.pl - wiadomości i informacje z Trójmiasta (https://www.trojmiasto.pl/)
· VisitTorun (http://www.visittorun.pl/)
· Westpreussen-Online (http://www.westpreussen-online.de/)
· Wszechnica Solidarność - NSZZ Solidarność, powstanie, historia Solidarności (http://www.solidarnosc.org.pl/wszechnica/)
· Zamek krzyżacki Toruń (http://www.turystyka.torun.pl/art/87/zamek-krzyzacki.html)

- ＥＵ首脳会議常任議長にトゥスク氏就任　東欧出身者初 - 朝日新聞デジタル (https://www.asahi.com/articles/ASGD17SRSGD1UHBI022.html)
- ＥＵ首脳会議、トゥスク大統領再選　出身国ポーランドは反対 - ロイター (https://jp.reuters.com/article/eu-summit-idJPKBN16G388)

シュレージエン

- AMS Historica | Collezione digitale di opere storiche (https://amshistorica.unibo.it/)
- Biblioteka Cyfrowa Uniwersytetu Wrocławskiego - Digital Library of University of Wroclaw (https://www.bibliotekacyfrowa.pl/dlibra?language=pl)
- Bibliothek - Zeno.org (http://www.zeno.org/)
- Biografie Norbert Elias (http://agso.uni-graz.at/lexikon/klassiker/elias/13bio.htm)
- Breslau und Wroclaw - gestern und heute (https://www.sputnik-travel-berlin.de/breslau_wroclaw_geschichte.php)
- Centralne Muzeum Jeńców Wojennych (http://www.cmjw.pl/)
- The City Görlitz - Experience Görlitz (https://www.visit-goerlitz.com/Tourismus.html)
- Deutsches Textarchiv (http://www.deutschestextarchiv.de/)
- Deutsch-Polnische Joseph von Eichendorff (http://www.bibliotekicaritas.vdg.pl/deutsch/)
- Festung Breslau 1945: Hitlers Gauleiter feierte Partys, bevor er floh – WELT (https://www.welt.de/geschichte/zweiter-weltkrieg/article140546933/Hitlers-Gauleiter-feierte-Partys-bevor-er-floh.html)
- Fritz Haber – Biographical (https://www.nobelprize.org/prizes/chemistry/1918/haber/biographical/)
- Fritz Haber | Wroclaw (https://www.inyourpocket.com/wroclaw/Fritz-Haber_70977f)
- Kopalnia Guido (https://kopalniaguido.pl/index.php/)
- Kurt Masur | Biography & Achievements | Britannica.com (https://www.britannica.com/biography/Kurt-Masur)
- Lukas Podolski and the Complex Identity Politics of Upper Silesia | gzmfootballunion (https://gzmfootballunion.wordpress.com/2012/09/17/lukas-podolski-and-silesian-identity/)
- Muzeum Miedzi w Legnicy (https://www.ksiaz.walbrzych.pl/#)
- Muzeum Pomarańczowej Alternatywy (http://www.orangealternativemuseum.pl/#homepage)
- Národní galerie Praha (https://www.ngprague.cz/)
- Norbert Elias Biography (http://www.norberteliasfoundation.nl/elias/index.php)
- Oficjalna strona Zamku Książ w Wałbrzychu (https://www.ksiaz.walbrzych.pl/#)
- Panorama Racławicka - Muzeum Narodowe we Wrocławiu (https://mnwr.pl/category/oddzialy/panorama-raclawicka/)
- Powrót repatriantów do Polski | Historia zapomniana i mniej znana (https://historiamniejznanaizapomniana.wordpress.com/2015/10/07/powrot-repatriantow-do-polski/)
- Ptolemy's Geography (https://penelope.uchicago.edu/Thayer/E/Gazetteer/Periods/Roman/_Texts/Ptolemy/home.html)
- Schlesisches Museum zu Görlitz: Schlesisches Museum zu Görlitz (http://www.schlesisches-museum.de/)
- Śląska Biblioteka Cyfrowa - Silesian Digital Library (https://sbc.org.pl/dlibra?language=pl)
- Szli na zachód osadnicy - Gazeta Wyborcza (https://wyborcza.pl/alehistoria/1,121681,15173666,Szli_na_zachod_osadnicy.html?disableRedirects=true)
- Zgorzelec | StayPoland (https://www.staypoland.com/about_zgorzelec.htm/)

・ポーランド移民のドイツ代表選手は、何を思う。 - 海外サッカー - Number Web - ナンバー (https://number.bunshun.jp/articles/-/13356)
・ルーカス・ポドルスキ - ドイツ生活情報満載！ドイツニュースダイジェスト (http://www.newsdigest.de/newsde/news/kao/1812-lukas-podolski/)
・ルーカス・ポドルスキ 「ゲルマンの異端児」- 海外サッカー - Number Web - ナンバー (https://number.bunshun.jp/articles/-/12521)
・「函館市史」通説編 2　4 編 2 章 2 節 1-6 (http://archives.c.fun.ac.jp/hakodateshishi/tsuusetsu_02/shishi_04-02/shishi_04-02-02-01-06.htm)

ポーゼン

・Dzieje Wielkopolski - Region Wielkopolska • miejsca które warto odwiedzić (https://regionwielkopolska.pl/dzieje-wielkopolski/)
・Historia Wielkopolski - Wielkopolska.travel - Wielkopolski Portal Turystyczny (https://wielkopolska.travel/zwiedzaj/historia-regionu/)
・Historical buildings - POZnan.travel (https://poznan.travel/en/r/warto-zobaczyc/zabytki)
・LeMO Biografie - Biografie Wernher Freiherr von Braun (https://www.dhm.de/lemo/biografie/biografie-wernher-freiherr-von-braun.html)
・LeMO Kapitel - Der Zweite Weltkrieg - Kriegsverlauf - Die "Wunderwaffen" V1 und V2 (https://www.dhm.de/lemo/kapitel/der-zweite-weltkrieg/kriegsverlauf/die-wunderwaffen-v1-und-v2.html)
・Ohne Zuwanderung wäre das Ruhrgebiet nie so groß geworden - Wochenende - derwesten.de (https://www.derwesten.de/wochenende/ohne-zuwanderung-waere-das-ruhrgebiet-nie-so-gross-geworden-id12332309.html)
・Wybitni Wielkopolanie - Region Wielkopolska • miejsca które warto odwiedzić (https://regionwielkopolska.pl/wybitni-wielkopolanie/)
・Poznan tourism - Poznan.pl (https://www.poznan.pl/mim/turystyka/en/)
・Wielkopolska Biblioteka Cyfrowa - Großpolnische Digitale Bibliothek (https://www.wbc.poznan.pl/dlibra?language=pl)
・Ruhr Museum | Zollverein (https://www.zollverein.de/erleben/ruhr-museum/)

ヒンターポンメルン

・Agata Kulesza - Biography | Artist | Culture.pl (https://culture.pl/en/artist/agata-kulesza)
・Atlas plate from maproom.org (http://www.maproom.org/00/01/present.php?m=0047)
・Biblioteka - Katalog - Akademia Morska w Szczecinie (https://www.am.szczecin.pl/pl/jednostki/biblioteka/katalogi)
・Digitales Portal - Mecklenburg-Vorpommern (https://digitale-bibliothek-mv.de/viewer/)
・Kaiser Wilhelm II. beim Besuche der Vulkan-Werft in Stettin am 4. Mai 1897 (1897) | filmportal.de (https://www.filmportal.de/video/kaiser-wilhelm-ii-beim-besuche-der-vulkan-werft-in-stettin-am-4-mai-1897)
・Kolobrzeg Tourism Guide > Information for tourists and visitors to Kolobrzeg (http://www.visitpomerania.eu/beaches/kolobrzeg/)
・LeMO Kapitel - Weimarer Republik - Innenpolitik - Harzburger Front 1931 (https://www.dhm.de/lemo/

kapitel/weimarer-republik/innenpolitik/harzburger-front-1931.html)
· Majowe – Encyklopedia Pomorza Zachodniego (http://encyklopedia.szczecin.pl/wiki/Majowe)
· UB Heidelberg: Digitale Bibliothek (https://www.ub.uni-heidelberg.de/helios/Welcome.html)
· Universität Greifswald (https://www.uni-greifswald.de/)
· Visit Pomerania > The best cities, beaches and nature in Northern Poland (http://www.visitpomerania.
eu/)

北シュレースヴィヒ

· 60 Jahre Bonn-Kopenhagener Erklärungen (Seite 2) | NDR.de – Geschichte (https://www.ndr.de/
geschichte/bonnkopenhagen102_page-2.html)
· Deutschland / Dänemark (ab 1920) (http://grenzsteine.de/abteilung1/deutschland---daenemark-ab-1920/
index.html)
· Gesellschaft für Schleswig-Holsteinische Geschichte (http://www.geschichte-s-h.de/)
· Gram Castle | VisitSønderjylland (https://www.visitsonderjylland.com/tourist/experiences/taste-
sonderjylland/gram-castle)
· Grenzerfahrung. | Karikamur-Karikatur! – Wiedenroth (https://wiedenroth-karikatur.blogspot.
com/2010/05/grenzerfahrung.html)
· History Centre Dybbøl Banke – Historiecenter Dybbøl Banke (https://1864.dk/historiecenter-dybboel-
banke/?lang=en)
· SSF: Sydslesvigsk Forening (https://syfo.de/)
· Sydslesvighistorie.dk (https://sydslesvighistorie.dk/index.php)
· Visit Aabenraa (https://www.visitaabenraa.dk/)
· Visit Haderslev (https://www.visithaderslev.dk/)
· Visit Sønderjylland (https://www.visitsonderjylland.com/)
· Welcome to Sønderborg | Visitsonderborg (https://www.visitsonderborg.com/)

エルザス＝ロートリンゲン

· Bayerisches Armeemuseum (https://www.armeemuseum.de/de/)
· Bartholdi Museum – Colmar, France - Atlas Obscura (https://www.atlasobscura.com/places/bartholdi-
museum)
· Colmar Alsace France Tourist Office (https://www.tourisme-colmar.com/en/)
· Le crime impuni du massacre d'Oradour | L'Humanité (https://www.humanite.fr/le-crime-impuni-du-
massacre-doradour-611580)
· En ce moment | Bibliothèque nationale de France (https://www.bnf.fr/fr)
· Lorraine Tourisme (http://www.tourism-lorraine.com/)
· Mémorial Alsace Moselle in Schirmeck Alsace (https://www.memorial-alsace-moselle.com/en)
· Musée protestant (https://www.museeprotestant.org/en/)
· Musées de Strasbourg (https://www.musees.strasbourg.eu/web/musees/)
· Official website of Metz Tourist Office, Moselle, Lorraine (http://www.tourisme-metz.com/en/home.html)
· Quartier La Petite France in Straßburg - Klein Frankreich (https://www.bonjour-elsass.de/la-petite-
france-strasbourg/)

- University College Dublin Digital Library (https://digital.ucd.ie/)
- Urlaub im Elsass | Reisetipps Elsass - Online-Reiseführer (https://www.reisetipps-elsass.com/)
- Visit Alsace - Official website of Tourism in East of France (https://www.visit.alsace/en/)
- Visit Alsace (https://us.france.fr/en/alsace-lorraine/article/alsace)
- Welcome in Strasbourg - Office de tourisme de Strasbourg et sa Région Gerberviertel (https://www.visitstrasbourg.fr/en/welcome-in-strasbourg/)
- #Visit Mulhouse | Welcome to Mulhouse and its region: discover a creative Alsace! (https://www.tourisme-mulhouse.com/EN/home.html)
- フランスの文化財登録制度について知りたい。レファレンス協同データベース (https://crd.ndl.go.jp/reference/modules/d3ndlcrdentry/index.php?page=ref_view&id=1000207380)

オイペン・マルメディ

- Alter Schlachthof - Das Kulturzentrum in Eupen (https://www.alter-schlachthof.be/)
- Baugnez 44 Historical Center: a museum dedicated to the Battle of the Bulge (https://walloniabelgiumtourism.co.uk/en-gb/content/baugnez-44-historical-center-museum-dedicated-battle-bulge)
- Baugnez 44 Historical Center (https://www.bulge1944.com/baugnez-44-historical-center/)
- Belgica - Home | Bibliothèque royale de belgique (https://belgica.kbr.be/BELGICA/home-belgica.aspx)
- Eupen Tourist Office | Wallonia Belgium Tourism (https://walloniabelgiumtourism.co.uk/en-gb/content/eupen-tourist-office)
- DG.be - Die Deutschsprachige Gemeinschaft (https://www.dg.be/desktopdefault.aspx/tabid-2788/5431_read-34851/)
- Ferien in Ostbelgien ▶ Offizielle Webseite für Tourismus - Ostbelgien → Belgien (https://www.ostbelgien.eu/de)
- Malmedy - Accueil - Malmedy (https://www.malmedy-tourisme.be/en)
- Malmundarium - DE (https://www.malmundarium.be/)
- Nasty - Graspop Metal Meeting 2020 (https://www.graspop.be/en/bands/nasty/)
- Ostbelgien Live (http://www.ostbelgienlive.be/)
- Parlament der Deutschsprachigen Gemeinschaft (http://www.pdg.be/)
- Ville de Malmedy (http://www.malmedy.be/en/accueil.html)
- ベルギー　フェン鉄道－飛び地を従えた鉄道の歴史 I: 地図と鉄道のブログ (https://homipage.cocolog-nifty.com/map/2016/11/i-0c53.html)

以上、全て 2020 年 4 月 1 日に最終閲覧。なお、観光サイトなどについては、実際にはドイツ語版やポーランド語版などを参照した場合でも、読者の便宜のために英語版を提示した。

- 本書執筆期間中、それに直接助成があったわけではないものの、以下の研究費の助成を受けたことも付記しておきたい。
- JSPS「日本学術振興会課題設定による先導的人文学・社会科学研究推進事業〈グローバル社会におけるデモクラシーと国民史・集合的記憶の機能に関する学際的研究〉：若手研究者提携外国研究機関派遣事業」
- 東京大学大学院総合文化研究科「博士課程研究遂行協力制度」（2018 年度、2019 年度採用分）

索引（人名・事項・地名）

※混同を防止するために、人名およびその他の分かり
づらい事項には原表記を、戦争・会議・国家合同には
西暦を付記した。

あとがき

　パブリブの濱崎誉史朗氏から、「『旧ドイツ領ガイドブック』という企画はいかがでしょうか？」という連絡が来たのは、確か 2018 年の初夏だったと思う。その話を頂いた時は、自分の専門に近い「旧ドイツ東部領土」についての出版企画かと思い、それなら大丈夫だろうと話を聞きに行った。しかし濱崎氏から話を詳しく聞いてみると、旧ドイツ全域についての本を書いてくれという企画であることが判明し、自分の力量と企画の壮大さの間の大きなギャップに慄いたものである。それでも、自分の研究の糧に必ずなると確信し、二つ返事で執筆を引き受けた。

　そこからは、所属大学の付属図書館からひたすら関連書籍を借りる毎日だった。非常に広大な領域と、古代から現代までを扱うタイムスパンの長さゆえに、様々な文献が必要になったのである。だが当該図書館の蔵書だけでは全く不十分で、他大学まで館内閲覧資料を読みに行ったりもしていた。そして幸運にも、2018 年秋に、助成を受けてドイツ・ポーランドへの調査滞在に行けることとなり、その際に大量の欧語関連文献を入手・購入することができた。これにより執筆は一気に進んだと言っても良い。そこからは早かった。執筆開始から 1 年程度経った 2019 年夏ごろには、原稿の骨格を完成させることができたのである。

　ただ、当初の「ガイドブック」という企画からは少しズレることとなった。私が歴史研究を専門としているからであろうが、どうしても歴史に関する記述の割合が多くなってしまったのである。もちろん「観光ガイド」的な原稿も執筆したが、それはメインディッシュと言うより、爽やかな前菜のような位置づけになった。結局、通史部分を前面に押し出した『旧ドイツ領全史』というタイトルでの出版企画へと切り替わっていった。私としては、この企画趣旨の変更に満足している。

　本書は、多くの方々の多大なる助力を頂くことで、何とか完成にこぎつけた。

　まず家族である。とりわけ鳥取の実家から、長年の大学院生活を温かく見守ってくれた両親・祖父母にお礼を言いたい。様々な困難・困窮の中、いつ終わるとも、そしてその先に何が待っているかもわからない状況にもかかわらず、博士課程進学・在学に反対しなかった両親には感謝してもしきれないだろう。

　また、私が 2012 年まで在籍した静岡大学、同年から 2014 年まで所属していた神戸大学大学院人文学研究科、そしてそののち 2020 年 3 月まで所属していた東京大学大学院総合文化研究科地域文化研究専攻の学友たちにも感謝したい。とりわけ修士・博士の学友たちとの対話はいつも刺激的、緊張感を孕んだもので、多くを学ぶことができた。とくに同年度に博士論文を提出した盟友・大下理世（東京大学・ドイツ・ヨーロッパ研究センター特任研究員）さんは、早い時期から本書のチェックを行って下さ

り、さらに完成間近の原稿の確認もして頂いた。またケーテ・コルヴィッツ研究の東家友子さん（東京大学大学院総合文化研究科・博士課程）からは、コルヴィッツに関する原稿に対して貴重なご助言を頂いた。

ポーランドでは、ヴロツワフの日本食堂「kame」（所在地：Robotnicza 70J, 53-608 Wrocław, Poland)の永井今日子さんと澤口佳奈さんにお世話になった。お二人には、ヴロツワフ留学中にいつも美味しい日本食を食べさせてもらっていたが、今回の企画では「出身者紹介」の人選で協力して頂いた。また美味しいご飯を食べに行くことで、お礼とさせて頂きたい。

大嶋えり子さん（金城学院大学国際情報学部・講師）には、エルザス＝ロートリンゲン、オイペン・マルメディの２つの章でのフランス語のチェックでご協力頂いた。全く面識がないにもかかわらず、パブリブでのご縁を通じて、チェックを快く引き受けて頂いた大嶋さんには非常な感謝を申し上げたい。とはいえ、本書の記述の責任は全て私にあるということも明記しておきたい。

この春からの勤務先である秀明大学の諸先生方には、このコロナ禍・遠隔授業という非常事態において、有形無形の様々なお心遣いを頂いている。このような同僚の先生方のサポートがあって初めて、この本を世に送り出すことが出来たのは間違いないことであり、心よりの感謝を申し上げたい。

そして、何よりも、歴代の指導教員に感謝を申し上げなければならない。学部時代の恩師・岩井淳先生（静岡大学人文学部社会学科・教授）には本書の相談にも乗って頂き、いくつかのご助言を頂いた。修士時代の師匠である大津留厚先生（神戸大学大学院人文学研究科・名誉教授）は、進学当初ドイツ史をやりたいと言っていた私を旧ドイツ東部領土史研究へと導いてくださった恩人である。大津留先生なくして、本書はありえなかっただろう。博士課程での指導教員である石田勇治先生（東京大学大学院総合文化研究科・教授）には、最上級の御礼を申し上げたい。人間的にも、学術的にも未熟な私が、何とか本書と博士論文をほぼ同時並行で書き上げることができたのも全て石田先生のおかげである。石田先生に報いるためにも、次は博士論文の出版を目標としたい。

最後に、今回の企画を提案してくださった濱崎誉史朗氏に感謝したい。たったひとりの編集業とは思えない精力的な仕事ぶり、毎月原稿を書き上げるたびにコメントを頂けるという丁寧な心遣いに、私もついつい原稿執筆のペースが上がった。ときに優しく、ときに鋭く、ときにとても厳しい濱崎氏とのやり取りがなければ、わずか執筆２年で本書が日の目を見ることもなかったであろう。

2020年7月中旬　現任校に着任早々、新型コロナウイルス感染症下での遠隔授業の準備に日々追われながら。

衣笠太朗 著

1988 年、鳥取県生まれ。博士 (学術)。専門はシュレー
ジエン／シロンスク史、中・東ヨーロッパの近現代史、
ナショナリズム史。静岡大学人文学部、神戸大学大学
院人文学研究科修士課程を経て、東京大学大学院総合
文化研究科博士課程を修了。元日本学術振興会特別研
究員 (DC2)。現在は秀明大学学校教師学部助教。主
な業績は「上シレジアにおける「ドイツ人の追放」と
民族的選別——戦後ポーランドの国民国家化の試み」
(査読論文、2015 年)、「第一次世界大戦直後のオーバー
シュレージエン／グルヌィシロンスクにおける分離主
義運動」(博士論文、2020 年) など。

メールアドレス：taro.kinugasa@gmail.com
Twitter：@lotzun_DeuPol

旧領土スタディーズVol.1

旧ドイツ領全史

「国民史」において分断されてきた「境界地域」を読み解く

2020 年 9 月 1 日　初版第 1 刷発行
2024 年 1 月 1 日　初版第 6 刷発行
著者：衣笠太朗
地図：衣笠太朗
装幀＆デザイン：合同会社パブリブ
発行人：濱崎誉史朗
発行所：合同会社パブリブ
〒 103-0004
東京都中央区東日本橋 2 丁目 28 番 4 号
日本橋 CET ビル 2 階
03-6383-1810
office@publibjp.com
印刷＆製本：シナノ印刷株式会社